Bewegungen

Ein Handbuch zur Kunst der Moderne

Mit 266 Abbildungen
159 in Farbe

AMY DEMPSEY

E. A. Seemann

Inhalt

Für Justin Saunders

Abbildungen auf dem Einband:
Henry Moore, *Reclining Figure*, 1936
Foster & Partners, Hong Kong and Shanghai Building Corporation
Headquarters, 1979–1986. Foto Ian Lambot
Robert Smithson, *Spiral Jetty*
©Estate of Robert Smithson/VAGA, New York/DACS, London 2002
Ernst Ludwig Kirchner, *Eisenbahnunterführung in Dresden-Löbtau*,
1910, G171
© Dr. Wolfgang und Ingeborg Henze Ketterer, Witrach/Bern
Seite 1: Piero Manzoni, *Living Sculpture*, 1961
Seiten 2–3: Gerhard Richter, *Abstraktes Bild* (Detail), 1999

Die Deutsche Bibliothek – CIP-Einheitsaufnahme
Ein Titeldatensatz für diese Publikation ist bei
Der Deutschen Bibliothek erhältlich.

ISBN 3-363-00762-0

© 2002 Thames & Hudson Ltd. London
Published by arrangement with Thames and Hudson Ltd, London
Titel der Originalausgabe: Styles, Schools and Movements.
An Encyclopaedic Guide to Modern Art

www.dornier-verlage.de
© der deutschen Ausgabe 2002 by E. A. Seemann Verlag, Leipzig,
Der Seemann Verlag ist ein Unternehmen
der Verlagsgruppe Dornier.
1. Auflage

Übersetzung: Inge Uffelmann, Monika Zemke (S.6–53),
Edith Ulferts (Glossar)
Lektorat: Berliner Buchwerkstatt, Ivana Jokl/Vera Olbricht
Layout & Herstellung: Berliner Buchwerkstatt, Ulrike Sindlinger
Umschlaggestaltung: Morian & Bayer-Eynck, Coesfeld
Druck und buchbinderische Verarbeitung: CS Graphics, Singapore

Gedruckt auf alterungsbeständigem Papier
mit chlorfrei gebleichtem Zellstoff
Die Schreibweise entspricht den Regeln der neuen Rechtschreibung

Vorwort

Das zur Beschreibung moderner Kunst – vom Impressionismus zur Installation, von den Nabis bis zum Neo-Expressionismus, vom Symbolismus bis zum Hyperrealismus – verwendete Vokabular hat sich zu einer fachspezifischen und oft abschreckenden Sprache entwickelt. Stile, Schulen und Bewegungen sind selten in sich geschlossen oder einfach zu definieren; sie sind manchmal gegensätzlich, überschneiden sich häufig und sind immer komplex. Dennoch existiert ein Gefüge von einzelnen Stilen, Schulen und Richtungen, und es zu verstehen, ist die Grundlage jeder Diskussion über moderne Kunst.

Die Definition bleibt der beste Weg bei der »Kartografie« eines offenkundig komplexen und mitunter schwierigen Themas. Dieses Buch ist als eine breit angelegte Einführung, als ein persönlicher Überblick und Leitfaden für eine der dynamischsten und aufregendsten Kunstepochen gedacht.

Die in diesem Handbuch zusammengetragenen 300 Stile, Schulen und Bewegungen zeigen die wichtigsten Entwicklungen in der westlichen Malerei, Bildhauerei, Architektur und dem Design. Die Themen werden weitgehend in chronologischer Reihenfolge dargestellt, vom Impressionismus im 19. Jahrhundert bis hin zur Earth Art, Klangkunst und Internetkunst im 21. Jahrhundert.

Die Hauptstichworte dieses Buches analysieren 100 der wichtigsten Stile und Tendenzen der modernen Kunst. Sie erkunden die Forderungen der Künstlermanifeste, das Ausstellungswesen, die Urteile der Kritiker und des Publikums. Den Kontext hierzu bilden historische und kulturelle Gegebenheiten, biografische Informationen und eine Reihe möglicher Interpretationen der Kunst selbst. Alle diese Informationen sind nützlich, da Kunst nicht in einem Vakuum geschaffen und rezipiert wird.

Am Ende eines Hauptstichworts befindet sich eine kurze, präzise Aufstellung bedeutender internationaler Sammlungen, der wichtigsten Werke und aktuelle Literatur zur tiefer gehenden Beschäftigung. Ausgiebige Querverweise innerhalb der Texte ermöglichen es den Lesern, verwandte Richtungen zu vergleichen und Einflüsse und Entwicklungen durch die Epoche zu verfolgen.

Jeder Leitfaden der modernen Kunst steht vor der Schwierigkeit, dass Klassifizierungen und Grenzen fließend sind und nicht immer von den Künstlern wahrgenommen oder gar selbst kreiert werden. Obwohl viele Künstler sich in Gruppen zusammenschlossen oder Manifeste formulierten, wurden einige der bekanntesten Begriffe, die heute in Gebrauch sind, zuerst von Kritikern, Kuratoren, Sammlern oder Mäzenen verwendet. Impressionismus und Fauvismus sind Bezeichnungen, die von sarkastischen Kritikern geprägt wurden. Verschiedene Gruppen, so Les Vingt und der Salon de la Rose+Croix, waren Ausstellungsgemeinschaften, Post-Impressionismus ist mehr ein Zeitraum als ein Stil, Video ein Medium und das Bauhaus eine Bildungseinrichtung.

Eine Klassifizierungen und Auswahl, die auf persönlichen Kriterien beruht, provoziert meist eine Debatte. Doch welches implizite Urteil auch der Einbeziehung oder dem Ausschluss eines bestimmten Künstlers oder Stils stillschweigend unterliegt – es ist wichtig, daran zu denken, dass die Auswahl der hier in den Grundzügen geschilderten Themen subjektiv, aber nicht willkürlich ist. Das Ziel besteht darin, den Ursprung der Entwicklung zu zeigen, den Lesern einen Weg in die Welt der modernen Kunst zu weisen und sie mit dem nötigen Rüstzeug auszustatten, eigene Rückschlüsse ziehen zu können.

Obwohl das hier behandelte Gebiet sich hauptsächlich innerhalb der Grenzen von Malerei und Bildhauerei befindet, ist es wichtig, die jeweilige Bedeutung und den Sinnzusammenhang eines Kunstmediums für die vorherrschende Kultur der Zeit zu erkennen. Die Fotografie, die älter als die Ära der Moderne selbst ist, beeinflusst zwar die bildenden und darstellenden Künste der ganzen Epoche, verlangt aber eine vollständigere und ihrem eigenen Wesen entsprechende Behandlung an anderer Stelle.

Die Architektur spielt in diesem Buch eine markante Rolle, nicht zuletzt deshalb, weil Manifeste, Erklärungen und Resolutionen auch oft ihre Ausrichtungen geprägt haben. Während viele Architekturstile eng mit anderen bildenden und darstellenden Künsten verbunden sind – zum Beispiel die Arts-and-Crafts-Bewegung, Art Nouveau, Modernismus und Futurismus – erfordern andere eine ausführlichere Berücksichtigung als selbstständige Richtungen, wie die Chicago School, International Style, Italienischer Rationalismus (M.I.A.R.) und High-Tech.

Die Hauptstichworte sind in der ausklappbaren Zeittafel am Beginn des Buches eingetragen, um auf einen Blick gleichzeitige Stil- und Bewusstseinsschichten zu zeigen. Da die Anfänge und Endpunkte vieler Kunstrichtungen nicht exakt zu bestimmen sind, ist ihre Dauer auf der Zeittafel in Durchschnittswerten angegeben.

Drei Hauptstilrichtungen mit gemeinsamen charakteristischen Merkmalen sind auf der Zeittafel hervorgehoben.

»Kunst für den Menschen« umfasst Stile und Bewegungen, bei denen sich Künstler, Architekten und Designer der Schaffung einer alles umfassenden modernen Lebensumgebung gewidmet haben. »Kunst und Stil« bringt Gruppen von Künstlern zusammen, die nach neuen Wegen zur Beschreibung der sich wandelnden Welt suchen. »Kunst und Gefühl« vereinigt experimentelle Künstler, deren Ziel es ist, die innere Gefühls- und Geisteswelt darzustellen.

Am Ende des Buches werden grundlegende historische Informationen über weitere 200 Stile und Richtungen bereitgestellt, von denen viele eine nationale Tradition haben – zum Beispiel die Schule von St. Ives in Großbritannien, die deutsche Stupid-Group, die Gruppe Praesens in Polen, die Gruppe BMPT in Frankreich, die Scuola Romana von Italien, die schwedische Halmstad-Gruppe und Spaniens Equipo Crónica. Ihre Tätigkeiten werfen häufig erhellendes Licht auf die Hauptströmungen.

Das Stichwortverzeichnis enthält nicht nur alle genannten Richtungen, sondern auch über 1000 Künstler, Architekten, Designer, Impresarios, Kritiker, Sammler und Fürsprecher der modernen Kunst und verknüpft so Stile, Schulen und Bewegungen mit den Namen der Menschen, die sie geschaffen haben.

1860-1900

Aufstieg der Avantgarde

Camille Pissarro in seinem Studio in Eragny, um 1897

Impressionismus

Der Impressionismus entstand im April 1874, als sich eine Gruppe junger Künstler in Paris, enttäuscht über den ständigen Ausschluss ihrer Werke von den offiziellen Salons, zusammenschloss, um im Studio des Fotografen Félix Nadar ihre eigene Ausstellung durchzuführen. Claude Monet (1840–1926); Pierre-Auguste Renoir (1841–1919); Edgar Degas (1834–1917); Camille Pissarro (1830–1903); Alfred Sisley (1839–1899); Berthe Morisot (1841–1895) und Paul Cézanne (1839–1906; siehe auch Post-Impressionismus) waren unter den 30 Malern, die als Société Anonyme des Artistes Peintres, Sculpteurs, Graveurs etc. ausstellten. Andere bedeutende französische Impressionisten, die später hinzukamen, waren unter anderem Jean-Frédéric Bazille (1841–1870), Gustave Caillebotte (1848–1894) und die Amerikanerin Mary Cassatt (1844–1926).

Die Ausstellung des Jahres 1874 wurde vom Publikum mit einer Mischung aus Neugier und Verwirrung aufgenommen und von der Boulevardpresse verhöhnt. Der Titel von Monets *Impression, Soleil levant* (um 1872) lieferte dem spöttischen Kritiker Louis Leroy den Namen für die Gruppe, »Impressionisten«. Jahre später erzählte Monet die Geschichte, die hinter der Namensgebung des Bildes stand:

> Sie wollten seinen Titel für den Katalog wissen; [weil] es nicht wirklich als eine Ansicht von Le Havre durchgehen konnte. Ich erwiderte: »Bezeichnen Sie es mit Impression« [Eindruck]. Irgendjemand leitete »Impressionismus« davon ab, und so begann der Spaß.

Die skizzenhafte Ausführung und die scheinbare Unfertigkeit ihrer Werke, die viele frühe Kritiker beanstandeten, waren genau die Eigenschaften, die freundlich gesonnene Kritiker später für ihre Stärke halten würden.

Was diese Gruppe aus verschiedenen Künstlern verband, war der ablehnende Widerstand des künstlerischen Establishments und dessen ausschließliches Recht zu bestimmen, wer ausgestellt werden durfte. Zum Ende des 19. Jahrhunderts förderte die Akademie noch immer die Ideale der Renaissance, nämlich, dass das Kunst-

objekt edel oder lehrreich sein müsse und dass der Wert eines Kunstwerks nach der beschreibenden »Ähnlichkeit« mit den natürlichen Bildgegenständen bewertet werden könne.

Das Vorgehen der Impressionisten – ihre Abwehr der Konventionen und der kulturellen Torwächter durch eine unabhängige Ausstellung – wurde zum Vorbild für die Neuerer des folgenden Jahrhunderts. Ebenso verbreitete sich das Prägen eines Begriffs mit der Endung »-ismus« zur Benennung einer radikalen neuen Kunstform durch einen sarkastischen oder entrüsteten Kritiker.

Paris entwickelte sich in der Mitte des 19. Jahrhunderts zur ersten in jeder Hinsicht wirklich modernen Metropole. Viele impressionistische Werke fingen diese Pariser Stadtlandschaft ein. Die Rolle der Kunst in einer veränderten Gesellschaft war das Thema der künstlerischen, literarischen und sozialen Debatten, und die Impressionisten waren selbstbewusst und modern, bezogen auf die neuen Techniken, Theorien, Praktiken und die Vielfalt der Bildgegen-

Oben: Auguste Rodin, *Kauernde Frau*, 1880–1882
Wie die Impressionisten sucht Rodin in seinem Werk den Reiz des Unfertigen, der die Vollendung des Werks der Vorstellungskraft des Betrachters überlässt. Monets erster Erfolg stellte sich ein nach einer gemeinsamen Ausstellung mit Rodin im Jahre 1889, und Rodins Ruhm trug zur Anerkennung des Impressionismus außerhalb Frankreichs bei.

Gegenüber: Claude Monet, *Impression, Sonnenaufgang*, um 1872–1873
Nach dem Titel dieser Ansicht des Hafens von Le Havre im Morgennebel, die 1874 ausgestellt wurde, bezeichnete der Kritiker Louis Leroy die Gruppe als »Impressionisten«. Die Skizzenhaftigkeit und das scheinbar Unvollendete wurden von den zeitgenössischen Kritikern verspottet.

stände. Das Interesse an der Wiedergabe des optischen Eindrucks einer alltäglichen Szenerie – eher zu malen, was das Auge sah, als das, was der Künstler wusste – war ebenso revolutionär wie die Praxis, im Freien zu arbeiten (anstatt ausschließlich im Atelier), um das atmosphärische Spiel von Licht und Farben einzufangen. Die Aufgabe historischer oder allegorischer Themen und das Festhalten eines alltäglichen Augenblicks – um etwas zu schaffen, was Monet »eher ein spontanes Werk als ein geplantes« bezeichnete – kennzeichnete den völligen Bruch mit den üblichen Bildthemen und Malpraktiken.

Das Werk von Edouard Manet (1832–1883) hatte bedeutenden Einfluss auf die Impressionisten. Manet lehnte einen einzigen Fluchtpunkt im Bildaufbau zugunsten einer »natürlichen Perspektive« ab, und seine scheinbar unverständlichen oder unvollständigen Themen verletzten bewusst die klassischen Ideale. Er verstieß mit seiner groß angelegten Porträtierung eines »unwichtigen« Gegenstandes auch gegen die Gattungshierarchie. Vor allem legte er großen Wert darauf, zeitgenössische Empfindungen wiederzugeben. Als *Olympia* (1863–1865) ausgestellt wurde, waren konservative Kritiker über seine Art der Ausführung eines traditionellen Bildthemas (den weiblichen Akt) empört.

Die Werke anderer, wie die von Camille Corot (1796–1875) sowie der Schule von Barbizon, Gustave Courbet (1819–1877) und den englischen Malern einer früheren Generation, J. M. W. Turner (1775–1851) und John Constable (1776–1837) eröffneten den Impressionisten Wege, die Wirklichkeit auf ihre Farbenvielfalt hin zu untersuchen. Der Kontrast, die Unschärfe und die fragmentierten Bildausschnitte in der zeitgenössischen Fotografie übten starken Einfluss auf sie aus, wie auch japanische Holzschnitte, die der westlichen Welt fremde Kompositionen, Perspektiven und glatte Farbflächen offenbarten.

Im Laufe der 60er-Jahre des 19. Jahrhunderts nahmen die Impressionisten solche Anregungen auf und entwickelten ihre Malweise, malten häufig gemeinsam oder trafen sich (im Café Guerbois in Montmartre zum Beispiel), um über ihre Arbeit zu diskutieren und ihre Ideen auszutauschen. Zwischen 1874 und 1886 fanden die acht berühmten unabhängigen Ausstellungen ihrer Werke statt, die umgehend die öffentliche Aufmerksamkeit auf sich zogen. Die Reaktion der offiziellen Kritiker war oft feindselig, besonders zu Beginn, aber die Impressionisten hatten einflussreiche Fürsprecher, von denen einige, wie die Schriftsteller Emile Zola und J. K. Huysman,

auch Freunde waren. Sie zogen auch wichtige private Mäzene und Händler an, wie Dr. Paul Gachet (später Vincent van Goghs Arzt in Auvers, siehe Post-Impressionismus) und Paul Durand-Ruel.

Man kann sagen, dass sich in den 70er-Jahren des 19. Jahrhunderts die meisten Impressionisten mit den atmosphärischen Stimmungen der Landschaft auseinander setzten. Zu Beginn der 80er-Jahre des 19. Jahrhunderts vollzog sich jedoch ein Wandel, der gewöhnlich als die »Impressionistische Krise« bezeichnet wird. Viele impressionistische Künstler erkannten zunehmend, dass sie das Bemühen, Licht und Flüchtigkeit atmosphärischer Stimmungen einzufangen, die Darstellung der menschlichen Figur vernachlässigen ließ. Diese Erkenntnis machte die Malweisen variantenreicher. Renoir zum Beispiel wandte sich einem eher klassischen Stil der Figurenmalerei zu; Monet verlieh seinen Figuren mehr Festigkeit und machte sich dann ein analytischeres Herangehen an die optische Wahrnehmung zu Eigen. Die Gruppe begann sich einer breiteren Palette von Gegenständen zuzuwenden. Die Krise, die sich auch auf die jüngere Generation, die zusammen mit den Impressionisten ausstellte, auswirkte, führte später zu radikalen Abweichungen von den ursprünglichen Ideen des Impressionismus. Künstler wie Paul Gauguin (siehe Synthetismus), Paul Cézanne (siehe Post-Impressionismus), Georges Seurat und Paul Signac (siehe Neo-Impressionismus) schufen schließlich ihren eigenen Stil.

Die Entwicklungen der Impressionisten sind am Werk einiger herausragender Künstler zu erkennen. Für viele bleibt Claude Monet der Impressionist par excellence. Seine Gemälde vom Bahnhof *La*

Gare Saint-Lazare (1876–1877), die die moderne Architektur des Bahnhofs mit der neuen amorphen modernistischen Atmosphäre (des Dampfes) kombinieren und gegenüberstellen, werden als die repräsentativsten impressionistischen Bilder angesehen. Monets Interesse am farbwandelnden Spiel des Lichts wurde in anderen Serien deutlicher, die das gleiche Motiv zu verschiedenen Tages- und Jahreszeiten darstellen, wie *Heuhaufen* (1890–1892) und *Pappeln* (1890–1892). In der *Pappel*-Serie vermittelt die kurvenförmige Anordnung der Formen sowohl Tiefe also auch die Flachheit der Oberfläche; die Verwendung der S-Kurve deutet auf Verbindungen zum *Art-Nouveau-Werk dieser Zeit hin. Gegen Ende seines Lebens, in den Jahren von 1914 bis 1923, widmete Monet sich acht riesigen Seerosen-Wandbildern für einen Raum in der Orangerie der Tuilerien,

Oben links: **Edgar Degas, *Frau, die sich das Haar kämmen lässt*, um 1886**
Degas' Interesse am Spiel des Lichts auf dem menschlichen Körper wird in dieser Pastellzeichnung erkennbar. Mindestens ein Fünftel seiner künstlerischen Arbeiten sind Akte.

Oben rechts: **Pierre-Auguste Renoir, *Madame Portalis*, 1890**
Renoir, der erklärte, Malerei sollte »etwas Wohltuendes, Fröhliches und Hübsches, ja Hübsches!« sein, ergötzte sich an feinen, farbenprächtigen Darstellungen von kostbaren Stoffen und der menschlichen Körper. Seine späteren Werke sind jedoch in kräftigeren Farben, mit warmen Rot- und Orangetönen, gehalten und zusammenhängender gestaltet.

Gegenüber: **Berthe Morisot, *Boote bei der Reparatur*, 1874**
In dem Jahr, in dem sie dieses Bild malte, heiratete Morisot den Bruder von Edouard Manet. Sie war ein äußerst engagiertes Mitglied der Impressionistengruppe, beteiligte sich an allen impressionistischen Ausstellungen, bis auf das Jahr 1879, da sie im Jahr zuvor eine Tochter geboren hatte.

Paris. Zusammengehängt umfangen sie den Betrachter mit einem Gefühl von Unendlichkeit – oder, wie Monet es formulierte, mit der »Instabilität des Universums, das sich vor unseren Augen verwandelt«.

Die Pinselstriche, die erst aus einer gewissen Entfernung gegenständliche Wirkung erzeugen, lassen den Betrachter an der Entstehung des Werkes teilhaben, eine entscheidende Konzeption auch für andere künstlerische Ausdrucksformen des 20. Jahrhunderts. Die abstrakte Natur der Seerosen nimmt den *Abstrakten Expressionismus der 40er- und 50er-Jahre des 20. Jahrhunderts vorweg.

Obwohl Renoir in den späten 60er-Jahren des 19. Jahrhunderts ebenso wie Monet Landschaften gemalt hatte, galt sein Hauptaugenmerk immer der menschlichen Gestalt, und sein wichtigster Beitrag zum Impressionismus war seine die impressionistische Form entscheidende Art, Licht, Farbe und Bewegung in Bildern wie *Tanz an der Mühle von la Galette* (1876) umzusetzen. Indem er erklärte, dass Malerei »etwas Wohltuendes, Fröhliches und Hübsches, ja Hübsches!« sein sollte, kehrte Renoir immer wieder zu Szenen von Parisern bei ihren Freizeitvergnügungen zurück, indem er sich an feinen, farbenprächtigen Darstellungen von kostbaren Materialien und

des menschlichen Körpers ergötzte. Um 1883 brach er mit dem reinen Impressionismus und begann, klassische weibliche Akte in einer bestimmteren, weniger sinnlichen Weise zu malen. Auch wenn diese Phase nur von kurzer Dauer war, kombinierte er später sein Interesse am Klassizismus mit den Prinzipien des Impressionismus. Seine Pinselstriche wurden lockerer und gestischer, und einige Kritiker haben Renoirs Spätwerk, ebenso wie das von Monet, als Vorläufer des abstrakten Expressionismus gesehen.

Das Werk von Edgar Degas wurde auf sieben der acht Gruppenausstellungen der Impressionisten gezeigt und dennoch sah er selbst sich immer als Realisten, da, wie er selbst sagte, seine Kunst gar nicht sponan sei, vielmehr auf dem Nachdenken und dem Studium der alten Meister basierte.

Als perfekter Zeichner lernte er von den Impressionisten das Licht gezielt für den Ausdruck der Bewegung einzusetzen. Wie die meisten seiner Kollegen skizzierte auch Degas nach der Natur. Er zog es jedoch vor, seine Arbeit im Atelier zu beenden, da er die Meinung vertrat, dass es »viel besser [war], nur das zu zeichnen, was vor dem geistigen Auge entsteht. In einem solchen Prozess arbeitet

die Vorstellung mit dem Gedächtnis zusammen … Dann sind Gedächtnis und Vorstellung frei von der durch die Natur auferlegten Tyrannei.« Bildanregungen fand Degas in Cafés, im Theater, im Zirkus, auf der Rennbahn und im Ballett. Von allen Impressionisten war Degas am meisten von der Fotografie begeistert. Das lag insbesondere an dem für sie typischen durch den Sucher vorgegebenen Ausschnitt, der Möglichkeit den flüchtigen Augenblick festzuhalten, dem Fragmentarischen von Körper und Raum und der endgültigen Auswahl des Motivs. In den späten 80er-Jahren des 19. Jahrhunderts arbeitete er in der Technik des Pastells und mit einer »Schlüsselloch-Ästhetik«, die ihm zur Porträtierung von Frauen in natürlichen, intimen Posen diente; eine in der Kunstgeschichte bis dahin nicht dagewesene Malweise. Der Kunsthistoriker George Heard Hamilton merkte bezüglich dieser Spätwerke an: »Seine Farben waren tatsächlich sein letztes und größtes Geschenk an die moderne Kunst. Als sein Augenlicht schwand, ging seine Palette an die Maler des *Fauvismus über.«

Berthe Morisot und Mary Cassat waren die prominentesten Frauen, die zusammen mit den Impressionisten ausstellten. Ihre Linienführung und freie Malweise sowie ihr zentrales Thema, das Frauen- und Kinderbildnis, zeigt Verwandtschaft mit dem Werk von Manet und Degas. Cassats Werk scheint aus vielen Quellen zu schöpfen – der Liebe zur Linie der japanischen Holzschnitte, den hellen Farben der Impressionisten sowie der steilen Perspektive und dem Ausschnitthaften von Degas – um einen einzigartigen Stil für ihre typischen zarten, intimen Ansichten des häuslichen Lebens zu schaffen.

Ein weiterer im Ausland lebender Amerikaner, James Abbott McNeill Whistler (1834–1903, siehe auch Dekadenz), war für die Entwicklung des Impressionismus und des Modernismus in Großbritannien von zentraler Bedeutung. Weitaus entschiedener als die französischen Impressionisten trat Whistler dafür ein, dass ein Bild nicht beschreibend, sondern ausschließlich eine Komposition aus Farbe, Form und Linie auf Leinwand sein sollte. Sein *Nocturne in Schwarz und Gold: Die fallende Rakete* (um 1874), das der englische Kunstkritiker John Ruskin mit dem berühmten »dem Publikum ins Gesicht geworfenen Farbtopf« abtat, vereint die impressionistische Vorstellung von Farbe und Atmosphäre mit der flachen dekorativen Beschaffenheit japanischer Holzschnitte. Hiermit kreiert er 20 Jahre vor Monets Kathedralen eine denkwürdige Ausdrucksform für atmosphärische Stimmung. Der führende britische Impressionist, Walter Sickert (1860–1942) begann in der Art von Whistler und Degas, bevor er in seinem Werk die dunklere Palette der britischen Landschaftsmalerei-Tradition in etwas Zeitgemäßeres verwandelte.

Der Impressionismus war bis in die späten 80er- und 90er-Jahre des 19. Jahrhunderts ein allgemein anerkannter künstlerischer Stil, der sich in Europa und Nordamerika ausbreitete. Um die Jahrhundertwende war insbesondere Deutschland für Einflüsse von außen empfänglich und die neuen französischen Techniken wurden auf den hier vorherrschenden Naturalismus übertragen. Max Liebermann (1847–1935), Max Slevogt (1868–1932) und Lovis Corinth (1858–

1925) sind die berühmtesten deutschen Impressionisten. In den USA wurde der Impressionismus von Presse, Publikum, Künstlern und Sammlern enthusiastisch aufgenommen. Die bedeutendsten Vertreter des Impressionismus in den USA waren William Merritt Chase (1849–1916), Childe Hassam (1859–1935), Julian Alden Weir (1852–1919) und John Twachtman (1853–1902).

Obwohl Degas und Renoir auch Skulpturen geschaffen haben, schlossen sich Bildhauer dem Impressionismus nicht an. Da der Begriff Impressionismus sich auf den Stil im Allgemeinen und nicht nur auf die Bilder der ursprünglichen Gruppe bezieht, wurden auch Werke des französischen Bildhauers Auguste Rodin (1840–1917) und des Italieners Medardo Rosso (1858–1928) als impressionistisch bezeichnet. Die Oberfläche der Skulpturen ist bei beiden so lebhaft, dass ein Spiel von Licht und Schatten malerisch-impressionistische Wirkung erzeugt sowie fragmentarisch und unvollendet wirkt, ohne jedoch die Form aufzulösen. So werden Arbeiten auf anderen Gebieten, die danach streben, vergängliche Eindrücke einzufangen, als »impressionistisch« bezeichnet (mehr oder weniger berechtigt), wie die Musik von Ravel sowie Debussy und sogar die Romane von Virginia Woolf.

Der Einfluss der Impressionisten ist kaum angemessen zu würdigen. Ihre Aktionen und Experimente kennzeichnet die Ablehnung der tradierten Kunstkonvention und der Werturteile der Kritiker. Künftige Avantgarde-Bewegungen sollten ihrem Beispiel folgen und für künstlerische Freiheit und Erneuerung eintreten. Durch das Malen einer »Vision« – nicht, was man sieht, sondern was Sehen ausmacht – verkündeten sie den Beginn des Modernismus, indem sie einen Prozess einleiteten, der die Konzeption und die Wahrnehmung des Kunstobjekts revolutionierte. Der Impressionismus steht für den Beginn der intensiven Beschäftigung mit Farbe, Licht, Linie und Form eines besonders für die moderne Kunst des 20. Jahrhunderts wichtigen Themas. Darüber hinaus kann der Impressionismus als der Beginn gesehen werden, sich von einer ausschließlich beschreibenden Malerei und Bildhauerei abzuwenden, um so eine neue Sprache und Rolle zu schaffen, ähnlich wie in anderen Kunstformen, der Musik und der Dichtung.

Wichtige Sammlungen
Courtauld Gallery, London
Metropolitan Museum of Art, New York
Musée d' Orsay, Paris
Musée de l' Orangerie, Paris
National Gallery of Art, Washington, D. C.
Philadelphia Museum of Art, Philadelphia, Pennsylvania

Weiterführende Literatur
W. Gaunt, *Impressionismus* (München, 1971)
T. J. Clark, *The Painting of Modern Life: Pairs in the Art of Manet and his Followers* (Princeton, NJ, 1984)
F. Nowotny, *Die großen Impressionisten* (Hamburg, 1995)
B. Thomson, *Impressionism* (2000)
J. Rewald, *Die Geschichte des Impressionismus* (Köln, 2001)

Arts and Crafts

Man sollte nichts im Haus haben,
was man nicht für nützlich oder schön hält.

WILLIAM MORRIS

Die Arts-and-Crafts-Bewegung war eine soziale und künstlerische Reformbewegung, die in der zweiten Hälfte des 19. Jahrhunderts in Großbritannien entstand, sich bis in das 20. Jahrhundert hinein fortsetzte und auch auf den europäischen Kontinent und in die USA übergriff. Ihre Vertreter – Künstler, Architekten, Designer, Schriftsteller, Kunsthandwerker und Philanthropen – versuchten der künstlerischen Formgebung und handwerklichen Herstellung in allen Bereichen der Kunst jene Wertschätzung wiederzugeben, die sie angesichts der fortschreitenden Massenproduktion, die Quantität vor Qualität stellte, weitgehend eingebüßt hatte. Ihre Anhänger und Vertreter wurden weniger durch einen Stil geeint als vielmehr durch ein gemeinsames Ziel – den Wunsch, die Hierarchie der Künste (die Malerei und Bildhauerei bevorzugte) zu stürzen und das Ansehen des traditionellen Kunsthandwerks neu zu beleben und wiederherzustellen, um so eine Kunst zu schaffen, die für alle erschwinglich wäre.

Der führende Repräsentant und Befürworter der Arts-and-Crafts-Bewegung war der Kunsthandwerker, Maler, Dichter und Sozialreformer William Morris (1834–1896). Als leidenschaftlicher Sozialist verkündete Morris: »Ich will nicht Kunst für wenige, genauso wenig wie ich Bildung für wenige oder Freiheit für wenige will.« Gestützt auf die Ideen des Architekten Augustus W. N. Pugin (1812–1852), ein Verfechter der moralischen Überlegenheit der Kunst des Mittelalters, und des Kunstkritikers und Schriftstellers John Ruskin (1819–1900), der das Gewinnstreben und den Eigennutz der zeitgenössischen kapitalistischen Gesellschaft brandmarkte, kam Morris zu der Auffassung, dass Kunst sowohl schön als auch funktional sein sollte. Sein Ideal der reinen und einfachen Schönheit des mittelalterlichen Kunsthandwerks wurde durch die Freundschaft mit den präraffelitischen Malern Edward Burne-Jones (1833–1896) und Dante Gabriel Rossetti (1828–1882) bestärkt, die ebenfalls im Mittelalter (deshalb »Prä-Raffaeliten«) nach ästhetischer Inspiration und moralischer Orientierung suchten.

Das »Red House« [Rotes Haus] (1859) in Bexley Heath, Kent, versinnbildlicht den Beginn der Bewegung. Morris erwarb es von seinem Freund, dem Architekten Philip Webb (1831–1915) für sich und seine Braut.

Das rote Backsteinhaus (daher der Name) mit seinem frei fließenden Umriss, dem Fehlen prätentiöser Fassaden, den ausgewogenen Proportionen und dem Gefühl für einheimische Materialien, der traditionellen Bauweise und den Besonderheiten des Standorts, ist ein Meilenstein zur Wiederbelebung der Wohnhausarchitektur.

Oben: **Philip Webb, »Red House«, Bexley Heath, Kent, 1859**
Das »Red House« war Webbs erste Auftragsarbeit und zählt zu seinen berühmtesten Bauten. Er entwarf auch Möbel, Metallarbeiten und Buntglas für Morris' Firma.

Rechts: **Ein Innenraum mit zwei Tischen von Philip Webb, Ford Madox Browns' »Sussex Chair« und William Morris' »Obst«-Tapete**
Der Innenraum des Hauses The Grange in Fulham, London, ist ganz im charakteristischen Stil und in der Ornamentik der Bewegung, die sich auf mittelalterliche Architektur, Bildteppiche, Buchmalereien sowie schlichte Dekors und Möbel bezog, eingerichtet.

Den Garten gestaltete Morris selber. Die Aufteilung und Ausstattung des Innenraums wurden von Webb, den Morris, Rossetti und Burne-Jones übernommen, wodurch etwas entstand, das Rossetti »mehr ein Gedicht als ein Haus« nannte. Es ist das früheste Beispiel der Idee eines »Gesamtkunstwerks«, das nicht nur für die Arts-and-Crafts-Philosophie, sondern auch für viele andere Bewegungen, wie *Art Nouveau und *Art Déco, von zentraler Bedeutung sein sollte.

Dieses Gemeinschaftsprojekt erwuchs bald zu einem kommerziellen Unternehmen. Im Jahre 1861 gründeten Morris, Webb, Rossetti, Burne-Jones, der Maler Ford Madox Brown (1821–1893), der Landvermesser P. P. Marshall und der Buchhalter Charles Faulkner die Produktions- und Dekorateurfirma Morris, Marshall, Faulkner & Co. (später Morris & Co.). Die antiindustrielle Ausrichtung der Firma beruhte auf der Arbeitsweise der mittelalterlichen Gilden, in denen Handwerker sowohl die Entwürfe anfertigten als sie auch ausführten. Ihr Ziel war es, schöne, nützliche und erschwingliche Gegenstände der Gebrauchskunst zu schaffen, sodass Kunst nicht nur den Wohlhabenden, sondern allen hautnah erfahrbar würde. Die Mitglieder der Firma beschäftigten sich mit dem Entwerfen und der Herstellung von Haushaltsgegenständen, einschließlich Möbeln, Dekorationsstoffen, farbigen Glasfenstern, Möbelstoffen, Teppichen, Kacheln und Tapeten.

Das Neuartige der Arts-and-Crafts-Bewegung war jedoch ihre Ideologie, nicht ihr Stil oder ihr Design, die in Themen und Gegenständen auf die mittelalterliche Architektur und Webtechnik, farbig bebilderten Handschriften sowie schlichte Dekore und Möbel zurückging.

Obwohl die Bewegung die Stellung des Handwerks stärkte und die Achtung vor heimischen Materialien und Traditionen förderte, gelang es ihr jedoch nicht, Kunst für die Massen zu produzieren; ihre von Hand gearbeiteten Produkte waren teuer. In den 80er-Jahren des 19. Jahrhunderts war es möglich, in einem von Webb entworfenen, mit Morris' Tapeten, Keramik von William de Morgan (1839– 1917), Gemälden von Burne-Jones dekorierten Haus zu leben und Kleidung zu tragen, die auf der präraffaelitischen Kleidung basierte – aber nur für die Reichen.

Morris selbst ist am besten bekannt für seine ebenen, regelmäßigen Gestaltungsvorlagen für Tapeten und Kacheln, die sich durch Farbenreichtum und Komplexität auszeichnen. Die fließende, dynamische Linie solcher Entwürfe, besonders bei den Designern der zweiten Generation, Arthur Heygate Mackmurdo (1851–1942, siehe Art Nouveau) und Charles Voysey (1857–1941), beeinflussten später die internationale Art-Nouveau-Bewegung, in der Designer solche Dekorationsmuster entwickelten.

Das Anliegen von Arts and Craft kam am stärksten und wirksamsten in der Baukunst zum Ausdruck. Architekten wie Webb, Voysey, M. H. Baillie Scott (1865–1945), Norman Shaw (1831–1912) und Charles Rennie Mackintosh (siehe Art Nouveau) entwickelten Grundsätze, die später zu Kriterien für die Architekten des 20. Jahrhunderts wurden. In ihnen hieß es, dass das Design von der Funktion bestimmt sein müsse und heimische Bauweisen und Materialien berücksichtigt werden sollten. Neue Gebäude sollten sich in die umgebende Landschaft einfügen und gänzlich von historisierenden Stilrichtungen frei sein. Das Ergebnis war eine Reihe von Gebäuden – besonders Häuser für den Mittelstand – die der Architekturhistoriker Nikolaus Pevsner als »frischer und ästhetisch abenteuerlicher als alles, was zur gleichen Zeit im Ausland gemacht wurde« bezeichnete.

Diese architektonischen Prinzipien gaben in Großbritannien zu Beginn des 20. Jahrhunderts der wachsenden Gartenstadt-Bewegung Auftrieb, die Arts-and-Crafts-Design und Morris' gesellschaftliche Reformideen in großem Stil zusammenbrachte. Die Gartenstadt-Bewegung beruhte auf den Theorien von Ebenezer Howard (1850–1928), wie er sie in seinem äußerst einflussreichen Buch *Tomorrow: a Peaceful Path to Real Reform* 1898 (überarbeitet und neu betitelt als *Garden Cities of Tomorrow* im Jahre 1902) formulierte. Aufgrund seiner sozialpolitischen Ausrichtung befürwortete Howards landesweit die Schaffung kleiner wirtschaftlich autarker Städte mit dem

Links: **Gustav Stickley, Sitzbank, 1905–1907**
Einfachheit, Nützlichkeit und »ehrliche« Konstruktion charakterisierten Stickleys Entwürfe. Indem er den Lehren der englischen Arts-and-Crafts-Designer, insbesondere Morris, folgte, wollte er den Amerikanern »eine Umgebung [verschaffen], die einfache Lebensweise und hehre Gedanken befördert«.

Gegenüber: **C. F. A. Voysey, Tapete mit einer Selbstkarikatur als Dämon, Entwurf von 1889**
Voysey verkaufte 1883 seinen ersten Tapetenentwurf. Sein Erfolg half ihm, sein Einkommen in den schwierigen Jahren als Architekt vor 1895 und nach 1910 aufzubessern.

Ziel, die unkontrollierte Ausbreitung und Übervölkerung der Städte aufzuhalten. Zahlreiche solcher Städte entstanden mit unterschiedlichem Erfolg, und das normale Wohnhaus erhielt die volle Aufmerksamkeit progressiver Architekten im ganzen Land. Das wiederauflebende Interesse an der Wohnhausarchitektur, besonders an der Gestaltung und Bauweise von Arts and Crafts, weitete sich später auch auf Kontinentaleuropa aus. *Das englische Haus* (1904–1905) des deutschen Architekten Hermann Muthesius (1861–1927, siehe Deutscher Werkbund) und die durch *Les Vingt und ihre Nachfolger, La Libre Esthétique, in Brüssel veranstalteten Ausstellungen stellten dem Publikum auf dem Kontinent den neuen britischen Stil vor.

Die Arts-and-Crafts-Bewegung schloss andere englische Architekten- und Designervereinigungen ein. Die Century Guild, 1882 als demokratisches Kollektiv gegründet, zählte zu ihren Mitgliedern Mackmurdo und Selwyn Image (1849–1930), die auch die Zeitschrift *The Hobby Horse* (1884, 1886–1892) herausbrachten. William Lethaby (1857–1931) und Voysey waren Mitglieder der 1884 gegründeten Art Workers' Guild. Die Zielsetzung beider war, »den Bildungsstand in allen bildenden und darstellenden Künsten voranzutreiben ... und Design und Kunsthandwerk auf hohem Niveau zu pflegen und zu bewahren«. Um diese Ziele durchzusetzen und um Auftraggeber zu finden, waren öffentliche Ausstellungen unabdingbar (die Royal Academy stellte keine kunsthandwerklichen Objekte aus). Dies führte im Jahre 1888 zur Gründung der Arts-and-Crafts-Exhibition-Society durch Künstler der zweiten Generation, mit Walter Crane (1845–1915) als ihrem ersten Präsidenten. T. J. Cobden-Sanderson (1840–1922), der 1887 den Namen für die Bewegung prägte, definierte das Hauptziel als »die gesamte Tätigkeit des menschlichen Geistes unter den Einfluss einer Idee, der Idee, dass Leben künstlerisches Schaffen ist« zu bringen. Im Jahre 1893 wurde das Magazin *The Studio* aufgelegt, um das Anliegen und die Entwürfe von Arts and Craft in Großbritannien, Europa und den USA zu verbreiten.

Arts-and-Crafts-Werkstätten, Gegenstücke der britischen Vorläufer, entstanden Ende des 19. Jahrhunderts in den USA. Die Beliebtheit des einfachen, schmucklosen Möbeldesigns von Gustav Stickley (1857–1942) und seiner Werkstatt, die durch die Zeitschrift *The Craftsman* (1901–1916) befördert wurde, ist bis heute ungebrochen. Einfachheit, Nützlichkeit und »ehrliche« Konstruktion waren die zentralen Anliegen der kunstgewerblichen Designer. Im Gegensatz zu Morris lehnte Stickley die Massenproduktion nicht ab. Seine Erzeugnisse, die leichter verfügbar und erschwinglicher waren als die von Morris, konnten in Kaufhäusern erworben, aus Katalogen bezogen und mit Hilfe von im *The Craftsman* veröffentlichten Entwürfen und Anleitungen selbst gefertigt werden.

Die architektonischen Prinzipien von Arts and Crafts – Verwendung landestypischer, heimischer Materialien und Pflege alter Handwerkstraditionen – begünstigten auch in den USA eine regional geprägte Wohnhausarchitektur. Die von den Brüdern Charles (1868–1957) und Henry (1870–1954) Greene in Pasadena und Los Angeles, Kalifornien, hervorragend konstruierten Häuser und die

für diese gestalteten Möbel verkörpern die verfeinerte Westküstenvariante der amerikanischen Arts-and-Crafts-Architektur. Die bedeutendste Persönlichkeit der amerikanischen Wohnhausarchitektur des frühen 20. Jahrhunderts war jedoch Frank Lloyd Wright (1867–1959). Seine in den Vororten von Chicago gelegenen Präriehäuser sind niedrig, weitflächig, mit ineinander übergehenden Räumen, die um einen Kamin herum angelegt sind, und weit überhängenden Dächern. Wright wie auch andere Arts-and-Crafts-Architekten schwebte die Idee eines »Gesamtentwurfs« vor, die ihn auch Einbaumöbel für die Inneneinrichtung entwerfen ließ. Andere populäre Architekten waren William Gray Purcell (1880–1965) und George Grant Elmslie (1871–1952).

Die Ästhetik und Ideale von Arts and Crafts strahlten erfolgreich auch auf Deutschland, Österreich, Ungarn und Skandinavien mit ihrem tradierten und bis heute fortgeführten Kunsthandwerk aus. Die reformerischen Grundsätze von Arts and Crafts wurden mit der maschinellen Produktion gekoppelt und dienten als Ausdruck nationaler Identität. Die Volkskunst wurde wiederbelebt, ebenso wie einfache Formen mittelalterlicher Architektur. Zu den Protagonisten der Bewegung gehörten in Finnland der Künstler Akseli Gallen-Kallela (1865–1931) und der Architekt Eliel Saarinen (1873–1950); in Schweden der Künstler Carl Larsson (1853–1919), in Ungarn Aladár Körösfoi-Kriesch (1864–1920) und in Österreich Josef Hofmann (1870–1956, siehe Wiener Sezession) und Koloman Moser (1868–1918). Die Ideale der Arts-and-Crafts-Bewegung waren wegweisend für viele deutsche *Jugendstil-Werkstätten und schließlich für das *Bauhaus. Beide Bewegungen strebten danach, die »bildenden Künste« mit der angewandten Kunst in einem Gesamtentwurf zu vereinen.

Obgleich die Arts-and-Crafts-Bewegung zur Zeit des Ersten Weltkriegs an Einfluss verlor, blieben die Prinzipien »Zweckmäßigkeit« und »Materialtreue« im Kunsthandwerk weiterhin bestehen. In jüngster Zeit beförderte das Kunstideal von Arts and Crafts das Ansehen der Designer-Hersteller, und seit den 50er-Jahren des 20. Jahrhunderts das Wiederaufleben des Kunsthandwerks in Großbritannien, den USA und Skandinavien.

Wichtige Sammlungen
Metropolitan Museum of Art, New York
Musée d'Orsay, Paris
Tate Gallery, London
Victora & Albert Museum, London
Virginia Museum of Fine Arts, Richmond, Virginia
William Morris Gallery, London

Weiterführende Literatur
S. Adams, *Arts & Crafts: eine außergewöhnliche Kunstbewegung* (Hamburg, 1988)
G. Naylor, *The Arts and Crafts Movement. A study of its sources, ideals and influences on design theory* (1990)
E. Cumming und W. Kaplan, *The Arts and Crafts Movement* (1991)
G. Breuer (Hrsg.), *Arts and Crafts* (Darmstadt, 1994)

Chicago School

*Unserem ästhetischen Wohl wäre sicherlich sehr gedient,
wenn wir einige Jahre auf Ornamente verzichten würden.*

LOUIS SULLIVAN, »ORNAMENT IN ARCHITECTURE«, 1892

Die Chicago School – keine selbst ernannte Bewegung – bestand von etwa 1875 bis 1910 aus einer Gruppe in Chicago tätiger Architekten und Ingenieure. Führende Vertreter waren Dankmar Adler (1844–1900), Daniel H. Brunham (1846–1912), William Holabird (1854–1923), William Le Baron Jenney (1832–1907), Martin Roche (1853–1927), John Wellborn Root (1850–1891) und vor allem Louis Sullivan (1856–1924). Ihr bleibendes Vermächtnis war die Entwicklung des Wolkenkratzers, einer für die Moderne und Amerika charakteristischen Errungenschaft.

Nach dem amerikanischen Sezessionskrieg bot Chicago Architekten einzigartige Möglichkeiten. Die Ausdehnung nach Westen hatte die Wirtschaft der Stadt angekurbelt und die Bevölkerung stark anwachsen lassen; gleichzeitig hatte das große Feuer von 1871 einen Großteil ihres Zentrums vernichtet. Die Bodenpreise waren jedoch sehr hoch und der zur Verfügung stehende Platz begrenzt. Die Lösung war das Hochhaus, das erst durch die Erfindung des Fahrstuhls durch Elisha Graves Otis im Jahr 1853 möglich wurde. Zwei Probleme blieben zunächst bestehen: wuchtiges tragendes Mauerwerk und die Feuergefahr.

Das erste Problem wurde durch die Verwendung einer innenliegenden Metallkonstruktion gelöst. Das Home Insurance Building (1883–1885, 1891 erweitert, 1931 zerstört) von Jenney war das weltweit erste Gebäude, das völlig durch eine innere Metallkonstruktion anstelle der konventionellen tragenden Wände gehalten wurde. Sein mit Mauerwerk ummanteltes Eisen- und Stahlskelett erwies sich auch in größeren Höhen baulich zuverlässig und auch hitzebeständiger als Stahlgussrahmen. Dennoch waren technische Entwicklungen von ästhetischen Fragen nicht zu trennen. Im Tacoma Building von Holabird und Roche (1886–1889, abgerissen) und dem Marquette Building (1895) sowie im Burnham, Root und Charles Atwoods' Reliance Building (1891–1895) wurden die Stahlskelettkonstruktionen mit Glaswänden verkleidet, die sowohl die innere Struktur widerspiegelten als auch deren Leichtigkeit betonten. Die Verwendung von Metallkonstruktionen verringerte den Bedarf an Stützmauern und öffnete die Fassaden – Neuerungen, die später das ganze Land durchziehen und in den 50er-Jahren des 20. Jahrhunderts die amerikanischen Städte verändern sollten (siehe International Style). Auch das Äußere der Gebäude veränderte sich. Um

D. H. Burnham & Co., Reliance Building, Chicago, 1891–1895
Das 14-geschossige Gebäude, ursprünglich nur mit vier Etagen errichtet, wurde 1894 durch den Designer Charles B. Atwood und den Hochbauingenieur E. C. Shankland erweitert. Schließlich erreichte das Gebäude eine Höhe von 61 Metern. Seine Stahlkonstruktion gestattete den maximalen Einsatz von Glas.

das Stahlgerüst zu betonen verkleideten die Architekten der Chicago School es (häufig mit Terrakotta), die charakteristischen Chicago-Fenster entstanden (große, dreiteilige Fenster mit einem breiten feststehenden Mittelteil und zwei seitlichen Schiebefenstern), des Weiteren verwandten sie eine äußerst einfache Außendekoration.

Keine andere Partnerschaft dieser Zeit wurde so zum Synonym der Chicago School wie das Team Adler-Sullivan. Der weltgewandte und kultivierte Adler, dessen sozialistische Ideen auf William Morris (siehe Arts and Crafts) zurückgingen und dessen technisches Können berühmt war, bildete die ideale Ergänzung zu dem kompromisslosen und visionären Sullivan, dessen Bücher gelegentlich den Eindruck eines Propheten in der Wüste vermittelten. Sowohl das Wainwright Building (1890–1891) in St. Louis, Missouri, als auch das Guaranty Building (1894–1895, jetzt das Prudential Building) in Buffalo, New York, galten in ihrer Form als zukunftsweisend. Das bei diesen Gebäuden auftretende bauliche Problem in der künstlerischen Gestaltung, das ein aus horizontalen Schichten bestehendes vertikales Gebäude aufwirft, wird mit radikaler Direktheit gelöst. Die horizontalen Schichten werden durch die Verzierung unterhalb des Fenstergesimses und das dekorative Fries wie auch den hervorragenden Sims darüber betont. Die Vertikalität

Louis Sullivan, Carson, Pirie Scott & Co., Chicago, 1899 und 1903–1904
Sullivan verglich die Schaufenster des Warenhauses mit Bildern und entwarf daher prächtige »Rahmen« für die untere Fassade des Gebäudes. Viele seiner Entwürfe wurden von George Elmslie ausgeführt.

des Stahlskeletts wird in der säulenartigen Gesamtgliederung des Gebäudes mit den drei Teilen Basis, Schaft und Kapitell betont.

Die Gebäude veranschaulichen Sullivans in seinem Essay *The Tall Office Building Artistically Considered* (1896) formulierte These, dass die Form der Funktion folgen solle. Eine These, die bauliche, praktische und soziale Erwägungen beinhaltete. Er scheute Ornamente nicht – wie er sagte, dass er es hätte tun sollen, und spätere Architekten es taten –, sondern versuchte sie so in die Ausführungen des Gebäudes einzubeziehen, dass sie wie aus der Substanz des Materials hervorgetreten wirkten.

Besonders augenfällig ist die Ausschmückung an Sullivans Meisterwerk, dem Kaufhaus Schlesinger and Mayer (heute Carson, Pirie, Scott & Co.), das er in zwei Etappen (1899 und 1903–1904) ausführte. Die Stahlskelettkonstruktion kommt durch die äußere Betonung der vertikalen und horizontalen Linien wirkungsvoll zur Geltung, wobei die Bürowände der oberen Etagen schmucklos und die großen Schaufenster der ersten drei Etagen mit aufwendigen gusseisernen Verzierungen im Stil des *Art Nouveau eingerahmt sind. Kein anderes Gebäude verkörpert sein Ansinnen, das Natürliche und das Industrielle zu versöhnen, so deutlich oder rechtfertigt seinen Ruf sowohl als Vater des modernen Funktionalismus als auch der organischen Architektur mehr.

Der Tod Adlers im Jahre 1900 ließ Sullivan als eine isolierte und zunehmend schwierige Persönlichkeit zurück und letztlich blieben die Aufträge aus. Gleichzeitig erlebte der neo-klassische Baustil in den USA ein Comeback und die Bauform der Chicago School kam aus der Mode. Erst später im 20. Jahrhundert gewannen ihre bahnbrechenden technischen Leistungen und kühnen Entwürfe wieder an Einfluss. Chicago selber blieb jedoch ein fruchtbarer Boden für architektonische Neuerungen. An der Wende zum 20. Jahrhundert führte Sullivans begabtester Schüler, Frank Lloyd Wright, eine andere Gruppe von in Chicago ansässigen Architekten bei der Revolutionierung der Wohnhausarchitektur an: die Prärie-Schule (siehe Arts and Crafts).

Wichtige Gebäude
Louis Sullivan, Warenhaus Carson, Pirie, Scott & Co., State St., Chicago, Illinois
Halabird und Roche, Marquette Building, Dearborn St., Chicago, Illinois
Burnham und Root, Monadnock Block, Jackson Bld., Chicago, Illinois
Charles Atwood, Reliance Building, State St., Chicago, Illinois

Weiterführende Literatur
S. Sherman, *Louis H. Sullivan* (Frankfurt am Main, 1963)
L. H. Sullivan, *Ornament und Architektur* (Tübingen, 1990)
H. Morrison und T.J. Samuelson, *Louis Sullivan: Prophet of Modern Architecture* (1998)

Les Vingt

Wir sind Getreue der Art Nouveau.

L'ART MODERNE

Fernand Khnopff, *Die Kunst. Die Sphinx* (Des Caresses), 1896
Dieser Augenblick ist mehr von der Phantasie des Künstlers als von einer
literarischen Quelle inspiriert. Die Sphinx liebkost Ödipus, der sich sträubt.
Er denkt entweder über ihr Rätsel nach oder hat es schon gelöst. In der nach-
homerischen Geschichte löst Ödipus das Rätsel und die Sphinx bringt sich um.

Die als Les Vingt (Die Zwanzig) bekannte Gruppe wurde von
20 progressiven Malern, Bildhauern und Schriftstellern in Brüssel
gebildet. Sie schlossen sich von 1883 bis 1893 zusammen, um innovative Kunst aus Belgien und dem Ausland auszustellen und zu fördern. Zu den ursprünglichen 20 Mitgliedern gehörten James Ensor
(1860–1949, siehe Symbolismus), Alfred William Finch (1854–
1930), Fernand Khnopff (1858–1921) und Théo van Rysselberghe
(1862–1926). Der Anwalt Octave Maus (1856–1919) brachte die
Gruppe, deren Mitglieder in unterschiedlichen Stilen arbeiteten,
zusammen, um ein Forum für avantgardistische Kunst, Musik,
Dichtung und Kunstgewerbe zu schaffen.

Maus publizierte schon zuvor seine Ansichten über zeitgenössische Kunst in der Zeitschrift *L'Art Moderne* (1881–1914), die er mit
seinem Freund, dem Anwalt Edmond Picard (1836–1924) heraus-
brachte. Die Zeitschrift diente Maus und Picard als Sprachrohr für
ihre Angriffe auf die der Tradition verpflichteten Akademie und auf
die offiziellen Salons, indem sie für die Einbeziehung der Kunst in
das tägliche Leben Propaganda machten. Zermürbt durch die feind-
selige Reaktion der Kritik auf die Sprachgewalt der Herausgeber,
verließen einige der konservativeren Mitglieder von Les Vingt die
Gruppe. An ihre Stelle traten schnell andere, darunter die Belgier
Anna Boch (1848–1926), Félicien Rops (1833–1898), Henry van
de Velde (1863–1957, siehe Art Nouveau) und Isidor Verheyden,
der französische Bildhauer Auguste Rodin (1840–1917, siehe Impressionismus), der französische *Neo-Impressionist Paul Signac

(1863–1935) und der holländische Symbolist Jan Toorop (1858–
1928). Alles in allem zählte die Gruppe während ihres zehnjährigen
Bestehens 32 Mitglieder.

Gemeinsam mit dem Maler van Rysselberghe und dem Dichter
und Kritiker Emile Verhaeren organisierte Maus jedes Jahr von 1884
bis 1893, dem Jahr, in dem sich die Gruppe auflöste, im Februar eine Ausstellung. Die Eröffnungsausstellung legte die Tagesordnung
fest, indem sie Arbeiten von Les-Vingt-Mitgliedern gemeinsam mit
Werken von etablierten und aufstrebenden internationalen Künstlern präsentierte. Gleichzeitig wurden dem Publikum neue Stile der
modernen Kunst vorgestellt. Unter den 126 geladenen Künstlern,
die sich beteiligten, waren: Rodin, Whistler, Monet, Renoir und
Pissaro (siehe Impressionismus); Redon (siehe Symbolismus); Denis
(siehe Nabis); Anquetin und Bernard (siehe Cloisonnismus); Seurat
und Signac (siehe Neo-Impressionismus); Gauguin (siehe Synthetismus); Toulouse-Lautrec, Cézanne und van Gogh (siehe Post-Impressionismus); und Crane (siehe Art Nouveau). Dieser Informati-
onsaustausch brachte eigene Spielarten des Symbolismus bei den
Les-Vingt-Künstlern Knhopff, George Minne (1866–1941) und
Rops und eine kurze Begeisterung für den Neo-Impressionismus
bei Boch, Finch, Georges Lemmen (1845–1916), van Rysselberghe und van de Velde hervor. Die Ausstellungen spiegelten das
wachsende Interesse an angewandter Kunst wider, da ab 1892 auch
Kunstgewerbe ausgestellt wurde. Die nach außen gerichtete Ausstellungsgesellschaft Les Vingt war ein wichtiges Vorbild für viele
nachfolgende Gruppen, wie zum Beispiel die *Wiener Sezession.

Nach der Auflösung der Gruppe 1893 machten Maus und van
Rysselberghe mit dem neuen Verband, La Libre Esthétique (1894–
1914), weiter, wobei sie noch größeren Wert auf das Kunstgewerbe
legten. Malerei, Plastik, Möbel und angewandte Kunst besaßen alle

den gleichen Stellenwert. Die erste Ausstellung zeigte auch Werke der englischen *Arts-and-Crafts-Vertreter William Morris, Walter Crane, T. J. Cobden-Sanderson und C. R. Ashbee und Buchillustrationen des *Dekadenz-Künstlers Aubrey Beardsley, gemeinsam mit Gemälden von Toulouse-Lautrec und Seurat. Sogar die Musik war vertreten: Bei der Eröffnung spielte Claude Debussy.

Das Experimentieren und der Gedankenaustausch bewirkten, dass die kontinentale Art Nouveau zuerst in Brüssel, besonders im Schaffen des Architekten Victor Horta (1861–1947) und des früheren zu den Les Vingt gehörenden van de Velde in Erscheinung trat. Die neue Bewegung wurde von *L'Art Moderne* begeistert unterstützt und die Herausgeber, Maus und Picard, bezeichneten sich selbst als »die Getreuen der Art Nouveau«.

Wichtige Sammlungen

Fine Arts Museums of San Francisco, San Francisco, Kalifornien
Musées Royaux des Beaux-Arts, Brüssel, Belgien
Petit Palais, Genf, Schweiz
Kunsthaus, Zürich, Schweiz

Weiterführende Literatur

L. Schoonbaert, James Ensor: *Belgien um 1900* (Ausst.-Kat., Kunsthalle, München, 1989)
Impressionism to Symbolism: The Belgian Avant-garde, 1880–1900 (Ausst.-Kat. Royal Academy of Art, London, 1994)
C. Brown, *James Ensor* (1997)

Neo-Impressionismus

Der Neo-Impressionismus macht keine Punkte, er teilt.

PAUL SIGNAC, 1899

Auf Anregung von Camille Pissarro (1830–1903), einem Mitbegründer der *Impressionisten-Gruppe, wurden Werke seines Sohnes Lucien (1863–1944) und zweier weiterer junger französischer Maler, Paul Signac (1863–1935) und Georges Seurat (1859–1991), in die letzte Ausstellung der Impressionisten 1886 aufgenommen. Die Pissarros hatten Seurat und Signac schon im Jahr zuvor getroffen und alle vier arbeiteten in einem Malstil, der bald von dem Kritiker

Félix Fénéon als Neo-Impressionismus (Neuer Impressionismus) bezeichnet werden sollte.

Die neuen Bilder wurden getrennt von der Hauptausstellung aufgehängt und luden so die Kritiker ein, die alten und neuen Formen des Impressionismus zu vergleichen. Die Strategie war erfolgreich und die Reaktionen wohlwollend. Fénéons Besprechung, die sowohl die Herkunft des impressionistischen Stils als auch die Reaktion auf

Oben: Fernand Khnopff, *Les XX*, Plakat für die Ausstellung von 1891
Khnopff, der das Logo für Les Vingt gestaltete, war sowohl Buchillustrator wie auch Maler. Die Gestalt seiner Schwester erscheint in vielen seiner Frauenbildnisse, wobei ihre verzückten Gesichtszüge eine übernatürliche oder vielleicht auch erotische Ausstrahlung suggerieren.

Gegenüber: Georges Seurat, *Ein Sonntagnachmittag auf der Insel La Grande Jatte*, 1884–1886
Seurats Meisterwerk schafft außergewöhnliche optische Eindrücke, indem kein Teil des ausgewogen komponierten, die ganze Oberfläche bedeckenden Gemäldes zugunsten eines anderen hervorgehoben wird.

impressionistische Techniken hervorhob, war positiv. Paul Adam, ein weiterer Kritiker, schloss seine Rezension mit der Feststellung, dass »diese Ausstellung [uns] in eine neue Kunst einführt«. In den frühen 80er-Jahren des 19. Jahrhunderts spürten viele Impressionisten, dass der Impressionismus bei der Auflösung des Gegenstandes zu weit gegangen und zu flüchtig geworden war. Diese Ansicht teilten auch jüngere Künstler wie Seurat. In seinem Frühwerk *Eine Badeanstalt in Asnières* (1884) versuchte er einerseits die impressionistische Leuchtkraft zu bewahren und andererseits den Gegenstand wiederherzustellen. Obwohl er sich für ein typisch impressionistisches Bildthema – städtisches Freizeitvergnügen – entschieden hatte, sind Seurats sorgfältig komponierte Darstellungen und seine Arbeitsmethode weit von der Spontaneität der impressionistischen Bilder entfernt. In der Tat hat Seurat wenigstens 14 Ölskizzen für dieses Werk angefertigt, bevor er sich endgültig für eine Version entschied, die er nicht im Freien, sondern in seinem Atelier malte.

Nachdem er *Die Badeanstalt* gesehen hatte, besuchte Signac im Jahre 1884 Seurat und sie entdeckten ihr gemeinsames Interesse an der Farbenlehre und Optik. Zusammen begannen sie an ihrer Theorie des »Divisionismus« zu arbeiten. Sie befassten sich mit den wissenschaftlichen Abhandlungen zur Farbentheorie und den Gesetzen der Optik, wie dem *Students' Text-book of Colour: or, Modern Chromatics, with Applications to Art and Industry* (1881) von dem amerikanischen Physiker Ogden Rood und, besonders erwähnens-

wert, *De la loi du contraste simultané des couleurs et de l'assortiment des objects coloriés* (1839) von Michel-Eugène Chevreul. Signac suchte sogar den 98 Jahre alten Chevreul auf, um ihn nach seinen Erfahrungen zu befragen. Chevreul, einst leitender Chefchemiker einer Fabrik für Dekorationsstoffe, hatte durch Beobachtungen beim Weben die Lehre vom simultanen Farbkontrast entwickelt. Die durch eine Farbe stimulierte Netzhaut, so Chevreul, erzeugt ein Nachbild ihrer Komplementärfarbe und diese Kontrastfarben beleben einander. Seurat und Signac griffen das auf. Was die Impressionisten intuitiv entdeckt hatten – dass man durch direktes Aufbringen reiner Pigmente auf die Leinwand eine größere Leuchtkraft und Brillanz der Farbe erreichen kann –, wurde von den beiden Neo-Impressionisten nun wissenschaftlich fundiert.

Davon ausgehend, dass die Farbe im Auge und nicht auf der Palette gemischt wird, perfektionierten sie die Technik für das Aufbringen von Farbpunkten auf die Leinwand so, dass diese sich in angemessener Entfernung im Auge des Betrachters vermischten. Fénéon kreierte den Begriff »Pointillismus« zur Beschreibung dieser Technik, Seurat und Signac nannten sie jedoch »Divisionismus«. Heutzutage wird die Bezeichnung Divisionismus für die Theorie und Pointillismus für die Technik verwendet.

Seurats zukunftsweisendes Ölgemälde *Ein Sonntagnachmittag auf der Insel La Grande Jatte* (1884–1886) wurde in der Ausstellung von 1886 der Öffentlichkeit vorgestellt. Dieses Bild lässt Seurats gei-

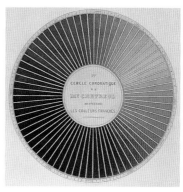

te. Das Werk verbindet die klassische Perspektive der Renaissance mit dem zeitgemäßen Interesse an Licht, Farbe und Oberflächenstruktur.

Die meisten neo-impressionistischen Gemälde sind, wie *La Grand Jatte* veranschaulicht, ausgewogen komponiert und überraschen mit außergewöhnlichen optischen Effekten im divisionistischen Malstil. Da das Auge ständig in Bewegung ist, vermischen sich die Punkte niemals völlig miteinander, sondern erzeugen einen schimmernden, verschwommenen Eindruck, der wie helles Sonnenlicht wirkt. Dieser optische Effekt lässt das Bild scheinbar in Zeit und Raum schweben. Seurat verstärkte diese Illusion häufig durch eine weitere Neuheit: Einen auf die Leinwand gemalten pointillistischen Rand, wobei er auch den Rahmen miteinbezog.

Die Gruppe um Seurat und Signac wuchs schnell und dazu zählten auch folgende Künstler: Charles Angrand (1854–1926), Henri-Edmond Cross (1856–1910), Albert Dubois-Pillet (1845–1890), Léo Gausson (1860–1942), Maximilien Luce (1848–1941) und Hippolyte Petitjean (1854–1929). Signac stand auch einer Reihe *symbolistischer Schriftsteller nahe, zu ihnen gehörten Felix Fénéon, Gustave Kahn und Henri de Régnier, der das neo-impressionistische Schaffen wegen seines Symbolgehalts und Ausdrucks schätzte. Viele Symbolisten und Neo-Impressionisten wie Cross, die Pissarros und Signac sympathisierten mit Anarchisten und illustrierten anarchistisch orientierte Publikationen wie *La Révolte* und *Les Temps Nouveaux*. Die neo-impressionistischen Maler waren weniger militant als Fénéon, der unter dem Verdacht, an den anarchistischen Bombenanschlägen in Paris in den frühen 90er-Jahren des 19. Jahrhunderts beteiligt gewesen zu sein, inhaftiert wurde. Die Maler sympathisierten mit den Anarchisten; sie bildeten in ihrer Kunst das wirkliche Leben ab – Arbeiter, Bauern, Fabriken und soziale Ungleichheit – und schufen Visionen einer harmonischen Zukunft.

Die neo-impressionistische Bildersprache wurde auch durch progressive ästhetische Theorien der Zeit, wie die von Charles Henry und anderen beeinflusst, die sich mit physiologischen Reaktionen, hervorgerufen durch Linien und Farben beschäftigten. Den Theorien zufolge bewirkten horizontale Linien Ruhe, aufsteigende Linien Fröhlichkeit und abfallende Linien Traurigkeit. Die Ideen der emotionalen Möglichkeiten der Linie werden in einem Werk wie Seurats *Le Chahut* (1889–1890) offenkundig. Im Jahre 1890 schrieb Seurat:

> Kunst ist Harmonie. Harmonie ist Ausgleich der Gegensätze und Ähnlichkeiten in Ton, Farbe, Linie. Die verschiedenen Harmonien werden zusammengestellt zu Ruhe, Fröhlichkeit und Traurigkeit!

Nur ein Jahr später starb Seurat im Alter von 31 Jahren. Die Freundschaft mit Signac und Pissarro war durch einen Streit über

stige Nähe zum Impressionismus, aber auch seine Kritik an dessen Grenzen und seinen eigenen künstlerischen Stil erkennen. Die überlebensgroße Szenerie verbindet zwar die bekannten impressionistischen Themen wie Landschaft und Freizeitvergnügen, doch zeigt es weniger den flüchtigen Augenblick als vielmehr einen Hauch von Ewigkeit. Diese Spannung zwischen der zeitlichen und zeitlosen Aura war, wie Seurats Erläuterung des Bildes zeigt, durchaus beabsichtigt: »Phidias' Panathenaea war eine Prozession. Ich will den modernen Menschen in gleicher Weise auf das Wesentliche reduziert auf Friesen zeigen.« Einige Betrachter waren angesichts der Stilisierung der Figuren völlig fassungslos, andere wiederum sahen eben darin eine Kritik an den starren Lebensformen und der vorherrschenden sozialen Haltung. Seurat selbst definierte Malerei als »die Kunst, eine Oberfläche auszuhöhlen«, und in *La Grande Jatte* erzeugte er einen tiefen, unendlichen Raum, den er mit dem Eindruck der Flachheit und der wechselnden Perspektiven kontrastier-

Oben links: Georges Seurat, *Letzte Studie für »Le Chahut«*, 1889
Seurats Interesse an den emotionalen Ausdrucksmöglichkeiten der Linie ist hier offensichtlich: Die warmen Farben und die nach oben gerichteten Beine der Tänzerinnen sollen Fröhlichkeit vermitteln.

Oben rechts: Michel-Eugène Chevreul, *Premier cercle chromatique, aus seiner Studie Des Couleurs et de leurs applications aux arts industriels*, 1864
Chevreuls »chromatischer Kreis« zeigte erstmals, dass alle Farben benachbarte Farben mit ihren eigenen Komplementärfarben tönen.

Gegenüber: Paul Signac, *Porträt von Félix Fénéon vor einem rhythmischen Hintergrund mit Takten und Winkeln, Tönungen und Farben*, 1890
Der Anarchist und Kritiker Félix Fénéon war der erste große Meister und Mäzen der Neo-Impressionisten. Er war es, der den Begriff »Pointillismus« prägte, obwohl die Künstler ihren eigenen Begriff »Divisionismus« vorzogen.

die Urheberschaft der neo-impressionistischen Techniken stark belastet worden. Seurat wurde in seinem letzten Lebensjahr zum Einsiedler und die Kritiker schienen das Interesse an seinem Werk verloren zu haben. Sein Einfluss auf künftige Kunstströmungen war jedoch bedeutend. Die neue bildhafte Sprache erwies sich als verführerisch und sein Stil begann sich nach seinem Tod über Frankreich hinaus auszuweiten, auch wenn die ursprünglichen Verfechter sich in andere Richtungen bewegten.

Werke von Seurat und Pissarro wurden in einer von *Les Vingt 1887 in Brüssel organisierten Ausstellung gezeigt. Signac und Dubois-Piller stellten 1888 dort aus und Seurat nochmals 1889, 1891 und 1892 (eine Gedenkausstellung). Einige Mitglieder von Les Vingt – Alfred William Finch (1854–1930), Anna Boch (1848–1926), Jan Toorop (1858–1928), Georges Lemmen (1865–1916), Théo van Rysselberghe (1862–1926) und kurzzeitig Henry van de Velde (1863–1957, siehe Art Nouveau) experimentierten mit neo-impressionistischen Techniken. Der Divisionismus verbreitete sich durch die Werke von Giovanni Segantini (1858–1899) und

Gaetano Previati (1852–1920) auch in Italien, wo er an der Entstehung des *Futurismus beteiligt war.

In Frankreich erblühte 1899 der Neo-Impressionismus mit der Veröffentlichung von Signacs *D' Eugène Delacroix au Néo-Impressionisme* [*Von Eugène Delacroix bis zum Neoimpressionismus*] zu neuem Leben. In diesem Buch erläuterte er einer neuen Künstlergeneration die Arbeitsweise der Neo-Impressionisten:

Nun, teilen bedeutet:

Sich selbst aller Vorzüge der Leuchtkraft, der Farbgebung und der Harmonie zu versichern durch:

1. Die optische Mischung von ausschließlich reinen Pigmenten…
2. Die Trennung der tatsächlichen Farben von der Farbe des Lichts, Spiegelungen usw. …
3. Das Gleichgewicht dieser Elemente und ihrer Verhältnisse (nach den Gesetzen von Kontrast, Abtönung und Ausleuchtung);
4. Die Wahl eines der Größe des Gemäldes entsprechenden Pinselstrichs.

Viele Künstler, darunter Vincent van Gogh, Paul Gauguin und Henri Matisse (der mit Signac 1904 in St. Tropez malte), experimentierten mit neo-impressionistischen Techniken (siehe Post-Impressionismus, Synthetismus und Fauvismus). Der Neo-Impressionismus war so an der Entstehung verschiedener Stile und Bewegungen beteiligt wie Art Nouveau, *De Stijl, *Orphismus, *Synchromismus, Symbolismus, dem *Surrealismus von René Magritte, später sogar am *Abstrakten Expressionismus und der *Pop Art.

Seurat und Signac gehörten zu einer neuen Künstlergeneration, die eine Maltheorie auf eine wissenschaftliche Grundlage stellte. Diese findet sich auch wieder im russischen *Konstruktivismus, der *kinetischen Kunst von László Moholy-Nagy und Jean Tinguely, der *Op Art, wie sie von Victor Vasarely und Bridget Riley und danach von experimentellen Gruppen der 50er- und 60er-Jahre des 20. Jahrhunderts wie *GRAV bestimmt wird.

Wichtige Sammlungen
Jeu de Paume, Paris
Louvre, Paris
Metropolitan Museum of Art, New York
Minneapolis Institute of Arts, Minneapolis, Minnesota
National Gallery, London
Petit Palais, Genf, Schweiz

Weiterführende Literatur
R. L. Rewald, *Post-Impressionismus from van Gogh to Gauguin* (1979)
E. Franz, *Farben des Lichts* (Ausst.-Kat., Kunstsammlungen zu Weimar, 1996/97)
R. Budde, *Pointillismus: auf den Spuren von Georges Seurat* (Ausst.-Kat., WRM, Köln, 1997)

Dekadenz

Das Zeitalter der Natur ist vorüber, denn diese hat endgültig die Geduld aller empfindsamen Gemüter durch die abscheuliche Monotonie ihrer Landschaften und Himmel erschöpft.

DES ESSEINTES IN *GEGEN DEN STRICH* VON JORIS-KARL HUYSMANS, 1884

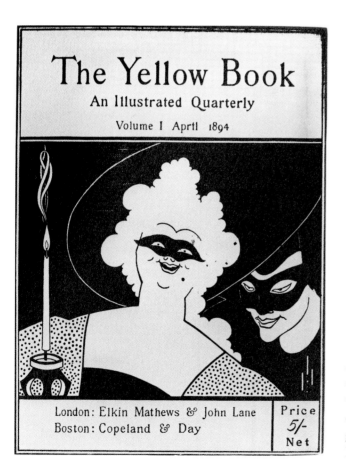

Auch wenn es sich um einen inoffiziellen Begriff handelt, bezeichnet die Dekadenz literarische und künstlerische Erscheinungen des späten 19. Jahrhunderts, die sich in Frankreich mit dem *Symbolismus und in Großbritannien mit dem Aesthetic Movement überschnitten. Literatur und Kunst drücken das mit dem Denken des *Fin de Siècle* verbundene Unbehagen (»malaise«) und die Langeweile (»ennui«) aus und werden durch romantische Visionen des Bösen, des Grotesken, der Sensationsgier und des Lebens als Drama versinnbilicht. Die bildende Kunst ist häufig elegant und phantastisch; die bevorzugten Motive sind exotische Pflanzen und Tiere wie Orchideen, Pfauen und Schmetterlinge, so bei James Abbott McNeill Whistlers (1834–1903) prächtigem Pfauenzimmer (1876/77).

Die Schlüsselfigur der Bewegung des Symbolismus und Ästhetizismus war der französische Dichter und Kunstkritiker Charles Baudelaire (1821–1867), dessen 1857 veröffentlichte Gedichtsammlung »Die Blumen des Bösen« die Gesellschaft durch neue Ideen schockierte. Sein Werk, das der bürgerlichen Gesellschaft im Grunde feindlich gegenübersteht, offenbart ein tiefes Interesse am Morbiden und Perversen und eine Faszination für die Frau als erotische und destruktive Kraft. Er sah das Natürliche dem Künstlichen untergeordnet, weil es das Böse spontan hervorbrachte, während das Gute und Schöne geschaffen werden musste. Für Baudelaire war der moderne Künstler ein Außenseiter, der aus der Langeweile und Verlogenheit des kleinbürgerlichen Lebens in die künstliche Welt der Kultur floh. Mit seiner Ansicht, Kunst brauche nicht moralischen

Zwecken zu dienen, forderte er die Gesellschaft heraus. Baudelaire beschrieb sein eigenes Buch als »in eine unheimliche und kalte Schönheit gehüllt«. Eine Beschreibung, die auf viele Werke der Dekadenzbewegung zutrifft.

Die Entwicklungen der Dekadenzbewegung in der Zeit nach Baudelaire sind in dem Roman *Gegen den Strich* (1884) von Joris-Karl Huysmans (1848–1907), einem früheren Förderer der *Impressionisten, dargestellt. Der Held des Buches, Des Esseintes, ist der Archetypus des dekadenten Ästheten. Er wendet sich völlig von der äußeren Welt ab, um seine eigene künstliche Realität zu schaffen, indem er die Zimmer seines Hauses mit der phantastischen Malerei von Gustave Moreau und Odilon Redon (siehe Symbolismus) ausschmückt: »Evozierende Kunstwerke, die ihn in eine fremde Welt führen, den Weg zu neuen Möglichkeiten weisen und sein Nervensystem mit Hilfe ausgefeilter Phantasien, komplexer Albträume und lieblicher sowie unheimlicher Visionen erschüttern würden.«

Oben: James Abbott McNeill Whistler, Stirnseite aus Harmonie in Blau und Gold: *Das Pfauenzimmer*, 1876–1877
Der rechte Pfau verkörpert Frederick Leyland, den Auftraggeber der Tafel. Whistler (links), der mit ihm in Streit gerät, weist die Gold- und Silberstücke zurück, die Leyland ihm hinwirft.

Gegenüber: Aubrey Beardsley, Umschlaggestaltung für *The Yellow Book*, Band 1, 1894
Walter Crane, ein zeitgenössischer Künstler, beschrieb Beardsleys Stil wie folgt: »Es scheint so, als ob sein Werk von einer eigenartigen, japanisch angehauchten Idee des Diabolischen und Grotesken, wie aus einem Opiumtraum, durchdrungen ist.«

Moreaus Bilder von Salome galten ob ihrer glamourösen Dekadenz und ihrer Erotik als einzigartig. In ihnen vollzieht sich der Übergang: der Kult der Natur wird durch den Kult des Dandys ersetzt, Realität durch Fiktion, reales Leben durch fiktives.

In Großbritannien verbanden sich die französischen Einflüsse mit den Idealen des Aesthetic Movement. Ästheten wie der Schriftsteller Walter Pater (1839–1894) und der in London ansässige amerikanische Maler Whistler folgten Baudelaire in der Ablehnung der Ansicht, die Kunst müsse einem moralischen, politischen oder religiösen Zweck dienen. Wie John Ruskin und William Morris (siehe Arts and Crafts) beharrten sie auf der Idee der Schönheit der Kunst, bestritten jedoch ihren sozialen und moralischen Auftrag. Pater schlug sogar vor, Religion durch die »Religion der Kunst« zu ersetzen. Sein »ästhetischer Held« in *Marius der Epikuräer* (1885) bot ein weiteres Vorbild für Ästheten und Dekadente. Das Ziel der Ästheten bestand darin, das Schöne zu erhöhen, und »Kunst um der Kunst willen« (L'art pour l'art) wurde zum Schlagwort der Bewegung.

Ein Merkmal der Dekadenzbewegung war das starke Gefühl der Verzweiflung und Krise angesichts des *Fin de Siècle*. Künstler wie Albert Moore (1841–1893) und Sir Lawrence Alma-Tadema (1836–1912), fasziniert von den verweichlichten, untergegangenen Zivilisationen der Vergangenheit, der griechischen Antike und dem Rom der späten Kaiserzeit schufen sie äußerst raffinierte Werke vergleichbar denen des Rokoko, dessen Meisterwerke sie bewunderten. Ihre Botschaft besteht darin, dass der einzige Weg aus der Monotonie und dem Verfall im Hedonismus liegt. Für das Großbritannien

Sir Lawrence Alma-Tadema, *Die Rosen von Heliogabalus*, 1888
Heliogabalus – der ausschweifende römische Kaiser Marcus Aurelius
Antonius – »überschüttete seine Schmeichler in einem Bankettsaal mit so
vielen Blumen …, dass einige von ihnen erstickten, weil sie nicht mehr an
die Oberfläche gelangen konnten.«

der 90er-Jahre des 19. Jahrhunderts war das eine äußerst schockierende Aussage, in einem Jahrzehnt, in dem die Dekadenten ihre no-
torische Berühmtheit vor einen zunehmend empörten Bürgertum
zur Schau stellten, was in dem Skandal um Oscar Wilde (1854–
1900) gipfelte. Aubrey Beardsley (1872–1898) war in vieler Hinsicht der Typ des dekadenten Künstlers. Er wurde 1894 durch seine
Illustrationen für Wildes Drama *Salome* berühmt und sein ausgeprägt dekorativer Stil in Schwarz-Weiß versetzte seine Zeitgenossen
ebenso in Erstaunen wie seine lasterhafte Thematik. Sein neuer
Stil, zum Teil von japanischen Holzdrucken und den präraffaelitischen Gemälden von Edward Burne-Jones beeinflusst, war entscheidend für die Entwicklung der *Art Nouveau. Er war kurze Zeit
Herausgeber von *The Yellow Book*, einer Zeitschrift, die Beiträge
zahlreicher Schriftsteller und Künstler veröffentlichte, die mit der
Dekadenzbewegung und der Art Nouveau verbunden waren. Das
war jedoch nicht von Dauer. Die Verbindung mit Oskar Wilde
hatte Beardsley zwar berühmt gemacht, führte aber auch zu seinem
Fall. Als Wilde 1895 wegen Sodomie verurteilt wurde, griffen De-
monstranten die Büros der Herausgeber von *The Yellow Book* an
und Beardsley wurde entlassen. In seinen letzten drei Lebensjahren
(er starb mit 25 Jahren) war er bei einer neuen Zeitschrift, *The Sa-

voy*, beschäftigt, die von Leonard Smithers herausgegeben wurde.
Für diesen schuf Beardsley auch pornografische Illustrationen in
privaten Klassikerausgaben wie Aristophanes' Lysistrata.

Um die Mitte der 90er-Jahre des 19. Jahrhunderts wandte sich
das Kunstinteresse von der »Dekadenz« ab und dem »Symbolismus«
zu. Dies brachte eine Verlagerung der Thematik vom Sinnlichen
zum Spirituellen mit sich. Verführerische Elemente des ästhetischen und dekadenten Denkens wie die Vorstellung vom Künstler
als höherem Wesen, dem Glauben an die Bedeutung der Kunst um
ihrer selbst willen und der Kunst als eine Art Religion setzten sich
jedoch in den verschiedensten Formen im 20. Jahrhundert fort.

Wichtige Sammlungen
Aubrey Beardsley Collection, Pittsburgh State University,
    Pennsylvania
Jeu de Paume, Paris
Louvre, Paris
Metropolitan Museum of Art, New York
National Gallery, London

Weiterführende Literatur
W. Gaunt, *Victorian Olympus* (1952)
W. Gaunt, *The Aesthetic Adventure* (1967)
P. Jullian, *Mythen und Phantasmen in der Kunst des Fin de Siècle*
    (Berlin, 1971)
J. Christian, *Symbolists and Decadents* (1977)
B. Dijkstra, *Das Böse ist eine Frau* (Hamburg, 1999)

Art Nouveau

Bestimmende Linie, betonte Linie, zarte Linie, ausdrucksvolle Linie, gebietende und vereinigende Linie.

WALTER CRANE, 1889

Art Nouveau (Neue Kunst) ist der Name, den die internationale Bewegung erhielt, die sich seit den späten 80er-Jahren des 19. Jahrhunderts bis zum Erstern Weltkrieg in Europa und den USA ausweitete. Nach dem stilistischen Wirrwarr der viktorianischen Zeit und ihrer Beschäftigung mit historischen Stilrichtungen war dies ein entschiedener und erfolgreicher Versuch eine durch und durch moderne Kunst zu schaffen. Eine Kunst, die in der Betonung der Linie – sei sie nun wellenförmig, gegenständlich, abstrakt oder geometrisch – ihren Ausdruck findet. Der Stil durchdringt die unterschiedlichsten künstlerischen Bereiche und das war auch das Ziel der Künstler der Art Nouveau: die Aufhebung der Unterscheidung zwischen schöner und angewandter Kunst.

Sie erhielt in unterschiedlichen Ländern unterschiedliche Namen: *Jugendstil in Deutschland, *Modernismus in Katalonien, Sezessionsstil in Österreich (wegen der *Wiener Sezession), Paling

Stijl (Eel Stil) und Style des Vingt (nach *Les Vingt) in Belgien, Stil Modern in Russland und in Italien Stile Nouille (Nudelstil), Stile Floreal (Floralstil) und Stile Liberte – nach dem Kaufhaus Liberty in London, das durch seine Stoffdrucke viel zum breiten Erfolg beitrug. Der international gebräuchliche Name stammte von der Galerie La Maison de l' Art Nouveau, die 1895 in Paris von Siegfried Bing (1838– 1905) eröffnet wurde, um das Pariser Publikum mit neuer europäischer Kunst und neuen kunsthandwerklichen Objekten vertraut zu machen.

Die Art Nouveau verbreitete sich als ein wirklich internationales Phänomen – unterstützt durch zahlreiche neue Kunstzeitschriften wie *The Studio, The Yellow Book, The Savoy, L' Art Moderne, Jugend, Pan, Art et Décoration, Deutsche Kunst und Dekoration, Ver Sacrum, The Chap-book und Mir Iskusstwa* (siehe Welt der Kunst), die in verschiedenen Ländern entstanden – schnell in Europa und den USA. Internationale Ausstellungen wie die von *Les Vingt in Brüssel (1884–1893), den Sezessionisten in Wien (1898–1905) abgehaltenen, die Exposition Universelle in Paris (1900), die Esposizione Internazionale d' Arte Decorative in Turin (1902) und die St. Louis World's Fair (1902) brachten die neue Kunst einem erwartungs-

Hector Guimard, Bastille Métrostation, Gusseisen und Glas, um 1900
Guimard nahm 1896 an einer Ausschreibung für die Gestaltung der Pariser Metro Stationen teil. Obgleich er den Zuschlag nicht erhielt, bekam er den Auftrag vom Präsidenten der Gesellschaft, der den Art-Nouveau-Stil favorisierte. Seine Stationen wurden bis 1913 gebaut.

vollen Publikum nahe. Obwohl die Art Nouveau ein ausgesprochen moderner Stil war, der den akademischen Historismus des 19. Jahrhunderts ablehnte, zog sie dennoch alte Vorbilder zur Inspiration heran, besonders das zuvor Vernachlässigte oder das Exotische, wie japanische Kunst und Dekoration, keltische und sächsische Buchmalerei und Schmuck sowie gotische Architektur. Ebenso wichtig war der Einfluss der Wissenschaft. Unter dem Einfluss wissenschaftlicher Entdeckungen, besonders denen von Charles Darwin, wurde die Verwendung natürlicher Formen nicht länger für romantisch und eskapistisch gehalten, sondern galt als modern und fortschrittlich. Auch die zeitgenössischen Entwicklungen in der Malerei waren von Bedeutung. Die Künstler und Designer der Art Nouveau standen in enger Verbindung mit den Avantgarde-Bewegungen der Zeit. Die Ausdruckskraft und die Erotik der *Symbolisten Odilon Redon und Edvard Munch, die zarte Linie und hedonistische Dekadenz von Aubrey Beardsley (siehe Dekadenz) und die kühnen Umrisse der *Neo-Impressionisten, der *Nabis, von Paul Gauguin (siehe Synthetismus) und Henri de Toulouse-Lautrec (siehe Post-Impressionismus) sind alle im Schaffen der Art Nouveau zu sehen.

Die Ursprünge der Art Nouveau sind in der britischen *Arts-and-Crafts-Bewegung zu finden, insbesondere im missionierenden Glauben des William Morris an die Bedeutung und den Rang hoher Kunstfertigkeit und seiner Entschlossenheit, die Unterscheidung in schöne und dekorative Künste zu überwinden. Wie Arts-and-Crafts umfasste die Art Nouveau alle Kunstgattungen. Das manifestierte sich in der Architektur, Grafik und angewandten Kunst, wobei sich die Künstler und Befürworter der Art Nouveau, anders als ihre Arts-and Crafts-Vorgänger, neue Materialien und Techniken zu Eigen machten. Aus diesen Anfängen entwickelten sich zwei Hauptströmungen: Die eine griff auf eine verschlungene, asymmetrische Wellenlinie (Frankreich, Belgien) zurück und die andere nahm einen eher geradlinigen Ansatz (Schottland, Österreich) auf.

Viele Designer der Arts-and-Crafts-Bewegung der zweiten Generation, wie C. R. Ashbee, Charles Voysey, M. H. Baillie Scott, Walter Crane und Arthur Mackmurdo stehen für den Übergang von Arts and Crafts zur Art Nouveau. Mackmurdos Stuhllehne und das Titelblatt für *Wren's City Churches* (1883) sind die frühesten Werkbeispiele, die charakteristische Übereinstimmung mit der Art Nouveau aufweisen: Die Einfachheit der Linien, in die Länge gezogene, gebogene Linien, gewagte Farbkontraste, abstrahierte organische Formen und einen Sinn für rhythmische Bewegung.

Während der Blütenstil der Art Nouveau seinen Ursprung in Mackmurdos Schaffen hatte, spielte der einzigartige Stil der Glasgow Four – Charles Rennie Mackintosh (1868–1928), seine Frau Margaret Macdonald (1865–1933), ihre Schwester Frances Macdonald

(1874–1921) und ihr Mann Herbert McNair (1870–1945) – eine direkte Rolle bei der Entwicklung der späteren, geometrischeren Spielart der Art Nouveau. Die vier arbeiteten in unterschiedlichen Bereichen: Malerei, Grafik, Architektur, Innenausstattung, Möbel, Glas, Metallobjekte, Buchillustration und Schmiedeeisen. Die für sie typische zurückhaltende Ornamentierung und die gedämpften Farben, die geschwungenen vertikalen Linien und die stilisierten Rosen-, Ei- und Blattmotive besaßen sehr großen Einfluss.

Der Designer und Architekt Mackintosh war der produktivste der vier. Seine kollektiven Arbeitsmethoden und seine klaren Formen und die in die Länge gezogenen vertikalen Linien und Kurven hatten einen enormen Einfluss auf die Sezessionisten in Wien. Nicht zu bestreiten ist, dass seine integrierten Inneneinrichtungen, sein rein geometrischer Stil in der Architektur, der Inneneinrichtung und dem Möbeldesign viele Entwicklungen des 20. Jahrhunderts in Kunst, Architektur und Design inspiriert hatten.

Die Art Nouveau gelangte in Belgien schnell zur Blüte, wo die fortschrittliche Künstlergruppe Les Vingt ein experimentelles künstlerisches und intellektuelles Klima pflegte. In Brüssel fand der neue Stil seine ersten Vertreter in Victor Horta (1861–1947) und Henry van de Velde (1863–1957). Horta, der »Vater der Art-Nouveau-Architektur«, ist berühmt für die »belgische« oder »Horta«-Linie, die charakteristische »Peitschenhieb«-Kurve, die auch am Haus Tassel (1892–1897) in Brüssel auftaucht, einem Meilenstein im architektonischen Design der Art Nouveau. Es war das erste Wohngebäude, bei dem Eisen in großem Umfang sowohl für bauliche Zwecke als auch für die Inneneinrichtung Verwendung fand. Während das Äußere relativ zurückhaltend anmutet, findet man im Inneren üppige komplexe, geschwungene Oberflächen, von den Buntglasfenstern und Kachelmosaiken bis zur schmiedeeisernen Treppe und Balustrade.

Henry van de Velde war ein bedeutender Vertreter der europäischen Art Nouveau. Sowohl wegen seines abstrakten fließenden Stils gewölbter Linien bei Inneneinrichtungen, Möbeln und Metallarbeiten als auch wegen seiner Förderung der Ideen, die hinter der Art Nouveau standen. Wie Morris, dessen Theorien er kannte, vertrat van de Velde die sozialen Vorteile einer engeren Verbindung von Kunst und Industrie und vertrat leidenschaftlich das Prinzip vom Gesamtkunstwerk: »Wir können unsere Häuser zu einer direkten Wiederspiegelung unserer Wünsche, unseres Geschmacks machen, wenn wir es nur wollen.« Als er 1895 sein eigenes Haus außerhalb von Brüssel baute, verwirklichte er diese Idee, indem er alles, vom Gebäude bis hin zum Speiseservice, gestaltete. Im Jahre 1900 ging van de Velde nach Deutschland, wo er Direktor der Schule für Kunst und Handwerk in Weimar (1902–1914) und 1907 Gründungsmitglied des *Deutschen Werkbundes wurde. Beide Stellungen versetzten ihn in die Lage, seine Ideen zu entwickeln und zu verbreiten. Er war die erste Person, der annähernd eine Synthese aus den Idealen von Arts and Crafts mit der maschinellen Produktion gelang. Eine Entwicklung, die von seinem Nachfolger, Walter Gropius, mit der Gründung des *Bauhauses weitergeführt wurde.

Gegenüber: Victor Horta, Schmiedeeiserne Treppe für das Haus Tassel, Brüssel 1893
Horta hatte freie Hand bei der Gestaltung des Hauses seines Freundes Emile Tassel, eines wohlhabenden belgischen Industriellen, der es »ihm ermöglichte, seinen Lebenstraum zu verwirklichen, nämlich, im Wohnungsbau einen Eindruck von Monumentalität zu erreichen«.

In Frankreich erblühte ein florierender und Aufsehen erregender Zweig der Art Nouveau. Beispiele davon finden sich in den von Hector Guimard (1867–1942) gestalteten Pariser Métro-Stationen, den Juwelen und Glasarbeiten von René Lalique (1860–1945) und in der Glaskunst von Emile Gallé. Es bildeten sich zwei Hauptzentren: In Nancy um Gallé und in Paris um die Galerie Bings.

Die Schöpfungen der Schule von Nancy, die geschwungene Gliederungen und eine Ausschmückung mit realistischen Pflanzen- und Insektenmotiven miteinander verbanden, waren charakteristischerweise ebenso luxuriös wie teuer. Neben Gallé hatte die Gruppe weitere bedeutende Mitglieder wie die Brüder Auguste (1853–1909) und Antonin (1864–1930) Daum, beide Glasmacher; die Möbelhersteller Louis Majorelle (1859–1929) und Eugene Vallin (1856–1925) und den Designer Victor Prouvé (1858–1943).

In Paris zeigten Guimards architektonische Entwürfe für die Métro-Stationen und auch ein Wohngebäude, das Castel Béranger (1894–1897), eine ganz eigene dynamische Interpretation der Prinzipien der Art Nouveau. Auch wenn sich die Künstler der Nancy-Schule für ihre bildlichen Darstellungen an der Natur orientierten, war er eklektischer. Darin spiegelte sich der Einfluss Hortas wider, den er 1895 getroffen hatte. Die Präsenz und Beliebtheit seiner Métro-Stationen führten zu einem neuen Namen für die Art Nouveau: Métro-Stil. Der produktive Lalique war in den Bereichen Glas und Schmuck ebenso berühmt. Sein Schaffen, das sich durch Phantasiereichtum und Originalität auszeichnet, widerspiegelt stilistisch sowohl die Art Nouveau wie auch den *Art Deco.

Einer der berühmtesten grafischen Künstler der Art Nouveau war der in Paris lebende tschechische Maler und Designer Alphonse Mucha (1860–1939). Seine Plakate mit den Abbildungen sinnlicher Frauen, wie der gefeierten Schauspielerin Sarah Bernhardt, inmitten luxuriöser Blütendekorationen waren beim Publikum äußerst beliebt. Die weibliche Gestalt war für zahlreiche Art-Nouveau-Designer ebenso wie für die Symbolisten, Ästheten und Dekadenten ein zentrales Motiv, auch wenn die Frauen in der Art-Nouveau zumeist eher allegorische Märchengestalten als »femme fatales« waren. Die beliebte Loie Fuller, eine amerikanische Tänzerin in Paris, war ein oft verwandtes Motiv und das Thema vieler Illustrationen und Skulpturen.

In den USA war Louis Comfort Tiffany (1848–1933) der maßgeblichste und populärste Vertreter der Art Nouveau. Seine aufwendigen farbenprächtigen Glasgegenstände – wie Lampen, Schalen, Buntglasfenster, Vasen – machten ihn sowohl in Europa wie auch

Links: **Charles Rennie Mackintosh, Stuhl, um 1902**
Mackintoshs Werke hatten im Ausland einen guten Ruf, während Werke im Stil der kontinentalen Art Nouveau in Großbritannien als geschmacklos angesehen wurden. Dieser Stuhl entstand in dem Jahr, in dem er in Turin ausgestellt wurde.

Gegenüber: **Alphonse Mucha, *Gismonda*, 1894**
Dieses fast lebensgroße Plakat für Sarah Bernhardts Stück Gismonda erregte Aufsehen, als es erstmals in Paris gezeigt wurde. Die Schauspielerin war davon so beeindruckt, dass sie später mit Mucha einen Sechsjahresvertrag zur Gestaltung weiterer Plakate, Bühnenbilder und Kostüme für ihre Stücke abschloss.

mit den Architekten der Art Nouveau die Vorliebe für detailliertes Pflanzendekor.

Eine gewisse Zeit schien es, als sei der Stil der Art Nouveau nicht aufzuhalten. Er verbreitete sich nach Osten bis nach Russland, im Norden bis nach Skandinavien und im Süden bis nach Italien. Der dänische Silberschmied Georg Jensen (1866–1935) ist noch heute für seine reich verzierten Schmuckstücke und Gegenstände, von denen viele noch hergestellt werden, weltweit bekannt. In Italien bleiben die Bauten von Raimondo d'Aronco (1857–1932), Guiseppe Sommaruga (1867–1917) und Ernesto Basile weiterhin (1857–1932) Meilensteine der Architektur.

Die ungeheuere Popularität der Art Nouveau führte schließlich auch zu ihrem Fall. Die Überproduktion durch zweit- und drittklassige Imitatoren führte zu einer Sättigung des Marktes. Der Geschmack änderte sich und ein neues Zeitalter verlangte eine neue Art dekorativer Kunst, um Modernität auszudrücken – Art Deco. Schon im Jahre 1903 distanzierte sich Walter Crane von der Art Nouveau und beschrieb sie als »diese seltsame dekorative Krankheit«. Charles Voysey tat sie als »das Werk sehr vieler Imitatoren mit nichts außer verrückter Exzentrizität als Richtschnur« ab.

Die ursprüngliche Verbreitung der Art Nouveau war gekennzeichnet durch die Vielzahl ihrer Bezeichnungen. Nun aber, in den 20er-Jahren des 20. Jahrhunderts, sind allein schon die Bezeichnungen abwertend – Style branche de persil (Petersilienstängel-Stil) und Style guimauve (Marshmallow-Stil) in Frankreich und Bandwurmstil in Deutschland. Erst als Ende der 60er-Jahre des 20. Jahrhunderts die dekorativen Künste wieder auf Interesse stießen, wurde die Art Nouveau neu bewertet und gewürdigt.

Der weitreichende Einfluss der Art Nouveau wurde jedoch nie bestritten. Der Glaube der Art-Nouveau-Vertreter und -Verfechter an die expressiven Eigenschaften von Form, Linie und Farbe und an das Gesamtkunstwerk blieb weiterhin eine Quelle der Inspiration. Ihre Ausflüge in die Semi-Abstraktion wurden im 20. Jahrhundert von Künstlern und Architekten in der Entwicklung des *Expressionismus, der abstrakten Kunst und der modernistischen Architektur weitergeführt.

Wichtige Sammlungen
Mackintosh Collection, Glasgow, Schottland
Morse Museum of American Art, Winter Park, Florida
Mucha Museum, Prag, Tschechien
Musée de l'École de Nancy, Frankreich
Victoria & Albert Museum, London

Weiterführende Literatur
A. Duncan, *Art Nouveau* (1994)
R. Ulmer, *Art Nouveau* (Stuttgart, 1999)
J.-P. Midant, *L'art nouveau en France* (Paris, 1999)
P. Greenhalgh, *Art Nouveau 1890–1914* (2000)

in Amerika berühmt. Unter den Malern, die für ihn Entwürfe anfertigten, die er in Glas umsetzte, waren Pierre Bonnard, Edouard Vuillard und Toulouse-Lautrec. Zu weiteren Künstlern der Art Nouveau, die in den USA ansässig waren, zählten der Grafikkünstler William Bradley (1885–1962), der in Polen geborene Bildhauer Elie Nadelman (1885–1946), der in Frankreich geborene Bildhauer Gaston Lachaise (1882–1935) und der Bildhauer Paul Manship (1885–1966). Auch wenn die Gebäude von Louis Sullivan (siehe Chicago School) nicht der Art Nouveau zuzuordnen sind, teilte er

Modernismus

Das Material wird sich im Reichtum seiner astralen Kurven selbst enthüllen, die Sonne wird durch alle vier Seiten scheinen und es wird wie eine Vision des Paradieses sein.

ANTONI GAUDÍ ÜBER DIE CASA BATLLÓ

sich auf die Wissenschaft und Technik stützte, um eine moderne Gesellschaft zu schaffen. Diese scheinbar widersprüchlichen Ideologien verschmolzen im Modernismus und führten zu einer großen Epoche der Architektur, deren Monumente zu mächtigen Symbolen der kulturellen Identität des katalanischen Volkes wurden. Noch heute zeugen über tausend dieser Gebäude davon.

Barcelonas führende Architekten, darunter Lluís Domènech i Montaner (1850–1923), José Puig i Cadafalch (1867–1957) und Antoni Gaudí (1852–1926), standen an der Spitze der separatistischen Bewegung. Ihre typischen Bauten, eklektisch und ausdrucksvoll, berücksichtigen sowohl die strukturell bedingten als auch die dekorativen Eigenschaften der Werkstoffe, besonders des Ziegelsteins. Das Ornament, ein wesentliches Merkmal, wurde oft direkt in das Gebäude einbezogen und betont dessen Entwurf, Funktion und Bauweise.

Antoni Gaudí, dessen phantastische Architektur zu einem Synonym sowohl für Modernismus wie auch Barcelona geworden ist, war der wichtigste Vertreter der Bewegung. Durch die Architekten der *Arts and Crafts beeinflusst, gestaltete auch er alle Teile eines Baus. Gaudí war besonders beeindruckt von den neuen Techniken beim Wiederaufbau gotischer Gebäude und den Direktmetallkonstruktionen, des französischen Architekten, Eugène Emmanuel Viollet-le-Duc (1814–1879), der mittelalterliche Bauformen wiederbelebte. Parallel zu diesen äußeren Einflüssen entwickelte er sein ganz persönliches Interesse an natürlichen Formen, der womöglich verblüffendste Aspekt seiner ebenso organischen wie visionären Bauwerke.

Gaudís erster großer Auftrag, im Jahre 1833, war die Fertigstellung der »Sagrada-Familia«-Kathedrale in Barcelona. Obwohl er von da an sein ganzes Leben daran gearbeitet hat, ist sie bis heute nicht vollendet. Der gotischen Struktur fügte er mit hellfarbigen Keramikziegeln verzierte maurisch anmutende Turmspitzen hinzu,

Oben: **Antoni Gaudí, Spitze eines der Türme der Sagrada Familia, Barcelona, 1883**
Gaudis Meisterwerk ist zugleich sein Lebenswerk. Von ihm im Alter von 31 Jahren begonnen, war die Kirche noch nicht fertiggestellt, als er 43 Jahre später starb. Als Büßerkirche geplant, die nur durch Spenden finanziert werden sollte, war die Finanzierung ständig ein Problem: Während des Ersten Weltkriegs ging Gaudi persönlich von Tür zu Tür, um Geld zu sammeln.

Gegenüber: **Antoni Gaudí, Park Güell, Barcelona, 1900–1914**
Die Vergangenheit ist in Gaudis Werk ständig gegenwärtig, jedoch weniger in realistischer als in geträumter Form. Die dorischen Säulen, die den Boden des darüber liegenden griechischen Theaters stützen, wiegen und drängen sich wie Bäume in einem Märchenwald.

Modernismus ist die Bezeichnung einer der *Art Nouveau verwandten Kunstrichtung im spanischen Katalonien von etwa 1880 bis etwa 1910. Sie enstand aus zwei intellektuellen und kulturellen Richtungen in Katalonien: Aus regionalen romantischen und fortschrittlichen Strömungen. Die Erstere propagierte das Studium und Wiederaufleben der mittelalterlichen katalanischen Sprache und Architektur auf der Suche nach einer eigenen katalanischen Identität in Abgrenzung zum Spanischen, während die Letztere

um so ein historisch einzigartiges Gebäude zu schaffen. Gaudís Freundschaft mit dem Textilfabrikanten und Großreeder Don Eusebi Güell y Bacigalupi führte zu einer Reihe bedeutender Aufträge. Im Jahre 1888 bat Güell Gaudí, sein Haus in Barcelona, den Palau Güell, zu gestalten, 1891 die Colonia Güell, eine Arbeitersiedlung in der Nähe einer seiner Textilfabriken und 1900 den Park Güell (1900–1914). Es folgten die Casa Batlló (1904–1906) und die Casa Milà (1905–1910), beides Wohngebäude in Barcelona. Auch Gaudís Einrichtungen und Möbel sind sehenswert. Wie die Gebäude selbst spiegelten sie sein Interesse an organischen Formen wider, das sich in der Verwendung typischer »Muschel-und-Knochen«-Motive zeigte. Eines dieser Stücke, der Calvet-Stuhl (1902), wurde in den 70er-Jahren des 20. Jahrhunderts von der spanischen Firma B. D. Ediciones de Diseño wiederaufgelegt. Dies war ein Zeichen des seit den 60er-Jahren des 20. Jahrhunderts weltweit wiederauflebenden Interesses an der Art Nouveau.

Auch wenn der Modernismus und die Art Nouveau kurzlebig waren, waren sie richtungsweisend für Künstler des 20. Jahrhunderts.

Antoni Gaudí, Casa Milà, 1905–1910
Dies war das letzte größere Bauwerk, das Gaudí vollendete, bevor er sich der Fertigstellung der »Sagrada-Familia«-Kathedrale widmete. Die UNESCO nahm die Casa Milà 1984 in die Liste des Weltkulturerbes auf.

Der Maler Salvador Dalí bezeichnete im Jahr 1933 die Art Nouveau und insbesondere das, was er als Gaudís »wogend-konvulsive« Architektur bezeichnete, als Vorläufer des *Surrealismus. Gaudís ureigener Ansatz – Einbeziehung von Farbe, Struktur und Bewegung in Bauwerke – war eine Inspiration für die *expressionistischen Architekten der 20er- und 30er-Jahre des 20. Jahrhunderts, für die *Schule von Amsterdam – insbesondere die wogenden, bildhauerischen Formen der Casa Milà – und für die Architekten des *Post-Modernismus.

Wichtige Gebäude
Park Güell, Carrer d'Olot, Gràcia, Barcelona, Spanien
Palau Güell, C. Nou de la Rambia, Barcelona, Spanien
Casa Battló, Passeo de Gràcia, Barcelona, Spanien
Sagrada-Familia-Kathedrale, Plaça de la Sagrada Familia, Barcelona, Spanien

Weiterführende Literatur
J. Wiedemann, *Antoni Gaudí: Inspiration in Architektur und Handwerk* (München, 1974)
X. Güell, *Antoni Gaudí* (München, 1987)
R. Zerbst, *Antonio Gaudí: A Life Devoted to Architecture* (1996)
L. Permanyer, *Gaudí of Barcelona* (1997)

Symbolismus

Der Feind von Beschreibung, Belehrung, Polemik und politischem Engagement.

JEAN MOREAS, SYMBOLISTISCHES MANIFEST, 1886

Die Symbolisten waren die ersten Künstler, die erklärten, dass eher die innere Welt der Gefühle denn die objektive Welt der äußeren Erscheinungen der wahre Gegenstand der Kunst sei. In ihren Arbeiten verwandten sie ganz persönliche Symbole, um Stimmungen und Gefühle hervorzurufen. So schafft sie ein Abbild des Irrationalen, das seinerseits wiederum eine Reaktion des Publikums erfordert. Auch wenn das symbolistische Schaffen sehr mannigfaltig ist, gibt es gemeinsame Themen wie Träume und Visionen, mystische Erlebnisse, Okkultes, Erotisches und Perverses, mit dem Ziel, die Psyche des Betrachters zu beeinflussen. Die Frau im Allgemeinen wird entweder als jungfräulich/engelsgleich oder erotisch/bedrohlich porträtiert, und Motive von Tod, Krankheit und Sünde treten häufig auf.

Im Jahre 1886 wurde der Name Symbolismus in Frankreich durch Veröffentlichung des literarischen Manifestes von Jean Moréas (1856–1910) erstmals für eine eigenständige Bewegung begrifflich fixiert. »Symbolistische« Strömungen kursierten jedoch seit mindestens einem Jahrzehnt in den Werken französischer symbolistischer Dichter wie Paul Verlaine (1844–1896), Stéphane Mallarmé (1841–1898) und Arthur Rimbaud (1854–1891). Ihr Ziel war eine suggestive musikalische Poesie von subjektiven Stimmungen, die ihrerseits eine poetisch symbolische Sprache verwendet. Die Künstler folgten diesem Beispiel und griffen ihre Theorien auf. Die Kunstkritik des Dichters Charles Baudelaire (1821–1867) hatte einen noch direkteren Einfluss. Seine Theorie der Synästhesie (formuliert in »Korrespondenz« von 1857) postulierte eine Kunst, so von Gefühlen durchdrungen, dass sie alle Sinne zugleich befriedigt: Klänge suggerieren Farben, Farben suggerieren Klänge und selbst Ideen werden durch den Klang der Farben suggeriert.

Dies war das intellektuelle Klima, in dem die bildenden Künstler einerseits auf den mit dem Impressionismus einhergehenden Naturalismus und andererseits auf den Realismus von Gustave Courbet (1819–1877) reagierten, der predigte, dass Malerei sich lediglich den »realen und vorhandenen Dingen« zuwenden solle. Ihr eigenes Schaffen blieb jedoch in hohem Maße individualistisch. Gleichermaßen eine Ideologie wie eine Bewegung umfasste der Symbolismus die verschiedensten Künstler. Viele Zeitgenossen gehörten dazu wie Emile Bernard, Maurice Denis und Paul Sérusier (siehe Cloisonnismus und Nabis), Georges Seurat (siehe Neo-Impressionismus) und Paul Gauguin (siehe Synthetismus). Die Symbolisten beanspruchten häufig ältere Künstler wie Gustave Moreau für sich. In geradezu fanatischem Ausmaß machten das die Künstler, die ihre Ideen direkt aus der symbolistischen Literatur bezogen, wie diejenigen, die eng mit dem Salon La Rose+Croix verbunden waren.

Diese große stilistische Bandbreite des Symbolismus fasste Albert Aurier (1865–1892), ein symbolistischer Schriftsteller und Kunstkritiker, 1891 in folgender Definition der Ästhetik der modernen Malerei zusammen:

> Das Kunstwerk wird sein: 1. Ideistisch, weil sein einziges Ideal der Ausdruck der Idee ist. 2. Symbolistisch, weil es diese Idee mit Hilfe von Formen ausdrückt. 3. Synthetisch, weil es diese Formen, diese Symbole entsprechend einer allgemein verständlichen Methode präsentiert. 4. Subjektiv, weil das Objekt niemals als ein Objekt betrachtet werden wird, sondern als das Symbol einer Idee, die durch das Subjekt wahrnimmt. 5. (Es ist daher) Dekorativ.

Gustave Moreau, *Die Erscheinung*, 1876
Herodes hat Salome den Wunsch nach dem Haupt von Johannes dem Täufer erfüllt. Das ist am Schwert des gleichgültigen Soldaten noch zu sehen. Eine nur für Salome sichtbare bluttriefende Erscheinung lähmt sie in ihrem Entsetzen, dieser zu entfliehen.

Gustave Kahn (1859–1936), ein weiterer symbolistischer Dichter, führte diesen Gedanken sogar noch fort, indem er 1886 schrieb:

> Das Hauptziel unserer Kunst besteht darin, das Subjektive (die Externalisierung der Idee) zu objektivieren, statt das Objektive (die Natur durch die Augen eines Temperaments) zu subjektivieren.

Die traditionelle Beziehung zwischen dem Künstler und seinem Werk umkehrend, sollte Kunst die eigene Sichtweise durch Natur ausdrücken und er erhob das Selbst über die Natur, was sowohl eine Erweiterung als auch eine Widerlegung der Romantik war.

Zu den später als Symbolisten bezeichneten Künstlern gehörten die französischen Maler Pierre Puvis de Chavannes (1824–1898) und Gustave Moreau (1826–1898). Puvis' idealistische, abstrakte Wandbilder wurden wegen ihrer neutralen Ästhetik bewundert. Die Sanftheit der gedämpften Farben und das Fehlen des Erzählerischen erzeugten das Gefühl eher einer Stimmung als eines Augenblicks des wirklichen Lebens.

Moreaus Ruhm ließ lange auf sich warten. Zunächst wurde er mit heftiger Kritik aus etablierten Kunstkreisen konfrontiert. Als im Jahre 1869 die Werke, die er in den Salons zeigen wollte, stark angegriffen wurden, zog er sich mehr und mehr von Ausstellungen zurück. Im Jahre 1880 jedoch erregten einige seiner Werke die Aufmerksamkeit des Schriftstellers J.-K. Huysmans'. Huysmans Roman *Gegen den Strich*, 1884 erschienen, enthielt überschwängliche Beschreibungen der symbolistischen Gemälde Moreaus, besonders einer Aquarell-Version von *Die Erscheinung*. Moreaus exotische juwelenartige Gemälde, in denen Bilder von schwachen, dem Untergang geweihten Männern und schönen, bedrohlichen Frauen das Imaginäre und das Mythologische im Gegensatz zum Realen heraufbeschwören, beeinflussten eine Generation von jüngeren Malern. Direkten Einfluss übte Moreau auch durch seine Lehrtätigkeit aus: Henri Matisse (siehe Fauvismus) und Georges Rouault (siehe Expressionismus) waren beide seine Schüler.

Das Schaffen des in London ansässigen Amerikaners James Abbot McNeill Whistler (1834–1903), wie *Arrangement in Grau und Schwarz, Nr. 1 (Die Mutter des Künstlers)* (1871), wurde auch wegen der Weise bewundert, in der das Erzählerische dem Dekorativen untergeordnet war (siehe auch Impressionismus und Dekadenz). Sir Edward Burne-Jones (1833–1898, siehe Arts and Crafts) lieferte eine weitere Variante des französischen Symbolismus, als sein Werk in den späten 80er- und den 90er-Jahren des 19. Jahrhunderts in Paris ausgestellt wurde. Die ätherische Qualität seiner romantischen,

Oben: Odilon Redon, *Orpheus*, um 1913–1916
Redon stellte häufig klassische Mythen (ebenso wie Motive moderne Dichtung und Prosa) dar, die er auf höchst persönliche, oft unerwartete Weise interpretierte, indem er nicht das hinlängliche Bekannte, sondern leidenschaftliche Gefühlstiefen und rätselhafte innere Visionen vermittelte.

Gegenüber: Edvard Munch, *Pubertät*, 1894
Das Thema Frauen – und weibliche Sexualität – ist in Munchs Schaffen allgegenwärtig. In diesem erstaunlich direkten Gemälde zeigt er die Situation, in der ein junges Mädchen erkennt, dass nicht länger ein Kind, sondern eine Frau ist.

ahistorischen, vage mythologischen Szenen fesselte die Phantasie der symbolistischen Dichter und Maler gleichermaßen. Die symbolistische Bewegung, die ihren Ursprung wohl in Frankreich hat, trat rasch international in Erscheinung. Ihre Hauptvertreter kamen aus ganz Europa und den USA. Der französische Maler und Grafiker Odilon Redon (1840–1916), der Maler der Träume, war eine der charakteristischen Gestalten der symbolistischen Malerei. Er war wie andere seiner Zeit von japanischen Holzdrucken beeinflusst, aber auch an phantastischer Kunst, Literatur und Botanik interessiert und all das fand Eingang in sein Schaffen. Am Anfang seiner Karriere arbeitete er fast ausschließlich an Schwarz-Weiß-Zeichnungen, Radierungen und Lithografien und schuf so eine Welt von Albträumen. Sein Ziel war es, die »Qualen der Phantasie« in Kunst zu verwandeln. Den symbolistischen Dichtern nahestehend, interpretierte er bildnerisch viele ihrer Werke, darunter einer Lithografiemappe, die er 1882 Edgar Allan Poe (übersetzt durch Baudelaire und Mallarmé) widmete und 1886 Illustrationen zu Gustave Flauberts *Versuchung des Heiligen Antonius*. Um 1895 begann Redon in Farbe zu arbeiten, und seine Kunst hellte sich auf, sowohl in den Farben wie auch in den Inhalten, da die Phantasien weniger morbid waren und freundlicher wurden. Viele der späteren Werke sind mythologische Szenen oder Blumen in reichen, prächtigen Farben. Seine Arbeiten scheinen direkt in das Unterbewusstsein einzudringen und sowohl die Nabis als auch die *Surrealisten betrachteten ihn als einflussreiche Gestalt.

Ein anderer von den Symbolisten verehrter Maler, der später als ein Vorläufer des Expressionismus und Surrealismus galt, war der

Belgier James Ensor (1860–1949). Wie Redon beschäftigte er sich mit der phantastischen Literatur. Seine charakteristischen Motive wie Karnevalsmasken, monströse Gestalten und Skelette, verbunden mit einer wuchtigen Pinselführung und einem schwarzen Humor, zeigen Bilder der Schattenseiten des Lebens. Der Gegensatz zwischen Bildgegenstand und den leuchtenden impressionistischen Farben verstärkt die Dissonanz. Ensor war Gründungsmitglied von *Les Vingt in Brüssel, aber Gemälde wie *Christus' Einzug in Brüssel 1889* (1888) bereiteten selbst diesen progressiven Malern derartiges Unbehagen, dass sie es nicht ausstellten. Sein Werk wurde 1899 in Paris auf einer von der symbolistischen Zeitschrift *La Plume* organisierten Ausstellung gezeigt. Im gleichen Jahr erschien eine Sonderausgabe über ihn, in der die Kritikerin Blanche Rousseau »das Unbeschreibliche im Koma wahrgenommener Formen auszudrücken« als seine größte Stärke benannte.

Ensors Landsmann Félicien Rops (1833–1898) ist ein weiterer bemerkenswerter Symbolist, der häufig den Dekadenten zugeordnet wird. Von Joséphin Péladan (siehe Salon de la Rose+Croix) und Huysmans ungeheuer bewundert, war er bis in die 60er-Jahre des 19. Jahrhunderts ob der »Lasterhaftigkeit« seines Werks bekannt. Huysmans kommentierte das so: »Zwischen Keuschheit, deren Wesen göttlich ist, und Lust, die der Dämon selber ist, hat M. Félicien Rops mit der Seele eines invertierten Primitiven den Satanismus durchdrungen.«

Ein weiterer ausländischer Maler, der von den französischen Symbolisten für sich beansprucht wurde, war der Norweger Edvard Munch (1863–1944): In seinem Schaffen bringt Munch ebenso wie Ensor düster gestimmte menschliche Grunderfahrungen zum Ausdruck – emotionale Krisen, Tragödien, sexuelle Verderbtheit, Krankheit und Tod. Munch jedoch fehlt Ensors schwarzer Humor und das Gefühl für das Absurde. Sein berühmtestes Werk, *Der Schrei* (1893), ist ein grafisch umgesetzter Ausdruck von Verzweiflung und Entsetzen, sowohl innerlich als auch äußerlich. Als das Bild 1895 in der Pariser Rundschau *Revue Blanche* abgebildet wurde, schrieb Munch dazu folgenden Text:

> Ich hielt inne und lehnte mich gegen die Balustrade, fast zu Tode erschöpft. Über dem blauschwarzen Fjord hingen die Wolken, rot wie Blut und Feuerzungen. Meine Freunde hatten mich verlassen, und allein, zitternd vor Qualen, durchdrang mich der unermessliche, unendliche Schrei der Natur.

Edvard Munch übertrug viele seiner Bilder in Radierungen, Lithografien und Holzschnitte; insbesondere seine Holzschnitte hatten großen Einfluss auf die deutschen Expressionisten.

Weitere bedeutende europäische Symbolisten waren der Belgier Fernand Khnopff (1858–1912, siehe Les Vingt), der Schweizer Fernand Hodler (1853–1918), der Holländer Jan Toorop (1858–1928) und die Italiener Gaetano Previati (1852–1920) und Giovanni Segantini (1858–1899). Viele von ihnen stellten in den Salons de la Rose+Croix aus. In Russland wurden symbolistische Ideen durch die Gruppe *Welt der Kunst eingeführt, deren Maler und Designer Michail Iwanowitsch Wrubel (1856–1910) der führende Vertreter des dortigen Symbolismus war. In den Jahren 1890 und 1891 schuf er Illustrationen für Michail Lermontows Gedicht *Der Dämon*. Dieses lieferte ein zentrales Bildthema. Wie seine westlichen Zeitgenossen überließ er die realistische Beschreibung der äußeren Welt anderen und zog es vor, sich auf die symbolistische Darstellung seiner inneren Dämonen zu konzentrieren.

Zwei amerikanische Maler, Albert Pinkham Ryder (1847–1917) und Arthur B. Davies (1862–1928) weisen Verwandtschaft mit den europäischen Symbolisten auf. Ryder beschrieb das, was er in seinen unwirklichen Landschaften und Seestücken einfing, als etwas, das »besser als die Natur war, weil es mit dem Schauer einer neuen Schöpfung vibrierte«. Seine Themen sind Wahnsinn, Tod und Entfremdung, die er literarischen Vorbildern von Shakespeare, Poe, der Bibel und der Mythologie entlehnt hatte. Eines seiner berühmtesten Werke ist *Die Rennbahn, oder der Tod auf einem bleichen Pferd,* 1890–1910. Seine symbolistische Vorliebe für das Romantische, das Sinnliche, das Traumhafte und das Dekorative offenbart sich in Davies' allegorischen Landschaften wie *Einhörner (Legende – Ruhige See),* um 1906. Obwohl sich sein Werk stark von dem seiner Freunde in der *Ashcan School unterschied, war Davies Mitglied von The Eight und einer der Hauptorganisatoren der »Armory Show«, die die europäischen Impressionisten, Symbolisten, Nabis, Neo-Impressionisten, Post-Impressionisten, Fauvisten und *Kubisten nach Amerika brachte.

Bei den »Bewegungen«, die am Ende des Jahrhunderts in Erscheinung traten, sind die Grenzen und Unterschiede zwischen *Symbolismus, *Art Nouveau und *Dekadenz fließend. Ein Werk kann sowohl wegen seines symbolistischen Gehalts als auch seines dekadenten Bildthemas und seiner Linien in der Art Nouveau geschätzt werden. Ein Beispiel dafür ist Munchs *Madonna* (1895). Das Bild thematisiert auch die »femme fatale«, ein vorherrschendes Thema im Schaffen der Symbolisten, der Art Nouveau und der Dekadenz, das später in der *surrealistischen Literatur und Kunst wieder auftauchen sollte.

Wichtige Sammlungen

Art Institute of Chicago, Chicago, Illinois
J. Paul Getty Museum, Los Angeles, Kalifornien
Kimbell Art Museum, Fort Worth, Texas
Minneapolis Institute of Art, Minneapolis, Minnesota
Munch Museum, Oslo, Norwegen
Victoria & Albert Museum, London

Weiterführende Literatur

A. Lehman, *The Symbolist Aesthetic in France 1885–1895* (Oxford, 1968)
E. Lucie-Smith, *Symbolist Art* (1972)
J. Christian, *Symbolists and Decadents* (1977)
H. H. Hofstätter, *Symbolismus und die Kunst der Jahrhundertwende* (Köln, 1978)

Post-Impressionismus

Die Post-Impressionisten halten die Impressionisten für zu naturalistisch.

ROGER FRY, MANET UND DIE POST-IMPRESSIONISTEN, AUSSTELLUNGSKATALOG, 1910

Der Begriff Post-Impressionismus stammt von dem englischen Kritiker und Maler Roger Fry (1866–1934), der mit seiner von November 1910 bis Januar 1911 in den Grafton Gallerys in London gezeigten Ausstellung »Manet und die Post-Impressionisten« die Werke der Generation nach den *Impressionisten dem britischen Publikum vorstellte. Sie umfasste etwa 150 Werke, darunter Bilder von Gauguin, van Gogh, Cézanne, Denis, Derain, Manet, Matisse, Picasso, Redon, Rouault, Sérusier, Seurat, Signac, Vallotton und Vlaminck, Künstlern, die auch vielfach als *Neo-Impressionisten, *Synthetisten, *Nabis, *Symbolisten und *Fauvisten bezeichnet wurden. Tatsächlich war der Post-Impressionismus keine stilistisch einheitliche Richtung, sondern eine Strömung, der rückblickend alles zugeordnet wurde, was Fry für aus dem Impressionismus hervorgehend oder auf ihn reagierend hielt. So wie er haben Kritiker den Begriff weiterhin verwendet, um die stilistische Mannigfaltigkeit zwischen etwa 1880 (der Schlussphase des Impressionismus) und etwa 1905 (dem Auftreten des Fauvismus) zu benennen und um Künstler zusammenzufassen, die sich kaum einem Stil zuordnen ließen, wie Paul Cézanne (1839–1906), Vincent van Gogh (1853–1890) und Henri de Toulouse-Lautrec (1864–1901). Am Werk dieser Maler werden einige der wesentlichen Merkmale der post-impressionistischen Kunst am besten erkennbar. Zwei weitere wesentliche Vertreter, Paul Gauguin und Georges Seurat, die beide in Frys Epoche machender Ausstellung vom Post-Impressionismus beansprucht wurden, werden in diesem Buch jeweils unter Synthetismus und Neo-Impressionismus besprochen, Bewegungen, denen sie sich selbst zuordneten.

Cézanne, der älteste von ihnen, studierte zwei Jahre bei dem Impressionisten Camille Pissarro und beteiligte sich an der ersten und dritten impressionistischen Ausstellung in den Jahren 1874 und 1877. Bei Pissarro lernte er die direkte Beobachtung und die Effekte von Licht und Farbe zu schätzen. Anders als bei den Impressionisten galt Cézannes Interesse jedoch nicht den vergänglichen Eigenschaften des Lichts und dem flüchtigen Augenblick, sondern den naturgegebenen Strukturen. Er erkannte, dass das Auge den Ablauf einer Szene sowohl in Sequenzen als auch simultan aufnimmt, sodass in seinem Schaffen die Einzelperspektive zurücktritt und wechselnde Ansichten ermöglicht werden, die berücksichtigen, dass sich die Perspektive verändert, wenn sich Augen und Kopf bewegen, und

Oben: Henri de Toulouse-Lautrec, *Divan Japonais*, 1893
Wie die Designer der Art Nouveau entwarf Toulouse-Lautrec Anzeigen, Theaterprogrammhefte, Plakate und Drucke. Seine kühnen Entwürfe fanden schnell Anklang, und in einer produktiven Phase zwischen 1891 und 1893 schuf er einige seiner berühmtesten Plakate.

dass die so gesehenen Objekte sich in ihrer Existenz gegenseitig beeinflussen. In Bildern mit seinen Lieblingsmotiven – seiner Frau und seinen Freunden, Stilleben und der Landschaft der Provence – wollte er die Natur nicht »reproduzieren«, sondern durch farbige Äquivalente »repräsentieren«. In *Stilleben mit einem Gips-Amor* (um 1895) zum Beispiel wird der Amor sowohl von vorn als auch von oben gezeigt: die dritte Dimension wird nicht durch die traditionellen Mittel von Perspektive und zeichnerischer Verkürzung erzeugt, sondern durch Farbwechsel, die die Oberfläche vereinheitlichen und gleichzeitig Tiefe signalisieren, eine tiefgreifende Neuerung in der Maltechnik.

Cézannes reifes Werk war vor seiner ersten Einzelausstellung 1895 in der Galerie Ambroise Vollard in Paris nicht vielen bekannt. Die Ausstellung umfasste 150 Werke, die im Wechsel, immer 50 Bilder, gezeigt wurden. Enthusiastisch reagierten sowohl die jüngere Generation der Künstler und Kritiker wie auch die Impressionisten Monet, Renoir, Degás und Pissarro, die sich Bilder kauften. Emile Bernard (siehe Cloisonnismus), Denis und die Nabis wurden zu

Bewunderern von Cézanne, ebenso wie später die Fauvisten und die *Kubisten. Viele abstrakte Künstler wollten Cézanne gerne als Vorläufer für sich beanspruchen. Insbesondere im Hinblick auf die abstrakte Anlage einiger seiner Werke wie auch seiner berühmten Aussage in einem Gespräch mit Emile Bernard 1904: »Behandeln Sie die Natur im Sinne ihrer geometrischen Formen der Kugel, des Zylinders und des Kegels.« Cézanne sah in der Rückführung auf die geometrischen Grundformen kein endgültiges Ziel, sondern einen Weg, aus der Natur eine parallele Kunstwelt neu zu schaffen. Der englische Kunstkritiker Clive Bell schrieb 1914 über seinen Einfluss: »Er war der Christopher Columbus eines neuen Kontinents der Formen.«

Ebenso wie Cézanne wurde der holländische Maler Vincent van Gogh als junger Mann von den Impressionisten beeinflusst. Nach seinem Umzug im Februar 1886 nach Paris lernte er Pissarro, Degas, Gauguin, Seurat und Toulouse-Lautrec kennen und begann sich mit japanischen Holzschnitten und den neueren cloisonnistischen Werken zu befassen. Die Abwendung von realistischen, sozialen Themen und die Aufhellung seiner Palette ließen ihn einen ausgereiften Stil finden, der ihn die starke Ausdruckskraft der Farbe in all ihren symbolischen und expressiven Möglichkeiten ausreizen ließ. »Anstatt zu versuchen, genau das wiederzugeben, was ich vor Augen habe,« schrieb er, »verwende ich die Farbe willkürlicher, um mich kraftvoller ausdrücken zu können.« Nach einem kurzen Ausflug in die divisionistische Malweise Seurats entwickelte er rasch mit kraftvollen und wirbelnden Pinselstrichen seinen Stil, für den er bekannt ist. »Mit einem Bild,« schrieb er an seinen Bruder Theo, »möchte ich etwas sagen, das so tröstlich ist wie Musik. Ich will Männer und Frauen malen mit diesem Hauch von Ewigkeit, den früher der

Oben: **Paul Cézanne, *Mont Sainte-Victoire* 1902–1904**
Ab 1877 verließ Cézanne die Provence nur noch selten. Er zog es vor, zurückgezogen zu arbeiten und entwickelte sorgsam eine Kunst, welche die klassische Struktur mit dem zeitgenössischen Naturalismus verband. Eine Kunst, von der er glaubte, dass sie die Seele ebenso anspricht wie das Auge.

Gegenüber: **Vincent van Gogh, *Selbstbildnis*, 1889**
Van Goghs Selbstporträts, die er in klaren Phasen malte, während er sich seiner wiederkehrenden Wahnsinnsanfälle völlig bewusst war, vermitteln ein schreckliches und entsetztes Wissen um seinen Zustand. Dieses Bewusstsein seiner Selbst hatte wesentlichen Einfluss auf eine neue Künstlergeneration.

Heiligenschein symbolisierte, und den wir durch den eigentlich strahlenden Glanz und die Schwingung der Farbe zu erzielen suchen.«

Van Gogh befasste sich ebenso intensiv mit der Natur, wie Cézanne es vor ihm getan hatte. Im Gegensatz zu Cézanne, dessen Arbeitsweise stets bedächtig war, schuf van Gogh in den hektischen Schaffensphasen zwischen seinen Anfällen von Geisteskrankheit eine Vielzahl von Bildern. Umgezogen nach Arles im Februar 1888, schuf er mehr als 200 Ölgemälde in nur 15 Monaten. Sein Geisteszustand verschlechterte sich jedoch rasch so, dass er sich 1889 nach dem Bruch mit Gaugin in einem Anfall von Verzweiflung das linke Ohr abschnitt. Im Mai des gleichen Jahres kam er in die Irrenanstalt in St. Rémy. Der starke Selbstausdruck machte seine späten Werke zu Aufzeichnungen seines Lebens und seiner Gefühle und also fast zu Selbstporträts. Kunstwerke, deren Wirkung auf sich warten ließ. Das Bild *Rote Weingärten in Arles*, gezeigt in der *Les-Vingt-Ausstellung 1890 in Brüssel und erworben von der belgischen Malerin Anna Boch, war das einzige Bild, das zu seinen Lebzeiten verkauft wurde. Es waren die späteren Ausstellungen – in Paris (1901), Amsterdam (1905), London (1910), Köln (1912), New York (1913) und Berlin (1914) –, die seinen nachhaltigen Einfluss auf die Fauvisten, *Expressionisten und frühen Abstrakten begründeten. Heute gibt es nur wenige Künstler, deren Ausstrahlung sich mit der seinen messen kann.

Toulouse-Lautrec dagegen wurde zu seiner Zeit sehr gefeiert. 1886 begegnete er van Gogh (und malte sein Porträt), als sie in Paris im Studio von Fernand Cormon zusammen mit den Begründern des Cloisonnismus Louis Anquetin und Emile Bernard studierten. Interessiert an den Impressionisten, besonders an Degas, lernte er 1888 auch Gauguin persönlich kennen. Vom japanischen Farbholzschnitt angeregt, entwickelte er seine eigenwillige Ausdrucksform mit flachen, schlichten Farbmustern und bewegten Linien. Pierre Bonnard, der Nabis-Maler, dessen Champagner-Plakat gerade ausgestellt wurde, unterwies ihn in lithografischen Techniken, die er bald gut umzusetzen wusste. Um 1888 begann Toulouse-Lautrec die Motive zu malen, für die er am besten bekannt ist – Theater, Varietés, wie das Moulin Rouge, Cafés, Zirkusse und Bordelle. Auch wenn Toulouse-Lautrecs Gestalten keine charakteristischen Typen, sondern identifizierbare Menschen sind, meist seine Freunde, die er nach unmittelbarer Beobachtung gemalt hat, so gleichen seine Bildthemen und das Interesse an Menschen in Bewegung doch denen von Degas.

Berühmt wurde er 1891 mit seinem ersten Plakat für das Moulin Rouge. Wie die Designer der *Art Nouveau entwarf Toulouse-Lautrec Werbeanzeigen, Programmhefte und Drucke. Auf der Höhe seines Ruhms wurden seine Gemälde und grafischen Arbeiten in den 90er-Jahren des 19. Jahrhunderts regelmäßig in Paris, Brüssel und London ausgestellt. Obwohl er keiner Gruppe oder Bewegung angehörte, zeigt sein Stil Übereinstimmungen mit den zeitgenössischen Werken der Art Nouveau; die exotische und hedonistische Aura seines Schaffens verbindet ihn mit der *Dekadenzbewegung. Im Jahr 1894 malte er während einer Reise nach London ein Porträt von Oscar Wilde.

Einer der wichtigsten amerikanischen Post-Impressionisten ist der Maler Maurice Prendergast (1859–1924). Während der 90er-Jahre des 19. Jahrhunderts lebte er in Paris. Dort nahm er die Lehren des Impressionismus, Neo-Impressionismus und Symbolismus auf und entwickelte seinen ganz persönlichen Stil. Diese Synthese veranschaulicht ein Werk wie *Am Strand, Nr. 3*, um 1915. Prendergast brachte nicht nur durch seine eigenen Werke den *Post-Impressionismus in die USA, sondern auch durch seine Aktivitäten als Mitglied von The Eight (siehe Ashcan School). 1913 war er Mitorganisator der »Armory Show«, die der amerikanischen Öffentlichkeit zahlreiche Entwicklungen des europäischen Modernismus erstmals vorführte.

In Russland wurde der Post-Impressionismus um 1900 durch die Arbeiten der Gruppe *Welt der Kunst und des Weiteren durch zwei bedeutende Ausstellungen (1908/09), die von deren Nachfolgern dem Goldenen Vlies initiiert wurden, gefördert. Roger Fry ließ in England seiner ersten Ausstellung die »Zweite post-impressionistische Ausstellung« folgen (Oktober–Dezember 1912), in der maßgeblich die jüngere, abstrakt arbeitende Avantgarde gezeigt wurde. Sie umfasste neue russische Werke von Michail Larionow und Natalja Gontscharowa (siehe Karo-Bube und Rayonismus), und auch eine britische Abteilung mit Werken von Vanessa Bell (1879–1961), Spencer Gore (1878–1914), Duncan Grant (1885–1978), Wyndham Lewis (1882–1957, siehe Vortizismus). Fry selbst war am engsten mit der Bloomsbury-Gruppe verbunden, zu der auch Schriftsteller wie Vanessas Schwester, Virginia Woolf, gehörten.

Die post-impressionistischen Künstler zeichnen sich durch eine Mannigfaltigkeit der Stilrichtungen und durch unterschiedliche Vorstellungen über die Rolle der Kunst in der Gesellschaft aus. Allen gemeinsam war das revolutionäre Bestreben, eine Kunst zu schaffen, die im Gegensatz zum beschreibenden Realismus stand, eine Kunst der Ideen und Gefühle. All dies übte auf die Künstler des 20. Jahrhunderts einen nachhaltigen Einfluss aus.

Wichtige Ausstellungen

Barnes Foundation, Merion, Pennsylvania
Courtauld Gallery, London
Detroits Institute of Arts, Detroit, Michigan
Metropolitan Museum of Art, New York
National Gallery, London
Van Gogh Museum, Amsterdam, Niederlande

Weiterführende Literatur

J. Rewald (Hrsg.), *Briefe, von und an Paul Cézanne* (Zürich, 1962)
Impressionisten und Postimpressionisten (Ausst.-Kat., National Gallery of Art, Washington, 1986)
G. Cogeval, *The Post-Impressionists* (1988)
B. Denvir, *Post-Impressionism* (1992)
A. Matthias, *Henri de Toulouse-Lautrec* (Hamburg, 1996)

Cloisonnismus

Wir müssen vereinfachen, um ihre [der Natur] Bedeutung zu enthüllen ...
ihre Linien auf eloquente Kontraste, ihre Schattierungen auf die sieben Grundfarben
des Prismas zu reduzieren.

EMILE BERNARD

Cloisonnismus (*cloisonner* – aufteilen, abtrennen) ist ein Malstil, der von den französischen Malern Emile Bernard (1868–1941) und Louis Anquetin (1861–1932) in den späten 80er-Jahren des 19. Jahrhunderts entwickelt wurde. Diese Malweise, bei der die

Emile Bernard, *Die Verkündigung*, 1889
Satte Farbtöne und schwere Umrisslinien kennzeichnen den cloisonnistischen Malstil. Mit den abgetrennten intensiven Farbflächen und den kräftigen Umrisslinien steht *Die Verkündigung* ganz in der Tradition mittelalterlicher Glasmalerei.

Formen einfach und die Flächen plan und in unnatürlichen Farben gehalten sind, ist verwandt mit der Cloisonné-Technik in der Emailkunst und gotischen Glasfenstern mit ihren Bleistegen, in denen schwere Umrisse die dekorativen Merkmale unterstreichen. Es gilt nicht, die objektive Realität abzubilden, sondern die innere Welt der Gefühle darzustellen.

Als sie im Atelier von Fernand Cormon arbeiteten, fanden Louis Anquetin und Emile Bernard Gefallen an der Glasmalerei und an japanischen Holzschnitten, die Mitte der 80er-Jahre des 19. Jahr-

hunderts einen großen Einfluss auf die Künstler hatten. Im Atelier freundeten sie sich mit Vincent van Gogh und Henri Toulouse-Lautrec an, beides Künstler, die ganz individuell die Einflüsse der Zeit mit ihrem eigenen Malstil verbanden (siehe Post-Impressionismus). Der einflussreichste Avantgarde-Künstler, der die Ideen von Anquetin und Bernard teilte, war Paul Gauguin (siehe Synthetismus). Vielleicht sah Gauguin ihr Werk schon Ende 1887, als es im Grand Restaurant Bouillon ausgestellt wurde. Auf jeden Fall arbeitete er im Sommer 1888 gemeinsam mit ihnen in Pont-Aven in der Bretagne. Auch wenn Gauguin das cloisonnistische Trennen von Formen durch schwere Umrisslinien nicht übernahm, zeugt sein bedeutendstes Gemälde aus dieser Zeit, *Die Vision nach der Predigt oder der Kampf Jakobs mit dem Engel* (1888), durch das harte Nebeneinanderstellen der satten Farben von den Einflüssen der Cloisonnisten.

Bernards und Anquetins erste Gemälde 1886 und 1887 hatten städtische Themen zum Inhalt. In Pont-Aven jedoch wandten sie, ähnlich wie Gauguin, ihre neue Technik auf Szenen des »einfachen Lebens« der bretonischen Bauern ebenso wie auf klassische und biblische Themen an und schufen so ausgereifte cloisonnistische Werke, die einen bestimmenden Einfluss auf die Avantgarde-Malerei haben sollten. Diese Maler waren bald von einer Schülerschar umgeben, die auch als Schule von Pont-Aven bekannt wurde. Noch im gleichen Jahr erhielt der Stil seinen Namen, indem der Kritiker E. D. Anquetin einen Beitrag zu einer von der belgischen Ausstellungsgruppe *Les Vingt veranstalteten Ausstellung schrieb.

Der internationale Einfluss des Cloisonnismus wurde auf solchen Ausstellungen offenkundig. Ähnlich wie die Künstler der *Art Nouveau war Bernard der Ansicht, dass Malerei eher dekorativ als zu Interpretationen einladend sein sollte, und ebenso wie die Künstler der *Arts and Crafts in Großbritannien schuf er nicht nur Gemälde, sondern auch Holzschnitte und Entwürfe für Glasmalereien und reich verzierte Tapisserien. Viele Künstler, die andere experimentelle Stile vertraten, die meisten wurden den *Symbolisten zugeordnet, teilten seine Auffassung, dass vereinfachte Formen und Farben einen kraftvolleren Ausdruck ermöglichen. Gauguin hätte seinen *Synthetismus wohl kaum ohne den vorhergehenden cloisonnistischen Stil entwickelt und die *Nabis wäre nie zu ihrer eigenen expressionistischen Kunst gelangt. Auch Bernards theoretische Schriften erwiesen sich als einflussreich und sorgten dafür, dass der cloisonnistische Stil bald Bestandteil des visuellen Vokabulars derjenigen wurde, die eine neue theoretische und ideologische Rolle für die Malerei entwickelten.

In den 90er-Jahren des 19. Jahrhunderts malte Anquetin in einem von Toulouse-Lautrec beeinflussten Stil und wandte sich dann dem Studium der alten Meister, insbesondere dem barocken Stil von Peter Paul Rubens, zu. Nach der Jahrhundertwende wandte sich Bernard der italienischen Renaissancemalerei zu und sein Einfluss auf die Avantgarde schwand. Bis dahin hatte er sich seinen Namen als Förderer des Post-Impressionismus bereits gesichert.

Wichtige Ausstellungen
Ackland Art Museum at the University of North Carolina, Chapel Hill, North Carolina
Fine Arts Museum of San Francisco, San Francisco, Kalifornien
MacKenzie Art Gallery, Regina, Saskatchewan
National Gallery, London,
Norton Museum of Art, West Palm Beach, Florida
Spencer Museum of Art at the University of Kansas, Lawrence, Kansas

Weiterführende Literatur
W. Jaworska, *Gauguin and the Pont-Aven School* (Boston, MA 1972)
Emile Bernard: A Pioneer of Modern Art (Ausst.-Kat., Van Gogh Museum, Amsterdam, 1990)
I. Cahn (Hrsg.), *Gauguin und die Schule von Pont-Aven* (Ausst.-Kat., Kunsthalle der Hypo-Kulturstiftung, München, 1998)

Nabis

Ein Bild ist in erster Linie, bevor es ... eine nackte Frau oder eine beliebige Anekdote ist, seinem Wesen nach eine ebene, in einer bestimmten Ordnung mit Farbe bedeckte Fläche.

MAURICE DENIS, 1890

Die geheime Bruderschaft der Nabis (hebräisch Propheten) wurde 1888 durch die französischen Künstler und Theoretiker Maurice Denis (1870–1943) und Paul Sérusier (1864–1927) in Opposition zur Lehre der Akademie gegründet. Aufgrund ihrer Ablehnung des Fotorealismus entflohen Pierre Bonnard (1867–1947), Paul Ranson (1862–1909) und Henri-Gabriel Ibels gemeinsam mit den anderen Gründungsmitgliedern der Académie Julian in Paris. Später schlossen sich ihnen Ker-Xavier Roussel (1867–1944) und Edouard Vuillard (1868–1940) von der École des Beaux-Arts in Paris und danach ausländische Künstler wie der Schweizer Félix Vallotton (1865–1925), Mogens Ballin aus Dänemark, der Ungar Jószef Rippl-Rónai und der Holländer Jan Verkade an. Die Tatsache, dass in der Theorie und Praxis der Nabis ein spirituelles Element existiert genauso wie die Gründung einer geheimen Bruderschaft, stellt sie in die Tradition vorangegangener Gruppen rebellierender Künstler, wie den Nazarenern in Deutschland und den Präraffeliten in England.

Paul Gauguin war der wichtigste Mentor der Nabis, und Sérusiers Beschreibung einer morgendlichen Malsitzung unter Gauguins Leitung in den Wäldern von Bois d'Amour im Sommer 1888 schildert auch lebhaft den Einfluss des *Synthetismus auf die Entwicklung der Nabis: »[Gauguin sagte] Wie sehen Sie diese Bäume? Sie sind Gelb. Nun denn, nehmen Sie Gelb. Und dieser Schatten ist ziemlich Blau. Geben Sie ihn mit reinem Ultramarin wieder. Diese roten Blätter? Nehmen Sie Zinnober.« Als Sérusier der Gruppe das entstandene Gemälde *Talisman (Bois d'Amour bei Pont-Aven)* (1888) zeigte, erschien es so originell und kühn, dass sie glaubten, es verströme Zauberkräfte.

Die Nabis trafen sich regelmäßig, um Ideen auszutauschen und drei zentrale Themen zu erörtern: die wissenschaftlichen und mystischen Grundlagen der Kunst, die sozialen Auswirkungen der Kunst und das Verlangen nach einer Vereinigung der Künste. Bei der Zusammenfassung ihrer Gedanken orientierten sie sich an den Beispielen führender Künstler vor ihnen, nicht nur Gauguin, sondern auch Georges Seurat (siehe Neo-Impressionismus), Paul Cézanne (siehe Post-Impressionismus) und Louis Anquetin (siehe Cloisonnismus).

Im Sommer 1890 veröffentlichte Denis sein Manifest für eine neue Kunst in der Kunstzeitschrift *Art et Critique*. Der zweiteilige Artikel mit dem Titel »Definition des Neo-Traditionalismus« propagiert einen völligen Bruch mit dem an den Kunstschulen gelehrten illusionistischen Naturalismus. Denis zufolge bestand die revolutionäre Errungenschaft der Künstler der Avantgarde darin, die dekorative Funktion der Kunst anzuerkennen und erneut geltend zu machen. Die Nabis bezogen sich auf die dekorative Kunsttraditionen der Ägypter und der mittelalterlichen Freskenmaler, die ihrer Auffassung nach seit der Renaissance dem Westen verloren gegangen waren.

Die erste – von Denis organisierte – Nabis Gruppenausstellung fand 1891 auf dem Schloss von St. Germain-en-Laye statt. Im Dezember des gleichen Jahres waren die meisten der Nabis auch in der ersten in Le Barc de Boutteville, Paris, abgehaltenen Ausstellung unter dem Titel »Peintres Impressionistes et Symbolistes« beteiligt. Wie der Titel schon sagt, wurden die Nabis als eine neue Generation von *Symbolisten gefeiert und von den symbolistischen Dichtern als ihresgleichen aufgenommen. Obwohl Denis' Erklärung bezüglich der »in einer bestimmten Ordnung mit Farben bedeckten Fläche« später von abstrakten Künstlern aufgegriffen wurde, lag das Neue der Nabis vorwiegend in ihrem Stil und den theoretischen

Schriften begründet, denn die Bildthemen blieben traditionell: Porträts, häusliche Interieurs, Szenen des Pariser Lebens und, besonders bei Denis, religiöse Szenen.

Ebenso wie die Designer der *Art Nouveau dieser Epoche, mit denen ihre Arbeiten sichtbare Gemeinsamkeiten aufweisen, schöpften die Nabis aus vielen Quellen und experimentierten in vielen Bereichen. Die Gruppe, stellte neben Gemälden auch Drucke, Plakatentwürfe, Dekorationsstoffe und Entwürfe für Theaterprogramm- hefte aus. Ein zeitgenössischer Kritiker kommentierte die Fähigkeiten der Gruppe aus verschiedenen Quellen und Techniken

Oben: Maurice Denis, *Huldigung für Cézanne*, 1900
In dieser *Hommage á Cézanne* steht eine Gruppe von Malern – einschließlich Redon, Bonnard, Vuillard, Sérusier und Denis – vor Cézannes *Stilleben mit Obstschale*, einem Bild, das Gauguin gehört.

Unten: Pierre Bonnard, *France-Champagne Plakat*, 1891
Bonnards Teilnahme an einem Wettbewerb für die Plakat-Werbekampagne einer Champagnermarke brachte dem jungen Künstler den Sieg und 100 Francs ein. Das ließ seinen Vater, der zuvor dem Beruf seines Sohns skeptisch gegenüberstand, vor Freude im Garten tanzen.

zu schöpfen, wie folgt: »Sie passen und ordnen die Merkmale schon lange vergangener Schulen, ob kontinentaleuropäisch oder exotisch, neu an oder sie adaptieren Formen, die bisher der Glasmalerei, der Buchillustration, alten Tarot-Karten oder Theaterdekorationen vorbehalten waren für die Staffeleimalerei.« Ein Freund der Nabis-Künstler, der Schauspieler und Regisseur Aurélien-Marie Lugné Poë, gab Programm- und Bühnenbildentwürfe für experimentelle Vorstellungen in Auftrag. Die Künstler wirkten auch bei den Pariser Aufführungen der Werke von Henrik Ibsen, August Strindberg und Oscar Wilde mit. Im Jahre 1897 waren sie an Alfred Jarrys *Ubu Roi* beteiligt. Er war ein Wegbereiter des Absurden Theaters und von enormem Einfluss auf die Entstehung von *Dada und *Surrealismus.

Bis 1899 stellten die Nabis zusammen aus, danach trennten sie sich. Denis, ein gläubiger Katholik, richtete seine Aufmerksamkeit auf religiöse Themen, er schuf Wandgemälde für religiöse Einrichtungen und gründete 1919 ein Atelier für sakrale Kunst. Auch Sérusier wandte sich religiösen Bildthemen und dem religiösen Symbolismus zu. Bonnard und Vuillard, die bekanntesten Nabis, waren viele Jahre lang die am wenigsten typischen Vertreter der Gruppe. Bonnard wurde durch ein Plakat berühmt, das er 1891 für

Gegenüber: **Edouard Vuillard, *Misia und Vallotton*, 1894**
Wie Bonnard zeichnete sich auch Vuillard durch psychologisch feinfühlige Interieurs, oft von Freunden aus. Hier abgebildet ist Misia Godebska, Gastgeberin und Muse vieler zeitgenössischer Künstler mit einem Nabi-Kollegen, dem Schweizer Maler Félix Vallotton.

eine Champagnerfirma entwarf (das auch Henri de Toulouse-Lautrec zum Entwurf eigener Plakate inspirierte). Bonnards Werke bringen uns eines seiner bevorzugten Motive nahe, die elegante Pariserin, und darüber hinaus wird der japanische Einfluss deutlich sichtbar, der ihm den Namen »Nabis très japonard« eintrug. Der flache, stark gemusterte Stil von Vuillards Werk dieser Periode weist auf zwei Einflüsse hin: die japanischen Drucke und den Malstil Gauguins. Jeder der Künstler arbeitete in seinem individuellen Stil und konzentrierte sich auf intime häusliche Szenerien, was ihnen letztlich die Bezeichnung »Intimisten« eintrug .

Wesentliche Sammlungen
Aberdeen Art Gallery, Aberdeen, Schottland
Detroit Institute of Arts, Detroit, Michigan
Minneapolis Institute of Arts, Minneapolis, Minnesota
Montreal Museum of Fine Arts, Quebec
Musée des Beaux-Arts de Quimper, Quimper, Frankreich
Ermitage, Petersburg

Weiterführende Literatur
P. Eckert Boyer, *The Nabis and the Parisian Avant-Garde* (New Brunswick, 1988)
R. Negri, *Bonnard und die Nabis* (Herrsching, 1988)
C. Frèches-Thory, *Bonnard, Vuillard and their Circle* (1991)
C. Frèches-Thory (Hrsg.), *Die Nabis* (München, 1993)

Synthetismus

Ein Rat: Male nicht zu häufig nach der Natur.

PAUL GAUGUIN, BRIEF AN EMILE SCHUFFENECKER, 1888

Paul Gauguin (1848–1903), Emile Schuffenecker (1851–1934), Emile Bernard (1868–1941) und ihr Kreis in Frankreich prägten den Begriff Synthetismus zur Beschreibung ihrer in den späten 1880er- und frühen 1890er-Jahren geschaffenen Werke. Ihre in einem expressiven Stil gemalten Bilder, der Formen und Farben bewusst verzerrte und verstärkte, »synthetisierten« eine Reihe verschiedener Elemente: das Erscheinungsbild der Natur, der »Traum« des Künstlers vor ihr und die eigenständigen Qualitäten von Form und Farbe. Gauguin, wichtigstes Mitglied der Gruppe, hielt die direkte Naturbeobachtung lediglich für einen Teil des schöpferischen Prozesses. Erinnerung, Phantasie und Emotion sollten die Eindrücke verstärken und so der Form tiefere Bedeutung verleihen.

Gauguin hatte in den frühen 1880er-Jahren bei den *Impressionisten ausgestellt, war jedoch enttäuscht, dass sie darauf beharrten, nur das abzubilden, was sie vor sich sahen. Er suchte ab 1885 nach

neuen Themen und einer neuen Maltechnik, mit der er »den Gedanken in ein anderes Medium als die Literatur übertragen« konnte. Sein Ziel war es, nicht das zu malen, was er sah, sondern das, was er als Künstler fühlte. Folgerichtig lehnte er sowohl den Naturalismus der Impressionisten als auch die Wissenschaftsbesessenheit der *Neo-Impressionisten ab und schuf stattdessen eine Kunst, in der die Farbe dazu dient, eine dramatische, emotionale und expressive Wirkung zu erzeugen.

Gauguin ließ sich durch die unterschiedlichsten Quellen inspirieren. Wie die Präraffaeliten in England studierte auch er die Kraft und Dramatik der mittelalterlichen Bildteppiche; wie die Impressionisten lernte er Linienführung und Komposition von den japanischen Holzschnitten. Er entwickelte geradezu eine Leidenschaft für die Volkskunst, die Steinskulpturen der bretonischen Kirchen und die prähistorische Kunst.

Während einer entscheidenden Schaffensperiode in den späten 1880er-Jahren arbeitete Gauguin in der Bretagne und machte sich dort mit den Arbeiten der aus Pont-Aven stammenden Maler Emile Bernard und Louis Anquetin (1861–1932) vertraut, die gerade den *Cloisonnismus entwickelten, der Gauguins synthetistisches Werk stark beeinflussen sollte. Gauguins frühes Schlüsselwerk *Die Vision nach der Predigt oder: der Kampf Jakobs mit dem Engel* (1888), das während seines Aufenthalts in Pont-Aven entstand, erscheint wie das sichtbare Manifest seiner revolutionären Ideen. Die Linienführung und die Raumgestaltung sind japanischen Holzschnitten verpflichtet (die ringenden Figuren zitieren sogar eine Arbeit Hokusais), und die großen unmodulierten Farbflächen sowie die stark betonten Umrisslinien zeigen die Nähe zum Cloisonnismus. Das Ergebnis aber ist unverwechselbar ein Gauguin-Werk, das seine Überzeugungskraft der Synthese verdankt.

1889 veranstalteten Gauguin und seine neuen Freunde Bernard, Charles Laval (1862–1894) und Schuffenecker eine Ausstellung, um ihre neuartige Kunst der offiziellen Kunstausstellung der vierten Pariser Weltausstellung mit ihrer Hauptattraktion, dem Eiffel-turm, gegenüberzustellen. »L'Exposition de peintures du groupe impressioniste synthétiste« fand im Café Volpini in Paris statt und zeigte neben ihren Werken auch die anderer Künstler, die in der Bretagne arbeiteten, darunter Anquetin und Daniel de Monfried (1856–1929). Sympathisierende Kritiker wie Albert Aurier und Félix Fénéon (siehe Neo-Impressionismus) lobten Gauguins Vereinfachung der Mittel und seine genaue Planung. Gauguin wurde als führender Vertreter der Avantgarde und als Rivale Georges Seurats und der Neo-Impressionisten vorgestellt.

Auch die *symbolistischen Dichter und Künstler nahmen Gauguin mit offenen Armen auf. In den späteren Werken, wie beispielsweise *Mahana No Atua (Tag der Götter)* (1894) oder *Wer sind wir? Woher kommen wir? Wohin gehen wir?* (1898), die beide während seines Aufenthalts auf Tahiti entstanden waren, nahm der symbolistische Inhalt noch an Bedeutung zu, doch die Symbole blieben privat und provozierten Fragen, ohne Antworten zu bieten. Tatsächlich verurteilte Gauguin allzu offensichtliche Inhalte, er bevorzugte die mysteriöse und flüchtige Welt der Empfindungen. 1899 schrieb er:

Bedenke auch die musikalische Rolle, die die Farbe fürderhin in der modernen Malerei spielen wird. Farbe, die ebenso wie die Musik Vibration ist, kann das erreichen, was in der Natur am universalsten und zugleich am wenigsten greifbar ist: ihre innere Kraft.

Gauguins Kunst erwies sich als höchst einflussreich auf spätere Künstlergenerationen. Noch zu seinen Lebzeiten lieferte sein Beispiel der synthetistischen Arbeit eine wichtige Inspiration für die *Nabis, die *Symbolisten, die internationale *Art Nouveau und den *Fauvismus. Später zollten auch die *Expressionisten, verschiedene abstrakt malende Künstler sowie die *Surrealisten Gauguin Aner-

kennung bei der Entwicklung ihrer Arbeiten. In der Ablehnung der Idee, der Künstler müsse ein getreues Abbild der Welt liefern, half Gauguin den Weg für die völlige Abwendung von der gegenständlichen Darstellung zu ebnen.

Oben: Paul Gauguin, *Mahana No Atua*, 1894
Nach seiner Rückkehr von Tahiti erwarb sich Gauguin den Ruf eines exotischen Reisenden. In der Phantasie ließ er ein altes tahitianisches Ritual wiedererstehen, wobei er das dekorative Element weiter abstrahierte und die Farben intensivierte.

Gegenüber: Paul Gauguin, *Die Vision nach der Predigt oder: Der Kampf Jakobs mit dem Engel*, 1888
Gauguin zufolge konnten Farbe und Linie selbst expressiv sein. Die Außenwelt der bretonischen Bäuerinnen und ihre innere visionäre Welt, durch den Ast getrennt, sind kompromisslos – und auf mysteriöse Weise – durch den roten Grund vereint.

Wichtige Sammlungen
Manchester City Art Gallery, Manchester, England
Metropolitan Museum of Art, New York
Minneapolis Institute of Arts, Minneapolis, Minnesota
Museum of Fine Arts, Boston, Massachusetts
National Gallery, London
National Gallery of Art, Washington, D.C.

Weiterführende Literatur
P. Gauguin, *Intimate Journals* (Minneola, New York, 1987)
A. Ellridge, *Gauguin und die Nabis* (Paris, 1994)
R. Pickvance (Hrsg.) u.a., *Gauguin und die Schule von Pont-Aven* (Ausst.-Kat., Mus. Würth, Künzelsau, 1997)
Paul Gauguin – Das verlorene Paradies (Ausst.-Kat., Neue Nationalgalerie, Berlin, 1999)
R. Kendall, *Gauguin by Himself* (Boston, MA, 2000)

Salon de la Rose+Croix

Den Realismus zu zerstören und die Kunst den Ideen des Katholizismus näher zu bringen, dem Mystizismus, den Sagen, dem Mythos, der Allegorie und den Träumen.

KATALOG DES SALON DE LA ROSE+CROIX, 1892

Die Krisenstimmung und Weltmüdigkeit des *Fin de Siècle* veranlasste viele Maler und Schriftsteller des *Symbolismus, die romantischen Strömungen des Idealismus, des Mystizismus und des Exotischen wiederzubeleben. Während der Katholizismus in Frankreich wiedererstarkte, führte dies einige Maler (darunter Maurice Denis und Paul Sérusier von den *Nabis) zum Christentum, andere zu antireligiösen Glaubensformen (siehe Dekadenzbewegung) und wieder andere zu religiösen Kulten. Eine dieser kultisch orientierten Gruppen war der Mystische Orden der Rose+Croix, den der symbolistische Schriftsteller und Unternehmer Sâr (Großmeister) Joséphin Péladan zur Förderung der Künste, besonders der esoterisch ausgerichteten, und zur Überwindung des europäischen Materialismus gründete.

Péladan war ein glühender Anhänger der geheimen Lehren der Rosenkreuzer. Während sich einige progressive Künstler wie Gustave Moreau und Odilon Redon (siehe Symbolismus) von seiner dogmatischen Haltung abgestoßen fühlten, pilgerten viele junge Maler und Schriftsteller zu Péladan, weil sie in die Loge der Brüderschaft aufgenommen werden und an den Ritualen und Salons teilnehmen wollten.

Péladan verfügte, dass nur von Religion, Mystizismus, Sage und Mythos, Träumen, Allegorien und großer Dichtung Inspirierte geeignet seien, an seinen Salons teilzunehmen. Bewerber, die seiner Ansicht nach durch Szenen modernen Lebens, naturalistische Landschaften, Bauernsujets und dekadente Szenen die »Nobilität« des Künstlers und Schöpfers nicht betonten, wurden nicht zugelassen. Seine begeisterten Anhänger, darunter Edmond Aman-Jean (1860–1936), Jean Delville (1867–1953), Charles Filiger (1863–1928), Armand Point (1860–1932), Carlos Schwabe (1866–1926) und Alexandre Séon (1857–1917) fügten sich freudig und lieferten Arbeiten, die von Delvilles Bildschöpfungen *Die Schätze Satans* bis zu Schwabes sentimental katholischen Gemälden reichten. Inspiration zogen sie aus den Schriften von Edgar Allan Poe und Charles Baudelaire, den Artussagen und den Musikdramen Richard Wagners. In der bildenden Kunst übten die Schauerphantasien des Schweizer Malers Arnold Böcklin (1827–1901), wie etwa *Die Insel der Toten* (1886) besonders starken Einfluss aus.

1891 kündigten Péladan und seine Partner (darunter Comte Antoine de La Rochefoucauld, 1862–1960) Salons an, bei denen visuelle und akustische Genüsse der Kunst, Musik und Literatur die Prinzipien der Rosenkreuzer verdeutlichen sollten. Sechs Salons fanden zwischen 1892 und 1897 in Paris statt. Beim ersten, von Paul Durand-Ruel veranstalteten Salon kam Musik von Erik Satie, Giovanni Pierluigi da Palestrina und Wagner zur Aufführung sowie ein

Carlos Schwabe, *The Virgin of the Lilies*, 1899
Péladans immer strikter werdende Regeln bezüglich der Bildthemen entfremdeten schließlich sogar den Erzkatholiken Schwabe.

Theaterstück von Péladan. Spätere Ausstellungen zeigten Werke von Fernand Khnopff (siehe Les Vingt), Ferdinand Hodler (1853–1918), Jan Toorop (1858–1928) und Gaetano Previati (1852–1920). Als begabter Publizist verstand es Péladan, Presse und Öffentlichkeit in seine Ausstellungen zu locken. Obwohl sich einige junge Künstler wie Georges Rouault (siehe Expressionismus) angezogen fühlten, verließen viele Avantgarde-Künstler den Orden wieder. Schließlich geriet Péladan in finanzielle Schwierigkeiten und löste die Gesellschaft auf.

Lange war die Bedeutung des Salon de la Rose+Croix vom schillernden Charakter Péladans überschattet, den ein Kunsthistoriker als »eine der paradoxesten Figuren der Kunstgeschichte« beschrieb. Insgesamt stellten rund 230 Künstler in den Salons aus, die so als wichtige Schaukästen für neue symbolistische und nicht-symbolistische Werke dienten.

Wichtige Sammlungen

Albertina, Wien, Österreich
Detroit Institute of Arts, Detroit, Michigan
Fine Arts Museum of San Francisco, San Francisco, Kalifornien
Groeninge Museum, Brügge, Belgien
J. Paul Getty Museum, Los Angeles, Kalifornien

Weiterführende Literatur

A. Lehman, *The Symbolist Aesthetic in France 1885–95* (Oxford, 1968)
R. Pincus-Witten, *Occult Symbolism in France: Joséphin Péladan and the Salons de la Rose+Croix* (1976)

Jugendstil

Wir stehen nicht nur am Beginn eines neuen Stils, sondern zugleich am Anfang der Entwicklung einer ganz neuen Kunst, die mit Hilfe von Formen, die nichts bedeuten, nichts darstellen und an nichts erinnern, unsere Seele so tief zu bewegen versteht, wie das nur die Musik mit Hilfe der Töne vermag.

AUGUST ENDELL, UM 1900

In Deutschland nannte man die *Art Nouveau nach der berühmten Zeitschrift *Jugend* (1896–1914) »Jugendstil«. Es gab in ihm zwei deutlich unterschiedene Strömungen: die florale, die sich vom Design des englischen *Arts and Crafts herleitete, und die abstraktere, die nach 1900 unter dem Einfluss des Belgiers Henry van de Velde (siehe Art Nouveau) entstand. Eine Reihe neuer Zeitschriften, die sich den schönen Künsten und dem Kunsthandwerk widmeten, wie etwa *Jugend*, *Pan* (1895–1900), *Simplicissimus* (gegründet 1896), *Dekorative Kunst* und *Deutsche Kunst und Dekoration* (gegründet 1897) trugen mit großem Eifer zum Bekanntwerden der neuen Bewegung bei. Bald kam auch Unterstützung durch Aufträge von reichen Industriellen und von der Aristokratie, sodass der Jugendstil von der Grafik über die Architektur bis zum Kunstgewerbe alle Bereiche erfasste.

Der florale Stil war gefühlsbetont, naturalistisch, zehrte von natürlichen Formen und folkloristischen Themen. Eines der frühesten Beispiele ist eine Seidenstickerei nach dem Entwurf des in München ansässigen Bildhauers Hermann Obrist (1863–1927). Sein Wandbehang *Zyklamen* (1892–1894), der eine sich schlingende Blume in fließender Bewegung zeigt, erinnerte einen Kritiker an die plötzliche, heftige Kurvenbewegung, die eine Peitschenschnur beim Knall vollzieht, und so wurde das Werk schließlich unter dem Namen *Der Peitschenhieb* bekannt. Ein anderer führender Vertreter

dieser Stilrichtung war Otto Eckmann (1865–1902), der, wie viele Jugendstilkünstler, eine Ausbildung zum Maler absolviert hatte, dann aber zur Grafik und zum Kunsthandwerk wechselte. In seinem zum Markenzeichen gewordenen kalligrafischen Stil fertigte Eckmann zahllose Illustrationen für Periodika wie *Pan* und *Jugend*.

Bis zur Jahrhundertwende war München mit Künstlern wie Obrist, Eckmann, August Endell (1871–1925), Richard Riemerschmid (1868–1957), Bernhard Pankok (1872–1943) und Bruno Paul (1874–1968) das Zentrum des Jugendstils. Zu dieser Zeit wuchs das Interesse an Industriedesign und Kunsthandwerk, denn deutsche Produkte sollten verbessert werden, um sie für den Welthandel attraktiv zu machen. Das britische Kunstgewerbe war seiner hohen Qualität in Design und Ausführung wegen als Vorbild besonders wichtig, legte man hier doch auf Zweckdienlichkeit und klare Konstruktion großen Wert. Die deutschen Designer verschlossen sich der Massenproduktion nicht, vielmehr suchten sie Formen zu kreieren, die den gerade im Entstehen begriffenen Technologien entsprachen. Dies führte zu einem schlichteren, funktionalen und auch erschwinglicheren Design, das weniger Ornamentik aufwies als die Entwürfe der britischen Werkstätten. Auf dieser Idee aufbauend entstanden 1897 in München die Vereinigten Werkstätten für Kunst im Handwerk. Die Designer, darunter die Gründungsmitglieder

Obrist, Endell, Riemerschmid, Pankok, Paul und Peter Behrens (1869–1940) arbeiteten eng mit den Herstellern ihrer Entwürfe zusammen, produzierten aber nicht selbst, wie es britischer Praxis entsprach.

Im selben Jahr wurde in Dresden eine Reihe der Interieurs von Henry van de Velde ausgestellt. Der deutsche Kunstkritiker Julius Meier-Graefe, Gründer von *Pan*, bewunderte van de Veldes originelle, feingeschwungene Linienführung beim Möbeldesign und gab Büromöbel bei ihm in Auftrag. Van de Veldes Ruf wuchs, und er erhielt viele Aufträge. Er ließ sich in Berlin nieder und hielt überall im Lande Vorlesungen.

In dieser Zeit begann sich der florale Stil in den Arbeiten von Endell, Obrist und Behrens vom vegetabilen zu einem abstrakteren, geometrischeren Stil zu wandeln. Endells Entwürfe für das Atelier Elvira (1897–1898), einem Fotostudio in München (später von den Nazis als Beispiel »entarteter Kunst« zerstört), waren von besonderer Bedeutung. Die Peitschenhieblinien, die Pflanzen- und Tiermotive, die in den Art-Nouveau-Werken dominieren, wurden so abstrakt gestaltet, dass sie nahezu surreale Formen annahmen. Ähnlich ging Behrens bei seinem Plakat *Der Kuss* (1898) vor; die fließend kurvigen Linien wurden vereinfacht und es entstand ein organischer, ornamentaler, modernistischer Gesamteindruck.

Um die Jahrhundertwende versprengte es die Münchner Gruppe nach Berlin, Weimar und Darmstadt. Zahllose Werkstätten wurden eröffnet, darunter die berühmte in Dresden, wo Riemerschmid eine Serie maschinell gefertigter Möbel entwarf, und in Darmstadt, wo Alexander Koch 1897 die Zeitschrift *Deutsche Kunst und Dekoration* gründete, in der er sich mit dem Appell an die Leser wandte, sich wieder auf das Kunsthandwerk und die »Notwendigkeit eines Zusammenschlusses aller Künstler: Architekten, Bildhauer, Maler und

Oben: **August Endell,** *Fassade des Ateliers Elvira,* **1897–1898**
Endells Entwurf löste einen Skandal in der Öffentlichkeit aus. Traditionalisten kritisierten die mangelnde Verbindung zwischen der außergewöhnlichen Ornamentik und der schlichten Konstruktion des eigentlichen Gebäudes.

Industrieprojektanten« zu besinnen. Koch bevorzugte die elegante Architektur und das zurückhaltende Design, die man mit Charles Rennie Mackintosh (siehe Art Nouveau), M. H. Baillie Scott und C. R. Ashbee (siehe Arts und Crafts) verbindet. 1898 veröffentlichte er einen Artikel über die Glasgow School, 1901 lud er Mackintosh ein, an einem Wettbewerb für den Entwurf eines Hauses teilzunehmen, und 1902 rühmte er den Umschlagentwurf eines Magazins von Margaret Macdonald Mackintosh.

Großherzog Ernst Ludwig von Hessen teilte Kochs Leidenschaft für die britische Formgestaltung, so gab er für mehrere Räume des Neuen Palais in Darmstadt Möbel in Auftrag, die nach Entwürfen von Ashbee und Baillie Scott gefertigt wurden. Auch er war überzeugt, dass Künstler bei der Reform des Designs eine entscheidende Rolle spielen könnten, und so förderte er 1899 die Gründung einer Künstlerkolonie auf der Mathildenhöhe in Darmstadt, der deutsche und österreichische Architekten und Designer angehörten, darunter Behrens und Joseph Maria Olbrich (siehe Wiener Sezession). Das Projekt synthetisierte das damals in England moderne Ideal der Gartenstadt, indem es die Prinzipien von Arts and Crafts mit denen der Jugendstilentwürfe vereinte. Mit Ausnahme der Villa von Behrens (von Grundriss und Fassade über Inneneinrichtung und Möbel bis zu Bestecken von diesem selbst durchgestaltet) waren die anderen Bauten entscheidend von Olbrich geprägt. 1901 öffnete die Mathildenhöhe mit einer mystischen Einweihungsfeier, bei der das Konzept des »Gesamtkunstwerks« vorgestellt wurde, ihre Tore für die Öffentlichkeit. Den Besuchern sollte gezeigt werden, wie man umgeben von Kunst ein ideales Leben führen könne. Die von den Künstlern hergestellten Produkte waren allerdings so teuer, dass nur wenige sie sich leisten konnten, und die Künstler selbst waren auf Subventionen vom Großherzog angewiesen.

Viele der führenden Jugendstilkünstler kamen 1907 als Mitglieder des *Deutschen Werkbundes wieder zusammen, wo sie erneut der Frage nachgingen, wie Kunst und Industrie, Ornamentik und Funktionalität miteinander in Einklang zu bringen seien. Das bedeutendste Erbe des Jugendstils in Deutschland war die Freude am Experimentieren und der Wunsch, eine Synthese zwischen bildender und angewandter Kunst zu finden, was schließlich zur Gründung des *Bauhauses führte.

Wichtige Sammlungen
Aberdeen Art Gallery, Aberdeen, Schottland
Staatliches Museum für angewandte Kunst, München
Glasgow University Art Collection, Glasgow, Schottland
Hessisches Landesmuseum, Darmstadt
Victoria & Albert Museum, London

Weiterführende Literatur
W. Quoika-Stanka, *Jugendstil in Austria and Germany* (Monticello, 1987)
A. Beyer (Hrsg.), *Jugendstil und Kulturkritik* (Heidelberg, 1999)
K. Eschmann, *Jugendstil* (Göttingen/Zürich, 1991)
A. Duncan, *Art Nouveau* (1994)

Wiener Sezession

Die moderne Kunst muss uns Moderne, unser Können, unser Tun und Lassen durch von uns geschaffene Form repräsentieren.

OTTO WAGNER, 1895

Die Sezession, das heißt die Abspaltung junger Künstler von den offiziellen Akademien, war besonders in den deutschsprachigen Ländern in den 1890er-Jahren kennzeichnend für die Kunstsituation. 1892 protestierten in München, 1898 in Berlin und später in Dresden, Düsseldorf, Leipzig und Weimar junge Künstler gegen die etablierte Ausstellungs- und Kunstpolitik, indem sie eigene Künstlerverbände gründeten. Das Wien jener Jahre war ein Sammelbecken außergewöhnlicher und radikaler Intellektueller: Sigmund Freud wirkte hier, der Komponist Arnold Schönberg, der Schriftsteller Robert Musil sowie der Architekt Adolf Loos (siehe International Style). Die in Wien ansässigen Künstler erwiesen sich als nicht weniger radikal als ihre auf anderen Gebieten wirkenden Zeitgenossen.

Die Wiener Sezession formierte sich am 25. Mai 1897, als eine Gruppe von 19 Künstlern und Architekten den Beschluss fasste, sich vom offiziellen Wiener Künstlerhaus zu lösen. Zu den Gründungsmitgliedern der Sezession gehörten der Maler Gustav Klimt (1862–1918), der Architekt und Designer Josef Hoffmann (1870–1956), Joseph Maria Olbrich (1867–1908) und Koloman Moser (1868–1918). Klimt wurde der erste Präsident der Gruppe.

Links: **Josef Hoffmann, Das Signet der Wiener Werkstätte**
Die Wiener Werkstätte widmete sich der Produktion hochwertiger, eleganter Gebrauchsgegenstände, die charakteristischerweise schlicht, aber luxuriös waren, darunter Möbel, Einrichtungen, Kleidung, Metallwaren, Bucheinbände, Keramiken, Textilien und Schmuck.

Unten: **Gustav Klimt, *Beethoven-Fries*, (Detail), 1902**
Die 14. Ausstellung der Sezession war eine Hommage an Beethoven, für die Klimt einen Fries schuf. Seine persönliche Allegorie (hier die Leiden der schwachen Menschheit; die wohlbewaffneten Starken; Mitleid und Ehrgeiz) wurden für ihren fehlenden Bezug zu Beethoven kritisiert.

Die Mitglieder verwarfen den konservativen Stil der Akademien und befürworteten eine Kunst, die die Modernität feierte. Wie William Morris und die englische *Arts-and-Crafts-Bewegung – auf die sich die Mitglieder in ihrer Gründungsurkunde beriefen –, bevorzugten sie eine breitere Definition der Kunst, die auch die angewandten Künste einbezog, denn sie glaubten, dass die Kunst eine wichtige Rolle bei der gesellschaftlichen Entwicklung spielen könne. In einer frühen Verlautbarung der Gruppe heißt es: »Wir kennen keine Unterscheidung zwischen ›hoher Kunst‹ und ›Kleinkunst‹, zwischen Kunst für die Reichen und Kunst für die Armen. Die Kunst ist Allgemeingut.«

Wie *Les Vingt in Belgien, veranstaltete die Gruppe Ausstellungen, um die neuesten Entwicklungen in der internationalen bildenden und angewandten Kunst publik zu machen. Die erste Ausstellung präsentierte neben Arbeiten von Sezessionsmitgliedern auch solche des französischen Bildhauers Auguste Rodin, des Belgiers Fernand Khnopff sowie Henry van de Velde, alle drei ehemalige Mitglieder von Les Vingt. Die Ausstellung war ein solcher Erfolg, dass die Sezessionisten Olbrich beauftragten, einen permanenten Ausstellungsort zu entwerfen, das Haus der Wiener Sezession (1897–1898). Das moderne, funktionale Gebäude, das sich auf geometrische Formen gründete und nur sparsam mit ornamentalen Pflanzen- und Tierfriesen geschmückt war, trug über der Eingangstür die Inschrift: »Der Zeit ihre Kunst, der Kunst ihre Freiheit«. Dieses kraftvolle Motto beschrieb sowohl die Ideale der Gruppe als auch die visuellen Charakteristika ihrer neuen Kunst.

Zunächst gliederte man die Sezessionisten dem *Jugendstil an, ja man bezeichnete den Jugendstil in Österreich als Sezessionsstil. Der angesehene Wiener Architekt Otto Wagner (1841–1918), der als Lehrer an der Akademie gewirkt hatte, rief mit seinem Buch »Moderne Architektur« (1895) zum Bruch mit dem Historismus auf. Mit dem Wiener Stadtbahnhof am Karlsplatz (1894) und dem Majolika-Haus (1898) bekannte er sich zur *Art Nouveau und 1899 schloss er sich der neuen Gruppe an. Zwischen 1898 und 1905 veranstaltete die Wiener Sezession 23 Ausstellungen in dem neuen Gebäude und machte dabei das österreichische Publikum mit *Impressionismus, *Symbolismus, *Post-Impressionismus, japanischer Kunst, Kunsthandwerk und den verschiedenen Strömungen des internationalen Jugendstils bekannt. Nach 1900, dem Jahr der achten Ausstellung der Sezession, die der britischen angewandten Kunst gewidmet war, gewann die Arbeit von Charles Rennie Mackintosh (siehe Art Nouveau) dominierenden Einfluss auf den Sezessionsstil.

Mackintoshs rechtwinklige Entwürfe und seine gedeckten Farben fanden bei den Österreichern größeren Anklang als der rokokohafte Stil der kontinentalen Art Nouveau.

Zur Veröffentlichung ihrer Entwürfe und zur Verbreitung ihrer Idee von der Einheit in der Kunst, gab die Sezession auch eine Zeitschrift heraus, *Ver Sacrum* (Heiliger Frühling), deren Titel nicht nur auf den Gründungsmonat Mai anspielte, sondern auch darauf, dass die Künste eine jugendliche Erneuerung und Regeneration erfuhren.

1905 kam es zur Spaltung innerhalb der Sezession. Die Naturalisten wollten sich auf die schönen Künste konzentrieren, die radikaleren Künstler hingegen, darunter Klimt, Hoffmann und Wagner, wollten die angewandten Künste fördern und suchten einen engeren Anschluss an die Industrie. Schließlich lösten sie sich und bildeten eine neue, die Klimtgruppe. 1903, angeregt durch C. R. Ashbees Guild of Handicraft (Werkstätte für Kunsthandwerk) in England, gründeten Hoffmann und der Sezessionist Moser zusammen mit dem Bankier Fritz Wärndorfer die Wiener Werkstätte zur Herstellung von Kunsthandwerk aller Art. Hoffmann beschrieb die Ziele im Programm der Werkstätte so:

> Unser Ziel ist es, eine Insel der Ruhe in unserem eigenen Land zu schaffen, wo inmitten des fröhlichen Brummens des Kunsthandwerks alle willkommen sind, die sich in Treue zu Ruskin und Morris bekennen.

Allerdings waren Hoffmann und Moser an den sozialreformerischen Aspekten der britischen Arts-and-Crafts-Bewegung ebenso wenig interessiert wie an den Versuchen der deutschen Kollegen, allgemein erschwingliche Möbel herzustellen (siehe Jugendstil). Sie konzentrierten sich auf die Reform des Designs und entwarfen wunderschöne Objekte für eine reiche Kundschaft. Bald genoss die Werkstätte für ihr progressives Design, das bereits *Art Déco vorwegnahm und später beeinflusste, internationales Ansehen. Besonders Hoffmann liebte den Kubus und den rechten Winkel in seinen Entwürfen, was ihm den Spitznamen »Quadratl-Hoffmann« eintrug. Innerhalb von zwei Jahren stellte die Werkstätte mehr als 200 Kunsthandwerker ein, darunter Oskar Kokoschka und den jungen Egon Schiele (siehe Expressionismus), die Damenkleidung entwarfen. Bis zu ihrer Schließung 1932 produzierte die Werkstätte Güter für den internationalen Luxusartikelmarkt.

Einer der ersten Aufträge, den die Werkstätte erhielt, war der Entwurf eines Privathauses in Brüssel, das Palais Stoclet (1905–1911), den Hoffman ausführte. Mackintoshs Einfluss wird in der

geometrischen Struktur des Gebäudes, in den stark linearen Formen und der zurückhaltenden Ornamentik sichtbar. Die Wandbilder im Speisesaal, von Klimt als Mosaik entworfen und von Kunsthandwerkern der Werkstätte ausgeführt, zeigen Klimts berühmtestes Bild: *Der Kuss*. Das von Gold strotzende, abstrakte Design ist ebenso von Erotik erfüllt wie andere Arbeiten von Künstlern, die dem *Symbolismus und der *Dekadenz zuzuordnen sind.

Klimt, Olbrich, Moser und Wagner waren 1918 bereits alle gestorben, ihre Werke jedoch übten weiter großen Einfluss aus. Der funktionalistische Ansatz, die geometrische Komposition sowie die Zweidimensionalität vieler früher Werke der Wiener Sezession nahmen die modernistische Bewegung der Kunst, der Architektur und des Designs bis hin zum *Bauhaus, International Style und Art Déco vorweg und inspirierten sie. Die Verteidigung der künstlerischen Freiheit, für die die Gruppe stand, stellte auch für die langsam sich entwickelnde Avantgarde ein mächtiges Vorbild dar. Die Sezession selbst blieb als Gruppe bis 1939 bestehen, dann führte der von den Nationalsozialisten ausgeübte Druck zu ihrer Auflösung. Nach dem Zweiten Weltkrieg reformierte sie sich und sponserte weiterhin Ausstellungen, sowohl im (wiedererbauten) Sezessionsgebäude als auch an anderen Orten.

Oben: Joseph Maria Olbrich, Plakat für die 2. Sezessionsausstellung, 1898–1899
Olbrichs Plakat zeigt das kurz zuvor erbaute Haus der Wiener Sezession, das er selbst entworfen und auf einem Grundstück erbaut hatte, das die Stadt Wien zur Verfügung stellte. Der Industrielle Karl Wittgenstein war an der Finanzierung beteiligt.

Gegenüber: Josef Hoffmann, Palais Stoclet, Brüssel, 1905–1911
Realisiert mit der Hilfe von Kunsthandwerkern der Wiener Werkstätte, beaufsichtigte Hoffmann die Ausführung jedes Details seines Meisterwerks vom Entwurf der 40-Zimmer-Villa bis zum Design der Lampenfassungen, der Türklinken und des Bestecks.

Wichtige Sammlungen
J. Paul Getty Museum, Los Angeles, Kalifornien
Metropolitan Museum of Art, New York
Haus der Wiener Sezession, Wien, Österreich
National Gallery of Art, Washington, D.C.
National Gallery, London
Tate Gallery, London

Weiterführende Literatur
R. Waissenberger, *The Vienna Secession* (1977)
F. Whitford, *Klimt* (1990)
E. Louis (Hrsg.), *Die Wiener Secession* (Ostfildern-Ruit, 1997)
M. Bisanz-Prakken, *Heiliger Frühling* (Ausst.-Kat., Graphische Sammlung Albertina, Wien, 1998/99)

Welt der Kunst (Mir Iskusstwa)

Der ganzen Kunst unserer Zeit mangelt es an einer Richtung ... sie ist unkoordiniert und zwischen verschiedenen Individuen aufgespalten.

ALEXANDER BENOIS, 1902

Die Künstlervereinigung Mir Iskusstwa (Welt der Kunst) wurde 1898 von Alexander Benois (1870–1960) und Sergej Diaghilew in St. Petersburg gegründet. Diejenigen, die sich der Gruppe anschlossen, waren unzufrieden mit dem herrschenden Akademismus. Die leuchtenden Farben, die vereinfachten Kompositionen sowie die primitiven Elemente in ihren Werken (die vom Interesse an Kinderzeichnungen beeinflusst waren), verbanden die Gruppe sowohl mit der internationalen *Art Nouveau als auch mit den zeitgenössischen Avantgarde-Bewegungen Europas wie etwa dem *Synthetismus. Welt der Kunst suchte die Verbindung mit Westeuropa und hoffte, in Russland ein kulturelles Zentrum zu schaffen, das London oder Paris ähneln würde. Zugleich erwies sich die Gruppe durch das Interesse an mittelalterlicher und an Volkskunst und durch die Verwendung bäuerlicher Motive in vielen Arbeiten als unverkennbar russisch.

Die vielleicht hervorstechendste Errungenschaft der Gruppe lag in der Förderung des Zusammenspiels aller Künste. Wie die Mitglieder der *Arts-and-Crafts-Bewegung in England, fürchteten auch die Mitglieder von Welt der Kunst, dass die rasche Industrialisierung, die in Russland um 1860 einsetzte, die Dörfer und mit ihnen das Handwerk zerstören könne. Sie bemühten sich folglich um die Wiederbelebung lokaler Traditionen und die Produktion von Keramik, Holzarbeiten und Bühnendekorationen. Die spektakulärsten Ergebnisse dieser Bemühungen erzielte Diaghilew mit seinen Ballets Russes, deren Aufführungen nicht nur um ihrer selbst willen berühmt waren, sondern vor allem auch wegen der innovativen Bühnenbilder und der Kostüme. Im Laufe der kommenden zehn Jahre revolutionierten die Künstler von Welt der Kunst, vor allem Léon Bakst (1866–1924), der sich der Gruppe 1900 anschloss, die

europäische Bühnenbildgestaltung. Seine leuchtend farbigen Kostüme und Dekorationen verquickten den Jugendstil mit einem exotischen Orientalismus.

Welt der Kunst machte die russische Öffentlichkeit auch mit den künstlerischen Strömungen des Westens vertraut. Die gleichnamige Zeitschrift hatte Diaghilew 1898 als Herausgeber gegründet, und er organisierte auch Ausstellungen westlicher Avantgarde-Werke in Russland. Er zeichnete allein verantwortlich für die erste Welt-der-Kunst-Ausstellung im Januar 1899 in St. Petersburg, die Werke ausländischer Künstler zeigte, darunter von Böcklin, Degas, Monet, Moreau, Puvis de Chavannes und Whistler (siehe Impressionismus und Symbolismus). Nach 1899 konzentrierten sich die Ausstellungen auf russische Kunst. Die letzte von Welt der Kunst ausgeführte, 1906, war zugleich das Debüt von Michail Larionow und Natalja Gontscharowa (siehe Karo-Bube und Rayonismus) sowie von Alexej von Jawlensky (siehe Der blaue Reiter). Im selben Jahr lud Diaghilew Larionow und Gontscharowa ein, an der Ausstellung russischer Kunst teilzunehmen, die er in Paris organisierte. Als Teil des »Pariser Herbstsalons« war die Ausstellung die umfassendste Präsentation russischer Kunst, die man bisher im Westen gesehen hatte, zeigte sie doch in zwölf von Bakst dekorierten Räumen des Grand Palais Beispiele, von der mittelalterlichen Ikone bis zur zeitgenössischen Avantgarde.

1906 wurde Welt der Kunst als Künstlervereinigung aufgelöst. Benois, Bakst und Diaghilew hielten sich zu der Zeit zumeist in Paris auf. Die avantgardistischen Aktivitäten wurden ab 1907 von der in Moskau angesiedelten Gruppe Golubaya Roza (Blaue Rose) weitergeführt, der auch Larionow und Gontscharowa angehörten. Zugleich mit ihr formierte sich die Ausstellungsgesellschaft Zolotoe Runo (Goldenes Vlies), und die gleichnamige Zeitschrift (1906–1909) wurde als Mittel gegründet, die Arbeit der Gruppe Welt der Kunst fortzusetzen.

1910 wurde Welt der Kunst als Ausstellungsgesellschaft neu gegründet und bestand bis 1924. In dieser Zeit fanden in verschiedenen russischen Städten 21 Ausstellungen statt. Der Schwerpunkt ruhte verstärkt auf der heranwachsenden Avantgarde. Marc Chagall (siehe École de Paris), Wassily Kandinsky (siehe Der blaue Reiter) und El Lissitzky (siehe Bauhaus) gehörten zu den neuen Mitgliedern. Im Grunde war Welt der Kunst nie wirklich avantgardistisch. Den gesetzt formulierten aber gemäßigten kritischen Kommentaren der Mitglieder mangelte es am Radikalismus späterer Interpreten; auch ist es bezeichnend, dass die Gruppe nie ein Manifest herausgab.

Oben: Léon Bakst, *Die rote Sultanin*, 1910
Der Pariser Modeschöpfer Paul Poiret ließ sich von Baksts Kostümentwürfen inspirieren und übertrug den Glanz und Luxus der Werke direkt auf seine Mode. Durch Poiret erhielt das Russische Ballett Bedeutung für die Entwicklung der Art Déco.

Gegenüber: Léon Bakst, Bühnenbild für *Schéhérazade*, 1910
Indem er leuchtende Farben und sinnliche Entwürfe vereinte, verband Diaghilew die Linie des Jugendstils mit dem exotischen Orientalismus. Seine Produktionen von *Kleopatra*, und *Prinz Igor*, 1909, sowie *Schéhérazade* und *Feuervogel*, 1910, waren in Paris sensationelle Erfolge.

Ihre Kunst selbst ist durch technische Meisterschaft und Verfeinerung charakterisiert, macht aber Halt vor den Extremismen, für die später die Künstler des *Suprematismus und des *Konstruktivismus berühmt werden sollten.

Wichtige Sammlungen
Fine Arts Museum of San Francisco, San Francisco, Kalifornien
Museum of Fine Arts, Boston, Massachusetts
Museum moderner Kunst, Wien, Österreich
Norton Simon Museum, Pasadena, Kalifornien
Ermitage, St. Petersburg
Russisches Staatsmuseum, St. Petersburg

Weiterführende Literatur
J. Kennedy, The »Mir Iskusstva« Group and Russian Art 1898–1912 (1977)
J. Bowlt, The Silver Age: Russian Art of the Early Twentieth Century and the »World of Art« Group (Newtonville, MA, 1980)
A. Kamenski, Welt der Kunst (Leningrad, 1991)

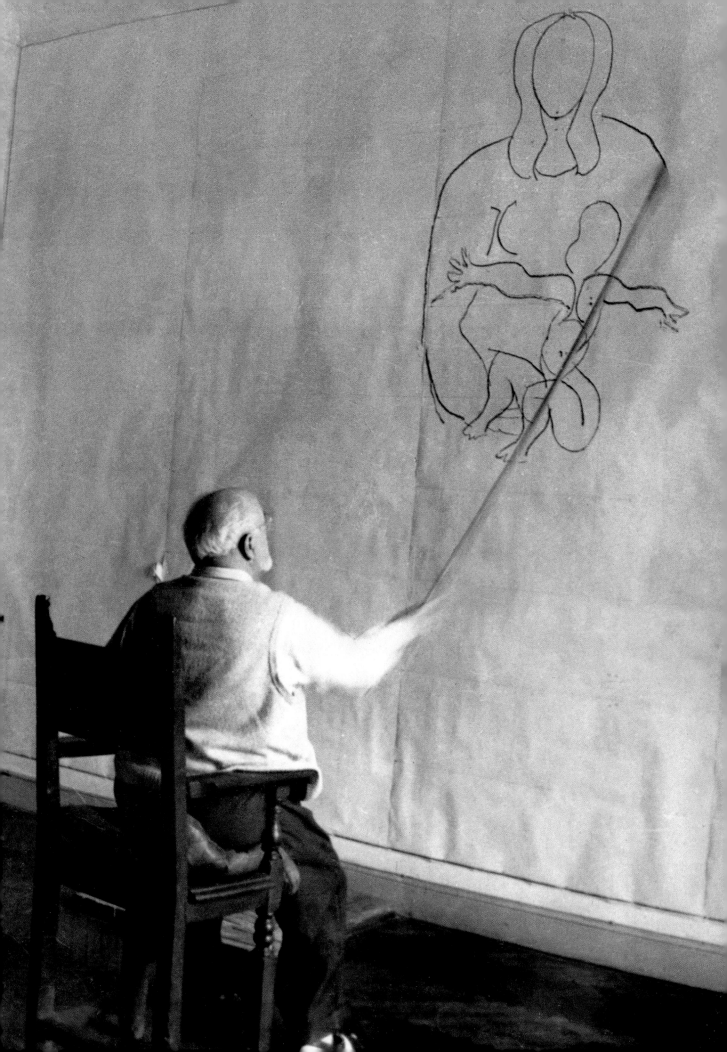

1900-1918

Modernismus für eine moderne Welt

Fauvismus

Farben wurden Dynamitladungen. Sie sollten Licht ausströmen.
Alles konnte über die Realität erhoben werden.

ANDRÉ DERAIN

Beim Pariser Herbstsalon von 1905 stellte eine Gruppe von Künstlern derart schockierende Bilder aus, dass der Kritiker Louis Vauxcelles sie spontan als *les fauves* (die wilden Tiere) bezeichnete, weil die Farben so kräftig und ungebrochen, der Farbauftrag so spontan und roh war. Die Künstler griffen die als Beleidigung gedachte Bezeichnung als treffende Beschreibung ihrer Methoden und Ziele auf, und so wurde Fauvismus zum Etikett jenes umstürzlerischen Stils der Arbeiten der lose verbundenen Gruppe französischer Künstler, die sich von etwa 1904 bis 1908 zusammenfanden. Die berühmtesten dieser Maler waren Henri Matisse (1869–1954), André Derain (1880–1954) und Maurice de Vlaminck (1876–1958), doch gehörten auch andere dazu, die Vauxcelles als »Fauvettes« bezeichnete: Albert Marquet (1875–1947), Charles Camoin (1879–1965), Henri-Charles Manguin (1874–1949), Othon Friesz (1879–1949), Jean Puy (1876–1961), Louis Valtat (1869–1952), Georges Rouault (1871–1958, siehe Expressionismus), Raoul Dufy (1877–1953), Georges Braque (1882–1963, siehe Kubismus) und der Holländer Kees van Dongen (1877–1968).

Der Fauvismus war die erste Avantgarde-Bewegung des 20. Jahrhunderts, die die Kunstwelt erschütterte, doch die Fauves bildeten nie eine bewusst organisierte Bewegung mit Agenda, vielmehr handelte es sich um eine lose Gruppierung von Künstlern, Freunden und Kunststudenten, die übereinstimmende Ansichten vertraten. Matisse, der älteste und etablierteste, wurde bald als »der König der wilden Tiere« bekannt. In seinem Gemälde *Luxe, Calme et Volupté* (1904) wurden viele Charakteristika der Fauves erstmals sichtbar.

Das Motiv, zu dem Matisse, wie auch andere Fauves, im Laufe seiner langen Karriere noch oft zurückkehren sollte, war bei den

*Impressionisten schon sehr beliebt – doch Matisse ging die Sache anders an. Durch die leuchtende Palette, den subjektiven und emanzipierten Einsatz der Farbe wird eher eine Atmosphäre und eine dekorative Oberfläche geschaffen als eine Szene beschrieben; stilistisch ist das Bild dem *Post-Impressionismus und *Neo-Impressionismus näher. In der Tat entstand das Gemälde 1904 in Paris, nachdem sich Matisse bei den Neo-Impressionisten Paul Signac und Henri-Edmond Cross in Saint-Tropez, Südfrankreich, aufgehalten hatte. Wie Matisse durchliefen auch viele andere Fauves eine neo-impressionistische Phase. Der Titel des Werks ist einer Zeile des Gedichts »L'invitation au Voyage« (Einladung zur Reise) (*Spleen et Idéal LIII*) von Charles Baudelaire (1821–1867), der auch die *Symbolisten inspirierte und in einflussreicher Weise kritisierte. Mit den Symbolisten teilten die Fauves die Einstellung, die Kunst solle durch Formen und Farben Emotionen hervorrufen, doch klammerten sie die Melancholie und den Moralismus, der sich in manchen Werken der Symbolisten fand, zugunsten einer positiveren Lebenseinstellung aus. In den »Notizen eines Malers«, 1908 in *La Grande Revue* publiziert, verdeutlichte Matisse sein Konzept von der Rolle des Künstlers, indem er sagte, es gehe ihm vor allem um den Ausdruck, denn er sei unfähig, zwischen seinem Lebensgefühl und seiner Art, es auszudrücken, zu unterscheiden. Das wichtigste Ziel der Farbe solle es sein, dem Ausdruck so gut wie möglich zu dienen. Er träume von einer Kunst des Gleichgewichts, der Klarheit, der Ruhe, die sich von allen ärgerlichen oder trübsinnigen Themen fernhält, einer Kunst, die für jeden Geistesschaffenden, sei er Geschäftsmann oder Schriftsteller eine mentale Beruhigung darstelle, etwa so wie ein Lehnstuhl, in dem man sich von physischer Erschöpfung erholt.

Luxe, Calme et Volupté wurde im Frühjahr 1905 im Salon der Unabhängigen ausgestellt, und Signac erwarb das Bild auf der Stelle. Als Raoul Dufy es sah, war er sofort zum Fauvismus bekehrt und schrieb später, er habe, als er vor diesem Bild stand, alle neuen Prinzipien begriffen; der Impressionismus habe für ihn seinen Charme verloren, als er dieses Wunder an Imagination betrachtet habe, das durch Zeichnung und Farbe hervorgerufen worden sei.

Viele der späteren Fauves – Matisse, Rouault, Camoin, Marquet und Manguin – hatten bei Gustave Moreau (siehe Symbolismus) studiert, dessen offene Einstellung, Originalität und Glaube an die expressive Kraft der reinen Farbe sich als inspirativ erweisen sollte. Matisse sagte:

Er brachte uns nicht auf den richtigen Weg, er brachte uns vom Weg ab, denn er rüttelte uns aus unserer Selbstgefälligkeit auf.

Oben: **André Derain, *Drei Figuren auf dem Rasen sitzend,* 1906**
Matisse, Vlaminck und Derain interessierten sich für afrikanische Kunst, sie
bewunderten und sammelten Masken und Skulpturen. Derains Verwendung
erhöhter Farbflächen erinnert an Cézanne und Gauguin.

Gegenüber: **Henri Matisse, *Lebensfreude (Bonheur de vivre: Joie de vivre),***
1905–1906
Die kräftigen arabesken Konturen Matisses erinnern an Ingres, während
seine Art, Farben einzusetzen und Figuren zu zeichnen, frisch und
ausgeprägt modern ist.

Sein Tod im Jahr 1898 beraubte die Fauves der wohlmeinenden
Unterstützung. In den ersten Jahren des 20. Jahrhunderts entdeckten
die Fauves andere, der Öffentlichkeit nach wie vor unbekannte
Maler, die Einfluss auf ihre Arbeit nehmen sollten. Paul Gauguin
(siehe Synthetismus) war für Matisse besonders wichtig. Im Sommer
1906 sahen Matisse und Derain viele unbekannte Arbeiten Gauguins, die im Haus von Gauguins Freund Daniel de Monfried gela-
gert waren. So hatten sie Gelegenheit, den schöpferischen Farbge-
brauch und das dekorative System des älteren Künstlers zu studieren.

Auf Vlaminck hatte Vincent van Gogh (siehe Post-Impressionismus) einen überwältigenden Einfluss. Er sah van Goghs Arbeiten
erstmals 1901 auf einer Ausstellung und erzählte kurz darauf, dass
er van Gogh mehr liebe als seinen eigenen Vater. Vor allem übernahm er die Eigenart, die Farbe direkt aus der Tube auf die Leinwand
zu drücken, um so auf die reine Körperlichkeit des Materials auf-

merksam zu machen, wie beispielsweise bei seinem Bild *Landpartie*
(1905). Später sagte Vlaminck von sich, er sei ein weichherziger
Wilder voller Gewalt gewesen. Auch Paul Cézanne (siehe Post-Impressionismus) war wichtig für die Fauves und seine Bilder erlangten nach der großen Retrospektive von 1907 größere Bekanntheit;
sowohl seine *Badenden* als auch seine Stillleben hinterließen bleibende Eindrücke bei Matisse. Während sie die jüngste Generation
der Avantgarde entdeckten, blickten die Fauves zugleich zurück auf
die französische Kunst der Vorrenaissance, der mit der 1904 veranstalteten Ausstellung »Frühe Meister der französischen Kunst«
neue Beachtung zukam. Derain, Vlaminck und Matisse waren auch
unter den ersten Künstlern, die afrikanische Skulpturen sammelten.

Eines der Hauptwerke, das 1905 im Herbstsalon ausgestellt
wurde, war *Frau mit Hut* (1905) von Matisse, ein Porträt seiner
Frau. Seiner lebhaften, unnatürlichen Farben und der ekstatischen
Pinselführung wegen löste es einen Skandal aus. Vor allem, dass es
sich um ein menschliches Porträt handelte, dessen Züge entstellt
schienen, wurde als schockierend empfunden. Während Kritiker
und Publikum das Gemälde mit Unverständnis betrachteten, reagierten Händler und Sammler schnell und begeistert, und die
Werke der Fauves waren plötzlich äußerst begehrt auf dem Markt.
Der amerikanische Kritiker Leo Stein begann Matisse zu sammeln
(darunter *Frau mit Hut*, das er später als »die hässlichste Farb-

schmiererei, die ich je gesehen habe« bezeichnete.) Auch seine Schwester, die Schriftstellerin Gertrude Stein, sowie sein Bruder Michael und dessen Frau wurden zu Sammlern von Matisse. Der Kunsthändler Ambroise Vollard kaufte 1905 alle Werke aus Derains und 1906 alle aus Vlamincks Atelier. Bald war man auch außerhalb Frankreichs hinter Arbeiten der Fauves her. Der russische Sammler Sergej Schtschukin erwarb 37 Werke, darunter die Wandbilder *Tanz und Musik* (1910) von Matisse, und auch Iwan A. Morozow stellte sich rasch eine Sammlung zusammen.

Um 1906 sah man die Fauves in Paris als die fortschrittlichsten Künstler an. *Lebensfreude* (1905–1906) von Matisse, das Gertrude und Leo Stein erworben hatten, war das Hauptwerk des Salons des Indépendents, und der Herbstsalon präsentierte Werke aller Mitglieder der Gruppe, eine grelle Folge leuchtend bunter Landschaften, Porträts und figürlicher Szenen – also traditionelle Sujets in neuer Art und Weise. Als Antwort auf Claude Monets (siehe Impressionisten) Bilder von London, die 1904 bei einer Ausstellung in Paris enthusiastisch gefeiert worden waren, hatte Derain 1905–1906 eine Reihe von Bildern mit Darstellungen der Themse gemalt. Während Monets Bilder seine Beobachtung von Licht und Atmosphäre wiedergeben, konzentriert sich Derain bei seinen Arbeiten auf die Farbenfreude. Wie bei Monet ist die Atmosphäre von London lebhaft dargestellt, doch die Präsentation ist vollkommen neu, denn Derain vereinte Aspekte der divisionistischen Technik der Neo-Impressionisten mit dem flächigen Farbauftrag Gauguins und der verschobenen Perspektive Cézannes, um einen frischen und neuen Blick auf die ausdrucksstarken Farben zu erzeugen.

Matisses späte Fauve-Arbeit *Le Luxe II* (1907–1908) zeigt, wie weit er sich inzwischen entwickelt hatte und deutet die Richtung an, die seine Kunst nehmen sollte. Wie das frühere *Luxe, Calme et Volupté*, zeigt auch das neuere Werk eine arkadische Szene mit Akten in einer Landschaft, in der die Figuren aus Farben und Linien gestaltet waren. Den Neo-Impressionismus der früheren Arbeiten ersetzte ein sparsamerer Stil, der sich auf vereinfachte Farben und Linien stützte, die zusammen Licht, Raum, Tiefe und Bewegung erzeugen und bereits auf die bildhafte Raumgestaltung hinweisen, die später die Kubisten entwickeln sollten. Es waren Bilder dieser Art, die den Dichter Apollinaire zu der Bemerkung verleiteten, der Fauvismus sei eine Art Einführung in den Kubismus.

Die Vorherrschaft der Fauves in Paris war kolossal, aber kurzlebig, denn die verschiedenen Künstler gingen bald ihre eigenen Wege, und die Aufmerksamkeit der Kunstwelt richtete sich auf die

Kubisten. Während es falsch wäre, den Fauvismus als einheitliche Bewegung zu bezeichnen, bedeutete er für die Künstler doch eine Phase der anregenden Befreiung, die ihnen erlaubte, ihre ganz persönliche Vorstellung von der Kunst umzusetzen. Derain beispielsweise näherte sich zunächst Pablo Picasso (siehe Kubismus) an und bevorzugte später einen eher klassischen Stil. Vlaminck wandte sich von den fauvistischen Farben ab und konzentrierte sich auf realistisch anmutende Landschaften, was ihn in die Nähe der deutschen Expressionisten rückte. Andere Fauves wie van Dongen, der sich der Gruppe *Die Brücke anschloss, zeigten die Verwandtschaft zwischen diesen beiden Bewegungen auf, die die Kunstpraxis des 20. Jahrhunderts revolutionierten. Matisse, der »König der Fauves«, blieb in gewissem Sinne ein Fauve und wurde zum beliebtesten und einflussreichsten Künstler des 20. Jahrhunderts.

Oben: Maurice de Vlaminck, *Weißes Haus*, 1905–1906
Vlamincks ausdrucksstarker Farbauftrag und seine offenen Pinselstriche zeigen den Einfluss von van Gogh und den Post-Impressionisten, verweisen aber auch auf die dynamische Intensität der Fauves.

Gegenüber: Raoul Dufy, *Der 14. Juli in Le Havre, mit Fahnen geschmückte Straße*, 1906
Dufy wurde in Le Havre geboren, wo er mit Friesz und Braque zusammentraf. Von Matisse beeinflusst, entwickelte sich sein Einsatz leuchtender Farben später zu lebhaften Bühnendekorationen und Textilprojekten.

Wichtige Sammlungen
Centre Georges Pompidou, Paris
Minneapolis Institute of Arts, Minneapolis, Minnesota
Metropolitan Museum of Modern Art, New York
Ermitage, St. Petersburg
Tate Gallery, London

Weiterführende Literatur
R. Negri, *Matisse und die Fauves* (Herrsching, 1988)
R. T. Clement, *Les Fauves* (Westport, CT, 1994)
J. Freeman, *The Fauves* (1996)
Die Explosion der Farbe: Fauvismus und Expressionismus 1905 bis 1911 (Ausst.-Kat., Altes Rathaus, Ingelheim, 1998)

Expressionismus

Der Maler malt, was er schaut mit seinen innersten Sinnen,
die Expression seines Wesens, alles Vergängliche ist ihm nur Gleichnis, er spielt Leben,
jeder Eindruck von außen wird ihm Ausdruck von innen.

HERWARTH WALDEN, 1913

Expressionismus ist ein Begriff, der zu Beginn des 20. Jahrhunderts auf das Theater, die bildenden Künste und die Literatur in jeweils verschiedenem Sinne angewendet wurde. In seiner kunsthistorischen Bedeutung kam der Terminus als Alternative zu dem Begriff *Post-Impressionismus in allgemeinen Gebrauch und bezeichnete dort eine neue, antiimpressionistische Tendenz der bildenden Kunst, die sich seit 1905 in den verschiedenen Ländern zu entwickeln begann. Diese neuen Kunstformen, die Farbe und Linie symbolisch und emotionell einsetzten, waren in gewisser Weise eine Verkehrung des *Impressionismus: Statt seinen Eindruck von der ihn umgebenden Welt festzuhalten, drückte der Künstler seiner Weltsicht den Stempel seines Temperaments auf. Dieses künstlerische Konzept war derart revolutionär, dass »Expressionismus« zum Synonym für »moderne« Kunst schlechthin wurde. In einem strengeren Sinn bezeichnet Expressionismus jedoch eine besondere Stilrichtung in der deutschen Kunst der Zeit zwischen etwa 1909 und 1923. Besonders zwei Gruppen, *Die Brücke und *Der blaue Reiter (sie werden gesondert erläutert) waren wichtige Künstlergruppen des deutschen Expressionismus.

Obwohl der sich in Deutschland entwickelnde Expressionismus vielmehr eine ideologische Haltung als das Ergebnis eines gemeinschaftlichen künstlerischen Programms war, wiesen die Werke doch gemeinsame Ausgangspunkte und weitgehende stilistische Affinitäten auf. Zu jener Zeit besaß Deutschland außerhalb von Berlin eine Reihe starker, unabhängiger Zentren, so in München (Sitz des Blauen Reiters), Köln, Dresden (Sitz der Brücke) und Hannover. Trotz der konservativen Haltung der Bürokraten war man dort doch in der Lage, junge Künstler mit Lehrern, Galerien und Publikationsmitteln zu versorgen. Darüber hinaus aber schufen die Meinungsverschiedenheiten zwischen Berlin und den übrigen Zentren eine einzigartige Atmosphäre kreativer Spannung, in der der Expressionismus prächtig gedieh.

Mit seiner Betonung subjektiver Emotionen wurzelte der Expressionismus im *Symbolismus und dem Werk van Goghs (siehe Post-Impressionismus) und Paul Gauguins (siehe Synthetismus) sowie dem der *Nabis. Die Experimentierfreude mit der Ausdruckskraft der reinen Farbe rückt sie in die Nähe des *Neo-Impressionismus sowie des *Fauvismus. Wie die Fauves benutzten die Expressionisten symbolträchtige Farben und übertriebene Darstellungen; dennoch zeigen die Arbeiten deutscher Expressionisten meist eine pessimistischere Sicht des Menschseins als die der französischen. James Ensor und Edvard Munch (siehe Symbolismus) waren besonders wichtige Wegbereiter. Sie waren Visionäre, die ihrem Glauben treu blieben,

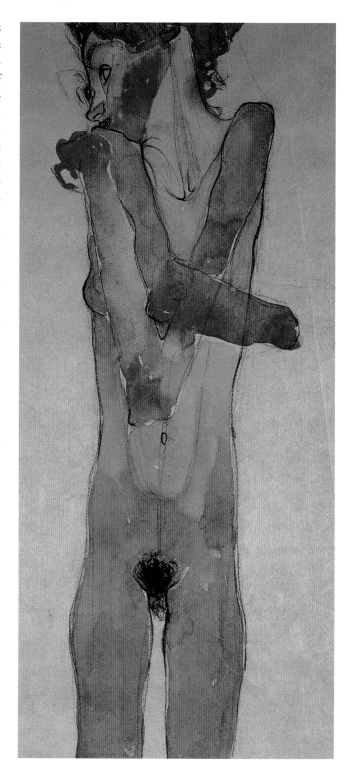

die Kunst müsse dem inneren Aufruhr des Künstlers angesichts einer desinteressierten und verständnislosen Welt Ausdruck verleihen.

Die bedeutendste einheimische Vorläuferin des Expressionismus in Deutschland war Paula Modersohn-Becker (1876–1907), die sich in der Künstlerkolonie von Worpswede, einem Dorf bei Bremen, niederließ. Während ihre Künstlerkollegen, die deutschen Naturalisten, die Auswirkungen der Industrialisierung bekämpften, entwickelte sie sich in eine andere Richtung. Sie las Nietzsche, war mit dem Dichter Rainer Maria Rilke befreundet und kam mit den Werken der französischen Post-Impressionisten in Berührung. All das beeinflusste sie derart, dass sie sich von der sentimentalen und idealisierenden Sicht der Worpsweder Künstler lossagte und nur noch Porträts, Selbstporträts und Mutter-Kind-Bilder malte, wobei sie Farben und Muster symbolisch einsetzte. 1902 schrieb sie in ihr Tagebuch: »Meine persönliche Empfindung ist die Hauptsache.«

Ihr Verständnis von der Kunst als einem Vehikel der eigenen subjektiven Sicht machte sie zu einem wichtigen Verbindungsglied zwischen dem Naturalismus des 19. Jahrhunderts und dem Symbolismus sowie dem modernen Expressionismus.

Der Mystizismus ist ein weiterer hervorstechender Zug des Expressionismus. Ein Pionier dieser Richtung war Emil Nolde (1867–1956). Wie viele Symbolisten und Post-Impressionisten interessierte er sich für primitive Kunst. Seine Gemälde verbinden einfache, dynamische Rhythmen mit dramatischen Farben, sodass sich erstaunliche Effekte ergeben. In seiner grafischen Kunst nutzte er den Kontrast zwischen Schwarz und Weiß auf ebenso kraftvolle wie originelle Weise. Seine Bilder kamen beim öffentlichen Publikum gut an. Als 1896 Postkarten von seinen frühen Bildern aufgelegt wurden, in denen er Alpenberge als alte Riesen darstellte, verkauften sich innerhalb von zehn Tagen 100 000 Stück davon. Sein späterer Holzschnitt *Der Prophet* (1912), eine radikal vereinfachte Komposition, gehört bis heute zu seinen bekanntesten Werken.

Noldes Arbeiten gefielen den jüngeren Künstlern der Gruppe Die Brücke. Sie konnten ihn nur zu einer kurzen Mitgliedschaft von 1906 bis 1907 überzeugen, denn Nolde verfolgte weiterhin seine eigenen, vor allem religiösen Interessen. In seinem Buch *Jahre der Kämpfe* schrieb er: »Einem unwiderstehlichen Verlangen nach Darstellung von tiefer Geistigkeit, Religion und Innigkeit war ich gefolgt. … Mit den Bildern *Abendmahl* und *Pfingsten* erfolgt die Wende vom optisch äußerlichen Reiz zum empfundenen inneren

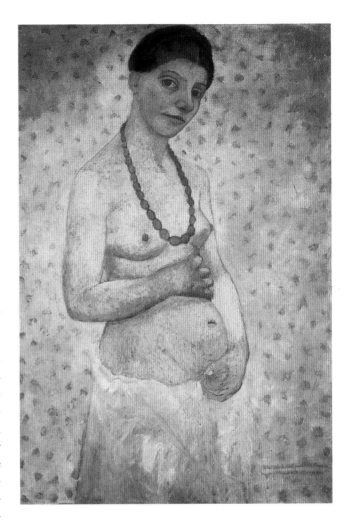

Oben: Paula Modersohn-Becker, *Selbstporträt an ihrem sechsten Hochzeitstag*, 1906
Modersohn-Becker verwendete gedeckte Farben bei dichter Pinselführung. Ihre Selbstporträts und Mutter-und-Kind-Studien sind Ausdruck großer Innigkeit, zugleich aber auch einer überwältigenden Schlichtheit. Sie starb drei Wochen nach der Geburt ihres Kindes.

Gegenüber: Egon Schiele, *Mädchenakt mit gekreuzten Armen*, 1910
Schieles Zeichenkunst vermag Verzweiflung, Leidenschaft, Einsamkeit und Erotik kraftvoll Ausdruck zu verleihen. Die unverhüllte Sexualität seiner weiblichen Figuren machte ihn zu einem umstrittenen Künstler; viele seiner Zeichnungen wurden beschlagnahmt und verbrannt; 1912 saß er sogar kurze Zeit in Haft.

Wert. Marksteine wurden sie.« Diese Bilder, beide 1909 entstanden, markierten eine Periode in Noldes Schaffen, als er sich künstlerisch frei genug fühlte, »den intensivsten Eindruck in der allereinfachsten Form zu finden«.

Der Schriftsteller und Komponist Herwarth Walden (1878–1941) förderte die neue Kunst in Berlin durch Kritiken und Polemiken in der anarchistischen Zeitschrift *Der Sturm* (1910–1932) und durch Ausstellungen in seiner Sturm-Galerie (1912–1924). 1912 wurden dort Arbeiten von Oskar Kokoschka, den italienischen *Futuristen, den neuen französischen Grafikern und James Ensor ausgestellt, 1913 Bilder von Robert Delaunay und den französischen *Kubisten. Mit Waldens Hilfe wurde Berlin in den Jahren vor dem Ersten Weltkrieg ein wichtiges Zentrum der internationalen Avantgarde.

Die berühmtesten Vertreter des Expressionismus in Österreich waren Oskar Kokoschka (1886–1980) und Egon Schiele (1890–1918). Beide waren von den deutschen und österreichischen Strömungen des Jugendstils beeinflusst (siehe Jugendstil und Wiener Sezession), besonders von Gustav Klimt, der um die Jahrhundertwende die führende künstlerische Persönlichkeit Wiens war. Kokoschka entwickelte sich rasch von der dekorativen Linearität des Jugendstils zu einem intensiveren Expressionismus hin. Skandale,

1908 ausgelöst durch eine Ausstellung seiner frühen Werke, 1909 durch die Aufführungen von zwei seiner expressionistischen Stücke, veranlassten ihn, in die Schweiz zu flüchten. In der Zeit zwischen 1906 und 1910 malte er die »psychologischen Porträts«, für die er bekannt war, darunter das Bildnis von *Adolf Loos* (1909). Diese Porträts sind deshalb so bemerkenswert, weil die innere Befindlichkeit des Modellsitzenden – oder auch die des Malers Kokoschka – darin zum Ausdruck kommt. 1910 zog er nach Berlin, wo Walden viele seiner Porträts im *Sturm* veröffentlichte. Walden bestellte auch Titelblätter für das Magazin bei ihm. In einem Essay, den Kokoschka 1912 für die Zeitschrift schrieb, erläuterte er Aspekte seines ganz persönlichen Expressionismus und berichtete, er spüre während der Arbeit, wie sich seine Empfindungen in die Arbeit ergießen, sodass sie gleichsam zur plastischen Verkörperung seiner Seele werde.

Schiele griff die Linearität Klimts auf, transformierte sie aber zu einer aggressiven und nervösen Linie. Die Erotik tritt in Schieles Arbeiten noch deutlicher zutage als in denen Klimts. Seine einsamen, gequälten Frauenakte erscheinen erotisch und abstoßend zugleich, zeigen sie doch unverhüllte Sexualität ohne alle Idealisierung. Das

verletzte natürlich die Gefühle des Wiener Publikums. 1912 wurde Schiele zu 24 Tagen Haft verurteilt, weil er eine »pornografische« Zeichnung an einem Ort ausgestellt hatte, wo auch Kinder sie hatten sehen können. Mehr als 100 seiner Arbeiten wurden beschlagnahmt und viele verbrannt. Während seines gesamten kurzen Lebens – er starb im Alter von 28 Jahren an der Grippe –, auch während seines Gefängnisaufenthalts, schuf er eine Reihe von Selbstporträts, die seinen Narzissmus einfingen. Es besteht kein Zweifel, dass Schiele die Rolle des gequälten Künstlers genoss. In einem Brief an seine Mutter schrieb er 1913, er werde die Frucht sein, die nach ihrer Verwesung noch ewige Lebewesen zurücklasse, also wie groß müsse darob die Freude sein, ihn geboren zu haben.

Auch in Belgien blühte der Expressionismus, besonders in der Künstlerkolonie von Laethem-Saint-Martin. Constant Permeke (1886–1952), Gustave de Smet (1877–1943) und Frits van den Berghe (1883–1939) produzierten ausgesprochen expressionistische und eher lyrische als neurotische Kunstwerke. Leon Spilliaert (1881–1946) war ein nicht zu ihnen gehörender Zeitgenosse dieser flämischen Expressionisten. Die dekorative Komposition, die leiden-

schaftliche Linie und die symbolischen Untertöne eines Gemäldes wie *Tall Trees* (1921) zeigt die Verflechtungen zwischen Jugendstil, Symbolismus und Expressionismus. Die halluzinierte Welt seiner spukhaften Darstellungen nimmt den *Surrealismus vorweg.

Ein weiterer bedeutender Expressionist außerhalb Deutschlands war der Franzose Georges Rouault (1871–1958, siehe auch Fauvismus), der seine künstlerische Laufbahn als Lehrling in einer Glasmalereiwerkstatt begann, in der auch mittelalterliche Glasfenster restauriert wurden. Zugleich besuchte er Abendkurse an der École des Beaux-Arts in Paris und studierte später zusammen mit Henri Matisse bei Gustave Moreau. Zu seinen Freunden gehörten zwei bedeutende Vertreter der katholischen Wiedererweckungsbewegung in Frankreich, der katholische Schriftsteller und Propagandist Léon Bloy und der gerade frisch zum Katholizismus konvertierte Schriftsteller J. K. Huysmans. Rouault selbst war ein tief religiöser Mensch, und sowohl die spirituellen als auch die künstlerischen Einflüsse schlagen sich in seinen Werken sichtbar nieder. In seinen frühen Bildern widmete er sich den Ärmsten der Armen und schuf mitleiderregende Darstellungen der »Verdammten dieser Erde«. Später konzentrierte er sich mehr auf offenkundigere religiöse Darstellungen, in denen er moralische Empörung und Traurigkeit mit der Hoffnung auf Erlösung verknüpfte. Doch dominiert das stark dekorative Element des Fauvismus, die Inhaltlichkeit des Expressionismus sowie die Leuchtkraft der Farben der mittelalterlichen Glasfenster.

Der Expressionismus blieb nicht auf die Malerei beschränkt. Auch die Bildhauer Ernst Barlach (1870–1938) und Wilhelm Lehmbruck (1881–1919) nahmen den Stil auf und gelten noch heute als die führenden Bildhauer des deutschen Expressionismus. Ihre Arbeiten verbinden psychologische Intensität mit einem Gespür für die Entfremdung des Menschen und sein Leiden. Sowohl in Deutschland als auch in den Niederlanden (siehe Amsterdamer Schule) entwickelten Architekten in den Jahren vor und nach dem Ersten Weltkrieg einen Stil, der heute ebenfalls als Expressionismus bezeichnet wird. Die politisch brisante Situation jener Jahre leistete einer politischen, utopischen und von Experimentierfreude geprägten Haltung Vorschub. Wie die Künstler der Brücke sahen sich auch die expressionistischen Architekten Hans Poelzig (1869–1936), Max Berg (1870–1948) und Erich Mendelsohn (1887–1953) als Schöpfer einer besseren Zukunft. Um diesem Ziel näher zu kommen, taten sich expressionistische Künstler und Architekten nach dem Ersten Weltkrieg im *Arbeitsrat für Kunst zusammen.

Die expressionistische Architektur hat ihre Wurzeln in der Architektur des Jugendstils; besonders prägend waren Henry van de

Velde, Joseph Maria Olbrich und Antoni Gaudí. Charakteristika der expressionistischen Entwürfe sind ihre Monumentalität, die häufige Verwendung von Backstein und die Individualität des Erscheinungsbildes, die nicht selten exzentrische Züge annahm. Das von Poelzig entworfene Schauspielhaus in Berlin (1919, zerstört), das aus einem alten Zirkusbau hervorging, den er zum Rundtheater umgestaltete, erweckte mit seinen baumähnlichen Säulen und den von den Decken hängenden Stalaktiten beim Betrachter das Gefühl, sich in einer Filmkulisse für einen Gruselfilm zu befinden. Dieser Eindruck kam gewiss nicht zufällig zustande, denn Poelzig hatte bei Carl Schäfer, einem Vertreter der Neo-Gotik, Architektur studiert und für Paul Wegeners Film *Der Golem* (1920) die Kulissen entworfen. Seine Arbeit brachte ihm hohe Achtungserfolge, doch die Wirtschaftskrise von 1929 und die politischen Veränderungen in Deutschland behinderten seine Karriere.

Auch Mendelsohns Einsteinturm in Potsdam (1919–1921, zerstört), ein Observatorium und astrophysikalisches Labor, zeigte viele expressionistische Charakterzüge. Ein funktionales Gebäude, das zugleich dem freien Spiel der Phantasie des Architekten Raum ließ, war es doch ein Experiment mit der frei fließenden Linie, wie sie sich an den um die gerundeten Ecken geführten Fenstern zeigte. Obwohl als Betonbau konzipiert, musste das Gebäude doch der Statik und technischer Schwierigkeiten wegen in Backstein errichtet

Oben: Emil Nolde, *Prophet*, 1912
Nolde verstand es, den starken Schwarz-Weiß-Kontrast der Holzschnitte effektvoll zu nutzen. Teilweise ging diese Nutzung des Mediums auf die Einflüsse jüngerer Kollegen aus der Gruppe der Brücke zurück. Nolde setzte aber auch Farben mit ähnlicher Vehemenz ein.

Gegenüber: Oskar Kokoschka, *Die Windsbraut*, 1914
Das Gemälde verrät etwas von der leidenschaftlichen Intensität der Beziehung Kokoschkas zu Alma Mahler, der Witwe des Komponisten. Als das Bild entstand, neigte sich die Affäre dem Ende zu.

Oben: Erich Mendelsohn, Einsteinturm, Potsdam, 1919–1921
Der Turm sollte symbolhaft Größe und Bedeutung der Entdeckungen
Einsteins darstellen. Bereits während des Ersten Weltkriegs schickte
Mendelsohn von der Front Briefe mit Skizzen für seinen Entwurf.

und dann mit Zement verputzt werden. Das fertige Gebäude erweckte den Eindruck einer gewaltigen Plastik und war ein passendes
Denkmal für den gefeierten Naturwissenschaftler.

Obwohl die utopischen Ideale, die sich an den Expressionismus
knüpften, in den 20er- und 30er-Jahren des 20. Jahrhunderts kaum
noch zu erfüllen waren, reichte das Vermächtnis des Expressionismus
doch weit in alle Künste. In dieser kurzen Zeit bildeten die Ideale
der Bewegung die Grundlage für die Gründung des *Bauhauses,
die nachfolgende Ernüchterung und die sich erhebende Sozialkritik
führte dann zur *Neuen Sachlichkeit. In gewisser Weise hatte die
Befreiung der Kunst von ihrer deskriptiven Rolle, die einherging
mit einem Zuwachs an künstlerischer Phantasie und der Erweiterung der Ausdruckskraft der Farben, Linien und Formen Auswirkungen auf alle folgenden Kunststile und -richtungen.

Wichtige Sammlungen
Ackland Art Museum, University of North Carolina, Chapel Hill,
    North Carolina
Carnegie Museum of Art, Pittsburgh, Pennsylvania
Kunsthalle Bremen
Kunstmuseum Basel, Schweiz
Leicester City Museum and Art Gallery, Leicester, England
Solomon R. Guggenheim Museum, New York
Tate Gallery, London

Weiterführende Literatur
K. Albrecht (Hrsg.), *Egon Schiele und seine Zeit* (München, 1988)
D. Elger und H. Bever, *Expressionism* (1998)
M. M. Moeller (Hrsg.), *Die großen Expressionisten: Meisterwerke
    und Künstlerleben* (Köln, 2000)
W. Pehnt, *Die Architektur des Expressionismus* (Stuttgart, 1998)

Die Brücke

*Jeder gehört zu uns, der unmittelbar und unverfälscht das wiedergibt,
was ihn zum Schaffen drängt.*

ERNST LUDWIG KIRCHNER, MANIFEST VON 1906

Am 7. Juni 1905 gründeten vier deutsche Architekturstudenten,
Fritz Bleyl (1880–1966), Erich Heckel (1883–1970), Ernst Ludwig
Kirchner (1880–1938) und Karl Schmidt-Rottluff (1884–1976)
in Dresden die Künstlergruppe Die Brücke, die zu einer der trei-
bendsten Kräfte des deutschen *Expressionismus werden sollte.

Die Künstler waren jung, voller Idealismus und durchdrungen
von dem Glauben, mithilfe der Malerei die Welt verbessern zu
können. Ihr 1906 als Flugblatt veröffentlichtes erstes Manifest,
Programm genannt, enthielt einen Aufruf Kirchners, in dem er sich
an alle jungen Menschen wandte. Als junge Menschen, die die Zu-

kunft in sich tragen, wollten sie den älteren, etablierten Kräften
Freiheit für ihr Handeln und Leben abringen. Wie andere vor ihnen, etwa die Künstler der englischen Bewegung *Arts and Crafts,
entwickelten sie eine breit gefächerte soziale Ideologie, die nicht
nur die Kunst, sondern alle Lebensbereiche umfasste. Sie sahen sich
selbst eher als Revolutionäre denn als Bewahrer der Tradition.

Es war Schmidt-Rottluff, der den Namen der Gruppe prägte,
denn er sah sie als Verbindung, als Brücke zur Kunst der Zukunft.
In einem Brief, in dem er den älteren Expressionisten Emil Nolde
(1867–1956) einlud, Mitglied der Gruppe zu werden, erklärte

Schmidt-Rottluff: »… eine von den Bestrebungen der Brücke ist, alle revolutionären und gärenden Elemente an sich zu ziehen – das besagt der Name Brücke«. Nolde, zunächst überzeugt, schloss sich der Gruppe für einige Monate zwischen 1906 und 1907 an. Die philosophischen Untermauerungen, ihr Name sowie die häufige Verwendung des Brückenmotivs verbanden die Gruppe mit den Werken des Philosophen Friedrich Nietzsche, besonders mit seinem Buch *Also sprach Zarathustra* (1883).

Trotz ihrer utopischen Ziele war die Gruppe mehr durch das verbunden, was ihr an der Kunst ihrer Umgebung missfiel – anekdotenhafter Realismus und *Impressionismus – als durch ein klares eigenes künstlerisches Programm. Geleitet vom Geist der Arts-and-Crafts-Bewegung und des *Jugendstils eröffneten sie in Dresden ein Atelier, in dem sie, oft in Gemeinschaftsarbeit, malten, schnitzten und Holzschnitte fertigten. Zu ihren Zielen gehörte es, eine größere Verbindung zwischen Kunst und Leben zu propagieren. So schufen Kirchner und Heckel Möbel und Skulpturen für ihre Ateliers und malten Wandbilder. Jugendstilgrafiken hatten ebenso offensichtlich Einfluss auf ihre Arbeit wie gotische Holzschnitte und später auch die afrikanischen und ozeanischen Holzplastiken, die in Dresden im Völkerkundemuseum ausgestellt waren. Vincent van Gogh (siehe Post-Impressionismus), Paul Gauguin (siehe Synthetismus) und Edvard Munch (siehe Symbolismus) wurden als bedeutende Wegbereiter der Brücke von den Mitgliedern der Gruppe ihrer Authentizität und Expressivität wegen sehr verehrt. Werke skandinavischer und russischer Schriftsteller, vor allem die Romane Dostojewskis, waren weitere Inspirationsquellen der Künstler.

Die Künstler der Brücke wussten um die gleichzeitigen Entwicklungen in Frankreich. Als 1908 in Berlin Werke von Henri Matisse ausgestellt wurden, bestätigten sie diese in ihrer Begeisterung für den *Fauvismus, und tatsächlich weisen die Arbeiten beider Gruppen Gemeinsamkeiten auf, wie die vereinfachte Zeichnung, die Übertreibung der Form, die kräftigen, kontrastierenden Farben sowie das Beharren auf der Freiheit des Künstlers, die Dinge individualistisch zu interpretieren. Doch im Gegensatz zu den Gemälden der Fauves und den utopischen Idealen der Künstler der Brücke präsentierten deren Arbeiten, vor allem die Holzschnitte, einen ernsten, oft grauenerregenden Blick auf die zeitgenössische Welt.

Der wichtigste Einfluss auf die Brücke und den deutschen Expressionismus im Allgemeinen kam von der Art Nouveau. Kirchner studierte 1903 und 1904 in München bei dem führenden Jugendstildesigner Hermann Obrist, und ein frühes Bild, *Straße* (1907–1908), zeigt durch die gerundeten Linien der Figuren im traum-

gleichen Raum sowie die klaren, kräftigen Farben, was er dieser Ausbildung verdankte. Bis 1913, als Kirchner *Fünf Frauen auf der Straße* fertig stellte, zeigte seine Malweise in den unregelmäßigen geometrischen Formen, die die Farben der Fauves mit den verdrehten Gliedmaßen der gotischen Tafelmalerei vereinten, ein Bewusstsein für die Entwicklungen des *Kubismus. Langgezogene Figuren mit spitzen Füßen und Gesichtszügen sind dagegen typisch für den reifen Stil Kirchners sowie der Versuch, die Härte und psychologisch belastende Unerbittlichkeit des städtischen Lebens darzustellen.

Oben: **Erich Heckel, *Zwei Männer am Tisch*, 1912**
Das Thema des Bildes entnahm Heckel Dostojewskis Roman *Die Brüder Karamasow*. Das Bild selbst ist dem Autor gewidmet.

Rechts: **Ernst Ludwig Kirchner, *Die Maler der Künstlervereinigung »Die Brücke«*, 1925**
Das Bild, das zwölf Jahre nach Auflösung der Brücke entstand, stellt Mitglieder der Gruppe dar, und zwar von rechts nach links: Otto Mueller, Kirchner, Heckel und Schmitt-Rottluff.

Von allen Mitgliedern der Gruppe ging Schmidt-Rottluff am mutigsten mit der Farbe um. Er schuf Bilder in dissonantem, kraftvollem Stil. *Mittag im Moor* (1908) ist in seiner Vereinfachung der Formen und der Ausgewogenheit der Komposition ein Beispiel für seinen persönlichen Stil. In Werken wie *Aufgehender Mond* (1912) und *Sommer* (1913) spiegeln die Zweidimensionalität im abrupten Wechsel mit planen Farbflächen seinen Holzschnittstil wider und zeigen exemplarisch einige der typischen Merkmale, die man mit den Kunstwerken der Brücke verbindet.

1906 schlossen sich andere deutsche und europäische Künstler der Brücke an, darunter Emil Nolde und Max Pechstein (1881–1955) sowie der Schweizer Cuno Amiet (1868–1961). 1907 stießen dann auch der finnische Künstler Akseli Gallén-Kallela (1865–1931), 1908 der niederländische Fauvist Kees van Dongen und 1910 schließlich der Tscheche Bohumil Kubišta (1884–1918) sowie der Deutsche Otto Mueller (1874–1930) hinzu.

Die Gruppe organisierte eine Reihe von Ausstellungen. Die ersten beiden, 1906 und 1907, fanden in einem Vorort von Dresden in den Ausstellungsräumen einer Lampenschirmfabrik statt, die Heckel entworfen hatte. Bald wurden ihre Werke jährlich in bekannten Galerien in Dresden und bei Wanderausstellungen in ganz Deutschland, Skandinavien und in der Schweiz gezeigt.

1911 verlegte die Brücke ihren Sitz nach Berlin, und die Mitglieder begannen, eigene Wege zu gehen. Die Unterschiede zwischen den Künstlern wurden nun in ihren Werken sichtbar, denn sie lösten sich langsam von den Stilprinzipien, die sie einst in ihrer Arbeit vereint hatten. 1913 veröffentlichte Kirchner die *Chronik der Künstlergemeinschaft Brücke*. Die Vorrangstellung, die er sich selbst darin einräumte, führte noch im selben Jahr zur formalen Auflösung der Gruppe. Obwohl Die Brücke nur kurz bestanden hatte, bewirkte ihre Lebensauffassung, die vor allem in einem harten, winkligen Malstil Ausdruck fand, dass man den Expressionismus für eine vorrangig deutsche Kunstform hielt. Das Interesse der Brücke-Künstler an Holzschnitten und generell an Grafik führte zu einer Wiederbelebung der Druckkunst als wichtiger Kunstform. Wie die Experimente der Fauves in Frankreich, stellte Die Brücke in der Tat eine Brücke zwischen Impressionismus und Post-Impressionismus und der Kunst der Zukunft dar, die ihre Unabhängigkeit von Mitteln und Ausdruck durch Farbe, Linie, Form und Zweidimensionalität betonte. Kirchner schrieb über Die Brücke:

Malerei sei die Kunst, die das Phänomen der Empfindung auf einer planen Oberfläche darstelle. Das Medium, dessen sich die Malerei sowohl für den Hintergrund als auch für die Linie bediene, sei die Farbe… Heute könne die Fotografie ein Objekt exakt reproduzieren. Von der Notwendigkeit befreit, dies ebenfalls zu tun, gewinne die Malerei ihre Handlungsfreiheit zurück. Das Kunstwerk werde aus der völligen Übersetzung der persönlicher Idee in die Ausführung geboren.

Oben: Ernst Ludwig Kirchner, *Fünf Frauen auf der Straße*, 1913
Die Frauen des Bildes erscheinen als bedrohliche Gestalten, wie Geier, die sich auf die Beute stürzen wollen. Das Gemälde vermittelt auf eindrückliche Weise die ambivalente Haltung, die viele Künstler des Expressionismus, Symbolismus und der Dekadenzbewegung gegenüber Frauen, vor allem Prostituierten, hatten, von denen sie sich angezogen und zugleich abgestoßen fühlten.

Gegenüber: Ernst Ludwig Kirchner, *Plakat: Die Brücke* für die Ausstellung in der Galerie Arnold, Dresden, 1910
Vereinfachte Formen und mächtige Umrisslinien sind typisch für Kirchners Werk. Das Plakat zeigt den Einfluss gotischer Holzschnitte und afrikanischer Schnitzkunst.

Wichtige Sammlungen
Brücke-Museum, Berlin
Kunsthaus Hamburg
Leicester City Museum and Art Gallery, Leicester, England
Museum of Modern Art, New York
Wallraf-Richartz-Museum, Köln

Weiterführende Literatur
P. H. Selz, *German Expressionist Painting* (Berkeley, Kalifornien, 1983)
G. Kolberg (Hrsg.), *Die Expressionisten: vom Aufbruch bis zur Verfemung* (Ausst.-Kat., Mus. Ludwig, Köln, 1996)
T. Belgin (Hrsg.), *Von der Brücke zum Blauen Reiter* (Ausst.-Kat., Mus. am Ostwall, Dortmund, 1996)
D. Elger und H. Bever, *Expressionism: A Revolution in German Art*, (1998)

Ashcan School

Was wir wirklich brauchen, ist eine Kunst, die den Geist der Menschen von heute ausdrückt.

ROBERT HENRI, 1910

Ashcan School (»Mülltonnen-Schule«) ist die in beleidigender Absicht von ihren Gegnern geprägte Bezeichnung für eine Gruppe amerikanischer realistischer Maler des ersten Jahrzehnts des 20. Jahrhunderts, die sich vor allem die Schattenseiten des Stadtlebens zum Thema gewählt hatten. Die Ende des 19. Jahrhunderts in Amerika von den etablierten Künstlern getragene und vom Establishment unterstützte akademische Tradition schien in den Augen Vieler die aktuelle Situation völlig außer Acht zu lassen. Der sehr einflussreiche und charismatische Robert Henri (1865–1929) wollte gegen diesen Zustand angehen. Als Schüler von Thomas Eakins an der Pennsylvania Academy of the Fine Arts hatte sich Henri sowohl Eakins Stil des grafischen Realismus angeeignet als auch seine Ansicht, dass

Malerei »allein darin besteht, das Wirkliche und Existierende abzubilden«. Bei einem Besuch in Paris Mitte der 1890er-Jahre ließen ihn die *Impressionisten derart kalt, dass er bei seiner Rückkehr nach Philadelphia beschloss, eine Kunst zu schaffen, die sich mit dem Leben beschäftigte.

Es ist bezeichnend, dass Henris erste Anhänger Illustratoren bei der *Philadelphia Press* waren. Zu einer Zeit, als handgemalte Bilder in den Zeitungen noch die Rolle der späteren Fotografien spielten, waren William Glackens (1870–1938), George Luks (1867–1933), Everett Shinn (1876–1953) und John Sloan (1871–1951) als Bildreporter tätig. Henri überredete sie, den Beruf des Illustrators gegen den des ernsthaften Kunstmalers einzutauschen. Das Können, das

sie für ihren früheren Beruf gebraucht hatten – Beachtung aller Details, die Fähigkeit, den flüchtigen Augenblick scharf zu erfassen, und das Interesse am alltäglichen Geschehen –, sollten später zu Markenzeichen ihrer Bilder werden.

Ab 1902 verbreitete Henri seine Botschaft weiter, denn er zog nach New York, wo er am Upper Broadway seine eigene Schule gründete. Zu seinen Schülern gehörten George Bellows, Edward Hopper, Stuart Davis und Man Ray. Bald schlossen sich auch Glackens, Luks, Shinn und Sloan an. Während der nächsten zwei Jahrzehnte setzte der unermüdliche Henri die unterschiedlichsten Mittel ein, seine Überzeugung zu verbreiten, die Kunst müsse die Verbundenheit des Künstlers mit dem und seine Liebe zum Leben reflektieren: Seine eigene Arbeit, seine Lehre, Ausstellungen und seine Schriften (sein Buch *The Art Spirit* wurde 1923 veröffentlicht). Sloan sagte später über Henris Popularität: »Für die 90er-Jahre der viktorianischen Ära, die l'art pour l'art auf einen Sockel erhoben hatte, war seine Lehre starker Tobak… Henri gewann uns mit seiner bodenständigen Liebe zum Leben für sich.«

1907 kam es zu einem Eklat. Henri, ein Mitglied des Auswahlkomitees der jährlichen Ausstellungen der National Academy of Design, trat unter Protest zurück, weil die Jury Mitgliedern seiner Gruppe die Teilnahme verweigerte. Die nach dem Muster der französischen Akademie der Künste gebildete National Academy war sehr mächtig, und da es an privaten Galerien mangelte, war die Teilnahme an den jährlichen Ausstellungen unabdingbar, wollte man beim Publikum bekannt werden. Kurzentschlossen organisierten Henri und seine Freunde ihre eigene Ausstellung. Der aus fünf Künstlern bestehenden Kerngruppe schlossen sich drei weitere an, der Impressionist Ernest Lawson (1873–1929), der *Symbolist Arthur B. Davies (1862–1928) und der *Post-Impressionist Maurice Prendergast (1859–1924), die zusammen die Gruppe The Eight bildeten. Obgleich sie in verschiedenen Stilen malten, fühlten sie sich doch durch die Opposition gegen die unterdrückerische und bevormundende Politik der Akademie und durch die Ansicht verbunden, ein Künstler müsse das Recht haben zu malen, was und wie er wolle.

Die Ausstellung fand im Februar 1908 in der Macbeth Gallery in New York statt und war ein Meilenstein der amerikanischen

Oben: **George Bellows,** *Stag at Sharkey's***, 1909**
Das Bild, das zu einer berühmten Serie von sechs Wettkampfbildern gehört, gilt als Meilenstein des Realismus des 20. Jahrhunderts. Die Serie wurde 1909 fertig gestellt, im selben Jahr, in dem Bellows als jüngstes je zugelassenes Mitglied in die National Academy aufgenommen wurde.

Rechts: **John Sloan,** *Hairdresser's Window***, 1907**
Sloan wuchs in Philadelphia auf und arbeitete dort als Zeitungs-Illustrator, ehe er nach New York ging. Straßenszenen und Blicke in die städtischen Hinterhöfe fesselten seine Aufmerksamkeit. Seine Bilder wirken wie Schnappschüsse, vermitteln aber auch Sloans Sympathie und Menschlichkeit.

Gegenüber: **Lewis W. Hine,** *Achtjährige Kinder als Austernbrecher*
Hines Dokumentarfotos lenkten die Aufmerksamkeit auf die Kinderarbeit und die harten Lebensbedingungen der Armen und zeigten die Notwendigkeit sozialer Reformen.

Kunstgeschichte. Obwohl die Themenbreite groß war, zeigten doch viele Bilder die Lieblingssujets von The Eight: Prostituierte, Straßenjungen, Ringer und Boxer. Von den Kritikern wurden The Eight als »Apostel der Hässlichkeit«, als »revolutionäre schwarze Bande« (da sie mit vorwiegend dunklen Farben arbeiteten) und als »Mülleimer-Schule« beschimpft und geschmäht, weil sie sich »vulgären« Themen zuwandten. Doch trotz – oder gerade wegen – der Angriffe in der Presse war die Ausstellung sowohl beim Publikum als auch finanziell ein großer Erfolg und wurde in neun Städten gezeigt.

Robert Henri war zwar der Vorstreiter der Bewegung, doch George Luks war ihre schillerndste Figur und berühmt für seine

Münchhausiaden und seine Aussprüche: »Saft und Kraft! Leben! Leben!«, soll er einmal ausgerufen haben. »Mit einem Schnürsenkel, den ich in Pech und Schmalz getaucht habe, kann ich malen!« Die Kombination von realistischer Darstellung und Gesellschaftskritik in seinen Gemälden, wie etwa *Die Ringer* (1905), empörte zahlreiche Kritiker.

Der Erfolg der ersten Ausstellung ermutigte zu einer zweiten, größeren. Die »Exhibition of Independent Artists« (Ausstellung unabhängiger Künstler) von 1910 brachte 200 Künstler zusammen, die die künstlerische Freiheit des Ausdrucks feierten. George Bellows (1882–1925), ein Schüler Henris, gehörte zu den Teilnehmern der zweiten Ausstellung. Sein Bild von einem illegalen Boxkampf *Stag at Sharkey's* (1909) gilt als ein Meilenstein des Realismus.

Mit ihrer Abenteuerlust und ihrer offenen Haltung gegenüber neuen Entwicklungen zog die Ausstellung von 1910 weitere unabhängige Ausstellungen in Amerika nach sich, vor allem die berühmte »Armory Show« in New York (1913), die Mitglieder von The Eight zu organisieren halfen. In der »Armory Show« sah das amerikanische Publikum erstmals die Entwicklungen des europäischen Modernismus, was unmittelbar dazu führte, dass der Realismus der Ashcan School kurzfristig an Interesse verlor. Ihr Einfluss war dennoch nicht zu leugnen, denn in den 1930er-Jahren erlebte der Realismus dank der Arbeiten der Maler der *American Scene und des *Sozialen Realismus eine Wiedergeburt.

Das Interesse der Ashcan-Maler an gesellschaftlichen Reformen verband sie mit Dokumentarfotografen wie Jakob Riis (1848–1914) und Lewis W. Hine (1874–1940), zwei Männern, die ihre fotografische Arbeit nutzten, um sozialen Wandel zu bewirken. Riis' Bilder von den grauenhaften Lebensbedingungen der Slumbewohner führten dazu, dass einige Mietskasernen abgerissen wurden, und Hines erschütternde Bilder von Kindern, die unter unmenschlichen Bedingungen arbeiten mussten, unterstützten die Kampagne für ein gesetzliches Verbot ausbeuterischer Kinderarbeit.

Wichtige Sammlungen
Amarillo Museum of Art, Amarillo, Texas
Butler Institute of American Art, Youngstown, Ohio
National Gallery, London
Whitney Museum of American Art, New York

Weiterführende Literatur
B. B. Perlman, *Painters of the Ashcan School* (1978)
B. Perriman, *Painters of the Ashcan School: The Immortal Eight* (1988)
V. A. Leeds, *The Independents: The Ashcan School & Their Circle from Florida Collections* (Winter Park, Florida, 1996)
R. Zurier, u.a., *Metropolitan Lives: The Ashcan Artists and Their New York* (1996)

Deutscher Werkbund

Wir sehen die nächste Aufgabe, die Deutschland nach einem Jahrhundert der Technik und des Gedankens zu erfüllen hat, in der Wiedereroberung einer harmonischen Kultur.

FRITZ SCHUMACHER ZUR GRÜNDUNG DES WERKBUNDES, 1907

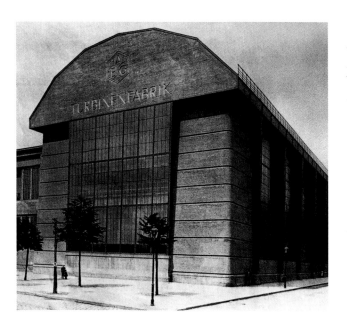

Gegen Ende des 19. Jahrhunderts stellte der Einfluss der raschen Industrialisierung auf das soziale und kulturelle Leben in Deutschland, genau wie anderswo, eine brennend diskutierte Frage dar. Viele *Jugendstil-Werkstätten waren in der Überzeugung gegründet worden, die hohe Qualität der von Künstlern entworfenen Gebrauchsgegenstände könne sowohl die Lebensqualität der Bevölkerung als auch das wirtschaftliche Ansehen des Landes international heben. Mit der Gründung des Deutschen Werkbundes in München, am 9. Oktober 1907, durch den Architekten Hermann Muthesius (1861–1927), den Politiker Friedrich Naumann (1860–1919), Karl Schmidt (1873–1954), den Leiter der Deutschen Werkstätte, und anderen, erhielt diese Debatte zusätzlichen Antrieb. Ziel der Vereinigung von Architekten, Künstlern und Kunsthandwerkern war »die Veredelung gewerblicher Arbeit im Zusammenwirken von Kunst, Industrie und Handwerk«. Erreicht werden sollte dies durch Lehre, Ausbildung, Werbung, gemeinsame Anstrengung und Einigkeit in Grundfragen. Zwölf Handwerksbetriebe und Künstler,

darunter viele namhafte Vertreter des Jugendstils und der *Wiener Sezession, wurden zur Mitarbeit eingeladen: Peter Behrens (1868–1940), Theodor Fischer (1862–1938), Josef Hoffmann (1870–1956), Wilhelm Kreis, Max Läuger, Adelbert Niemeyer, Josef Olbrich (1867–1908), Bruno Paul (1874–1968), Richard Riemerschmid (1868–1957), J. J. Scharvogel, Paul Schultze-Naumburg und Fritz Schumacher.

Wie viele Jugendstil-Werkstätten war auch der Werkbund dem Modell der *Arts-and-Crafts-Bewegung nachempfunden, besonders die funktionalen Aspekte, die Muthesius lobend in seinem Buch *Das englische Haus* (1904–1905) erwähnte. Seiner Ansicht nach lag der Fortschritt für das deutsche Design in qualitativ hochwertigen, maschinell gefertigten Produkten, die sofort als modern und zugleich als deutsch erkennbar waren. Nicht nur das deutsche Heim und Haus sollte sich wandeln, der Charakter der ganzen jungen Generation sollte beeinflusst werden, damit sie in der angewandten Kunst die Führung übernehmen, in Freiheit ihr Bestes entwickeln und damit der Welt imponieren könne.

Dieser Glaube an die ökonomische und zugleich moralische Kraft der Kunst und der Formgestaltung stand auch hinter dem

Oben: Weißenhofsiedlung, Stuttgart, 1927
Mies van der Rohe teilte das Grundstück in Parzellen, auf denen die verschiedenen Architekten – viele davon Mitglieder des Werkbundes – ihre Modellhäuser bauten. Beteiligt waren unter anderen Behrens, Poelzig, Bruno und Max Taut, Scharoun und Mies van der Rohe selbst.

Gegenüber: Peter Behrens, AEG-Turbinenhalle, Berlin, 1908–1909
Behrens' Tempel für industrielle Stromversorgung trägt ein gewölbtes Facettendach, das an einen amerikanischen Viehstall erinnert. Er wollte damit verdeutlichen, dass die moderne Industrie ebenso wie die traditionelle Landwirtschaft ein Gespür für den allgemeinen Zweck wecken könne.

Denken des nationalistischen Politikers Friedrich Naumann. In Artikeln wie »Kunst im Zeitalter der Maschine« (1904) vertrat er die Ansicht, dass sich Handwerk und Industrie vereinigen müssten, damit die Entwürfe der industriellen Fertigung angepasst werden könnten und beide, Hersteller und Verbraucher, zu einer neuen Ästhetik erzogen würden. Gründungsmitglied Schmidt verkörperte zusammen mit seinem Schwager Riemerschmid auf der praktischen Ebene die Bestrebungen und Ideen der Gruppe. Riemerschmid entwarf in Anlehnung an einheimische Stile eine Serie einfacher Möbel, die sich für die maschinelle Fertigung eigneten. Die Massenproduktion der *Maschinenmöbel* durch die Deutsche Werkstätte gehörte zu den ersten Beispielen preiswerter, formschöner Serienmöbel.

Im Jahr der Gründung des Deutschen Werkbundes reiste Behrens nach Berlin, wo er zum künstlerischen Leiter der »Allgemeinen Elektrizitäts-Gesellschaft« (AEG) ernannt wurde. Auf den unterschiedlichsten Ebenen spielte er eine bemerkenswerte Rolle. Indem er für die Firma und ihre Produkte ein einheitliches Erscheinungsbild kreierte, war er sozusagen der Pionier der Corporate Identity, und die von ihm entworfenen Produkte sind Paradebeispiele gelungenen Industriedesigns. Mit seinen Entwürfen für die AEG gelang ihm der Übergang von der angewandten Kunst zum Industriedesign und von der Dekoration zur Zweckmäßigkeit. Seine für die AEG entwickelten, von maschinellen Formen inspirierten Produkte bestätigten die Industriefertigung als die neue, heroische Arbeitsform Deutschlands. Die monumentale AEG-Turbinenhalle in Berlin (1908–1909) war das erste Gebäude in Deutschland mit umfangreicher Glas- und Stahlkonstruktion. Das große, an eine amerikanische Scheune erinnernde, mit tempelähnlicher Front versehene

Gebäude zeigte auf eindrucksvolle Weise, dass eher Kunst und Industrie als Landwirtschaft und Religion den Weg in die Zukunft wiesen. Form und Funktion hatten für Behrens gleichwertige Bedeutung. Selbst ein Ingenieur, der einen Motor kaufe, zerlege ihn nicht in seine Einzelteile, um ihn zu untersuchen, sondern er kaufe nach dem äußeren Erscheinungsbild. Ein Motor solle wie ein Geburtstagsgeschenk aussehen, sagte er.

Von 1908 an hielt der Werkbund jährliche Versammlungen ab und veröffentlichte die Ergebnisse zunächst als Flugschriften, später als einflussreiche Jahrbücher, die jeweils besonderen Themen gewidmet waren, etwa »Die Kunst in Industrie und Handel« (1913) oder »Der Verkehr« (1914). Die Jahrbücher enthielten Artikel und Illustrationen über die verschiedensten Projekte der Mitglieder, darunter über Fabrikgebäude von Peter Behrens, Hans Poelzig (1869–1936, siehe Expressionismus) und Walter Gropius (1883–1969, siehe Bauhaus); über Dampfschiffeinrichtungen von Bruno Paul (1874–1968, siehe Jugendstil); über die Entwürfe für die Gartenstadt Hellerau von Heinrich Tessenow (1876–1950), Riemerschmid, Fischer, Schumacher und Muthesius; Straßenbahneinrichtungen von Alfred Grenander und angewandte Kunst von der Deutschen Werkstätte.

Die erste Werkbundausstellung fand im Juli 1914 in Köln statt. Als große Festveranstaltung zur Feier von deutscher Kunst und Industrie angelegt, demonstrierte der Werkbund die Vielfältigkeit der Stile seiner wachsenden Mitgliederzahl. Der Belgier Henry van de Velde (1863–1957, siehe Art Nouveau) entwarf das Werkbund-Theater in der organisch fließenden Linienführung des späten Ju-

gendstils. Muthesius, Hoffmann und Behrens entwarfen Gebäude in neuklassizistischem Stil. Ein Pavillon aus Glas und Stahl von Bruno Taut (1880–1938, siehe Arbeitsrat für Kunst) für die deutsche Glasindustrie läutete den utopischen Expressionismus der Architektur der 1920er-Jahre ein. Das Bürogebäude einer Musterfabrik von Walter Gropius und Adolf Meyer (1881–1929) umfasste sichtbare Wendeltreppen in einer Glasverkleidung, ein architektonisches Motiv, das man später in vielen modernen Gebäuden sehen sollte. Eine Halle war Transportmitteln gewidmet. Hier sah man einen Schlafwagen von Walter Gropius und einen Speisewagen von August Endell (siehe Jugendstil) mit eingebauten Wand- und Bodenschränken, eine Idee zur Raumersparnis, die man später im Wohnungsbau nutzte.

Von 1908 an erweiterte sich die Zahl der Mitglieder des Werkbundes von 491 auf 1972 im Jahr 1915 und danach auf fast 3000 bis 1929 – eine beachtliche Koalition aus Künstlern, Designern, Architekten, Handwerkern, Kunsthandwerkern, Lehrern, Publizisten und Industriellen. Die Mitglieder vertraten ein breit gefächertes Spektrum an künstlerischen Tendenzen und wirtschaftlichen Interessen, die Werkstätten reichten von Kleinbetrieben bis zu Giganten wie der AEG, Krupp und Daimler. Die Debatte, ob das Design von den Erfordernissen der Industrie diktiert werden solle oder sich nach den individuellen Ideen der Künstler zu richten habe, riss nicht ab. In seiner Ansprache vor der Versammlung auf der Ausstellung 1914 vertrat Muthesius die Ansicht, der Werkbund solle sich künftig einer standardisierten industriellen Massenproduktion widmen. Dem widersprachen van de Velde und andere aus der Reihe der Künstler wie Behrens, Endell, Obrist, Gropius und Taut, denn sie sahen darin einen Angriff auf ihre künstlerische Freiheit. Sie zwangen Muthesius, seinen Vorschlag zurückzuziehen.

Vielleicht verhinderte nur der Ausbruch des Ersten Weltkrieges den sofortigen Zsammenbruch des Werkbundes. Die Mitglieder verbrachten die Kriegsjahre damit, an Propagandaausstellungen zu arbeiten und Militärfriedhöfe zu entwerfen, über die im Jahrbuch *Kriegsgräber im Feld und daheim* 1916–1917 berichtet wurde. Nach dem Waffenstillstand kam der Werkbund 1919 in Stuttgart zusammen, wo die alte Diskussion, ob die Maschinen oder die künstlerisch bestimmten Entwürfe den Vorrang haben sollten, unverzüglich wiederaufgenommen wurde. Nach einer Rede, bei der er sich für die Sache der Künstler und das Kunsthandwerk stark gemacht hatte, wurde Poelzig zum Präsidenten gewählt. Doch die Unterstützung für Poelzigs radikal »expressionistische« Haltung war

Links: **Walter Gropius, Mitropa-Schlafwagen, um 1914**
Die Mitropa-Schlafwagen-Gesellschaft stellte Schlafkojen für alle Wagenklassen her. Der Gropiusentwurf bot eine billigere Ausstattung an, konnte aber dennoch mit dem »Orient-Express« konkurrieren, da der Raum optimal genutzt war. Die Ideen wurden später im Wohnungsbau wieder aufgegriffen.

Gegenüber: **Peter Behrens, Elektrischer Tischventilator der AEG, 1908**
Der sich ergänzende Einsatz von Materialgerechtigkeit und funktionaler Form verliehen den Produkten eine mutige Modernität. Behrens entwarf nahezu alles in der Palette der AEG-Produkte im Geiste des Werkbundes.

von kurzer Dauer; 1921 wurde er von dem kompromissbereiteren Riemerschmid abgelöst.

Während der 1920er-Jahre entfernte sich der Werkbund immer weiter vom Kunsthandwerk und dem Expressionismus und näherte sich stattdessen der Industrie und dem Funktionalismus an. Die Aktivitäten der Mitglieder konzentrierten sich auf die sozialen Aspekte der Architektur und Stadtplanung, und viele progressive Architekten, die Mitglied der Vereinigung *Der Ring waren, schlossen sich auch dem Werkbund an, darunter Ludwig Mies van der Rohe (1886–1969). Eine neue, vom Werkbund herausgegebene Zeitschrift, *Die Form* (1926–1934), half, die modernistischen Ideen des Bundes zu verbreiten. Der spektakulärste Erfolg der Gruppe war die Ausstellung einer ganzen Wohnsiedlung 1927 in Stuttgart. In Anlehnung an die Ausstellung der Darmstädter Kolonie von 1901 (siehe Jugendstil), präsentierte die Weißenhofsiedlung einer halben Million Besuchern die Lebensweise der Zukunft. Der Grundstücksplan, der 60 Wohneinheiten in 21 Gebäuden vorsah, stammte von Mies van der Rohe, und 16 führende europäische Architekten hatten sich an den Entwürfen für die Gebäude beteiligt, darunter Mies van der Rohe selbst, Gropius, Behrens, Poelzig, Bruno (1880–1938) und Max (1884–1967) Taut, Hans Scharoun (1893– 1972) und andere deutsche Architekten, außerdem J. J. P. Oud (1890–1963, siehe De Stijl) und Mart Stam (1899–1986) aus den Niederlanden, Josef Frank (1885–1967) aus Österreich, Le Corbusier (1887–1965, siehe Purismus) aus Frankreich und Victor Bourgeois (1897–1962) aus Belgien. Zusammen präsentierten sie die erste Ge-

meinschaftsarbeit in einer Beton-, Glas- und Stahlarchitektur, die später unter dem Begriff *International Style bekannt werden sollte.

1934 wurde der Werkbund aufgelöst. Verantwortlich war einerseits der ökonomische Druck durch die Weltwirtschaftskrise, andererseits das Aufkommen des Nationalsozialismus. Nach dem Zweiten Weltkrieg erfolgte seine Neugründung. Sein Spektrum erweiterte sich und umschloss nun auch politische Ziele wie den Wiederaufbau und Umweltfragen, doch die einflussreichsten Jahre des Werkbunds waren eindeutig die ersten Jahrzehnte. Nach seinem Vorbild entstanden in der Schweiz und in Österreich (1910 und 1913) ähnliche Vereinigungen und in England wurde 1915 die Design and Industries Association gegründet und auch in Schweden entstand 1917 eine ähnliche Institution. 1919 gründete das prominente Werkbundmitglied Walter Gropius das Bauhaus, eine Schule für Design, Architektur und Kunst, das viele der Werkbund-Ideen bewahrte. Vor allem war es dem Werkbund gelungen, die Aufmerksamkeit auf die Notwendigkeit zu lenken, die Formgestaltung zu reformieren und so Industrie und Kunst zu beiderseitigem Nutzen einander anzunähern. Außerdem begründete er den Ruf, formschöne Produkte von hoher Qualität zu liefern, den das deutsche Design noch heute genießt.

Wichtige Bauten
Ludwig Mies van der Rohe: Weißenhofsiedlung, Stuttgart
Peter Behrens: AEG-Turbinenhalle, Berlin-Moabit
Peter Behrens: Behrenshaus, Alexandraweg, Darmstadt

Weiterführende Literatur
J. Campbell, *Der Deutsche Werkbund* (Stuttgart, 1981)
F. J. Schwartz, *Der Werkbund* (Amsterdam u.a., 1999)
A. Stanford, *Peter Behrens and a New Architecture for the Twentieth Century* (Cambridge, MA, 2000)

Kubismus

Die Wahrheit liegt hinter jeglichem Realismus, und das Erscheinungsbild der Dinge sollte nicht mit deren Wesen verwechselt werden.

JUAN GRIS

Der Ursprung des Kubismus, der vielleicht bekanntesten Kunstrichtung unter den Avantgarde-Bewegungen des 20. Jahrhunderts, ist ein Thema, das die Kunsthistoriker beständig Diskussionen führen lässt. Räumten man zunächst dem Spanier Pablo Picasso (1881–1973) die Rolle des geistigen Vaters ein; so teilte man diese Ehre später zwischen Pablo Picasso und dem Franzosen Georges Braque (1882–1963, siehe auch Fauvismus) und gab teilweise so-

gar Braque den Vorrang. Picassos Vorreiterrolle resultiert aus seinem Werk *Les Demoiselles d'Avignon* (1907), das die Kombination mehrerer Blickwinkel auf die Frauen in der Landschaft zeigt. Doch im selben Jahr war Braque schon tief eingedrungen in eine intensive Analyse der Werke Paul Cézannes (siehe Post-Impressionismus) die in seinen L'Estaque-Landschaften von 1908 gipfelte. Braques besonderes Interesse galt Cézannes Methode der Darstellung der

drei Dimensionen durch wechselnde Blickrichtungen und der Art, in der der ältere Maler aus verschiedenen Ebenen Formen konstruierte, die ineinander oder übereinander zu gleiten scheinen. Diese Technik, im Französischen *passage* genannt, leitet das Auge auf verschiedene Bereiche des Bildes, und erzeugt dabei zugleich ein Gefühl der Raumtiefe, indem die Aufmerksamkeit auf die Oberfläche der Leinwand gelenkt wird, die dabei in den Raum des Betrachters vorspringt; eines der Hauptcharakteristika des Kubismus.

Als die L'Estaque-Bilder der Jury des Herbstsalons von 1908 vorgestellt wurden, soll Henri Matisse (siehe Fauvismus) sie gegenüber dem Kritiker Louis Vauxcelle abfällig als »nichts als *petits cube*s (kleine Würfel)« bezeichnet haben. Die Jury lehnte die Bilder ab, die im November in einer großen Einzelausstellung in der Galerie Kahnweiler in Paris gezeigt wurden. Vauxcelles griff in seiner Rezension dieser Ausstellung den Kommentar von Matisse auf und behauptete, »Braque verachtet die Form und reduziert alles, Landschaften, Figuren und Häuser, auf geometrische Muster und Kuben.« Bald wurde Kubismus der anerkannte Name der Bewegung.

Oben: **Georges Braque, *Viadukt bei L'Estaque*, 1908**
»[Braque] verachtet die Form und reduziert alles, Landschaften, Figuren und Häuser, auf geometrische Muster und Kuben«, schrieb der Kritiker Louis Vauxcelles 1908. Nach dem französischen Wort »cube« (Würfel) wurde die Bewegung Kubismus benannt.

Oben rechts: **Pablo Picasso, *Stilleben mit Rohrstuhl*, 1911–1919**
In dieser Arbeit fügen sich fragmentierte Objekte, Flächen und Perspektiven zu einem illusionistischen Spiel in zwei und drei Dimensionen zusammen. Das Seil ist echt, doch das Rohrgeflecht ist auf ein Stück Wachstuch gedruckt, das auf die Leinwand geklebt ist.

1909 waren Braque und Picasso gute Freunde geworden und von diesem Zeitpunkt bis 1914, als Braque in den Krieg zog, arbeiteten sie zusammen. Während dieser Zeit war die Entwicklung des Kubismus Ergebnis ihrer engen fruchtbaren Zusammenarbeit, und bei vielen Werken dieser Periode fällt es schwer, sie einem der beiden Künstler zuzuschreiben. Picasso bezeichnete ihre Verbindung als »Ehe«, und Braque sagte später: »Wir waren wie zwei aneinandergeseilte Bergsteiger.«

Für beide Künstler war der Kubismus eine Art Realismus, der das »Reale« sehr viel überzeugender und intelligenter übermittelte als die verschiedenen illusionistischen Darstellungsweisen, die im Westen seit der Renaissance dominierten. Ebenso wie die nur aus einem Punkt anvisierte Perspektive verwarfen sie die dekorativen Qualitäten ihrer avantgardistischen Vorgänger. Stattdessen wandten sie sich zwei Quellen zu: Cézannes späten Werken, ihrer Strukturierung wegen, und den afrikanischen Plastiken und Skulpturen, ihrer abstrakt geometrischen und symbolischen Qualitäten wegen. Für Picasso bestand die Herausforderung des Kubismus darin, drei Dimensionen auf der zweidimensionalen Oberfläche der Leinwand darzustellen. Braque dagegen wollte die Darstellung von Volumen und Masse im Raum erkunden. Beide Interessen werden in den neuen, von ihnen entwickelten Techniken sichtbar.

Die erste Schaffensperiode von Braque und Picasso, die bis etwa 1911 dauerte, wird oft als analytischer Kubismus bezeichnet. In dieser Periode mieden die beiden Künstler grundsätzlich Themen und Farben mit offensichtlich emotionalen Qualitäten. Stattdessen wählten sie eine gedämpfte, oft monochrome Farbpalette und neutrale Sujets wie Stillleben. Diese wurden reduziert und in abstrakte Teile zersplittert, bis Kompositionen aus einander durchdringenden Flächen entstanden, in denen facettierte Kuben ineinander gleiten, sodass Figuren und Hintergrund wie in einem schimmernden Netz miteinander verwoben sind. In diesen Bildern scheint sich der Raum gleichzeitig zurückzuziehen, nach oben zu neigen und dem Betrachter entgegenzukommen, was die herkömmlichen Erwartungen der Tiefendarstellung buchstäblich durcheinander wirbelt.

Solche zusammengesetzten Bilder von Objekten, die aus verschiedenen Richtungen – von oben, unten, hinten und vorn – betrachtet werden, geben eher einen Eindruck von dem, was man über diesen Gegenstand weiß, als von dem, was man sieht, wenn man ihn aus einem einzigen Winkel betrachtet. Die Objekte werden umschrieben, nicht beschrieben, und der Betrachter muss sie sowohl mithilfe des Blicks als auch mit dem Verstand rekonstruieren. Das kubistische Objekt ist also nicht der flüchtige Moment des Impressionismus, sondern ein dauernder. Insofern steht es in Beziehung zu den intellektuellen Theorien seiner Zeit, etwa zur gerade in Mode gekommenen Spekulation über die vierte Dimension, zum Okkultismus und zur Alchimie. Wichtiger noch ist die verblüffende Übereinstimmung mit dem Denken des französischen Philosophen Henri Bergson (1859–1941) und dessen Vorstellungen von »Gleichzeitigkeit« und »Dauer«, die besagen, dass die Vergangenheit in die Gegenwart übergeht, wie die Gegenwart in quasi überlappender Weise in die Zukunft hineinschwebt, was zum Ergebnis hat, dass die Wahrnehmung von Objekten einem ständigen Fluss unterliegt. Indem der Kubismus die Rolle der Imagination des Künstlers besonders betont, erweitert er Aspekte des *symbolistischen Denkens, doch durch das Aufgreifen der philosophischen Frage nach dem Wesen der Zeit, spiegelt er auch ganz eindeutig das zeitgenössische intellektuelle Klima wider.

Obwohl viele Werke dieser Periode schwierig zu entschlüsseln sind, war die Abstraktion nicht das Ziel, sondern lediglich ein Mittel zum Zweck. Braque sagte, die Fragmentierung sei lediglich eine Technik, dem Objekt näher zu kommen. Und Picasso betonte die imaginativen und erfinderischen Aspekte des Kubismus, indem er schrieb: »In unseren Themen erhalten wir uns die Freude an der Entdeckung, das Vergnügen am Unerwarteten.« Diese Ziele traten in der zweiten Phase des Kubismus, oft als synthetischer Kubismus bezeichnet, deutlich hervor. Sie setzte zwischen 1911 und 1912 ein.

Nachdem sie mit der Abstraktion kokettiert hatten, bewegten sich Braque und Picasso auf eine Ausdrucksform zu, bei der das Subjekt klarer erkennbar blieb, aber mit Symbolen befrachtet wurde. In gewissem Sinne verkehrten sie die Richtung ihrer Arbeitsweise, statt Objekte und Raum zur Abstraktion hin zu vermindern, bauten sie Bilder aus fragmentierten Abstraktionen auf, die sie willkürlich zusammenfügten. Das Ergebnis waren Bilder, in denen das Objektive und das Subjektive in feiner Ausgewogenheit erschienen und das »Abstrakte« nur dazu diente, das »Reale« zu erschaffen. Der junge Spanier Juan Gris (1887–1927), der sich den älteren Kollegen in dieser Phase anschloss, drückte es so aus: »Ich kann aus einem Zylinder eine Flasche machen.«

1912 gab es zwei bedeutende Innovationen, die als Meilensteine der modernen Kunst gelten. In sein Bild *Stilleben mit Rohrstuhl*

Rechts: Juan Gris, *Violine und Gitarre*, 1913
Gris war der reinste Vertreter des synthetischen Kubismus. Seine Stillleben betrachten das Objekt aus verschiedenen Blickwinkeln und legen systematisch horizontale und vertikale Ebenen frei. Dennoch nutzen die Bilder Licht und Farbe, um einen warmen, naturalistischen Effekt zu erzielen.

fügte Picasso ein Stück gepresstes Wachstuch mit Rohrgeflechtimitation ein und schuf damit die erste kubistische Collage. Alle drei Künstler produzierten *papiers collés*, das heißt, sie fügten Papierschnipsel von Zeitungen, Tapeten und Ähnlichem, in die Bilder ein. Die Arbeiten wiesen klarere Themen, reichere Farben und Oberflächenstrukturen auf, vorgefertigte Dinge aus der »realen Welt« sowie Texte wurden eingefügt. Doch obwohl die Kompositionen im Großen und Ganzen einfacher und monumentaler sind, sind doch die räumlichen Beziehungen oftmals sehr komplex. Schichtung und Überlagerung der flachen Formen und Flächen erzeugen den Eindruck eines gewissen Raumes, in dem Teile herausragen und andere zurückgedrängt werden. Die Unterscheidung zwischen dargestellter und tatsächlicher Tiefe bricht zusammen, was den Werken ein architektonisches Gepräge gibt, als sähe man die Dinge gleichzeitig im Plan und im Aufriss. Auch die Assoziationen der Bedeutungen sind komplexer. In Picassos *Stilleben mit Rohrstuhl* erweist sich das »reale Objekt«, das auf die Leinwand geklebt wurde, selbst als Illusion, denn es handelt sich nicht um echtes Rohrgeflecht, sondern um ein Stück maschinell bedrucktes Wachstuch. Die Buchstaben JOU sind der Anfang des Wortes Journal und las-

sen so an die Zeitung denken, die man auf einem Tisch im Café vorfinden mag. Das Ganze ist von einem Stück Seil umfasst, das sowohl das Stillleben als Kunstwerk umrahmt, als auch die Aufmerksamkeit darauf lenkt, dass das Bild als Objekt existiert.

Schlussendlich fordern derartige Fragen nach Tatsache und Fiktion den Glauben an die eindeutige Definition der Realität heraus, sie öffnen die Werke einer vielschichtigen Interpretation, sie bekräftigen den Vorrang der Imagination des Künstlers und nehmen für die Kunst eine eigene alternative Existenz in Anspruch, die von der Außenwelt unabhängig ist. Die eigentliche Merkwürdigkeit des Kubismus aber ist die Eloquenz, die merkwürdige Welt zu kommentieren. Picasso drückte es einige Jahre später so aus: »Es war diese Merkwürdigkeit, über die nachzudenken wir die Menschen anregen wollten, denn wir spürten ganz genau, dass unsere Welt sehr seltsam zu werden begann, und das war nicht gerade beruhigend.«

Obwohl Picasso und Braque ihre Experimente in relativer Abgeschiedenheit durchführten und bis zum Ende des Ersten Weltkriegs nur wenige ihrer Arbeiten öffentlich zeigten, waren ihre Werke anderen Künstlern gut bekannt. Seit etwa 1910 wandelte sich der Kubismus vom Stil zur Bewegung, als andere Künstler ihre eigenen Reaktionen auf die Innovationen von Braque und Picasso entwickelten. Gris, Fernand Léger (1881–1955), Roger de La Fresnaye

(1885–1925), Francis Picabia (1879–1953, siehe Dadaismus), Marcel Duchamp (1887–1968, siehe Dadaismus) und sein Bruder Jacques Villon (1875–1963), André Derain (1880–1954, siehe Fauvismus), Henri Le Fauconnier (1881–1946), der aus Polen stammende Henri Hayden (1883–1970), Auguste Herbin (1882–1960), der aus Ungarn stammende Alfred Reth (1884–1966), Georges Valmier (1885–1937), der aus Russland stammende Léopold Survage (1879 –1968), der Pole Louis Marcoussis (1883–1941), André Lhote (1885–1962), Albert Gleizes (1881–1953) und Jean Metzinger (1883–1956) gehören zu den bekanntesten. Von diesen war Léger einer der originellsten, denn er verband den Kubismus mit der Maschinenästhetik, um das moderne Leben und die Maschinenformen zu feiern. Eine lebhafte Kunst, die sich leicht auf andere Bereiche, beispielsweise das Theater, übertragen ließ.

Oben: **Fernand Léger, Bühnenmodell für *La Création du Monde*, 1923**
Légers Bühnenbild für das einaktige Ballett (Musik von Darius Milhaud, Libretto von Blaise Cendrars) zeigt die Entwicklung seiner eigenen kubistischen Sprache, deren Figuren und Kompositionen von lebhaften Kontrasten in Form und Farbe zehren.

Gegenüber: **Emil Kralicek und Matej Blecha, Laternenpfahl, Prag, 1912–1913**
Der einzige kubistische Laternenpfahl der Erde umfasst vier Sitze an der Basis. Die kubistische Architektur ist allein auf Prag beschränkt.

Bald hatte der Kubismus den Fauvismus als führende Kunstrichtung in Paris abgelöst und um 1912 war eine weltumspannende Bewegung daraus geworden, deren Geschichte bereits geschrieben wurde. Gleizes und Metzinger veröffentlichten 1912 ihr enorm populäres Werk *Du Cubisme*, das in weniger als einem Jahr 15 Auflagen erfuhr. Ihnen folgte 1913 der französische Lyriker und Kritiker Guillaume Apollinaire mit seinem Buch *Méditations esthétiques – Les Peintres cubistes.* Die revolutionären Methoden des Kubismus dienten rasch als Katalysator für andere Stile und Bewegungen, einschließlich *Expressionismus, *Futurismus, *Konstruktivismus, *Dada, *Surrealismus und *Präzisionismus. Während Picasso, Braque und Gris nicht den Weg in Richtung abstrakte Malerei einschlugen, taten dies andere Künstler wie die *Orphisten, die *Synchromisten, die *Rayonisten und die *Vortizisten.

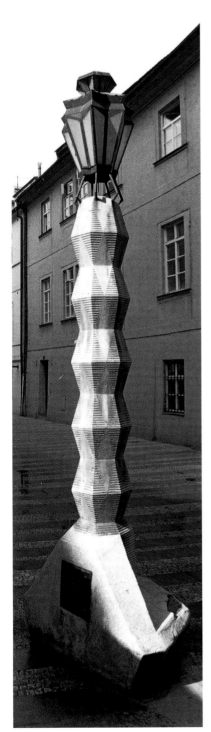

Auch Künstler, die in anderen Disziplinen arbeiteten, griffen die kubistischen Ideen auf und übertrugen sie auf ihre Gebiete, die Bildhauerei, die Architektur und die angewandte Kunst. Die kubistische Bildhauerei entwickelte sich aus der Collage und den *papiers collés*, die zur Assemblage führten. Die neuen Techniken ermutigten die Bildhauer nicht nur dazu, neue Themen zu behandeln, sondern forderten sie auch heraus, die Plastik nicht mehr bloß als ein aus einem Material modelliertes Objekt zu sehen, sondern als Objekt, das aus verschiedenen Materialien aufgebaut sein kann. Die mathematischen und architektonischen Qualitäten, die in den Arbeiten von Gris zutage treten, waren hier besonders einflussreich, wie man an den Werken Alexander Archipenkos (1887–1964) und Ossip Zadkines (1890–1966) sehen kann, aber auch solcher Künstler wie Raymond Duchamp-Villon (1876–1918, Bruder von Duchamp und Villon), Henri Laurens (1885–1954) – beide aus Frankreich –, dem Litauer Jacques Lipchitz (1891–1973), dem in Ungarn geborenen französischen Bildhauer Joseph Csáky (1882–1953) und dem tschechischen Bildhauer Emil Filla (1882–1953) und Otto Gutfreund (1889–1927).

In der Tschechoslowakei nahmen Maler, Bildhauer, Designer und Architekten die kubistischen Ideen besonders begeistert auf und übertrugen die Charakteristika der kubistischen Malerei (vereinfachte geometrische Formen, Kontraste zwischen hell und dunkel, prismenähnliche Facetten, winklige Linien) auf die Architektur und die angewandte Kunst. Möbel, Schmuck, Geschirr, Besteck und Gläser, Beschläge, Keramik und selbst die Landschaftsarchitektur wurden kubistisch gestaltet. Berühmt waren die Mitglieder der Skupina výtvarných umělců (Gruppe bildender Künstler), die 1911 von Filla gegründet wurde und sich ganz am Kubismus orientierte. Die Gruppe arbeitete bis 1914 in Prag und umfasste Bildhauer wie Filla und Gutfreund, aber auch Architekten und Designer wie Pavel Janák, Josef Gocár (1880–1945), Josef Chochol (1880–1956), Josef Čapek, Vlastislav Hofmann (1884–1964) und Otokar Novotny. Gutfreund publizierte einflussreiche Artikel im monatlich erscheinenden Journal der Gruppe.

Das Haus »Zur schwarzen Mutter Gottes « (1911–1912), ein von Gocár entworfenes Kaufhaus, war das erste im kubistischen Stil errichtete Gebäude. Das Café Orient im ersten Stock war komplett kubistisch eingerichtet und wurde rasch zum Treffpunkt der Avantgarde, bis es Mitte der 1920er-Jahre geschlossen wurde. Heute ist das Gebäude Teil des Tschechischen Museums für Schöne Kunst und beherbergt das Tschechische Kubismus-Museum, das 1994 eröffnet wurde und eine Dauerausstellung mit kubistischer Malerei, Möbeln, Plastiken und Porzellan bietet.

Wichtige Sammlungen
Tschechisches Kubismus-Museum, Prag
Musée Picasso, Paris
Museum of Modern Art, New York
Solomon R. Guggenheim Museum, New York
Tate Gallery, London

Weiterführende Literatur
A. Gleizes, *Kubismus* (Mainz, 1980)
P. Daix, *Der Kubismus in Wort und Bild* (Genf, 1982)
F. Metzinger, *Die Entstehung des Kubismus* (Frankfurt am Main, 1990)
L. Bolton, *Cubism* (2000)

Futurismus

Ein heulendes Automobil, das auf Kartätschen zu laufen scheint,
ist schöner als die Nike von Samothrake.

FILIPPO MARINETTI, FUTURISTISCHES MANIFEST, 1909

Der Futurismus wurde der Welt von dem italienischen Dichter und Propagandisten Filippo Tommaso Marinetti (1876–1944) in eindeutigen Worten vorgestellt:

> Von Italien aus schleudern wir unser Manifest, mit dem wir heute den Futurismus gründen, voll umstürzlerischer und brandstifterischer Gewalt in die Welt, weil wir Italien von dem Krebsgeschwür seiner Professoren, Archäologen, Cicerones und Altertumskenner befreien wollen.

Marinetti veröffentlichte sein Manifest am 20. Februar 1909 auf der Titelseite der Zeitung *Le Figaro* in französischer Sprache, um auch dadurch deutlich zu machen, dass es sich nicht um eine auf Italien beschränkte Entwicklung handelte, sondern um eine Sache von weltumspannender Bedeutung. Sein Manifest wandte sich nicht nur gegen die Dominanz von Paris als dem Sitz der Avantgarde, es brach mit jeglicher Vorstellung von einer geschichtlichen Tradition in der Kunst. Das Manifest umfasste ein Elf-Punkte-Programm. Unter Punkt neun hieß es: »Wir wollen den Krieg verherrlichen – das einzige Heil für die Welt –, den Militarismus, den Patriotismus, die zerstörerische Geste der Anarchisten, die schönen, todbringenden Ideen und die Verachtung der Frauen.« Und Punkt zehn setzte die Tirade fort:

> Wir wollen die Museen zerstören und die Bibliotheken, wir wollen den Moralismus, den Feminismus und alle opportunistische, nach Nutzen suchende Feigheit bekämpfen.

Obwohl von Marinetti als literarische Reformbewegung intendiert, breitete sich der Futurismus rasch auf andere Disziplinen aus, als sich junge italienische Künstler seinem Kriegsruf mit leidenschaftlicher Begeisterung anschlossen. Das einigende Prinzip war die Begeisterung für Geschwindigkeit, Kraft, neue Maschinen und Technologien und der Wunsch, den »Dynamismus« der modernen Industriestadt zu propagieren.

Im Jahr 1909 arbeitete Marinetti mit den Malern Umberto Boccioni (1882–1916), Gino Severini (1883–1966), Carlo Carrà (1881–1966, siehe auch Pittura Metafisica) sowie dem Maler und Musiker Luigi Russolo (1885–1947) zusammen, um futuristische Ideen für die schönen Künste zu formulieren. Daraus ging am 11. Februar 1910 das »Manifest der futuristischen Maler« hervor, dem am 11. April 1910 das »Technische Manifest der futuristischen Maler« folgte. In ihm sagten die Unterzeichner von sich selbst, sie seien »die Primitiven einer verhundertfachten, völlig neuen Sensibilität« und dass sie eine Kunst präsentieren wollten, die »von Ur-

sprünglichkeit und Kraft trunken« sei. Weiter führten sie aus: »Was wir auf der Leinwand darstellen wollen, soll nicht mehr ein ›fixierter Augenblick‹ des universalen Dynamismus sein, sondern schlicht das ›dynamische Gefühl‹ selbst.«

Diese Absichten waren zwar rasch formuliert, doch die Futuristen brauchten lange Zeit, um ihre Ideen in Malerei umzusetzten. Die Werke, die sie in der Eröffnungsausstellung 1911 in Mailand zeigten, präsentierten die futuristischen Sujets in recht traditioneller Weise. Entsprechend wurden sie in dem in Florenz erscheinenden Magazin *La Voce* wegen ihrer Zaghaftigkeit heftig kritisiert. Marinetti, Carrà und Boccioni reagierten in typischer Boxermanier, indem sie nach Florenz reisten und den Kritiker Ardengo Soffici (1879–1964) zusammenschlugen. Trotzdem schloss sich Soffici, selbst Maler und Schriftsteller, der futuristischen Bewegung 1913 an. Das Hauptanliegen der Futuristen war der Bruch mit der Vergangenheit und die Suche nach einer neuen Darstellungsform, die zu finden einige Zeit brauchte. Den Wendepunkt bildete Severinis Reise nach Paris 1911, wo er mit den *Kubisten Pablo Picasso und Georges Braque und anderen zusammentraf. Auch Boccioni, Russolo und Carrà kamen, um zu sehen was die Pariser Avantgar-

Oben: Carlo Carrà, *Pferd und Reiter oder Der rote Reiter*, 1913
In seinem futuristischen Manifest von 1911 »Die Malerei der Töne, Geräusche und Gerüche« forderte Carrà, der Künstler solle alle Farben der Geschwindigkeit, der Freude, der Schwindel erregenden Wirbel bei der Darstellung des städtischen Lebens einsetzen.

Gegenüber: Giacomo Balla, *Die Hand des Violinisten*, 1912
Balla experimentierte mit neuen Möglichkeiten, Bewegung auszudrücken, und war dabei von fotografischen Studien beeinflusst, die eine Abfolge von Bildern festhielten. Er näherte sich dabei verstärkt der Abstraktion.

de machte, und sie kehrten voller neuer Ideen nach Mailand zurück. Obgleich sie später versuchten, sich von den Kubisten zu distanzieren, standen die Futuristen in ihrer Schuld. Zu einer Zeit, als der Kubismus außerhalb von Paris praktisch unbekannt war, verwendeten sie geometrische Formen und sich überschneidende Flächen in Kombination mit Komplementärfarben. In gewissem Sinne verliehen sie auf diese Weise dem Kubismus Bewegung.

Die Futuristen ließen sich auch von anderen Bewegungen inspirieren. Giacomo Balla (1871–1958), ein älterer und behutsamer Unterzeichner des ersten Manifestes, verfolgte eine divisionistische Malweise, beeinflusst durch Giovanni Segantini (siehe Neo-Impressionismus). Inspiriert von den fotografischen Studien sich bewegender Menschen und Tiere des Amerikaners Eadweard Muybridge (1830–1904) und den »Chronofotografien« des französischen Arztes Etienne-Jules Marey (1830–1904), experimentierte er auch mit der Darstellung sequentierter Bewegung. Mit dem sehr bekannten und einflussreichen Philosophen Henri Bergson (1859–1941) teilten die Futuristen das mächtige zeitgenössische Interesse an der »Simultaneität«. Bergsons Theorien über den Bewusstseinsstrom und die Rolle der Intuition bei der Verarbeitung von Erlebnissen und Erinnerungen hinterließen tiefgreifende Eindrücke bei einer ganzen Generation von Künstlern und Intellektuellen (siehe auch Kubismus

und Orphismus). In seiner *Einführung in die Metaphysik* (1903) schrieb Bergson: »Man beobachte die Bewegung eines Objektes im Raum. Meine Wahrnehmung der Bewegung wird sich ändern, je nach dem Standort, bewegt oder fest, von dem aus ich sie betrachte … wenn ich von absoluter Bewegung spreche, schreibe ich dem sich bewegenden Objekt ein inneres Leben zu und sozusagen eine Geisteshaltung.«

Nach einer wichtigen Ausstellung in Paris 1912, die dann auch als Wanderausstellung zu sehen war, verbreiteten sich futuristische Kunst und Theorie rasch über ganz Europa bis nach Russland und die USA und wurden ein bedeutender Bestandteil der internationalen Avantgarde. Im Ausstellungskatalog stellten die Futuristen ein Konzept vor – »Kraftlinien« – die zu einem identifizierbaren Charakteristikum futuristischer Werke wurden. »Die Objekte enthüllen in diesen Linien Ruhe oder Wahnsinn, Traurigkeit oder Freude«, erklärten sie.

Boccioni verfeinerte die Farbtheorie und die divisionistische Technik seines Lehrers Balla, um den abstrakten Effekten des Lichts mehr Beachtung zu geben. Er verwendete die Farbe, um zwischen Objekt und Raum eine dramatische Interaktion zu schaffen, die er »dynamische Abstraktion« nannte. Nachdem er die Arbeiten von kubistischen Bildhauern studiert hatte, veröffentlichte Boccioni

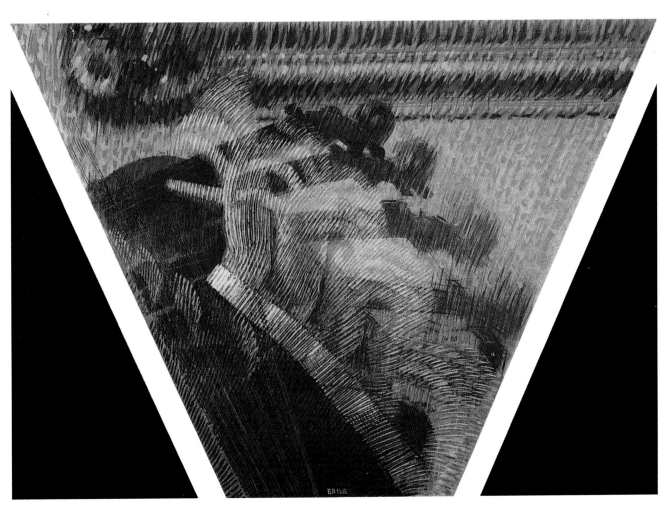

1912 sein viel beachtetes »futuristisches Manifest der Bildhauerei«, in dem er für den Gebrauch untraditioneller Materialien eintrat und forderte, der Bildhauer solle »die Plastik wie ein Fenster öffnen und in ihr die Umgebung, in der sie lebt, einschließen.«

Die Futuristen waren auch auf anderen Gebieten tätig, wobei ihre Arbeit immer von Manifesten begleitet war. 1911 veröffentlichte der Fotograf und Filmemacher Antonio Giulio Bragaglia (1890–1960) sein Manifest »Fotodinamismo futurista« und drehte später einen futuristischen Film mit dem Titel *Perfido Incanto* (etwa *Heimtückische Verzauberung*). Ebenfalls 1912 veröffentlichte Marinetti seine Theorie über die Dichtung der *Parole in libertà*, die Dichtung der »befreiten Worte«, derzufolge die Sprache von Grammatik und Syntax zu befreien war, um durch experimentelle Typografie und unorthodoxes Layout neue Bedeutungen erlangen zu können. Russolo entwickelte indessen das *intonarumori*, eine Maschine für seine »Geräuschmusik«, und veröffentlichte sein »Manifest über Geräusche«, das später von Mitgliedern der Gruppe *Dada aufgegriffen wurde. Am 11. März 1915 veröffentlichten Balla und Fortunato Depero (1892–1960) das Manifest »Futuristischer Wiederaufbau des Universums«, das die Schaffung eines abstrakteren, futuristischen Stils forderte, der auch auf die Mode, die Möbelherstellung, ja auf die gesamte menschliche Lebensführung Anwendung finden sollte. Trotz der frauenverachtenden Natur der Bewegung gab es sogar ein »Manifest der futuristischen Frauen«, herausgegeben von der Französin Valentine de Saint-Point (1875–1953), in dem

sie schrieb: »Treibt eure Söhne, eure Männer dazu, sich selbst zu übertreffen. Ihr gebärt sie, also könnt ihr alles mit ihnen machen!«

Die Architekten Antonio Sant'Elia (1888–1916) und Mario Chiattone (1891–1957) schlossen sich der Bewegung 1914 an und stellten Zeichnungen von der Stadt der Zukunft (*Città Nuova*) aus, die großes Aufsehen erregten. Sant'Elias »Manifest für futuristische

Letztlich hatte die Kampagne Erfolg und Italien trat in den Krieg gegen Deutschland und Österreich-Ungarn ein. 1916 starben zwei der innovativsten Vertreter des Futurismus. Der Maler Boccioni stürzte während einer Übung vom Pferd und erlag einem Schädelbruch; der Architekt Sant'Elia fiel an der lombardischen Front. Ihr Tod markierte das Ende der schöpferischsten Phase der Bewegung, die mit der Glorifizierung des Krieges begonnen hatte. Marinetti hielt seine Beziehungen zu Mussolini aufrecht, führte die Futuristen aber im Mai 1920 bei ihrem Rückzug vom Faschismus. Später behauptete er jedoch, der Futurismus habe den »dynamischen Geist« des Faschismus ausgedrückt.

Schon Mitte des Ersten Weltkriegs hatte die Bewegung an Schwung verloren. Als dann das mechanisierte Töten ganz Europa erfasste, wurde es schwer, den Kult der Maschine aufrecht zu erhalten. Während der 1920er- und 1930er-Jahre versuchten Futuristen der zweiten Generation mit gewissem Erfolg futuristische Ideologie und Praxis auf Installationen, Bühnenbilder, Grafik und Werbung auszudehnen. Mit dem 1929 veröffentlichten Manifest über die Aero-Malerei beanspruchte die Bewegung sogar die Sinneseindrücke des Fliegens und die besondere Sicht des Fliegenden für sich, doch zugleich signalisierte dies das Ende der Bewegung.

Obwohl vorrangig eine italienische und zugleich nur kurzlebige Bewegung, nahm die futuristische Theorie und Ikonographie doch bleibenden Einfluss auf die internationale Avantgarde. Der *Vortizismus in England und der *Rayonismus in Russland standen eindeutig in der Schuld des italienischen Futurismus. Viele Ideen, die vom Blauen Reiter, Dada und dem russischen Konstruktivismus entwickelt wurden, gründeten im Futurismus. In den USA gilt Joseph Stella (1877–1946) als der »Importeur« des Futurismus. Er befreundete sich mit Severini, als er sich zwischen 1909 und 1912 in Frankreich und in Italien aufhielt. Bei seiner Rückkehr in die USA erkannte er im futuristischen Vokabular eine Sprache, in der er seine Sicht vom städtischen Amerika ausdrücken konnte. Sein Bild *Battle of Lights, Long Island Mardi Gras* (1913–1914) zeigt, wie leicht sich futuristische Techniken in einen anderen Kontext übertragen ließen, um mit ihrer Hilfe die Gewalt, das gefährliche Vergnügen und die Hektik des modernen Stadtlebens zu vermitteln.

Architektur« (1914) verlangte eine neue Architektur für eine neue Zeit – Gebäude aus den neuesten Materialien, errichtet unter Verwendung neuester Technologie und den Bedürfnissen des modernen Menschen angepasst. Er fiel im Ersten Weltkrieg, ehe er seine Pläne umsetzen konnte, doch Matté Truccos Fiatwerke in Turin (1915–1921) sollten ein würdiges zeitgenössisches Beispiel dieser visionären Architektur werden. Innovativ war vor allem die Idee, das Betonflachdach der Fertigungshalle als Teststrecke zu nutzen, auf der Tag und Nacht die vom Fließband gerollten Wagen brausten.

Politik und Futurismus waren eng miteinander verknüpft. Carràs Collage *Befreite Worte: Interventionistische Demonstration* von 1914 ist Collage und Gedicht zugleich und beschwört die karnevaleske Atmosphäre einer politischen Demonstration. Zwischen 1914 und 1915 nahmen viele Futuristen an politischen Kundgebungen teil und forderten Italiens Eintritt in den Krieg. Marinetti, der mit Mussolini befreundet war, wurde zusammen mit ihm und Carrà 1915 inhaftiert, nachdem sie kriegsbefürwortende Reden gehalten hatten.

Oben: Sant'Elia, *La Città Futurista* aus dem futuristischen Manifest der Architektur, 1914
Sant'Elias futuristische architektonische Ideen sind nur auf dem Papier existierende Visionen zukünftiger Industrie- und Handelsmetropolen; da er 1916 im Alter von 28 Jahren fiel, konnten seine Entwürfe nicht umgesetzt werden.

Gegenüber links: Marinetti und Marchesi in Turin mit Marinettis Porträt von Zatkova
Marinetti war der dandyhafte visionäre Gründer des Futurismus, er nannte sich selbst *la caffeina dell'Europa*, das Koffein Europas, und steckte all seine Energie in die kulturelle und politische Umgestaltung seiner Zeit.

Gegenüber rechts: Umberto Boccioni, *Kontinuierliche Formen im Raum*, 1913
Boccioni, dessen Gemälde ihm bereits viel Beachtung eingebracht hatten, wandte sich 1912 der Plastik zu und forderte mit den Worten »Lasst uns den Körper aufreißen« die Preisgabe der geschlossenen Außenlinie.

Wichtige Sammlungen
Depero Museum, Rovereto, Italien
Estorick Collection of Modern Italien Art, London
Museum of Modern Art, New York
Pinacoteca di Brera, Mailand, Italien
Tate Gallery, London

Weiterführende Literatur
U. Apollonio (Hrsg.), *Der Futurismus* (Köln, 1972)
L. Caramel (Hrsg.), *Italiens Moderne* (Mailand, 1990)
R. Humphreys, *Futurism* (Cambridge, England, 1999)

Karo-Bube

Man muss das Fremde mit dem eigenen verschmelzen. Nur so kommt es zu jenem notwendigen Aufschwung, der die Kunst vorwärts drängt.

NATALJA GONTSCHAROWA, 1911

Die Gruppe Karo-Bube, russisch *Bubnovji Valet*, war eine Künstlervereinigung, die 1910 in Moskau gegründet wurde, um in Ausstellungen neue europäische und russische Kunst zu präsentieren. Zu ihren Mitgliedern gehörten einige der wichtigsten Avantgarde-Künstler des vorrevolutionären Russland: Michail Larionow (1881–1964) und Natalja Gontscharowa (1881–1962), seine Lebenspartnerin, Pjotr Kontschalowski (1876–1956), Aristarch Lentulow (1878–1943), Robert Falk (1886–1958). Ilja Maschkow (1884–1944), Alexander Kuprin (1880–1960) sowie die Brüder David (1882–

1967) und Wladimir Burljuk (1886–1917). Der Name der Gruppe wurde gewählt, um ihr Interesse an der Volkskunst, aber auch um ihre Missachtung der Tradition auszudrücken, denn der Name steht nicht nur für die Spielkarte, er bedeutet auch »Possenreißer« oder »Spitzbube«. Alle angeschlossenen Künstler waren von der Avantgarde des Westens beeinflusst, besonders dem *Post-Impressionismus, dem *Fauvismus und dem *Kubismus, die durch die Aktivitäten der Bewegungen *Welt der Kunst und die Zeitschrift »Goldenen Vlies« in Russland bekannt waren.

Die erste von der Gruppe im Dezember 1910 in Moskau organisierte Ausstellung zeigte zeitgenössische Werke europäischer und russischer Avantgarde-Künstler, wie den Pariser Kubisten Henri Le Fauconnier (1881–1946), André Lhote (1885–1962), Albert Gleizes (1881–1953) und Jean Metzinger (1883–1956), den in München arbeitenden russischen Künstlern Wassily Kandinsky (1866–1944) und Alexej von Jawlensky (1864–1941, siehe Der Blaue Reiter) und von Russen, die im Lande arbeiteten, zumeist Mitglieder der Gruppe Karo-Bube. Das russische Werk spaltete sich in zwei deutlich unterschiedene Kategorien: Solche von Lentulow, Kontschalowski, Falk und Maschkow in den leuchtenden Farben und vereinfachten Formen der Fauves, die als Neo-Cézannisten bezeichnet wurden, und neo-primitive Arbeiten von Larionow, Gontscharowa und den Brüdern Burljuk. Dieser gelehrte russische »Primitivismus« war eine

Synthese aus europäischen Traditionen und einem Interesse an Kinderbildern sowie der russischen Volkskunst, der Ikonenmalerei und derben Holzschnitten.

Nach der Ausstellung bildeten sich unter den russischen Künstlern zwei Lager. Indem sie den ehemaligen Künstlerkollegen vorwarfen, sich vom billigen Orientalismus der Pariser Schule gängeln zu lassen und dem dekadenten München hörig zu sein, gründeten Larionow und Gontscharowa 1911 die Gruppe »Eselsschwanz«. Larionow wählte diesen Namen, nachdem er gelesen hatte, eine Gruppe französischer Kunststudenten habe ein Bild ausgestellt, das entstanden war, als man einen Pinsel an einen Eselsschwanz gebunden hatte. Die einzige Ausstellung der Gruppe fand im März 1912 statt und war die erste große Avantgarde-Ausstellung ihrer Art, denn sie stellte einen bewussten Bruch mit allen europäischen Traditionen dar und präsentierte ausschließlich von russischen Quellen inspirierte Arbeiten. Darunter waren Werke von Kasimir Malewitsch (1878–1935) und Wladimir Tatlin (1885–1953) den Initiatoren des *Suprematismus, respektive des *Konstruktivismus. Die meisten der ausgestellten Werke waren im Stil der Neo-Primitivsten gehalten. Gontscharowas religiöse Gemälde, im Umfeld der Ausstellung als blasphemisch empfunden, lösten einen Skandal aus. Kurz danach löste sich die Gruppe auf, doch das unermüdliche Gespann Larionow/Gontscharowa rief nun den *Rayonismus ins Leben.

Als Ausstellungsgemeinschaft bestand Karo-Bube bis 1918 fort und unterstützte die europäische Avantgarde. Die zweite und dritte Ausstellung, 1912 und 1913, wurde von den Burljuks organisiert und umfasste deutsche expressionistische Gemälde und Arbeiten von Robert Delaunay (siehe Orphismus), Henri Matisse (siehe Fauvismus), Pablo Picasso (siehe Kubismus) und Fernand Léger. Viele der beteiligten russischen Künstler entwickelten den kubofuturistischen Malstil, und die Ausstellungen von 1914–1916 schlossen Pionierarbeiten von Ljubow Popowa (1889–1924) ein. Wegen seiner enthusiastischen Vorlesungen und der gelungenen Organisation seiner Veranstaltungen gab man David Burljuk den Spitznamen »Vater des russischen Futurismus.«

Oben: **Ilja Maschkow**, *Portät eines Jungen in bemaltem Hemd*, **1909**
Maschkow gehörte zu jenen jungen russischen Künstlern, die 1909 gegen den Akademismus rebellierten und Bilder im Stil Cézannes, der Post-Impressionisten und der Fauves ausstellten.

Gegenüber: **Michail Larionow**, *Soldaten* (zweite Fassung), **1909**
Larionows Soldaten-Serie von 1909–1910, die er malte, während er seinen Militärdienst ableistete, lösten einen Skandal aus, da sie den an die traditionelle europäische und russische Ästhetik gewöhnten Geschmack absichtsvoll verletzten.

Wichtige Sammlungen

Fine Arts Museum of San Francisco, San Francisco, Kalifornien
Los Angeles County Museum of Art, Los Angeles, Kalifornien
Russisches Staatsmuseum, St. Petersburg
Tate Gallery, London
Galerie Tretjakow, Moskau

Weiterführende Literatur

J. E. Bowlt, *Russian Art of the Avant Garde. Theory and Criticism* (1988)
C. Brockhaus (Hrsg.), *Russische Avantgarde 1910–1930* (Duisburg, 1990)
Russische Avantgarde 1910–1934: Mit voller Kraft (Ausst.-Kat., Mus. für Kunst und Gewerbe, Hamburg, 2001)

Der Blaue Reiter

Der Blaue Reiter, eine Münchner Künstlergruppe, die von 1911 bis 1914 bestand, war – neben mit der *Brücke – die bedeutendste Bewegung innerhalb des deutschen Expressionismus. Der Blaue Reiter war größer und lockerer organisiert und seine Aktivitäten als Gruppe und die Innovationen einzelner Mitglieder, wie etwa des Russen Wassily Kandinsky (1866–1944) und des Schweizers Paul Klee (1879–1940), hatten einen noch größeren Einfluss auf die internationale Avantgarde. Weitere Mitglieder waren die Deutschen Gabriele Münter (1877–1962), Franz Marc (1880– 1916), August Macke (1887–1914) und der Österreicher Alfred Kubin (1877–1959). 1930 erzählte Kandinsky, wie es zu dem Namen Der Blaue Reiter gekommen war:

> »Den Namen Der blaue Reiter erfanden wir am Kaffeetisch in der Gartenlaube in Sindelsdorf; beide liebten wir Blau, (Franz) Marc Pferde, ich Reiter. So kam der Name von selbst.«

Die Gruppe organisierte zwei wichtige Ausstellungen und gab einen Almanach *Der Blaue Reiter* (1912) heraus. Das Bindeglied war jedoch nicht der gemeinsame Stil, sondern eine Ideologie: Der unerschütterliche und leidenschaftliche Glaube an die schöpferische Freiheit des Künstlers, seine persönliche Sicht und sein Empfinden so auszudrücken, wie es ihm passend und angemessen schien.

Kandinskys Ideen lieferten dem Blauen Reiter den ersten Impetus. Zu der Zeit, als sich die Gruppe formierte, war sein zunehmend abstraktes Werk bereits in ganz Europa bekannt. Der Almanach von 1912 war ein wichtiges Dokument, das künstlerische Intentionen in überraschend neuer Weise vorstellte. Er umfasste Essays zu den unterschiedlichsten Themen (darunter einen Essay von dem russischen Künstler David Burljuk, siehe Karo-Bube, über Musik und Texte des Komponisten Arnold Schönberg), und stellte Bilder des Blauen Reiters neben solche von Künstlern aus anderen Kulturen und Epochen, um so eine neue Sicht der Kunstgeschichte zu initiieren. Das Jahrbuch zeigte ebenso das Interesse der Künstler am Mystizismus, was sie als späte *Symbolisten auswies, sowie an der primitiven Kunst, der Volkskunst, der Kindermalerei und der Kunst Geisteskranker, die sie alle als wertvolle Inspirationsquellen betrachteten. Am wichtigsten waren die Beiträge von Kandinsky, Marc und Macke, in denen diese Künstler sich zum Glauben an die symbolische und psychologische Effizienz der abstrakten Form bekannten. In seinem Aufsatz »Über die Formfrage« vertrat Kandinsky den Standpunkt, die Kunst müsse sakramental sein, ein äußerlich sichtbares Zeichen einer inneren, spirituellen Gnade, und er verteidigte die Freiheit des Künstlers, seine Ausdrucksmittel zu wählen,

seien sie nun abstrakt, realistisch oder eine der vielen Kombinationen verschiedener Harmonien des Abstrakten und des Realen. Im selben Jahr veröffentlichte Kandinsky sein sehr einflussreiches Buch *Über das Geistige in der Kunst*, in dem er den Gedanken einer Kunst entwickelte, die eine Art spirituelle Autobiographie darstellt, durch die der Betrachter mit seiner eigenen Spiritualität in Berührung gebracht wird. Er suchte die Synthese zwischen Verstand und Gefühl, seine Bilder sollten ebenso direkt expressiv sein wie die Musik. Seine späteren Werke waren denn auch eine Art *Abstrakter Expressionismus, in denen geistige Konflikte durch wirbelnde Formen, Linien und Farben dargestellt und gelöst werden, die jeglicher objektiv beschreibender Rolle entbehren.

Wenn Kandinskys Glaubenssystem als analytisch-spiritueller Mystizismus beschrieben werden kann, dann das Franz Marcs als pantheistische Philosophie, die den religiösen Glauben mit einem

Oben: **August Macke, *Dame mit grüner Jacke*, 1913**
Mackes Landschaften sind als harmonisches Patchwork von Farben gemalt, die an den Orphisten Robert Delaunay erinnern, der ebenfalls beim Blauen Reiter in München 1911 und 1912 ausstellte.

Gegenüber: **Franz Marc, *Die großen blauen Pferde*, 1911**
In seinem reifen Werk verwendet Marc kubistische und futuristische Formen mit blendenden Farben und Licht, um Bilder zu erschaffen, in denen Tiere eins mit der Natur sind. Malen war für ihn ein spiritueller Akt.

tiefen Empfinden für das Tier und die Natur verknüpft. Ursprünglich Theologiestudent, wandte sich Marc der Malerei als geistiger Ausdrucksmöglichkeit zu. In »Aphorismen 1914–1915« gab er dem Gedanken Ausdruck, dass die Kunst der Zukunft den wissenschaftlichen Erkenntnissen des Menschen Form geben werde. Diese Kunst werde dann die Religion, das Gravitationszentrum und die Wahrheit des Menschen sein. Tiere waren Marcs Leidenschaft; in ihnen sah er jene Reinheit, jenen Einklang mit der Natur, die der Mensch verloren hatte. Durch sie oder vielmehr durch ihre Augen (er hatte einen Artikel mit der Überschrift »Wie sieht ein Pferd die Welt?« verfasst), hoffte er, eine Kunst zu schaffen, die ihn zu einer reineren, harmonischeren Beziehung mit der Welt geleitete. Von seinem jüngeren Freund August Macke beeinflusst, verwendete er ein breites Spektrum kräftiger Farben, um Konflikt und Harmonie auszudrücken. In einem Brief an Macke vom Dezember 1910 schrieb er, Blau sei das männlicher Prinzip, herb und geistig. Gelb sei das weibliche Prinzip, sanft, heiter und sinnlich. Rot sei die Materie, brutal und schwer und stets die Farbe, die von den beiden anderen erkämpft und überwunden werden müsse.

Mackes Werk demgegenüber ist urban. Seine fröhlichen Stadtszenen, in harmonischen ausdrucksstarken Farben gemalt, rücken sein Werk näher an das seiner französischen Zeitgenossen, die *Fauves und *Orphisten, und erinnern uns daran, dass es nie Ziel des Blauen Reiters war, einen homogenen Stil zu vertreten. Auch Klee experimentierte, dem Beispiel Mackes folgend, mit Farbe, blieb aber streng individualistisch. Vor allem seine Aquarelle erzielen eine lyrische, halb abstrakte Qualität, die zart und expressiv zugleich wirkt. Wie seine Freunde Kandinsky und Marc brachte auch Klee

seine Gedanken zur spirituellen Natur der Kunst 1920 in seiner »Schöpferischen Konfession« zu Papier. Hier findet sich der berühmte Ausspruch: »Kunst gibt nicht das Sichtbare wieder, sondern macht sichtbar.« Weiter schrieb er: »Kunst verhält sich zur Schöpfung gleichnisartig. Sie ist jeweils ein Beispiel, ähnlich wie das irdische ein kosmisches Beispiel ist. « Am anderen Ende des Spektrums erscheint das Werk Kubins eher düster in seinem Expressionismus, präsentiert es doch Phantasien und Albträume, die an den *Symbolismus und die *Dekadenz erinnern.

Die erste Ausstellung des Blauen Reiters fand zwischen Dezember 1911 und Januar 1912 in der Galerie Thannhauser in München statt, dann wurde sie die Eröffnungsausstellung von Herwarth Waldens Sturm-Galerie in Berlin und reiste schließlich nach Köln, Hagen und Frankfurt. Die Werke der Künstler des Blauen Reiters wurden ergänzt durch Arbeiten anderer Künstler, darunter Heinrich Campendonk (1889–1957), Elisabeth Epstein (1879–1955), J. B. Niestlé (1884–1942), der tschechische Künstler Eugen Kahler (1882–1911), der Amerikaner Albert Bloch (1882–1961), die Russen David und Wladimir Burljuk, die Franzosen Robert Delaunay (1885–1941, siehe Orphismus) und Henri Rousseau (1844–1910) sowie durch Zeichnungen des österreich-ungarischen Künstlers Schönberg.

Die zweite Ausstellung des Blauen Reiters (von Februar bis April 1912) fand in der Galerie Goltz in München statt und war noch ehrgeiziger. Beschränkt auf Aquarelle, Zeichnungen und Druckgrafiken, umfasste sie 315 Beispiele neuer grafischer Kunst von 31 deutschen, französischen und russischen Künstlern, darunter Nolde, Pechstein, Kirchner, Heckel, Klee, Kubin, Arp, Picasso, Braque, Delaunay, Malewitsch, Larionow und Gontscharowa.

Künstler empfanden die Ausstellungen als Sensation, Kritiker und Publikum dagegen waren völlig verwirrt. Kandinskys Enttäuschung darüber wird in seinem Vorwort zum Almanach von 1914 deutlich, in dem er schrieb, eines der Ziele, und seiner Ansicht nach sogar das wichtigste, sei kaum erreicht worden. Dies sei gewesen, durch Beispiele, durch praktische Nebeneinanderstellung und theoretische Demonstration zu zeigen, dass die Frage der Form in der Kunst zweitrangig sei, die vorrangige Frage der Kunst sei die nach dem Inhalt. Vielleicht, so mutmaßte er, sei die Zeit für das »Sehen« und »Hören« in diesem Sinne noch nicht reif.

Der Ausbruch des Ersten Weltkriegs brachte das Ende des Blauen Reiters. Kandinsky wurde gezwungen, nach Russland zurückzukehren, Macke fiel gleich in den ersten Wochen des Krieges und Marc 1916 bei Verdun. Obwohl Kandinsky und Marc schon am

Unten: **Wassily Kandinsky, *Improvisation »Klamm«*, 1914**
Die Beschäftigung mit Farbe und Form schien zwar wichtiger als der Wunsch einen Gegenstand abzubilden, doch 1912 und 1914 waren Kandinskys Gemälde nicht völlig abstrakt – erkennbare Formen erheischen die Aufmerksamkeit des Betrachters.

Gegenüber: **Paul Klee, *Föhn, Wind in Marcs Garten*, 1915**
Eines Tages wolle er fähig sein, auf dem Farbenklavier benachbarter Aquarellfarbentiegel zu phantasieren, vermerkte Klee 1910 in seinem Tagebuch. Nach seiner Reise mit Macke nach Tunis, 1914, erforschte Klee die Transparenz der Aquarellfarben.

1915 102

ren, der Russe Alexej von Jawlensky (1864–1941) und der Amerikaner Lyonel Feininger (1871–1956) zusammen mit Kandinsky und Klee die Gruppe Die Blaue Vier. Wieder war der Zweck der Vereinigung die Veröffentlichung ihrer Werke und Ideen durch gemeinsame Ausstellungen. Jawlensky war wie Kandinsky von der Wechselbeziehung zwischen Farbe und Klang überzeugt und beschrieb einige seiner Gemälde als »Lieder ohne Worte«. Seine warmen, leidenschaftlichen Gemälde, charakterisiert durch Vereinfachung, kräftige Farben und ein Gespür für die Intensität innerer Kräfte, lassen den religiösen Mystizismus erkennen, den er mit Marc und Kandinsky teilte. Kunst, so sagte er, sei Sehnsucht nach Gott. Feiningers Bilder, meist architektonische Stadtansichten, wechseln zwischen Abstraktion und Darstellung und kombinieren scharfe gerade Linien mit romantischen Farben. Kandinsky, Feininger und Klee sollten später als Lehrer bei einer anderen Avantgarde-Institution noch eine wichtige Rolle spielen, dem *Bauhaus.

Wichtige Sammlungen
Norton Simon Museum, Pasadena, Kalifornien
Solomon R. Guggenheim Museum, New York
Stedelijk Museum, Amsterdam, Niederlande
Tate Gallery, London

Weiterführende Literatur
K. Lankheit, W. Kandinsky, *Der Blaue Reiter* (München, 1986)
P. Badura, *Marc und der Blaue Reiter* (München u.a., 1998)
H. Friedel, *Der Blaue Reiter im Lenbachhaus München* (München u.a., 2000)
The Paul Klee Foundation, *Paul Klee Catalogue Raisonné* (Bern, 2000)

zweiten Almanach gearbeitet hatten, wurde er nie vollendet, denn für Kandinsky waren, wie er sagte, der Blaue Reiter Marc und er selbst. Nun, da sein Freund tot war, wollte er nicht alleine weitermachen.

Obwohl die Gruppe den Ersten Weltkrieg nicht überdauerte, erlangten ihre Aktivitäten und Errungenschaften doch weitreichende Geltung und führten schließlich zu *Dada, *Surrealismus und Abstraktem Expressionismus. 1924 gründeten zwei dem Blauen Reiter nahe stehende Künstler, die aber nie Mitglieder gewesen wa-

▌Synchromismus

Unser Traum weist der Farbe eine edlere Aufgabe zu. Durch sie wollen wir die reine Qualität der Form ausdrücken und enthüllen.

MORGAN RUSSELL UND STANTON MACDONALD-WRIGHT, 1913

Der Synchromismus (abgeleitet von den griechischen Wörtern syn = zusammen und chroma = Färbung) geht auf die beiden Amerikanern Morgan Russell (1886–1953) und Stanton MacDonald-Wright (1890–1973) zurück. Beide hatten als abbildende Maler begonnen, doch ihr Aufenthalt in Paris brachte ihnen die abstrakte Malerei nahe. Beeinflusst von Avantgardekünstlern wie Henri Matisse (siehe Fauvismus), František Kupka und Robert Delaunay (siehe Orphismus) sowie Wassily Kandinsky (siehe Der Blaue Reiter),

begannen sie die Eigenschaften und Effekte der Farben zu studieren. Beide waren Schüler von Ernest Percyval Tudor-Hart, einem kanadischen Maler, dessen Farbtheorie eng mit der musikalischen Harmonienlehre verknüpft ist.

Russell und MacDonald-Wright suchten die Strukturprinzipien der *Kubisten und die Farbtheorien der *Neo-Impressionisten weiter zu entwickeln und ihre Experimente mit farbigen Abstraktionen waren denen der Orphisten sehr verwandt. Sie waren sich so ähnlich, dass die Synchromisten 1913 ein Manifest veröffentlichten – eine große Ausnahme für eine amerikanische Künstlergruppe –, in dem sie ihre Originalität behaupteten und erklärten, sie als Orphisten einzuordnen, sei dasselbe, als setze man Tiger und Zebra gleich, bloß weil beide ein gestreiftes Fell hätten. Ungeachtet dessen, wer nun zuerst da war, ist es interessant, die Parallelität der Interessen zweier Gruppen zu beobachten, die beide versuchen, eine Sprache, ein Vokabular für ihre abstrakte Malerei zu finden. Beide bemühten sich, ein System zu formulieren, in dem die Bedeutung und die Aussage sich nicht auf die Ähnlichkeit mit dem abgebildeten Objekt stützte, sondern ganz aus der Wirkung der Farbe und der Form auf der Leinwand resultierte.

Da Russell auch Musiker war, verfolgte er die Absicht, eine Farbtheorie zu formulieren, in der die Beziehungen zwischen Farben und Formen musikalische Beziehungen und Rhythmen entstehen ließen. Diesen Wunsch, durch Farbe und Form »Klang« zu erzeu-

gen, eine Form der Synästhesie, bei der eine Sinneswahrnehmung die Wahrnehmung eines anderen Sinnes derart stimuliert, dass eine Verschmelzung mehrerer Sinneseindrücke entsteht, hatten im späten 19. Jahrhundert bereits die französischen *Symbolisten gehegt; auch Kupka und Kandinsky befassten sich später damit. Die musikalische Analogie und andere synchromistische Merkmale werden in Russels Monumentalwerk *Synchromy in Orange: To Form* (1913–1914) sichtbar. Hier werden chromatische Kombinationen und kubistische Strukturen durch frei fließende Rhythmen und Bogen lebendig, die ein Gefühl von Bewegung und Dynamik erzeugen.

Die Synchromisten stellten 1913 und 1914 in München, in Paris in der Galerie Bernheim-Jeune, wo sie die Aufmerksamkeit von Guillaume Apollinaire und Louis Vauxcelles erregten, und in New York aus, wo sie eine Kontroverse auslösten. Doch obwohl sie das Publikum schockierten, hatten sie einen großen Einfluss auf die amerikanische Künstlerschaft, besonders nachdem sie 1913, das Jahr, in dem der europäische Modernismus die USA erreichte, in die »Armory Show« in New York aufgenommen worden waren. Thomas Hart Benton (1889–1975, siehe American Scene), Patrick Henry Bruce (1880–1937) und der Symbolist Arthur B. Davies (1862–1928) gehören zu denen, die an bestimmten Punkten ihrer Karriere als Synchromisten bezeichnet wurden. Viele Synchromisten wurden in »The Forum Exhibition of Modern American Painting« aufgenommen, eine Ausstellung, die Stantons Bruder Willard Huntington Wright 1916 in New York organisierte.

Bis zum Ende des Ersten Weltkriegs hatte sich der Synchromismus fast vollständig überlebt, viele seiner Anhänger waren zur gegenständlichen Malerei zurückgekehrt. Durch den Krieg von Europa enttäuscht, lehnten viele auch den europäischen Modernismus ab und wandten ihr Interesse wieder »amerikanischen« Arbeiten zu (siehe American Scene und Sozialer Realismus). Nach Russels Tod, 1953, kehrte MacDonald-Wright jedoch wieder zum Synchromismus zurück.

Oben: **Morgan Russell, *Synchromy in Orange: To Form, 1913–1914***
Den Begriff »Synchromie« verwendete Russel erstmals 1913 im Titel eines Werkes, um anzudeuten, dass das Konzept Vorrang habe vor dem Thema. Seine eigenen Farbstudien setzte er nach 1916 fort, als der Synchromismus schon im Niedergang begriffen war.

Wichtige Sammlungen
Montclair Art Museum, Montclair, New Jersey
Frederick Weismant Art Museum, University of Minnesota,
Minneapolis, Minnesota
Whitney Museum of American Art, New York

Weiterführende Literatur
W. C. Agee, *Synchromism and Color Principles in American Painting*
(1965)
The Art of Stanton MacDonald-Wright (Ausst.-Kat.,
Washington, D.C., 1967)
G. Levin, *Synchromism and American Color Abstraction* (1978)
M. S. Kushner, *Morgan Russell* (1990)

Orphismus

Orphischer Kubismus ... ist die Kunst, neue Strukturen aus Elementen zu malen ... die der Künstler gänzlich aus sich geschaffen und mit der Fülle der Realität ausgestattet hat.

GUILLAUME APOLLINAIRE, MÉDITATIONS ESTHÉTIQUES – LES PEINTRES CUBISTES, 1913

Orphismus – oder orphischer Kubismus – ist ein Terminus, den der Dichter und Kunstkritiker Guillaume Apollinaire 1913 prägte, um das zu beschreiben, was er für eine »Bewegung« innerhalb des *Kubismus hielt. Denn anders als die kubistischen Werke von Pablo Picasso oder Georges Braque waren diese abstrakten Gemälde leuchtende Rhomben und Wirbel aus satten Farben, die ineinander verflossen. Zu verschiedenen Zeiten bezeichnete Appollinaire die Künstler Marcel Duchamp (1887–1968, siehe Dada), Francis Picabia (1879–1953, siehe Dada), Fernand Léger (1881–1955, siehe Kubismus), František Kupka (1871–1957) sowie Robert (1885–1941) und Sonia Delaunay (1885–1979) als Orphisten, denn er erkannte in ihren Werken eine Tendenz zu größerer Fragmentierung durch Farbe als im Kubismus.

»Orphisch« war unter den *symbolistischen Dichtern (zu denen auch Apollinaire zählte) eine beliebte Vokabel. Sie bezogen sich damit auf den Mythos von Orpheus, dem begnadeten griechischen Sänger, dem es durch seinen Gesang und sein Lyraspiel gelang, selbst wilde Tiere, Felsen und Bäume zu rühren. Für diese Lyriker war Orpheus der Archetyp des Künstlers, die Personifizierung der irrationalen Kraft der Kunst, einer Kraft, die zugleich romantisch, musisch und hypnotisch war und sich aus dem Mystischen und Okkulten nährte. Für Apollinaire symbolisierte Orpheus vor allem die mögliche Fusion der Musik mit andcren Künsten. Ermutigt durch seine Freundschaft mit Picabia und dessen Frau, der Musikerin Gabrielle Buffet-Picabia sowie mit Wassily Kandinsky (siehe Der Blaue Reiter), dessen Buch *Über das Geistige in der Kunst* gerade erschienen war, entwickelte er seine Analogie zwischen Musik und Malerei und wandte sie auf die neuen Maler an. Er meinte, ihre reinen Farbabstraktionen, lyrisch und sinnlich, wirkten, ebenso wie die Musik, direkt auf die Sinne der Betrachter ein und würden sie so zu einer gänzlich neuen Kunst hinführen, die für die bisher bekannte Malerei das sei, was die Musik für die Dichtkunst sei.

Der tschechische Maler Kupka hegte an den »musikalischen« Kräften seiner Kunst keinen Zweifel und unterschrieb seine Briefe oft mit der Selbstbezeichnung »Farbsymphoniker«. Der möglicherweise wichtigste Aspekt der Arbeiten Kupkas war jedoch sein Mystizismus. Seit jungen Jahren hatte er einen Hang zum Spirituellen. Als Jugendlicher war er in Böhmen Lehrling bei einem Sattlermeister, der als spiritistisches Medium arbeitete. Als er später in Prag und Wien studierte, geriet Kupka unter den Einfluss der religiös motivierten Nazarener und griff ihre Lehre begeistert auf. Sein Leben lang blieb er der Doktrin vom spirituellen Symbolismus in der Kunst verbunden und suchte der geistigen Bedeutung durch ab-

strakte Farben und Formen Ausdruck zu verleihen. 1896 ließ er sich in Paris nieder, wo er seinen Lebensunterhalt als Illustrator und Spiritist verdiente. Sein Interesse an den physischen Eigenschaften der Farbe sowie an der Darstellung von Bewegung entwickelte sich durch den Kontakt mit den Kubisten und den chronofotografischen Theorien des französischen Physiologen Étienne-Jules Marey (1830–1904). Als Ergebnis legte er bahnbrechende abstrakte Arbeiten wie *Disques simultanées* (Studie für Fuge in zwei Farben) von 1912 vor. Für einen Künstler sei es notwendig, Mittel zu suchen und zu finden, mit deren Hilfe er die materielle Ähnlichkeit aller Bewegungen und aller inneren Lebenszustände ausdrücken und durch die er alle Abstraktionen einfangen könne, sagte er.

Die zwei Künstler, die am beständigsten mit dem Orphismus assoziiert werden, sind der französische Maler Robert Delaunay und seine russische Frau Sonia. Beide waren Pioniere der Farbabstraktion. Bevor sie 1910 Robert heiratete, hatte Sonia intensiv farbige, *fauvesähnliche Bilder gemalt, doch zwischen 1912 und 1914 schuf sie ihr erstes abstraktes Gemälde im orphistischen Stil. Eines der wichtigsten Projekte jener Zeit war ihre Zusammenarbeit mit dem Schriftsteller Blaise Cendrars an dessen Gedichtband *La prose du transsibérien et de la petite Jeanne de France* (Prosa von der transsibirischen Eisenbahn und von der kleinen Jeanne aus Frankreich).

Robert befasste sich mit dem *Neo-Impressionismus, der Optik und den Wechselwirkungen zwischen Farben, Licht und Bewegung. Er kam zu dem Schluss, dass die Zersplitterung der Form durch das Licht farbige Flächen schaffe, was direkt zu Werken wie *Simultane*

Oben: Modell mit Mantel und Hut, entworfen von Sonia Delaunay, neben einem von der Künstlerin bemalten Roadster
Delaunay nutzte die Prinzipien der Farbabstraktion in verschiedenen Werken angewandter Kunst, sie entwarf Kleider für die Balletts Russes, für ihr eigenes Modestudio und ihre »Boutique Simultanée« (1925).

Kontraste: Sonne und Mond (1913) führte, bei denen das wichtigste Ausdrucksmittel in der Komposition der Farbrhythmen zu suchen ist. Apollinaire bezeichnete Delaunays Bilder als »farbigen Kubismus«, doch Delaunay selbst sah seine Bilder als logische Weiterentwicklung des *Impressionismus und des Neo-Impressionismus und prägte sogar den Begriff »Simultanismus«, um sie zu beschreiben. Seinen eigenen Aussagen zufolge habe er die Idee verfolgt, eine Art Malerei zu schaffen, die technisch allein von der Farbe und von Farbkontrasten abhinge, sich aber im Laufe der Zeit weiterentwickele, um eine simultane Wahrnehmung zu ermöglichen. Um dies zu beschreiben, habe er Chevreuls wissenschaftlichen Terminus Simultankontraste entlehnt.

Der Glaube der Orphisten an die musikalischen Eigenschaften und die spirituellen Kräfte ihrer Werke machte sie zu natürlichen Verbündeten der deutschen *Expressionisten, besonders der Gruppe Der Blaue Reiter. 1911 lud Kandinsky Robert Delaunay ein, an der ersten Ausstellung des Blauen Reiters teilzunehmen. Franz Marc, August Macke und Paul Klee waren von dessen Arbeiten so tief beeindruckt, dass sie 1912 nach Paris reisten, um ihn zu treffen.

In Paris hatte der Orphismus sein Debüt im März 1913 beim Salon der Unabhängigen. Und wiederum machte sich Apollinaire zu seinem Anwalt, indem er im Magazin *Montjoie!* schrieb: »Wenn der Kubismus tot ist, so lebe der Kubismus, denn das Königreich des Orpheus ist nahe!« Zu jener Zeit waren die Delaunays bereits berühmt und der Mittelpunkt eines Zirkels von Avantgardekünstlern und Schriftstellern, die ihre Arbeit unterstützten. Einmal wöchentlich besuchten sie ein Tanzlokal namens Bal Bullier, von dem Sonia sagte, es sei für sie, was das Moulin de la Galette für Degas, Renoir und Lautrec gewesen sei. Für diese Besuche entwarf sie ihre ersten von der Malerei inspirierten »Simultané«-Kleider.

Es war Robert Delaunays Begriff »Simultanismus«, der schließlich innerhalb der Gruppe zum Streit führte. Das Konzept der Simultaneität stellte kurzfristig das am heißesten diskutierte Thema in den Jahren vor dem Ersten Weltkrieg dar, nicht nur in der Kunst, auch in der Musik und der Literatur. Apollinaire griff den Terminus zur Beschreibung seiner eigenen »Calligrammes« (Figurengedichte) auf und in seinem Buch *Méditations esthétiques – Les Peintres cubistes* erklärte er seine Bedeutung, indem er ausführte, die Werke der orphistischen Künstler müssten simultan, also zugleich, ein rein ästhetisches Vergnügen, eine offenkundige Struktur und eine sublime Bedeutung vermitteln. Diese Sicht spiegelte das allgemeine Interesse an den philosophischen und psychologischen Vorstellungen von der »fortwährenden Gegenwart« und der Rolle der Intuition bei der künstlerischen Erfahrung, wie sie Henri Bergson in seinem einflussreichen Buch *Einführung in die Metaphysik* 1903 beschrieben hatte.

Doch Robert Delaunay und Apollinaire konnten sich über die präzise Bedeutung des Begriffs »Simultanismus« in der Kunst nicht einigen. 1914 überwarfen sie sich. Dass Apollinaire ihn als »französischen *Futuristen« tituliert hatte, nahm Delaunay ihm bitter übel. Apollinaire selbst verwendete den Begriff »Simultanismus« in seinen Kunstkritiken nicht mehr und wandte seine Aufmerksamkeit den italienischen Futuristen zu. Die anderen Künstler, die er zu Orphisten ernannt hatte, wiesen die Klassifizierung nun von sich, und so wurde die Bezeichnung ungebräuchlich.

Während Robert Delaunay seine Suche nach der »reinen Malerei« fortsetzte, konzentrierte sich Sonia auf die angewandte Kunst, für die sie letztlich bekannt wurde, um während und nach den Jahren des Krieges für den Familienunterhalt zu sorgen. Mit ihrem untrüglichen Farbsinn entwarf sie Kleider für Damen der Gesellschaft, wie etwa die Schauspielerin Gloria Swanson und die Schriftstellerin Nancy Cunard, und wurde so zu einer international anerkannten Textilkünstlerin und Modeschöpferin. Während des Krieges trafen die Delaunays in Madrid mit dem Impresario Sergej Diaghilew (siehe Welt der Kunst) zusammen, und er beauftragte sie, für die Wiederaufnahme seines Balletts *Kleopatra* die Kostüme und Bühnenbilder zu entwerfen.

Während der 1920er-Jahre fertigten beide Bilder und Entwürfe im Stil des *Art Déco. 1930 kehrte Sonia zur Malerei zurück und wurde Mitglied der Schule Abstraction-Création, der sich ein Jahr später auch Kupka anschloss.

Oben: Sonia Delaunay, Entwurf für einen Buchumschlag aus Stoffen, 1912
Auf ihren vielen Beschäftigungsfeldern – Malerei, Illustration, Collage, Modedesign und dekorative Buchbinderei – stellte sie dem »wissenschaftlichen« Ansatz ihres Mannes Robert ihre eigene intuitive Vorgehensweise gegenüber.

Gegenüber: Robert Delaunay, *Simultane Kontraste: Sonne und Mond*, 1913 (Datierung auf dem Gemälde 1912)
Robert Delaunay nutzte die Farbe, um rhythmische Beziehungen innerhalb der fast abstrakten Kompositionen zu schaffen. Er beschrieb seine Malerei als simultane Kontraste in bewusstem Bezug auf die Begriffe, die der französische Chemiker und Farbtheoretiker M. E. Chevreul verwendete.

Wichtige Sammlungen
Galerie der modernen Kunst, Prag
Musée National d'Art Moderne, Paris
Museum of Modern Art, New York
Tate Gallery, London

Weiterführende Literatur
V. Spate, *Orphism* (1979)
M. R. Hoog, *Delaunay* (München, 1983)
G. R. Vriesen, *R. Delaunay: Licht und Farbe des Orphismus* (Köln, 1992)
S. Baron, *Sonia Delaunay: ihre Kunst – ihr Leben* (München, 1995)

Rayonismus

Zum Genius unserer Zeit erklären wir: Hosen, Jacken, Veranstaltungen, Straßenbahnen, Busse, Flugzeuge, Eisenbahnen, prächtige Schiffe – was für ein Zauber …

RAYONISTISCHES MANIFEST, 1913

Der Rayonismus leitet sich vom russischen Wort *luch* ab, das Strahl (französisch *rayon*) bedeutet. Er wurde von den Malern Michail Larionow (1881–1964) und Natalja Gontscharowa (1881–1962) in Moskau im März 1913 mit einer Ausstellung ins Leben gerufen, die unter dem Titel »Zielscheibe« lief. Die Ausstellung präsentierte neben ihren neo-primitiven Werken und den kubofuturistischen Schöpfungen Kasimir Malewitschs (1878–1935) Arbeiten, die sie seit 1911 entwickelt hatten. Das »Rayonistische Manifest« erschien im April 1913.

Wie viele ihrer Zeitgenossen (siehe Der Blaue Reiter, Kubismus, Futurismus, Synchromismus, Orphismus und Vortizismus) verfolgten auch die Rayonisten das Ziel, eine abstrakte Kunst mit einem völlig eigenen Aufgabenbereich zu schaffen. Larionow gestand freimütig, dass ihre Kunst als Synthese aus Kubismus, Futurismus und Orphismus angesehen werden könne. »Wenn wir buchstäblich das malen wollen, was wir sehen«, so erklärte er, »dann müssen wir die Summe der Strahlen malen, die dieser Gegenstand reflektiert.«

Larionow zufolge stellen Bilder also nicht Objekte dar, sondern die Schnittpunkte der Strahlen, die von ihnen ausgehen. Da die Strahlen durch Farbe wiedergegeben werden, wird der Rayonismus logischerweise zu einem Malstil, der unabhängig ist von der realen Form und so das erschafft, was Larionow als »die vierte Dimension« bezeichnete. Die Verwendung dynamischer Linien zur Darstellung von Bewegung und die deklamatorische Sprache ihres Manifestes rückte die Rayonisten eindeutig in die Nähe der italienischen Futuristen. Beide zeigten dieselbe leidenschaftliche Begeisterung für die Ästhetik der Maschine.

Larionow und Gontscharowa waren schon in der russischen Avantgardegruppe *Karo-Bube tätig gewesen, die eine einmalige

Unten: **Natalja Gontscharowa, *Flugzeug über einem Zug*, 1913**
Mit den Futuristen teilte Gontscharowa die Begeisterung für Maschinen und mechanische Bewegung. Sie und Larionow veröffentlichten ein rayonistisches Manifest, das die nachfolgende Generation russischer Avantgardekünstler sehr beeinflusste.

Fusion zwischen westlicher Avantgarde und russischer Volkskunst gefördert hatte. Auch hinter dem Rayonismus verbarg sich eine Synthese verschiedener Einflüsse: Einerseits fanden sich die »gebrochenen«, facettierten Oberflächen auch in den Arbeiten des russischen *Symbolisten Michail Wrubel (1856–1910), andererseits fußten Larionows Interessen in der Wissenschaft, der Optik und der Fotografie (er verfolgte die zeitgenössische Entwicklung einer Technik, die der Moskauer Fotograf A. Trapani »ray gum« genannt hatte.)

Um ihre neue Kunst bekannt zu machen, bemalten die russischen Rayonisten und Futuristen oft ihre eigenen Gesichter mit rayonistischen Mustern und traten dann so in der Öffentlichkeit bei Veranstaltungen, Paraden, Vorträgen oder Vorlesungen auf. Larionow erläuterte dazu, sie hätten dadurch die Kunst an das Leben angeschlossen. Nach der langen Isolation der Künstler hätten sie nun das Leben laut zu sich zitiert, und das Leben sei in die Kunst eingedrungen. Nun sei es Zeit, dass die Kunst in das Leben eindringe und deshalb pochten ihre Herzen auch so stark.

Larionows und Gontscharowas neo-primitivistische und rayonistische Arbeiten erschienen in Ausstellungen, wurden in Zeitschriften besprochen und erlangten bald Bekanntheit in Russland und Europa. Zwischen 1912 und 1914 wurde ihr Werk in London, Berlin, Rom, München und Paris ausgestellt. Eine große Einzelausstellung 1913 in Moskau, die 700 Werke der Gontscharowa präsentierte, weckte weites internationales Interesse. Der französische Dichter und Kunstkritiker Guillaume Apollinaire machte sich zum Anwalt ihrer Werke, und die russische Dichterin Marina Zwetajewa

bezeichnete Gontscharowas Werk als »Treffpunkt zwischen West und Ost, Vergangenheit und Zukunft, Volk und Individuum, Arbeit und Talent.«

Zu Beginn der russischen Revolution, 1917, hatten sich Larionow und Gontscharowa bereits in Paris niedergelassen und dem Rayonismus zugunsten eines »primitiveren« Stils abgeschworen. Ihr Interesse richtete sich jetzt auf den Entwurf von Kostümen und Bühnenbildern, besonders für die Ballets Russes von Sergej Diaghilew. Obgleich nur kurzlebig, erwies sich der Rayonismus in Theorie und Praxis doch als einflussreich auf die nächste Generation russischer avantgardistischer Künstler, besonders auf Malewitsch und die *Suprematisten, sowie auf die Entwicklung der abstrakten Kunst ganz allgemein.

Wichtige Sammlungen

Centre Georges Pompidou, Paris
Fine Arts Museum of San Francisco, San Francisco, Kalifornien
Solomon R. Guggenheim Museum, New York
Tate Gallery, London

Weiterführende Literatur

B. Gray, *The Russian Experiment in Art 1863–1922* (1986)
J. E. Bowlt, *Russian Art of the Avant Garde: Theory and Criticism* (1988)
Y. Kovtun, *Mikhail Larionov* (1997)
J. E. Bowlt, *Amazonen der Avantgarde* (Ausst.-Kat., Deutsche Guggenheim, Berlin, 1999)

▮ Suprematismus

Für die Suprematisten sind die visuellen Phänomene der objektiven Welt, für sich genommen, bedeutungslos; das wirklich Bedeutsame ist das Empfinden.

KASIMIR MALEWITSCH, 1927

Der Suprematismus ist eine Kunst der rein geometrischen Abstraktion, die der russische Maler Kasimir Malewitsch (1878–1935) zwischen 1913 und 1915 entwarf. Zuvor hatte Malewitsch im neoprimitiven und kubofuturistischen Stil gearbeitet und zum Kreis um Michail Larionow und Natalja Gontscharowa (siehe Karo-Bube und Rayonismus) gehört. Doch bis 1913 hatte er sich zu einer neuen radikalen Position entwickelt. Dazu erklärte er, er habe 1913 verzweifelt darum gerungen, die Kunst vom Gegenstand zu befreien, als er Zuflucht in der Form des Quadrats fand. Geometrische Figuren, ganz besonders das Quadrat, das sich weder in der Natur noch in der traditionellen Malerei wiederfand, symbolisierten für Malewitsch den Supremat einer Welt, die größer war als die der Erscheinungen.

Malewitsch war ein christlicher Mystiker, und wie sein Landsmann Wassily Kandinsky (siehe Der Blaue Reiter) war er der An-

sicht, die Schaffung und die Aufnahme einer Kunst sei ein unabhängiger spiritueller Akt, losgelöst von allen politischen, gesellschaftlichen oder utilitaristischen Zielen und Zwecken. Er meinte, dieses mystische »Empfinden«, dieser »Seelenzustand«, könne am besten durch die essentiellen Komponenten der Malerei, durch die vollkommen reine Form und Farbe ausgedrückt werden.

Der Suprematismus war eine der beiden radikalen Kunstbewegungen des vorrevolutionären Russland, die sich auf die geometrische Abstraktion stützten. Die andere war der von Wladimir Tatlin eingeführte *Konstruktivismus, der in direkter Opposition zu Malewitsch davon überzeugt war, die Kunst müsse einem sozialen Zweck dienen. Die ideologische Kontroverse zwischen den beiden willensstarken Männern, die während einer gemeinsamen Ausstellung in St. Petersburg im Dezember 1915, »Die Letzte Futuristische

Ausstellung von Bildern: 0,10«, zu einem Faustkampf führte, löste Rivalität zwischen den Mitgliedern der beiden Gruppen aus. Im Endeffekt mussten die Bilder in getrennten Räumen gezeigt werden.

Die Ausstellung selbst, es wurden 150 Werke von 14 Künstlern gezeigt, war ein Triumph. Es war das öffentliche Debüt der suprematistischen Malerei, begleitet von Manifesten und Pamphleten, einschließlich der von Malewitsch verfassten Broschüre »Vom Kubismus und Futurismus zum Suprematismus; der neue malerische Realismus«, in der er das Anliegen des Suprematismus erklärte und die Autorenschaft für sich beanspruchte. Sein berühmtes Werk *Schwarzes Quadrat auf weißem Grund* (um 1915) war Gegenstand hitziger Debatten. In seinem Manifest beschrieb Malewitsch das schwarze Quadrat als »die Null der Form« und den weißen Hintergrund als die »Leere jenseits der Empfindung« und platzierte das Ganze im Kontext seines Credos, indem er sagte, erst wenn die Gewohnheit des Bewusstseins überwunden sei, in Gemälden Abbildungen der Natur, Madonnen oder schamlose Akte zu sehen, werde man Kompositionen reiner Malerei erkennen können. Die Kunst bewege sich auf ihr selbst ernanntes Ziel der Schöpfung zu, auf die Herrschaft über die Formen der Natur.

Wie andere seiner Generation (siehe zum Beispiel Futurismus, Orphismus und Synchromismus) glaubte auch Malewitsch an die Macht der Kunst, die Empfindung von Klängen ausdrücken zu können, an den Geist der naturwissenschaftlichen Errungenschaften und an das, was er »die Erfahrung der reinen Gegenstandlosigkeit« nannte. Nachdem er anfangs schlichte geometrische Formen in Schwarz, Weiß, Rot, Grün und Blau gemalt hatte, begann er auch kompliziertere Formen in einer breiteren Palette von Farben und Schattierungen zu malen und schuf so eine Illusion von Raum und Bewegung, die den Eindruck entstehen ließ, dass die gemalten Elemente vor der Leinwand schwebten. Dies spiegeln auch die Titel vieler Gemälde jener Periode wider, etwa *Suprematistische Komposition: Fliegendes Flugzeug* (1914–1915), *Suprematistische Komposition, die das Empfinden drahtloser Telegrafie ausdrückt* (1915) und *Suprematistische Komposition, die das Empfinden einer mystischen »Welle« aus dem Weltraum vermittelt* (1917). Seine Suche nach einer Bildsprache, die direkt mit dem Unbewussten kommunizieren würde, gipfelte in der Serie *Weiß auf Weiß* von 1917–1918. Er präsentierte diese Serie extrem reduzierter Gemälde, die weiße, kaum sichtbare Quadrate auf weißem Grund zeigten, mit der Erklärung: »Ich habe den blauen Schatten der Farbgrenzen durchbrochen und bin im Weiß angekommen. Hinter mir schwimmen meine Lotsenkameraden im Weiß. Ich habe den Signalmast des Suprematismus errichtet. Schwimmt!« Die *Weiß-auf-Weiß*-Gemälde müssen auch im

Kontext der Feindseligkeit zwischen Suprematisten und Konstruktivisten gesehen werden. (So reagierte Alexander Rodtschenko unverzüglich mit seinem *Schwarz auf Schwarz,* um Malewitschs Werk metaphorisch auszulöschen.)

Der Suprematismus zog viele Anhänger an, darunter Ljubow Popowa (1889–1924), Olga Rosanowa (1886–1918), Nadeschda Udaltsowa (1885–1961), Iwan Puni (1894–1956) und Xenja Boguslawaskaja (1882–1972). Obwohl Malewitsch der Idee, Kunst solle einem nützlichen Zweck dienen, eine runde Absage erteilt hatte, blühte der Suprematismus nach der Oktoberrevolution von 1917, und ein Jahr später stand in einer Zeitung, der Suprematismus sei in Moskau allgegenwärtig, Schilder, Ausstellungen, Cafés, alles sei suprematistisch.

Die meisten Avantgarde-Künstler hatten die Revolution von ganzem Herzen begrüßt, und für kurze Zeit unterstützte das Regime die experimentellen Künste. 1919 wurde Malewitschs Weiß-auf-Weiß-Serie in der »Zehnten Staatlichen Ausstellung. Abstrakte Kreation und Suprematismus« ausgestellt, eine große Schau, die 220 abstrakte Werke verschiedener Stilrichtungen präsentierte und diese nicht-repräsentative Kunst als sowjetische Kunst vorstellte. Es war der Höhepunkt des Suprematismus.

Malewitsch ging nach Witebsk und widmete seine Zeit der Lehre, dem Schreiben und der Architektur (er schuf Modelle für futuristische Häuser und Städte). Er löste Marc Chagall als Direktor der Kunstschule von Witebsk ab und gründete die Gruppe UNOVIS (Verfechter der neuen Kunst), zu der Ilja Tschaschnik (1902–1929), Vera Jermolajewa (1893–1938), El Lissitzky (1890–1941), Nikolaj Suetin (1897–1954) und Lew Judin (1903–1941) gehörten. Sie schmückten Porzellan, Schmuck, Stoffe und 1920, zum dritten Jubiläum der Revolution, die Wände überall in der Stadt mit suprematistischen Motiven.

Seine Zeichnungen und Modelle von Häusern und Städten entwarf Malewitsch nicht unter funktionalen oder praktischen Gesichtspunkten, es handelte sich vielmehr um Abstraktionen, die lediglich die »Idee« des Projekts einfangen sollten. Sein Konzept der »reinen Kunst« fiel jedoch bald in Ungnade, als die Künstler sich utilitaristischer Kunst und dem Industriedesign zuwandten. Zuerst wurde der Suprematismus vom Konstruktivismus verdrängt und wurde dann, als in den späten 1920er-Jahren die Zeit der staatlichen Unterstützung für experimentelle und abstrakte Künste zu

Ende ging, vom *Sozialistischen Realismus abgelöst. Obwohl er bis zu seinem Tod im Jahr 1935 in der Sowjetunion blieb, schwand Malewitschs Renommee im Lande. Seine Ideen waren jedoch nach West- und Mitteleuropa vorgedrungen. Eine große Retrospektive seiner Werke in Polen und Deutschland, 1927, und die Veröffentlichung seines Buches *Suprematismus. Die gegenstandslose Welt* durch das *Bauhaus machten sie bekannt. Der Suprematismus wurde zu einem Ausgangspunkt für andere und beeinflusste nicht nur den europäischen Konstruktivismus sondern auch die Formgebungslehre des Bauhauses, den *International Style der Architektur und den *Minimalismus der 1960er-Jahre.

Wichtige Sammlungen
Fine Arts Museum of San Francisco, San Francisco, Kalifornien
Museum of Modern Art, New York
Stedelijk Museum, Amsterdam, Niederlande
Galerie Tretjakow, Moskau

Weiterführende Literatur
C. Gray, *The Russian Experiment in Art 1863–1922* (1986)
D. J. E. Bowlt, *Russian Art of the Avant Garde: Theory and Criticism* (1988)
K. S. Malevic, *Suprematismus: die gegenstandslose Welt* (Köln, 1989)
G. Steinmüller, *Die suprematistischen Bilder von Kasimir Malewitsch: Malerei über Malerei* (Bergisch Gladbach u.a., 1991)

Oben: **Kasimir Malewitsch, *Suprematismus als Vereiniger der Konstruktion*, 1917–1918**
Malewitsch zog eine außergewöhnlich große Anhängerschaft an. Trotz ihrer Radikalität fußen sie mit ihrer Darstellung von Farbe auf Leinwand in einer Tradition, die sich von der konstruktivistischen »Kultur der Materialien« abhebt.

Gegenüber: **Die Bilder von Kasimir Malewitsch, gezeigt auf der Ausstellung »0,10« in St. Petersburg, 1915**
Malewitschs *Schwarzes Quadrat* auf weißem Grund hängt nach Art einer Ikone in der oberen Raumecke. In ihrem »Suprematistischen Manifest« erklärten Puni und Boguslawaskaja, ein Bild sei ein neues Verständnis des Abstrakten, reines Element und aller Bedeutung entkleidet.

Konstruktivismus

Kunst ins Leben!

WLADIMIR TATLIN

Um 1914, als Kasimir Malewitsch den *Suprematismus einführte, schuf Wladimir Tatlin (1885–1953) seine ersten Konstruktionen, die die konstruktivistische Bewegung entfachten (allerdings bezeichneten sich die Künstler zunächst als Produktivisten). Sechs Jahre später sollte sie den Suprematismus als führenden Stil in Russland ablösen.

Bei der Ausstellung »Die Letzte Futuristische Ausstellung von Bildern: 0,10« in St. Petersburg im Dezember 1915, die den Suprematismus lancierte, stellte auch Tatlin seine radikal abstrakten, geometrischen Reliefgemälde und Eckreliefs aus. Diese außergewöhnlichen Assemblagen waren aus Materialien wie Metall, Glas, Holz und Plastik zusammengefügt und bezogen auch den »echten« dreidimensionalen Raum als Gestaltungsmaterial mit ein. Diese Einführung von »realen« Materialien und »realem« Raum in die Plastik hatte auf die zukünftige Kunst einen ebenso revolutionären Einfluss wie die Bilder Malewitschs.

Beide, Suprematisten wie Konstruktivisten, stützten sich auf die Ideen des *Kubismus und des *Futurismus. Wie die Futuristen feierten sie die Kultur der Mechanik. Doch obwohl ihre Arbeiten gewisse visuelle Merkmale teilen, beide sind geometrisch und abstrakt, vertraten Malewitsch und Tatlin bezüglich der Rolle der Kunst konträre Positionen.

Für Malewitsch hatte die Kunst eine für sich geschlossene Aufgabe ohne soziale oder politische Verpflichtungen. Tatlin dagegen vertrat den Standpunkt, Kunst könne und müsse Einfluss auf die Gesellschaft nehmen. Dieser ideologische Konflikt verhinderte nicht nur eine gemeinsame Bewegung der nicht gegenständlichen Kunst in Russland, er spaltete schließlich auch die Konstruktivisten selbst.

Im Jahr 1917 hatten sich Tatlin eine Reihe anderer Künstler angeschlossen, darunter die Brüder Naum Gabo (1890–1977) und Antoine Pevsner (1886–1962) sowie das Ehepaar Alexander Rodtschenko (1891–1956) und Warwara Stepanowa (1894–1958). Sie bezeichneten sich als Produktivisten und machten es sich zur Aufgabe, die künstlerischen Qualitäten verschiedener Materialien, der Form und Farbe zu erforschen, um den Geist des neuen technologischen Zeitalters einzufangen.

Die Revolution von 1917 war ihre große Chance, denn die sozialistischen Produktivisten waren begierig, sich an der Schaffung der neuen Gesellschaft, die von den Politikern des neuen Regimes gepredigt wurde, zu beteiligen, und sie genossen die Möglichkeit, an der Seite von Arbeitern, Ingenieuren und Wissenschaftlern zu arbeiten. Das Regime seinerseits war froh, Künstler gefunden zu haben, die die Revolution unterstützten. Vor allem Tatlin reagierte auf die Situation mit missionarischem Eifer, und sein Monument für die III. Internationale verkörperte die Vision der Politiker ebenso wie die der Künstler. Das Monument, vom Revolutionsrat der Schönen Künste 1919 in Auftrag gegeben, ist eigentlich ein Modell für das Gebäude, in dem 1921 der Dritte Internationale Kommunistische Kongress in Moskau hätte stattfinden sollen. Es war ein kühner, visionärer Entwurf, der aber nie gebaut worden ist, weil die Sowjetunion technologisch noch nicht in der Lage gewesen wäre, den Plan umzusetzen. Dennoch ist es noch immer ein mächtiges, überwältigendes Monument der utopischen Sowjetträume und der leidenschaftlichen Überzeugung, dass der moderne Künstler-Ingenieur eine bestimmende Rolle bei der Formung der Gesellschaft einnehmen könnte.

Bald nach der Revolution setzte eine endlose Debatte über die Rolle der Kunst und der Künstler in der neuen kommunistischen Gesellschaft ein. Tatlins Turm, den er selbst als Union rein künstlerischer Formen (Malerei, Plastik und Architektur) für utilitaristische Zwecke bezeichnet hatte, deutete die Verschiebung hin zu einer aktiven gesellschaftlichen Beteiligung an, doch nicht alle Produktivisten waren damit glücklich. Im August 1920 scherten Gabo und Pevsner aus. Ihr »Realistisches Manifest«, das eine Freiluftausstellung ihrer Werke in Moskau begleitete, konstatierte fünf Prinzipien der neuen

Links: **Konstantin Melnikow, Der Rusakow-Klub, Moskau, 1927/28**
Melnikows Architektur zeigt »geometrisch progressive« Strukturen, die im Kontrast stehen zu den »logarithmischen Spiralen« von Tatlins berühmtem Turm. Er setzte moderne Materialien für monumentale Effekte ein.

Gegenüber: **Wladimir Tatlin, Monument der III. Internationale, 1919**
Der Turm aus einer gewaltigen Eisenspirale sollte ein High-Tech-Informationszentrum, Freiluftleinwände zur Übermittlung von Nachrichten und Propaganda und einen Projektor beherbergen, mit dem man Bilder auf die Wolken projizieren konnte. Tatlin ist vorn rechts mit der Pfeife zu sehen.

In Russland nahm der Produktivismus oder sowjetische Konstruktivismus an Tempo zu und gewann neue Anhänger. Bei der Ausstellung »5 x 5 = 25« von 1921 steuerten Rodtschenko, Stepanowa, Ljubow Popowa (1889–1924), Alexander Wesnin (1883–1959) und Alexandra Exter (1882–1949) jeweils fünf Werke sowie Erklärungen für den Katalog bei, in denen sie den Tod des Tafelbildes und ihre ausschließliche Hinwendung zur Produktionskunst verkündeten. Im selben Jahr bildeten Rodtschenko, Stepanowa, Konstantin Medunetsky (1899–1935) die Brüder Wladimir (1899–1982) und Georgij (1900–1933) Stenberg, Karl Ioganson (um 1890–1929) und Alexander Gan (1893–1949) die Erste Arbeitsgruppe der Konstruktivisten. Der Grafiker Gan, zugleich der wichtigste Theoretiker der Gruppe, sagte, die Gruppe bestätige durch ihren wissenschaftlichen und hypothetischen Ansatz die Notwendigkeit, das ideologische Moment mit dem formalen zu vereinen, um so einen tatsächlichen Übergang vom Laborexperiment zur praktischen Anwendung zu erreichen.

Ein großer Teil der konstruktivistischen Theorie kam in Form von Slogans daher, wie etwa »Nieder mit der Kunst! Lang lebe die Technologie!« Tatlins Lieblingsspruch lautete: »Kunst ins Leben!« Konstruktivistische Manifeste wurden in der Avantgarde-Zeitschrift *LEF* (Linke Front der Künste) im Nachfolgeorgan *Novij LEF* (Neue LEF) veröffentlicht, und Gan verbreitete die konstruktivistische Ideologie durch sein Buch *Konstruktivismus* (1922).

Die frühen und mittleren 1920er-Jahre bildeten den Höhepunkt des Konstruktivismus. Im Dienst der neuen Gesellschaft entwarfen die konstruktivistischen Künstler alles, angefangen bei Möbeln, Kleidung und Keramik bis zur Typographie. Olga Rosanowa (1886–1918), Gustav Klucis (1895–1944), Georgij Jakulow (1884–1928) und El Lissitzky (1890–1941) waren alle bestrebt, die Sprache der abstrakten Kunst auf Gebrauchsgegenstände zu übertragen. Vor allem Popowa und Stepanowa gelangen innovative Beiträge im Textildesign, in der Bühnenbildnerei waren es vor allem Wesnin, Popowa, Jakulow und Exter; Lissitzky gelang dies in der Typografie und im Ausstellungs- und Buchdesign sowie Rodtschenko in der Fotografie und im Plakatdesign. Lissitzky kam auf das Kürzel »Proun« aus Pro-UNOVIS (Die Schule der neuen Kunst), das als Titel für viele abstrakte Gemälde diente, die zum Ziel hatten, den neuen Bereich der zwei- und dreidimensionalen Kunst abzustecken. 1923 bei der Großen Berliner Kunstausstellung präsentierte Lissitzky seinen Proun-Raum, eine kleine Kammer mit einem durchgehenden Oberflächenrelief.

konstruktivistischen abstrakten Kunst. Viele ihrer Forderungen (der Verzicht auf den deskriptiven Gebrauch von Farbe, Linie, Masse und Volumen, die Aufforderung »reale« Industriematerialien zu verwenden) waren unstrittig, aber Tatlins Ansicht, die Kunst müsse eine direkte soziale und politische Dimension haben, konnten sie nicht akzeptieren. Das Ergebnis war ein ideologischer Zusammenstoß zwischen zwei Strömungen innerhalb des Produktivismus, die sich nun, um die Verwirrung komplett zu machen, beide als Konstruktivisten bezeichneten. Gabo verwarf Tatlins Modell für das Monument der III. Internationale (»Nicht reine konstruktivistische Kunst, sondern eine bloße Imitation der Maschine«), und Tatlin, Rodtschenko und Stepanowa publizierten das »Programm der Produktivistischen Gruppe«, in dem sie ihr Engagement für die »Produktionskunst« des Künstler-Ingenieurs bestätigten. Da dieser Ansatz dem kommunistischen Regime näher stand, verließen viele, die nicht dahinter stehen konnten, das Land. Gabo emigrierte 1922 und Pevsner 1923 und brachten so ihre Vision vom Konstruktivismus in den Westen, wo er als europäischer oder internationaler Konstruktivismus bekannt wurde.

Oben: **El Lissitzky, *Schlage die Weißen mit dem roten Keil*, 1919–1920**
Lissitzkys berühmtes Bürgerkriegs-Propagandaposter hämmert seine klar erkennbare Botschaft mit einfachen aber kräftigen grafischen Symbolen ein, statt, wie bisher üblich, Parolen und Bilder zu verwenden.

Links: **Seite aus LEF, Nr. 2, 1923**
Auf der linken Seite Entwürfe für Sportkleidung von Warwara Stepanowa, rechts Logos von Alexander Rodtschenko. Stepanowa war, wie die Popowa, eine bedeutende Textildesignerin. Die Entwürfe waren nie reiner Selbstzweck, sondern immer an einen gesellschaftlichen Zweck gebunden.

Die konstruktivistische Architektur – meist blieb es dabei allerdings beim Entwurf – blühte. Iwan Leonidow (1902–1959), Konstantin Melnikow (1890–1974) und die Brüder Alexander, Leonid (1880–1933) und Viktor Wesnin (1882–1950) gehörten zu den ersten Praktikern des Stils, der moderne Baumaterialien verwendete und die Transparenz der Funktion und der Konstruktion der verschiedenen Gebäudeteile betonte. Diese Merkmale wurden zu den wichtigsten Charakterzügen der konstruktivistischen Architektur der Sowjetunion und später Teil des architektonischen Vokabulars des *International Style. Lissitzky beschrieb diese Eigenschaften 1929, als er über das von A. Wesnin entworfene Prawda-Gebäude in Moskau (1923) schrieb:

> Sämtliches Zubehör wie Hinweis- und Reklameschilder, Uhren, Lautsprecher und selbst die Fahrstühle im Innern sind integrierte Elemente des Entwurfs und Bestandteil eines einheitlichen Ganzen. Das ist die Ästhetik des Konstruktivismus.

Die Herrschaft des sowjetischen Konstruktivismus als inoffizieller Stil des kommunistischen Staates ging in den später 1920-er-Jahren zu Ende, als Stalin seine Fünfjahrespläne einführte und dann den *Sozialistischen Realismus zum offiziellen Stil des Kommunismus erklärte. Zu jener Zeit aber hatte sich das Evangelium der russischen Bewegung durch Emigranten wie Pevsner und Lissitzky bereits verbreitet.

Zwischen 1921 und 1928 hielt sich Lissitzky in Deutschland, den Niederlanden und in der Schweiz auf, trat mit zahlreichen Avantgarde-Künstlern in Kontakt, darunter die Dadaisten George Grosz in Berlin und Kurt Schwitters in Hannover, und arbeitete zusammen mit ihnen an konstruktivistischen Publikationen und Ausstellungen. Er organisierte und entwarf 1922 eine große Ausstellung abstrakter russischer Kunst in Berlin und Amsterdam, die Werke von Suprematisten und Konstruktivisten, wie ihm selbst,

von Malewitsch, Rodtschenko und Tatlin umfasste. Die russische moderne Kunst hat für die Künstler und Architekten des *Bauhauses und von *De Stijl eine wichtige Rolle gespielt.

Trotz der ideologischen Differenzen nahm das visuelle Vokabular der abstrakten, geometrischen Formen, das die Suprematisten und Konstruktivisten eingeführt hatten, überall in der Welt einen entscheidenden Einfluss auf die Malerei, die Bildhauerei, die Formgestaltung und die Architektur. Ebenso aber wird die Debatte zwischen Befürwortern einer »Kunst um der Kunst willen« und der Gegenposition einer »Kunst um des Lebens willen«, die die beiden Gruppen losgetreten hatten und die innerhalb des Konstruktivismus zur Spaltung geführt hatte, durch die ganze Kunstgeschichte hindurch weitergeführt.

Wichtige Sammlungen
Museum of Modern Art, New York
Russisches Staatsmuseum St. Petersburg
Tate Gallery, London
Galerie Tretjakow, Moskau

Weiterführende Literatur
L. A. Shadowa (Hrsg.), *Tatlin* (Dresden, 1987)
E. V. Barchatova, *Russischer Konstruktivismus* (Weingarten, 1992)
C. Mount, *Stenberg Brothers* (1997)
J. E. Bowlt, *Amazonen der Avantgarde* (Ausst.-Kat., Deutsche Guggenheim, Berlin, 1999)

Pittura Metafisica

Damit es wirklich unsterblich werde, muss ein Kunstwerk allen menschlichen Grenzen entfliehen: Logik und gesunder Menschenverstand stören nur.

GIORGIO DE CHIRICO, 1913

Pittura Metafisica (metaphysische Malerei) ist der Name eines Malstils, den Giorgio de Chirico (1888–1978) um 1913 entwickelte und den später der frühere *Futurist Carlo Carrà (1881–1966) weiterführte. Im Gegensatz zu dem Lärm und der Bewegung der futuristischen Arbeiten ist die metaphysische Malerei ruhig und still. Die Werke sind an einer Reihe von Merkmalen erkennbar, besonders an den architekturbetonten Szenen mit Versatzstücken der Antike, verschobenen Perspektiven, merkwürdigen, traumähn-

lichen Darstellungen, Nebeneinanderstellung inkongruenter Objekte wie etwa Handschuhe, Porträtbüsten, Bananen und Züge, aber vor allem weisen sie eine beunruhigende Atmosphäre des Mysteriösen auf. Die Gegenwart – oder Abwesenheit – von Menschen, die nur in Form von klassischen Statuen oder gesichtslosen Puppen erscheinen, ist nicht weniger beunruhigend.

Die metaphysischen Maler sahen in der Kunst eine Prophezeiung und im Künstler eine Art poetischen Seher, der in visionären

Momenten der »Klarsicht« den Erscheinungsbildern die Masken ab-reißen konnte, um die »wahre Realität« dahinter zu enthüllen. Ihre Strategie bestand darin, die physische Erscheinung der Realität zu transzendieren, um den Betrachter mit unentschlüsselbaren, enig-matischen Bildern zu überraschen oder zu zermürben. Obwohl sie weder an naturalistischen Darstellungen interessiert waren noch daran, eine bestimmte Zeit oder einen Ort darzustellen, waren sie von der Geisterhaftigkeit und Schaurigkeit des täglichen Lebens fasziniert, und wie die *Surrealisten – die de Chirico später heilig sprachen – verfolgten sie das Ziel, eine Atmosphäre zu bannen, die das Außergewöhnliche im Alltäglichen einfing. 1919 schrieb de Chirico: »Zwar ist der Traum ein sehr merkwürdiges Phänomen und ein unerklärliches Mysterium, doch noch weit unerklärlicher ist das Mysterium, das unser wacher Geist uns von bestimmten Objekten und Aspekten des Lebens vermittelt.«

Viele seiner Gemälde zeigen verlassene Plätze in einer Stadt oder klaustrophobische Innenräume in düsteren Farben mit theaterähn-licher Beleuchtung und geheimnisvollen Schatten. Manche mögen

Erinnerungen an Szenen in Turin oder Ferrara sein, wo de Chirico lebte. Sein Werk beschreibend, sprach er von der Einsamkeit, die entstehe, wenn ein Stillleben lebendig oder eine Figur reglos werde.

Carràs Bilder zeigen demgegenüber gemeinhin eine lyrische Annäherung an dieselbe Art ikonografischer Bilder. Er verwendet mehr Licht, leuchtendere Farbe und gelegentlich zeigt sich Humor in seinen Werken. Seine Arbeiten sind irritierend, künden aber sel-ten von Unheil. Sie erinnern mehr an den Geist des absurden Theaters als an das »Theater der Grausamkeit« im Sinne Artauds.

Carrà und de Chirico trafen sich 1917 im Militärhospital von Ferrara, wo sich beide von einem Nervenzusammenbruch erholten; bald arbeiteten sie eng zusammen. Carrà, de Chirico, dessen Bruder, der Schriftsteller und Komponist Alberto Savino (1891–1952), so-

Oben: **Giorgio de Chirico**, *Place d'Italie*, **1912**
Typisch für die Bilder Chiricos sind die grüblerische klassische Statue, die langen Schatten, der vorüberfahrende Zug und der verlassene Platz in einer Stadt, alles zusammen erweckt ein Gefühl von Einsamkeit und Rätselhaftigkeit.

wie Filippo de Pisis (1896–1956), Dichter und später auch Maler, taten sich zusammen und gründeten die Scuola metafisica (metaphysische Schule). Vor allem das Denken der Brüder orientierte sich an dem Interesse, das sie für die Schriften der deutschen Philosophen Arthur Schopenhauer (1788–1860), Friedrich Nietzsche (1844–1900) und Otto Weininger (1880–1903) hegten, die sie gelesen hatten, als sie zwischen 1906 und 1908 in München lebten. Schopenhauers Idee vom intuitiven Wissen, Nietzsches Enigma-Theorie und Weinigers Vorstellungen von der geometrischen Metaphysik nährten die Ideen der Künstler.

Ebenfalls beeinflusst und unterstützt wurden sie von Guillaume Apollinaire (1880–1918), dem französischen Dichter und Kunstkritiker, der de Chiricos Gemälde als erster 1913 als »metaphysisch« bezeichnet hatte. Zwischen 1911 und 1913, als de Chirico in Paris lebte, trafen sie sich regelmäßig. Während dieser Zeit stand Apollinaire dem *Orphismus nahe, und gewisse orphische Themen (die befreienden Qualitäten der Kunst, die Vorstellung, dass Kunst eine mystische oder gar esoterische Beschäftigung sei) lassen sich in den Werken der Scuola metafisica aufspüren.

Die Schule bestand nur bis etwa 1920, als ein erbitterter Streit zwischen de Chirico und Carrà über die Frage, wer die Bewegung ins Leben gerufen habe, die Gruppe zersplitterte. Zu der Zeit hatte die Publikation *Valori plastici* (Plastische Werte, 1918–1920), die auch Wanderausstellungen sponserte, die Pittura Metafisica bereits bekannt gemacht. Die 1921 stattfindende Ausstellung »Junges Italien« war ganz von den metaphysischen Gemälden Carràs, de Chiricos und Giorgio Morandis (1890–1964) beherrscht, der Aspekte des Stils angenommen hatte.

Obwohl die Scuoala metafisica nur kurze Zeit überdauerte, erwies sich ihr Stil während der 1920er-Jahre als höchst einflussreich. Zu den italienischen Künstlern, die hier Inspirationen fanden, gehörten Mitglieder der Gruppe *Novecento Italiano, wie etwa Felice Casorati und Mario Sironi. In Deutschland machte sie Eindruck auf Künstler wie George Grosz (siehe Neue Sachlichkeit), Oskar Schlemmer (siehe Bauhaus) und Max Ernst (siehe Surrealismus). In Paris feierte man de Chirico als einen Vorboten des Surrealismus.

Wichtige Sammlungen

Fine Arts Museuem of San Francisco, San Francisco, Kalifornien
Museum of Modern Art, New York
Pinacoteca die Brera, Mailand, Italien
Staatsgalerie, Stuttgart

Weiterführende Literatur

G. de Chirico, *Giorgio de Chirico* (1979)
W. Schmied, *De Chirico und sein Schatten* (München, 1989)
Arnold Böcklin, Giorgio de Chirico, Max Ernst: eine Reise ins Ungewisse (Ausst.-Kat., Nationalgalerie, Berlin, 1997/98)
K. Wilkin und G. Morandi, *Giorgio Morandi* (1999)

Vortizismus

Im Auge eines Strudels befindet sich ein großer ruhiger Ort, an dem sich alle Energie konzentriert. Dort, an diesem Punkt der Konzentration, befindet sich der Vortizist.

WYNDHAM LEWIS

1914 gründete der Schriftsteller und Maler Wyndham Lewis (1882–1957) den Vortizismus, um die britische Kunst durch eine einheimische Bewegung wiederzubeleben, die zugleich eine Rivalin des kontinentaleuropäischen *Kubismus, *Futurismus und *Expressionismus sein sollte. Obwohl sie beinahe unmittelbar durch den Beginn des Ersten Weltkriegs gestoppt wurden, gelang es Lewis und seinen Kollegen, ein beachtliches Korpus an Werken zu schaffen, das Gemälde mit erschlagenden Farbblöcken, fremdartige, mechanisch wirkende Skulpturen sowie Schriftstücke umfasste, in denen sich unbändige Verachtung mit leidenschaftlichem Enthusiasmus paarte.

Lewis war zuvor Mitglied von Roger Frys »Omega Workshops« (Omega-Werkstätten), hatte sich nach einem Streit mit Fry aber abgesetzt und 1914 das Rebel Art Centre gegründet. Eine Reihe andere Künstler, die ebenfalls mit Frys *post-impressionistischer Ästhetik und den *Arts-and-Crafts-Prinzipien unzufrieden waren, schlossen sich ihm an: Frederick Etchells (1886-1973), Edward Wadsworth (1889–1949) und Cuthbert Hamilton (1884–1959). Bald kamen Jessica Dismorr (1885–1939), Helen Saunders (1885–1963), Lawrence Atkinson (1873–1931), William Roberts (1895–1980) und der französische Bildhauer und Maler Henri Gaudier-Brzeska (1891–1915) hinzu. Weitere Künstler, die sich zum Vortizismus hingezogen fühlten, waren David Bomberg (1890–1957), Jacob Kramer (1892–1962), der britische Futurist Christopher (C. R. W.) Nevinson (1889–1946), der Fotograf Alvin Langdon Coburn (1882–1966) und der amerikanisch-britische Bildhauer Jacob Epstein (1880–1959).

Die amerikanischen Dichter T. S. Eliot (der in Großbritannien lebte) und Ezra Pound waren bedeutende literarische Freunde, wie auch der Philosoph T. E. Hulme (1883–1917). Hulme half Anfang

Die Beschäftigung mit dem Maschinenzeitalter war ein wichtiger Bestandteil der Rhetorik und der Bilderwelt der Vortizisten; sie wollten mit ihrer Kunst »die Formen der Maschinen, der Fabriken, der neuen Großgebäude, der Brücken und Werke« umarmen. Dazu bedienten sie sich eines winkligen Stils und maschinistischer Formen, doch anders als die amerikanischen *Präzisionisten wählten sie keine offenkundigen Maschinenbilder.

Die einzige Ausstellung der Vortizisten fand 1915 in der Doré Gallery in London statt. Lewis enthielt sich auch im begleitenden Katalog nicht gehässiger Angriffe, als er den Vortizismus nach Punkten definierte:

> (a) Aktivität im Gegensatz zur geschmackvollen Passivität eines Picasso;
> (b) Signifikanz im Gegensatz zur langweiligen, anekdotischen Darstellung, zu der die Naturalisten verdammt sind;
> (c) Lebenswichtige Bewegung und Aktivität (beispielsweise die Energie des Geistes) im Gegensatz zur nachahmenden Kinematografie, dem Theater und der Hysterie der Futuristen.

Wie viele der anderen Bewegungen, die bis 1914 entstanden waren, wurde auch der Vortizismus ein Opfer des Krieges. Gaudier-Brzeska und Hulme fielen im Kampf, und die meisten anderen Mitglieder wurden eingezogen und außerhalb Englands dienstverpflichtet. Lewis, Wadsworth, Roberts und Nevinson arbeiteten als offizielle Kriegsmaler und setzten ihren geometrischen Stil ein, um die Tragödie des Krieges in unverhüllter Drastik darzustellen.

Während des ganzen Krieges unternahm Pound tapfere Versuche, die Bewegung am Leben zu halten. Er publizierte einen Nachruf auf Gaudier-Brzeska, schrieb Artikel über die Bewegung und unterstützte Coburn bei seiner Suche nach einer Form für die abstrakte Fotografie, die sie Vortografie nannten. Pound konnte auch den New Yorker Sammler John Quinn dazu bewegen, vortizistsiche Werke zu sammeln und 1917 eine Ausstellung zu machen.

Obwohl kurzlebig, hinterließ der Vortizismus Spuren und legte den Grundstein für zukünftige Entwicklungen in der britischen Kunst. In den 1920er- und 1930er-Jahren gelangten Überreste des vortizistischen Stils durch die Reklameposter für die Londoner Transportbetriebe von Edward McKnight Kauffer (1890–1954) in die vorherrschenden Modetrends und damit ins Bewusstsein der Öffentlichkeit.

1914 den Weg der Gruppe durch Artikel und Vorlesungen zu ebnen, in denen er seiner Überzeugung Ausdruck gab, dass darstellende Kunst eckig, hart und geometrisch zu sein habe, menschliche Körper müssten gänzlich unbelebt und verrenkt wirken, um sich in starre Linien und kubistische Formen einzupassen. Hulme lieferte damit eine zutreffende Beschreibung vieler Arbeiten der Vortizisten.

Lewis und die Künstler vom Rebel Art Centre wollten die britische Kunst aus der Vergangenheit zerren und eine zeitgenössische, kantige Abstraktion schaffen, die die sie umgebende Welt spiegeln sollte. Pound und Lewis gründeten 1914 die Zeitschrift *Blast: Review of the Great English Vortex*, in der sie ihre Idee von der neuen Bewegung, die sie »Vorticism« nannten, zum Ausdruck brachten. Pound sah den Strudel als den »Punkt der maximalen Energie« und definierte ihn als einen »strahlenden Knoten oder Cluster … von dem und durch den und in dem ständig Ideen sprühen.« Und Lewis schrieb:

> Der Künstler der modernen Bewegung ist ein Wilder … diese enorme, klimpernde, journalistische, feenhafte Wüste des modernen Lebens dient ihm, wie einst die Natur dem technisch noch unbewanderten Primitiven diente.

Oben: Wyndham Lewis, *Timon von Athen*, 1913
Obwohl Maschinen und Fabriken häufig Sujets vortizistischer Werke waren, erweckten auch klassische und literarische Themen Lewis' Interesse, besonders solche, die sich seinem rücksichtslos mechanistischen Stil anboten.

Wichtige Sammlungen
Imperial War Museum, London
London's Transport Museum, London
Museum of Modern Art, New York
Tate Gallery, London

Weiterführende Literatur
W. Wees, *Vorticism and the English Avantgarde* (Manchester, 1972)
R. Cork, *Vorticism and Abstract Art in the First Machine Age* (1975)
S. Kappeler, *Der Vortizismus* (Bern, 1986)
P. Edwards, *Wyndham Lewis* (2000)

Ungarischer Aktivismus

*Die Zeitschrift MA will keine neue Kunstschule begründen,
sondern eine völlig neue Kunst und Weltsicht.*

IVAN HEVESY, KUNSTKRITIKER BEI MA

Der ungarische Aktivismus war eine künstlerische, literarische und politische Avantgarde-Bewegung, die um 1914 von dem Romancier und Theoretiker Lajos Kassák (1887–1967) in Budapest ins Leben gerufen wurde. Kassak sammelte progressive Künstler, Schriftsteller, Kritiker und Philosophen um sich, die ihm bei dem Versuch zur Seite standen, die Künste zu reformieren und eine sozialistische Gesellschaft zu schaffen. Zu den Künstlern gehörten Sándor Bortnyik (1893–1976), József Nemes Lampérth (1891–1924), László Moholy-Nagy (1895–1946), László Peri (1899–1967), János Máttis Teutsch (1884–1969) und Lajos Tihanyi (1885–1938). Nicht ein einheitlicher Stil einte die Künstler, sondern die gemeinsame Ablehnung des ziemlich biederen *Post-Impressionismus, der zu jener Zeit in Ungarn vorherrschte. Im Rahmen ihrer Bemühungen, eine radikale, moderne Kunst zu kreieren, wandten sie sich neueren internationalen Entwicklungen, wie dem *Kubismus, *Futurismus, *Expressionismus, später auch *Dada und *Konstruktivismus zu.

Die gesellschaftliche und künstlerische Botschaft der Aktivisten wurde durch die von Kassák herausgegebene Zeitschrift *A Tett* (Die Tat) verbreitet, von der zwischen November 1915 und September 1916 siebzehn Ausgaben erschienen waren. Danach wurde *A Tett* verboten, da es angeblich staatsfeindliche Propaganda drucke, doch Kassák reagierte prompt mit der Herausgabe des *MA* (Heute), einer neuen Zeitschrift, die in Budapest vom November 1916 bis Juli 1919 erschien, bis sie ebenfalls verboten wurde. *MA* wurde von Kassák und seinem Schwager, dem Maler und Grafiker Béla Uitz (1887–1972) herausgegeben.

Zwischen 1917 und 1919 organisierte die Gruppe Ausstellungen ihrer Werke in Budapest, wobei sie die kurzlebige Ungarische Sowjetrepublik von 1919 unterstützte. Mit dem Zusammenbruch dieser 133-Tage-Republik wurden viele der Aktivisten, darunter auch Kassák, Lampérth und Uitz verhaftet, und die meisten wurden zur Emigration gezwungen. Sie ließen sich in Österreich, Deutschland, Frankreich und der Sowjetunion nieder.

Von Wien aus legte Kassák *MA* im Mai 1920 erneut als internationales Kunstblatt auf und bald wurde es zum Organ ungarischer Exilanten. Bis 1926, als die Publikation eingestellt wurde, stellte sie ein Diskussionsforum innerhalb der Aktivistischen Bewegung über die Rolle der Kunst in der Gesellschaft dar. Sowohl die Zeitschrift als auch die Gruppe selbst näherte sich an die Kunst- und Architekturdebatten an, die von ihren Zeitgenossen, dem Konstruktivismus, *Dada, dem *Bauhaus und von *De Stijl vertreten wurden, die alle ebenfalls zu radikalen Reformen neigten. Ab 1921 wandte sich Kassák auch den bildenden Künsten zu, indem er begann, Werke in einer neuen Art rein geometrischer Kunst zu schaffen. Er nannte sie *Bildarchitektur*. Seine Kunst war dem *Suprematismus und dem Konstruktivismus verwandt und gründete sich auf die Prinzipien der modernen Architektur.

1922 veröffentlichten Kassák und Moholy-Nagy ihr *Buch neuer Künstler*, einen illustrierten Überblick über konstruktivistische, futuristische und puristische Kunst und Architektur. Ebenso enthielt es Illustrationen von Autos, Flugzeugen und Maschinen, womit sie ihre Begeisterung und Bewunderung für technische Formen belegten und ihre Überzeugung, dass die funktionale Architektur gesellschaftsverändernd wirken könne. Kassáks aktivistisch-konstruktivistische Theorien beeinflussten viele seiner Zeitgenossen, darunter Bortnyik, Moholy-Nagy und Perí. Durch Moholy-Nagy gelangten seine Ideen ins Bauhaus. 1926 kehrte Kassák aus dem Exil nach Ungarn zurück, wo er weiterhin eine wichtige Rolle in der Avantgarde-Bewegung spielte.

Oben: **Lajos Kassák,** *Bildarchitektur***, 1922**
Kassák kündigte seine Gemälde im »Aktivistischen Manifest« von 1921 an und erklärte: »Architektur ist die Synthese der neuen Ordnung ...
Das absolute Bild ist Bildarchitektur. Die Kunst verändert uns und so werden wir fähig, unsere Umgebung zu verändern.«

Wichtige Sammlungen
Ungarische Nationalgalerie, Budapest, Ungarn
Janus Pannonius Museum, Pécs, Ungarn
J. Paul Getty Museum, Los Angeles, Kalifornien
National Museum of American Art, Washington, D.C.

Weiterführende Literatur
L. Németh, *Modern Art in Hungary* (Budapest, 1969)
Lajos Kassák (Ausst.-Kat. Matignon Gallery, New York, 1984)
G. Jäger, G. Wessing, *Über Moholy-Nagy* (Bielefeld, 1997)
P. Baum, *Ungarn: Avantgarde im 20. Jahrhundert* (Linz, 1998)

Amsterdamer Schule

*Behält sie recht, so ist dies ein untrügliches und befreiendes Zeichen,
dass die Arbeit auf dem Weg ist, ein Kunstwerk zu werden.*

ERICH MENDELSOHN

Von etwa 1915 bis ungefähr 1930 entwickelte eine Gruppe niederländischer Architekten, die hauptsächlich in Amsterdam arbeitete, ihre eigene Art *expressionistischer Architektur, deren Charakteristikum überraschend innovative und trotzdem fest in der lokalen holländischen Tradition verankerte Backsteinbauten waren. Wie die deutschen expressionistischen Architekten, mit denen sie viele Gemeinsamkeiten aufwiesen, glaubten auch sie, die Architektur könne dazu beitragen, die Lebensqualität zu erhöhen. Anders aber als die zeitgenössischen *De-Stijl-Architekten lehnten sie die Glas- und Stahlbauten des Modernismus ab.

Die führenden Architekten der Amsterdamer Schule waren Michel de Klerk (1884–1923), Pieter Lodewijk Kramer (1881–1961) und Johan Melchior van der Mey (1878–1949). Der gemeinsame Ausgangspunkt ihrer Ideen und deren praktischer Umsetzung war die »rationalistische« Architektur des Vaters der modernen niederländischen Baukunst, Hendrik Petrus Berlage (1856–1934), wie sie sich beispielsweise in dessen Börse in Amsterdam (1896–1903) zeigte. Während die Amsterdamer Schule die Nüchternheit der Arbeiten Berlages ablehnte, teilte sie seinen Glauben an die expressiven Möglichkeiten der einheimischen Backsteine (rote aus Leiden, graue aus Gouda und gelbe aus Utrecht) und setzte sie bei ihren Bauten in origineller Weise in Verbindung mit Beton ein. Auch die *Art-Nouveau-Architektur, wie die des Belgiers Henri van de Velde und des Katalanen Antoni Gaudí (siehe Modernismus) diente ihnen als Beispiel, und wie diese waren sie empfänglich für die »exotischen« Einflüsse und für natürliche Formen. Ihre verspielten Gebäude spiegeln die Integration von Baukunst und plastischem Dekor wider.

Das Scheepvaarthuis (1911–1916), ein Bürogebäude für sechs Reedereien, spiegelt sowohl die Ideen der Amsterdamer Schule als auch die Funktion des Gebäudes selbst. Von van der Mey unter Mitarbeit von de Klerk und Kramer entworfen, bedeckt eine reich dekorierte Fassade aus Beton und Backstein einen Stahlbetonrahmen. Die maritime Ikonografie der Fassadendekoration weist auf den Zweck des Gebäudes hin, und der in die Ecke des Baus gesetzte Eingang verstärkt den dramatischen Charakter der wuchtigen Konstruktion. Das phantastisch anmutende Gebäude erinnert an Bauten Gaudís und steht in scharfem Kontrast zur rationalen Architektur jener Zeit, wie man sie andernorts sieht.

Oben: **Michel de Klerk, Wohnblock Eigen Haard, Amsterdam, 1915–1920**
Dem Wohnungsbau näherte sich die Amsterdamer Schule ganzheitlich und mit Abenteuerlust. Solange die Budgets ausreichten und die Architekten freie Hand hatten, schufen sie visuell ansprechende Bauten, die noch heute zum Reiz der Stadt beitragen.

Als sich der sozialistische Stadtrat von Amsterdam mit dem Problem konfrontiert sah, für die rasch wachsende Bevölkerung Wohnraum zu schaffen, erwärmte er sich für den Stil der Amsterdamer Schule, denn man meinte, er werde den Projekten Würde und Menschlichkeit verleihen. Wohnungsbaugesellschaften vergaben Aufträge an van der Mey, Kramer und de Klerk, und so übten ihre Gebäude auf die Stadtentwicklung Amsterdams eine bleibende Wirkung aus.

Der reife Stil der Amsterdamer Schule ist deutlich zurückhaltender, als es das frühe Scheepvaarthuis vermuten lässt. Viele Projekte waren Ergebnisse von Gemeinschaftsarbeit, etwa der Entwurf des Wohnblocks Eigen Haard (1915–1920), dessen Leiter de Klerk war. Die Wohnblöcke, die von den Architekten der Amsterdamer Schule entworfen wurden, zeigen auch Ähnlichkeiten mit der volkstümlichen organischen Reetdach-Architektur des Hendricus Theodorus Wijderveld, allerdings weisen sie auf eine sorgfältiger strukturierte Herangehensweise hin. Wijderveld verbreitete die Ideen der Amsterdamer Schule durch die Zeitschrift *Wendingen* (Windungen, 1918–1931), der einflussreichsten niederländischen Architekturzeitschrift ihrer Zeit. Die Tendenz der Architekten der Amsterdamer Schule, wellenförmige an Rüschen erinnernde Fassaden zu gestalten, brachte ihr den Namen *schortjesarchitectuur* (Schürzenarchitektur) ein.

Obwohl de Klerk 1923 starb, zog die Amsterdamer Schule während der ganzen 1920er-Jahre weiterhin die Aufmerksamkeit auf sich und hatte Einfluss auf architektonische Projekte in anderen Städten des In- und Auslands. Erich Mendelsohn (siehe Expressionismus) besuchte Amsterdam Anfang der 1920er-Jahre auf Einladung Wijdervelds und besichtigte die Wohnblocks Eigen Haard und Dageraad, die damals im Bau waren. Die bei seinem Besuch gesammelten Eindrücke schlugen sich direkt in seinem nächsten Projekt nieder, der Hutfabrik in Luckenwalde, die zwischen 1921 und 1923 entstanden ist.

Charles Holden (1875–1969), Chefarchitekt der Londoner Transportbetriebe, reiste 1930 ebenfalls nach Amsterdam, um sich dort Inspiration für neue Bahnstationen zu holen, denn die Londoner Untergrundbahn sollte erweitert werden. Er bewunderte die Backsteinbauten der Amsterdamer Schule und übernahm Aspekte des Stils, kombinierte sie aber mit einheimischen Elementen und schuf so die typische Architektur der Londoner U-Bahn der 1930er-Jahre. In Stationen wie Sudbury Town und Arnos Grove ist der holländische Einfluss an den unverhüllten Backsteinmauern, den einfachen Formen und der zurückhaltenden Ornamentik abzulesen. Nach Ansicht des Kunst- und Formgestaltungshistorikers Nikolaus Pevsner, waren Holdens Untergrundstationen überzeugender als alle anderen englischen Bauten der Zeit zwischen 1930 und 1935.

Wichtige Bauwerke

Michel de Klerk: Wohnblock Dageraad, Amsterdam-Süd, Niederlande

Michel de Klerk: Wohnblock Eigen Haard, Amsterdam-West, Niederlande

Erich Mendelsohn, Steinberg, Herrmann & Co.: Hutfabrik, Luckenwalde; Verlagshaus Berliner Tageblatt, Berlin

Johann Melchior van der Mey: Scheepvaarthuis, Pr. Hendrikkade, Amsterdam, Niederlande

Weiterführende Literatur

S. S. Frank, *Michael de Klerk 1884–1923* (Ann Arbor, 1984)

W. de Wit, *Expressionismus in Holland: die Architektur der Amsterdamer Schule* (Stuttgart, 1986)

M. Bock u. a., *Michael de Klerk (1884–1923)* (Rotterdam, 1997)

W. Pehnt, *Die Architektur des Expressionismus* (Stuttgart, 1998)

Dada

Dadaist sein heißt, sich von den Dingen werfen lassen, gegen jede Sedimentsbildung sein, ein Moment auf einem Stuhl gesessen, heißt, das Leben in Gefahr gebracht haben…

RICHARD HUELSENBECK, DADAISTISCHES MANIFEST

Dada war ein internationales, multidisziplinäres Phänomen, sowohl eine Geisteshaltung, eine Lebensweise als auch eine Bewegung. Dadaistische Ideen und Aktivitäten kamen während und nach dem Ersten Weltkrieg in New York und Zürich, Paris, Berlin, Hannover, Köln und Barcelona auf, als sich junge Künstler zusammenschlossen, um ihrem Ärger über den Krieg Ausdruck zu geben. Die eskalierenden Schrecken des Krieges waren für sie ein Beweis für das Versagen und die Heuchelei der hergebrachten Werte. Sie griffen nicht nur das sozial und politisch Etablierte an, sondern auch das Kunst-Establishment, das in der bürgerlichen Gesellschaft mit dem diskreditierten sozio-politischen Status quo verknüpft war. Nach Ansicht der Dadaisten lag die einzige Hoffnung für die Gesellschaft in der Zerstörung der Systeme, die sich auf Logik und Verstand

Oben: Marcel Duchamp, *Fontäne*, 1917, Replik 1963
Duchamps Porzellanurinal, das er mit »R. Mutt« signierte, provozierte die angeblich so aufgeschlossene Kunstwelt und wurde dadurch berühmt. Zugleich machte es deutlich, welches Gewicht der Signatur bei der Bewertung eines Kunstwerks beigemessen wird.

gründeten. Sie sollten durch Anarchie, Primitivismus und Irrationalität ersetzt werden.

Unter ganz bewusstem Einsatz anstößiger Taktiken griffen sie auf heftige Weise mit ihren Demonstrationen, ihren Dichterlesungen, Geräuschkonzerten, Ausstellungen und Manifesten die überkommenen Kunsttraditionen, die Philosophie und die Literatur an. Ihre Veranstaltungsräume waren klein und intim. Im Cabaret Voltaire in Zürich, in der Photo-Secession Gallery von Alfred Stieglitz, in der Wohnung der Sammler Walter und Louise Arensberg, in der Modern Gallery von Marius de Zayas in New York und im Club Dada in Berlin trafen sie sich, um ihrer Wut Luft zu machen und für die Abschaffung der alten Werte zu kämpfen.

Der Begriff Dada wurde 1916 in Zürich geprägt. In bester Dada-Manier gibt es unterschiedliche Berichte darüber, wie das Wort »entdeckt« worden war. Der Dichter Richard Huelsenbeck (1892–1974) nimmt für sich in Anspruch, das Wort zusammen mit dem Dichter und Regisseur Hugo Ball (1886–1927) nach dem Zufallsprinzip einem deutsch-französischen Wörterbuch entnommen zu haben. Hans (oder Jean) Arp (1886–1966) erzählte eine unterhaltsamere Version, derzufolge der Dichter Tristan Tzara das Wort am 6. Februar 1916 um sechs Uhr abends gefunden habe. Arp selbst sei zusammen mit seinen zwölf Kindern anwesend gewesen, als Tzara dieses Wort aussprach, das sie alle mit berechtigtem Enthusiasmus erfüllt habe. Es sei im Café de la Terrasse in Zürich gewesen und er selbst habe dabei eine Brioche im linken Nasenloch getragen.

Die Dadaisten hatten Freude an der Vielseitigkeit des Wortes. Ball vermerkte in seinem Tagebuch. »Dada heißt im Rumänischen ja, ja; im Französischen Hotto- und Steckenpferd. Für Deutsche ist es ein Signum alberner Naivität und zeugungsfroher Verbundenheit mit dem Kinderwagen.« Zu den bedeutenden Dadaisten, die in Zürich lebten, gehörten auch Hugo Balls Frau, die Sängerin Emmy Hennings (1919–1953), der aus Rumänien stammende Dichter Tristan Tzara (1896–1963) und sein Landsmann, der Maler und Bildhauer Marcel Janco (1895–1984), der deutsche Maler und Fil-

memacher Hans Richter (1888–1976), Hans Arp und seine spätere Frau, die Schweizer Malerin, Tänzerin und Designerin Sophie Täuber (1889–1943). Ball und seine Frau gründeten 1916 in Zürich in der Spiegelgasse 1 das Cabaret Voltaire, wo die Dadaisten ihre Bilder ausstellten, Sketche aufführten, Gedichte und Lieder vortrugen (bei manchen Gelegenheiten wurden auch Gedichte in drei Sprachen gleichzeitig, von Geräuschmusik begleitet, vorgetragen). Ball las seine »Lautgedichte« (Gedichte aus lautmalenden Nonsenswörtern wie »zimzim urallala zimzim zanzibar«) und Tzara und Arp präsentierten ihre »Zufalls-Werke« (Gedichte oder Collagen), indem sie beschriftetes Papier zerrissen und die Fetzen neu zusammenklebten. Tzaras Bericht über einen Abend im Cabaret Voltaire lässt keinen Zweifel am Chaos einer Dadaveranstaltung:

> Das Boxen geht weiter: Kubistischer Tanz, Kostüme von Janco, jeder
> Mann hat seine eigene große Pauke auf dem Kopf, Lärm …
> Gymnastikgedicht, Konzert für Vokale, Lärmgedicht, statisches Gedicht,
> chemisches Arrangement der Ideen … Noch mehr Empörung, die große
> Pauke, Klavier und impotente Kanone, Pappkostüme herabgerissen das
> Publikum wälzt sich im Kindbettfieber Pause.

Doch dieser Wahnsinn hatte Methode, wie Ball erklärte; er sagte, da keine Kunst, keine Politik und kein religiöser Glaube in der Lage sei, die Flut einzudämmen, bliebe nur der Ulk und die blutige Posse. Absurde Provokationen, ob aggressiv oder respektlos (ein Echo der bewussten Unverschämtheiten und der Theatralität Marinettis und der *Futuristen), forderten den Status quo mittels Satire, Ironie und Wortspiel heraus. Eine Taktik, die die Dadaisten in New York noch feiner herausarbeiten sollten.

Während des Krieges ließ sich eine Gruppe von Dadaisten in New York nieder, darunter der aus Frankreich stammende Marcel Duchamp (1887–1968), der ebenfalls in Frankreich geborene Kubaner Francis Picabia (1879–1953), der amerikanische Präzisionist und Dadaist Morton Schamberg (1881–1918) und der Amerikaner Man Ray (1890–1976). Picabias *Bildnis von Cézanne* (1920) – ein ausgestopfter Affe, der gleichzeitig Cézanne, Renoir und Rembrandt darstellen soll – sowie Duchamps *L.H.O.O.Q.*, das die Mona Lisa von da Vinci mit Kinn- und Schnurrbart zeigt, waren mutige, bilderstürmerische Attacken auf die anerkannten Heroen der Kunstwelt. Duchamps Mona Lisa zeigt jene Art von visuellem und verbalem Witz, den Duchamp und seine Freunde so sehr liebten, denn die Respektlosigkeit wird noch verstärkt, wenn man den Bildtitel analysiert. Spricht man Buchstabe für Buchstabe französisch aus, ergibt sich der Satz »Elle a chaud au cul«, eine obszöne Bemerkung, die

Links: Hans Arp, *Collage nach den Gesetzen des Zufalls*, 1916–1917
Arp setzte den Zufall ein, um die Vergangenheit auszulöschen. »Wir suchten nach einer Elementarkunst, die die Menschheit vor dem wütenden Wahnsinn jener Zeit retten konnte.«

Rechts: Hanna Höch, *Schnitt mit dem Küchenmesser Dada durch die letzte Weimarer Bierbauchkulturepoche Deutschlands*, um 1919
Höchs Montagen enthielten oft Bilder von Freunden oder Prominenten. Hier erscheint Baader (mit Lenin) über der Schriftzeile »Die große Dada«; ihr Lebensgefährte Raoul Hausmann hängt – mit einem Roboterkörper – darunter.

aus dem täglichen Leben erinnerte an die Arbeitsweise der *Kubisten. Die Montage war eine ihrer beliebtesten Techniken, seien es Fotomontagen, wie Heartfield und Höch sie herstellten, oder Assemblagen wie Hausmanns *Mechanischer Kopf: Geist unserer Zeit* (1919–1920).

Die politische Natur der Arbeiten war markant. Heartfield, der später ein beherzter Kritiker der Nazis werden sollte, änderte seinen deutschen Namen Herzfelde 1916 als Protestaktion gegen die antibritische Kriegspropaganda um. Seine Art der Fotomontage kehrte die »Realität« der Fotografie und machte daraus eine scharfe Waffe der Polemik. Höchs Fotomontagen, wie *Schnitt mit dem Küchenmesser Dada* durch *die letzte Weimarer Bierbauchkulturepoche Deutschlands* (1919) und *Dada-Ernst* (1920–1921), sagen etwas über die Turbulenz und Gewalt der Zeit aus. Sie beschreiben das Erleben von Geschwindigkeit, Technik, Urbanität und Industrialisierung, vor allem aber drückte Höch auch die Erfahrungen der modernen Frau aus. Das aufgewühlte politische Klima im Berlin der Nachkriegszeit, die Spannungen zwischen den Dada-Revolutionären und der Dada-feindlichen Weimarer Republik bildeten den Kontext, doch ihr Thema ist die Neue Frau und ihr Kampf, sich einen eigenen, legitimen Raum zu schaffen. Höch versuchte sich in der Verbindung mit Hausmann, der sich trotz seiner »feministischen« Theorien und seiner Forderung einer sexuellen Revolution im häuslichen Bereich als psychisch und physisch gewalttätig erwies, ihre eigene Identität zu bewahren. Zeitschriftenbilder von schönen, exotischen, zur Unterordnung bereiten Frauen zerschnitt sie und ordnete sie neu an, um die tatsächliche, von Machtlosigkeit geprägte Situation der Frau deutlich zu machen. Höchs Werk nimmt Themen der Arbeiten von Künstlerinnen wie Barbara Kruger und Cindy Sherman (siehe Postmoderne) vom Ende des 20. Jahrhunderts vorweg.

Der Kölner Zweig der Dada-Bewegung wurde 1919 von Hans Arp und Max Ernst (1891–1976, siehe Surrealismus) ins Leben gerufen. Ernst veranstaltete die erste Dada-Ausstellung in Köln. An einer seiner eigenen Plastiken hatte er eine Axt befestigt, damit der Betrachter – wenn er sich dazu animiert fühlte – diese gleich zur Zerstörung des Kunstwerks verwenden konnte. In Hannover wurde Dada von Kurt Schwitters (1887–1948) repräsentiert. Zur Bezeichnung seiner Ein-Mann-Splittergruppe wählte Schwitters das Wort »Merz«, das als Bruchstück des Wortes »Kommerzbank« in einer seiner Collagen von 1919 auftauchte. Er verwendete das Wort zur Beschreibung von Gedichten (*Merzgedichte*), in Bildtiteln und als Titel seiner Zeitschrift *Merz* (1923–1932), in der unter anderem auch Hans Arp, El Lissitzky und Theo van Doesburg (siehe Konstruktivismus und De Stijl) publizierten. In seinen Collagen, seinen Reliefs und seinen *Merzbauten* verwandelte er den Wohlstandsmüll liebevoll in Kunst, ein Prozess, der später Einfluss auf die *Junk Art, *Assemblage und *Arte Povera haben sollte. Seinen ersten *Merzbau* errichtete er ab 1920 in seinem Haus in Hannover. Teile der außergewöhnlichen Akkumulation aus Gips und Müll waren seinen Freunden Mondrian, Gabo, Arp, Lissitzky, Malewitsch, Richter, van der Rohe und van Doesburg gewidmet. Als Schwitters Deutschland

übersetzt lautet: »Sie ist heiß am Arsch«. Die Freude am Paradoxen und an der Interaktion von Visuellem und Verbalem sind auch typische Züge von Schambergs blasphemischem *Gott* (um 1917), ein Siphon auf einem Kasten, und Man Rays *Geschenk* (1921), ein mit Nägeln besetztes Bügeleisen; Arbeiten, die Aggression und Respektlosigkeit mit Humor verknüpfen, wie es für Dada so typisch ist. Man Ray fotografierte Marcel Duchamp mit einem ausrasierten Stern auf dem Kopf und nannte das Bild *Marcel Duchamp (Haarschnitt für de Zayas)*, 1921 – ein frühes Beispiel der *Body Art, das einmal mehr die Zusammenarbeit und die zuweilen verspielte Natur der Dada-Werke jener Zeit verdeutlicht.

Duchamp nannte die fertigen Industrieprodukte, die er als Kunst präsentierte, »Ready-mades«. Dazu bemerkte er, nur indifferente Objekte ohne Schönheit, ohne Häßlichkeit und ohne besondere Ästhetik seien dazu geeignet, zum Ready-made verklärt zu werden. Die dadaistische Praxis, Gegenstände aus ihrem angestammten Umfeld zu lösen und sie als Kunst zu präsentieren, veränderte die Konventionen der schönen Kunst von Grund auf.

Nach dem Ersten Weltkrieg, als die Mitglieder in verschiedene Orte in Deutschland und nach Paris verstreut wurden, nahmen die Aktivitäten von Dada noch zu. Richard Huelsenbeck gründete den Club Dada in Berlin, dessen wichtigste Persönlichkeiten John Heartfield (eigentlich Helmut Herzfelde, 1891–1968), dessen Bruder Wieland Herzfelde (1896–1988), Johannes Baader (1876–1955), Raoul Hausmann (1886–1971), George Grosz (1893–1959, siehe Neue Sachlichkeit) und Hannah Höch (1889–1978) waren. Typische Züge ihrer Werke sind ihre Faszination für Maschinen und Technik und die Bereitschaft, vorgefertigte Materialien zu verwenden. Der politische Charakter der Arbeiten dieser Künstler trat viel stärker in den Vordergrund als bei denen ihrer Kollegen aus Zürich und New York. Die Einbeziehung von druckgrafischen Fragmenten

Oben: Raoul Hausmann, *Erste internationale Dada-Messe*, 1920
Hausmanns verulkender Angriff auf die Ausstellung (»diese Individuen verbringen ihre Zeit damit, aus Lumpen armselige Trivialitäten herzustellen«) nahm den tatsächlichen Empörungsschrei der Presse vorweg. Der uniformierte Dummy mit dem Schweinskopf brachte Grosz und Heartfield (rechts stehend) eine Geldstrafe wegen Beleidigung des Militärs ein.

1935 verließ, umfasste der *Merzbau* bereits zwei Stockwerke. 1943 wurde er durch Bomben der Alliierten zerstört.

Bis 1921 hatten sich viele der Initiatoren von Dada, darunter Tristan Tzara, Hans Arp, Max Ernst, Man Ray, Marcel Duchamp und Francis Picabia, in Paris zusammengefunden, wo sich ihnen eine Reihe von Dichtern anschloss, unter anderen Louis Aragon, Philippe Soupault, Georges Ribemont-Dessaignes und André Breton (siehe Surrealismus), außerdem die Künstler Suzanne Duchamp (1889–1963, Marcels Schwester) und ihr Ehemann Jean Crotti (1878–1958) sowie der Russe Serge Tschartschun (1888–1975). In Paris nahm Dada eine stärker von der Literatur und dem Theater geprägte Form an. Die große Popularität der Aufführungen machte aus den revolutionären »Antikünstlern« bald ausgesprochene Publikumslieblinge. Doch Meinungsverschiedenheiten zwischen den Mitgliedern führten bald zu Problemen, und 1922 kam es wegen interner Streitigkeiten zwischen Tzara, Picabia und Breton zur Auflösung von Dada.

Dada mochte sich aufgelöst haben, doch sein Einfluss bestand weiter. Viele Dadaisten wandten sich dem Surrealismus zu und schufen Werke, die ihren Ursprung im Dada hatten. Es wurden künstlerische Produkte geschaffen, die nur als Dada zu bezeichnen sind; der anarchistische Film *Entr'Acte* (Pause) und das Ballett *Relâche* (Geschlossen, oder Heute keine Vorstellung) von 1924 sind die beiden herausragenden Beispiele, die ironischerweise erst nach der Auflösung entstanden. Das Drehbuch für *Entr'Acte* stammte von Francis Picabia, René Clair (1898–1981) führte Regie, die Musik war von Erik Satie (1866–1925) und es spielten Man Ray, Marcel Duchamp, Erik Satie und Francis Picabia. Der während der Pause des Balletts gezeigte, nur 13 Minuten lange Stummfilm stellte die »bürgerlichen Konventionen« des Filmemachens ebenso auf den Kopf, wie es die Dadaisten zuvor mit anderen Kunstrichtungen getan hatten, denn der Film hatte keine Geschichte, keine Kausalität und bot weder eine zeitliche noch eine räumliche Einordnungsmöglichkeit. In *Relâche*, von Rolf de Marés Baletts Suédois in spektakulären, von Francis Picabia entworfenen Kulissen aufgeführt, trat Man Ray in einer Tanzrolle vor einem Hintergrund aus grell leuchtenden Glühbirnen auf, die das Publikum regelrecht blenden sollten.

Fernand Léger (siehe Kubismus) zeigte sich begeistert von dem Ballett und sagte: »Zur Hölle mit dem Szenario. *Relâche* ist ein Haufen Tritte in einen Haufen von Hintern, seien sie geheiligt oder nicht.«

Der Einfluss von Dada erwies sich als schöpferisch und langanhaltend. Durch die 1951 von dem amerikanischen Maler und Schriftsteller Robert Motherwell herausgegebene Anthologie *The Dada Painters and Poets* erfuhr Dada in den 1950er-Jahren wieder neues Interesse. Die befreite künstlerische Haltung und die absurde Ironie fesselte die Phantasie einer neuen Generation von Künstlern und Schriftstellern (siehe Neo-Dada, Nouveau Réalisme und Aktionskunst). Das durchdringendste und dauerhafteste Vermächtnis von Dada waren jedoch sein Freiheitsdrang, seine Respektlosigkeit und seine Experimentierfreude. Die Präsentation der Kunst als Idee, die Bestätigung, dass aus allem Kunst geschaffen werden kann, sowie die Infragestellung gesellschaftlicher und künstlerischer Moral veränderten den Kurs der Kunst unwiederbringlich. In seiner Beschreibung der Dada-Bewegung, *Dada: Kunst und Anti-Kunst* erklärte Richter, Dada sei keine künstlerische Bewegung im üblichen Sinne gewesen, vielmehr ein Gewittersturm, der über die Welt der Kunst hereingebrochen sei wie der Krieg über die Nationen. Ohne Warnung sei er aus einem dunklen, verhangenen Himmel gekommen und habe einen neuen Tag zurückgelassen, in dem die aufgestauten Energien, die sich in Dada entluden, neue Formen hervorbrachten, neue Materialien, neue Ideen, neue Richtungen, neue Menschen.

Wichtige Sammlungen
Centre Georges Pompidou, Paris
Museum of Modern Art, New York
Philadelphia Museum of Art, Philadelphia, Pennsylvania
Tate Gallery, London

Weiterführende Literatur
Duchamp (Ausst.-Kat., Mus. Ludwig, Köln, 1984)
G.-J. Dech, *Hannah Höch, Schnitt mit dem Küchenmesser*
   (Frankfurt am Main, 1993)
H. Richter, *Dada: Art and Anti Art* (1997)
D. Ades, N. Cox und D. Hopkins, *Marcel Duchamp* (1999)
H. Korte, *Die Dadaisten* (Reinbek bei Hamburg, 2000)

Purismus

Das Bild ist eine Maschine zur Übermittlung von Empfindungen.

AMÉDÉE OZENFANT UND LE CORBUSIER

Der Purismus war eine post-kubistische Bewegung, die mit der Veröffentlichung des Buches *Après le Cubisme* (Nach dem Kubismus) begründet wurde, das der französische Maler Amédée Ozenfant (1886–1966) und der in der Schweiz geborene Maler, Bildhauer und Architekt Charles-Edouard Jeanneret (1887–1965), besser bekannt unter seinem Pseudonym Le Corbusier (siehe International Style), zusammen verfasst hatten. Enttäuscht darüber, dass der *Kubismus zu bloßer Dekoration degenerierte, forderten sie die

Oben: Le Corbusier, Innenansicht des Pavillon de L'Esprit Nouveau, 1925
Le Corbusiers puristische Ausstattung umfasste verschiedene mit Sorgfalt
ausgewählte Gegenstände, darunter Gemälde von ihm selbst (hinten rechts)
und von Léger (rechts), Bugholzstühle von Thonet und gepolsterte
Ledersessel aus London.

Rekonstruktion einer gesunden Kunst, gestützt auf klare, präzise
Darstellungen unter Verwendung sparsamer Mittel und harmoni-
scher Proportionen. Die Reinheit und Schönheit der Maschinenformen inspirierte sie ebenso wie ihre Überzeugung, dass mit klassischen mathematischen Formeln eine Harmonie zu erreichen sei,
die letztlich Freude beim Betrachter auslöse.

Die erste Ausstellung puristischer Gemälde fand 1919 in der
Galerie Thomas in Paris statt. Die Sujets – alltägliche Gegenstände,
Musikinstrumente usw. – waren kubistisch, doch in ihrer neuen
puristischen Darstellungsform wurden sie leichter erkennbar. Die
Betonung lag nicht auf der Fragmentierung der Objekte, sondern
darin, ihre Geometrie und Einfachheit zu feiern. Streng komponierte Abbilder von formbetonten Gegenständen mit klar umrissenen
Konturen waren aus zwei Blickwinkeln – Tiefe und Umriss – und
in gedämpften Farben in glatter, kühler Art dargestellt.

Gestützt auf die unerschütterliche Überzeugung, Ordnung sei
ein menschliches Grundbedürfnis, entwickelten die beiden Künstler
eine puristische Ästhetik, die von der Architektur über das Produktdesign bis zur Malerei alle Bereiche umfasste. Mit geradezu missio-

narischem Eifer vertraten sie ihren Ruf nach Ordnung und verbreiteten ihn in ihrem neu gegründeten eigenen Avantgarde-Magazin für Kunst und Literatur *L'Esprit Nouveau* (Der neue Geist,
1919–1925) sowie in Büchern wie *Towards a New Architecture*
(1923) und *Modern Painting* (1924). In ihrem Aufsatz »Le Purisme«,
der im *L'Esprit Nouveau* (Januar 1921) erschien, schrieben sie: »Wir
erachten ein Gemälde nicht als eine Oberfläche, sondern als Raum,
… eine Assoziation aus reinen, verwandten, architektonischen Elementen.«

Als Le Corbusier 1924 erklärte, dass sich dank der Maschine,
der Identifizierung des Typischen, des Auswahlprozesses und der
Festlegung eines Standards ein neuer Stil etablieren werde, sah er
einen rein funktionalen Stil voraus, der frei von jeglicher Dekoration war. Dieser neue Stil präsentierte sich 1925 im *Pavillon de
L'Esprit Nouveau* (Pavillon des neuen Geistes) auf der »Exposition
des Arts Décoratifs« in Paris. Le Corbusiers zweistöckiges puris-
tisches Haus enthielt Plastiken von Henry Laurens und Jacques
Lipchitz und industriell gefertigte *objets types* (typisierte Gegenstände), die den menschlichen Funktionalismus betonten, wie etwa
die Bugholzstühle von Thonet.

1922 eröffnete Le Corbusier zusammen mit seinem Cousin
Pierre Jeanneret (1896–1967) ein Studio. Er arbeitete mit ihm an
zahllosen Architektur-, Städtebau- und Design-Projekten, und 1928
produzierten sie sogar den Prototyp eines Autos. Von 1927 an ent-

warfen sie zusammen mit Charlotte Perriand (1903–1999) Möbel, darunter die heute als Klassiker geltende Liege »LC 4«, eine verstellbare Chaiselongue mit Stahlgestell, verchromtem Rahmen, Lederauflage und Nackenrolle.

Obwohl sich der Purismus nicht zu einer eigentlichen Schule entwickelte, folgten viele der von Ozenfant und Le Corbusier initiierten, von Maschinen inspirierten Ästhetik, darunter Fernand Léger (siehe Kubismus), die *Bauhaus-Mitglieder und die *Präzisionisten. Um 1926, als Ozenfant und Le Corbusier getrennte Wege zu gehen begannen, hatten sich die puristischen Ideen – die sich als die wichtigsten Einflüsse auf die Formgebung in der modernen Architektur und im Produktdesign erweisen sollten – bereits weit verbreitet.

Wichtige Sammlungen

Fine Arts Museum of San Francisco, San Francisco, Kalifornien
Museum of Modern Art, New York
Öffentliche Kunstsammlung, Basel, Schweiz
Solomon R. Guggenheim Museum, New York

Weiterführende Literatur

W. Curtis, *Le Corbusier – Ideen und Formen* (Stuttgart, 1987)
C. Green, *Cubism and ist Enemies* (New Haven, CT, 1987)
K. E. Silver, *Esprit de Corps: The Art of the Parisian Avant-Garde and the First World War*, 1914–1925 (Princeton, NJ, 1989)
K.-P. Gast, *Le Corbusier, Paris–Chandigarh* (Basel u. a., 2000)

De Stijl

Solange die Schönheit des Lebens noch mangelhaft ist, ist die Kunst lediglich ein Ersatz. Sie wird in dem Maße verschwinden, in dem das Leben an Gleichgewicht gewinnt.

PIET MONDRIAN, 1937

De Stijl (Der Stil) war eine lose Vereinigung von Künstlern, Architekten und Designern, die der holländische Maler und Architekt Theo van Doesburg (1883–1931) im Jahr 1917 zusammengeführt hatte. Trotz ihrer Neutralität hatten die Niederlande unter dem Ersten Weltkrieg gelitten, und die selbst gewählte Aufgabe von De Stijl bestand darin, eine neue, internationale Kunst im Sinne von Frieden und Harmonie zu schaffen. Zu den Gründungsmitgliedern gehörten neben Theo van Doesburg die niederländischen Maler Bart van der Leck (1876–1958) und Piet Mondrian (1872–1944), der belgische Maler und Bildhauer Georges Vantongerloo (1886–1965), der ungarische Architekt und Designer Vilmos Huszár (1884–1960), die niederländischen Architekten J. J. P. Oud (1890–1963), Robert van't Hoff (1887–1979) und Jan Wils (1891–1972) sowie der Dichter Antony Kok (1882–1969).

Van Doesburg, Mondrian, Vantongerloo und van der Leck hatten bereits zusammengearbeitet und dabei versucht, ein abstrakt-visuelles Vokabular zu erschaffen, um ihre Vorstellung von einer besseren Gesellschaft zu vermitteln. Die Verwendung horizontaler und vertikaler Linien, rechter Winkel und rechteckiger Flächen in gedämpften Farben sind charakteristisch für diese Schaffensperiode. Im Laufe der Zeit reduzierten sie ihre Palette auf die Primärfarben Rot, Gelb und Blau sowie auf die neutralen Nicht-Farben Schwarz, Weiß und Grau. Um diesen reduzierten Stil zu beschreiben, prägte Mondrian den Begriff »Neo-Plastizismus« und führte 1917 dazu aus:

> Durch den stetigen Prozess der Abstraktion von Form und Farbe entdeckten wir in der modernen Malerei diese universalen Gestaltungsmittel. Sobald diese entdeckt waren, trat, fast wie von selbst, eine exakte Gestalt der reinen Beziehung zutage – und damit das innere Wesen allen Gefühlsausdrucks gestalterischer Schönheit.

Rechts: Gerrit Rietveld, Schröder-Schräder Haus, Utrecht, 1923–1924
Rietvelds Meisterstück ist eine abstrakte Komposition aus ineinander gefügten Flächen. Im Wohnraum im ersten Stock befinden sich Einbaumöbel und im rechten Winkel bewegliche Wände, sodass der große Raum in mehrere kleine verwandelt werden kann.

Dass Mondrian und van Doesburg davon überzeugt waren, die ultimative Formel der neuen Kunst entdeckt zu haben, zeigt sich schon im Namen der Gruppe – *Der* Stil – und in ihrem Slogan: »Das Objekt der Natur ist der Mensch, das Objekt des Menschen ist der Stil«.

Van Doesburg und Mondrian waren die wichtigsten Theoretiker der Gruppe, van Doesburg war außerdem Herausgeber der Zeitschrift *De Stijl*, die von 1917 an die Ideen der Vereinigung ver-

öffentlichte. Sie meinten, der *Kubismus sei in der Entwicklung der Abstraktion nicht weit genug gegangen und der *Expressionismus sei zu subjektiv. Obwohl sie den *Futurismus bewunderten, distanzierten sie sich davon, als Italien in den Krieg eintrat. Wie die *Bauhaus- und *Konstruktivismus-Mitglieder wollten sie mithilfe der Kunst die Gesellschaft verändern. Der Krieg hatte ihrer Meinung nach den Persönlichkeitskult in Misskredit gebracht, und so versuchten sie diesen durch eine universalere ethische Kultur zu ersetzen. Laut van Doesburg waren sie zur »absoluten Entwertung der Tradition, der Bloßstellung des ganzen lyrischen und sentimentalen Schwindels« bestimmt. Das Mittel zu diesem Zweck war die Reduktion – die Reinigung – der Kunst, ihre Rückführung auf das Grundlegende (Form, Farbe und Linie). Die Kunst, so meinte van Doesburg, entwickle hinreichend starke Kräfte, um alle Kultur wirkungsvoll zu beeinflussen. Eine vereinfachte und geordnete Kunst werde zwangsläufig zu einer Erneuerung der Gesellschaft führen; sobald die Kunst aber gänzlich in das Leben integriert sei, werde sie sich selbst überflüssig machen.

Im Kern dieses Denkens findet sich eine spirituelle, ja geradezu mystische Haltung, und es war gewiss kein Zufall, dass viele Mitglieder aus calvinistischen Familien stammten. De Stijl-Künstler zeigten Interesse an den spirituellen Ansichten anderer Denker, wie denen des neuplatonischen Philosophen M. H. J. Schoenmaekers (1875–1944), ein enger Freund Mondrians, und Wassily Kandinskys, dessen Buch *Über das Geistige in der Kunst* (siehe Der Blaue Reiter) von großer Bedeutung für sie war. Schoenmaekers Schriften postulierten eine fundamental geometrische Ordnung des Universums und metaphysische Bedeutungen der drei Primärfarben, eine Theorie, die an das Denken der *Neo-Impressionisten erinnert.

Die Gruppe erläuterte ihre ästhetischen Prinzipien in einem Acht-Punkte-Manifest, das im November 1918, unterzeichnet von Mondrian, van Doesenburg, Huszár, Vantongerloo, van't Hoff, Wils und Kok, in der Zeitschrift *De Stijl* erschien. Das Manifest wurde in Niederländisch, Französisch, Deutsch und Englisch publiziert, was schon früh die internationalen Bestrebungen der Gruppe deutlich machte. 1919 schloss sich der Architekt und Designer Gerrit Rietveld (1888–1964) der Gruppe an, was große Auswirkungen auf die Gedanken und das Schaffen von *De Stijl* haben sollte.

Oben: **Piet Mondrian, *Komposition A; Komposition mit Schwarz, Rot, Grau, Gelb und Blau,* 1920**
1917 schrieb Mondrian, die neue Gestalt könne nicht in das gekleidet werden, was an der besonderen, natürlichen Form und Farbe charakteristisch sei, vielmehr müsse sie durch das Mittel der geraden Linie und durch die ungemischten Grundfarben ausgedrückt werden.

Links: **Gerrit Rietveld, Rot-Blau-Sessel (Rekonstruktion), um 1923**
Rietvelds berühmter Stuhl (1918) brachte nicht nur die Prinzipien der De-Stijl-Malerei in die dritte Dimension, er bestärkte Mondrian und van Doesburg auch darin, den letzten Schritt zu wagen und sich auf die Primärfarben zu beschränken.

Gegenüber oben: **Fotografien und Entwürfe aus Theo van Doesburgs *Prinzipien der Neoplastischen Kunst,* 1925**
An einem typischen Sujet niederländischer Malerei illustrierte van Doesberg auf witzige Weise den Prozess der Abstraktion.

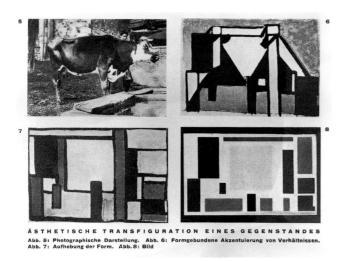

ÄSTHETISCHE TRANSFIGURATION EINES GEGENSTANDES
Abb. 5: Photographische Darstellung. Abb. 6: Formgebundene Akzentuierung von Verhältnissen.
Abb. 7: Aufhebung der Form. Abb. 8: Bild

Rietvelds Rot-Blau-Sessel mit seinem schwarzen Rahmen, dem blauen Sitz, der roten Rückenlehne und den gelben Schnittkanten war das erste Beispiel, an dem die neo-plastischen Gestaltungsprinzipien in angewandte Kunst umgesetzt wurden.

Die De-Stijl-Architektur zeigt eine ähnliche Klarheit, Strenge und Ordnung wie die geometrisch-abstrakte De Stijl-Malerei: gerade Linien, rechte Winkel und schmucklose Oberflächen, nun lediglich in die dritte Dimension gebracht. Wie ihre Gegner, die expressionistischen Architekten der *Amsterdamer Schule, bezogen sich die Architekten von De Stijl auch auf Hendrik Petrus Berlage (1856–1934), dessen Gebäude ihnen Beispiele von kongenialem Realismus lieferten und dessen Begeisterung für Frank Lloyd Wright (siehe Arts and Crafts) sie teilten. Wrights Konzept vom Haus als »totalem Design« entsprach genau ihren eigenen Ideen. Darüber hinaus bewunderten sie die Visionen Antonio Sant'Elias (siehe Futurismus). Das Ergebnis war eine Architektur, die Flachdächer, plane Wände und flexible Innenräume zu ihrem Markenzeichen machte und die später zum Synonym des *International Style werden sollte.

Rietvelds außergewöhnliches Schröder-Schräder Haus in Utrecht (1923–1924) ist in vielen Aspekten das Meisterstück der ganzen De-Stijl-Bewegung, denn wie nirgendwo sonst war hier das Ziel erreicht, eine allumfassende Lebensumgebung zu schaffen. Rietveld entwarf das Haus in Zusammenarbeit mit der Auftraggeberin, der Innenarchitektin Truus Schröder-Schräder, die später selbst Mitglied der Gruppe wurde. Das Spiel der Linien, Winkel und Farben in diesem Haus löst die Empfindung aus, in einem De-Stijl-Gemälde zu wohnen. Rietveld erklärte dazu, er und Truus hätten andere Stile nicht deshalb vermieden, weil sie hässlich wären oder sie sie nicht hätten nachbilden können, sondern weil ihre Zeit ihre eigene Form verlangt hätte.

Im Verlauf der 1920er-Jahre entwickelte sich De Stijl zu einer immer selbstbewussteren und internationaleren Gruppe. Van Doesburg reiste viel, arrangierte Ausstellungen, hielt Vorlesungen und Vorträge. 1920 und 1921 machte er auf die *Bauhaus-Mitglieder großen Eindruck. Auch mit *Dada kam er durch seine Reisen in Kontakt und schloss sich der Bewegung kurzfristig an, außerdem kam er durch die Begegnung mit El Lissitzky (siehe Konstruktivismus) mit dem russischen *Suprematismus und Konstruktivismus in Berührung.

Van Doesburgs neue internationale Orientierung hatte sowohl auf seine künstlerische Entwicklung wie auch auf seine Theorien Auswirkungen, und dies wiederum beeinflusste die ganze Gruppe. Bis 1921 hatten einige Mitglieder, darunter Bart van der Leck, Georges Vantongerloo, Robert van't Hoff, J. J. P. Oud, Jan Wils und Antony Kok die Gruppe verlassen, während andere Größen der internationalen Avantgarde, unter anderen El Lissitzky, der italienische Futurist Gino Severini, der österreichische Architekt Frederick Kiesler und die deutschen Dadaisten Hans Arp und Hans Richter, sich ihr anschlossen. 1924 begann van Doesburg die Diagonale in seine Arbeit einzubeziehen, eine derart grundlegende Änderung, dass er dafür den Namen *»Elementarismus« prägte und Mondrian seinen Austritt aus De Stijl erklärte. »Nach deiner anmaßenden Verbesserung (?) des Neo-Plastizismus ist mir jede weitere Zusammenarbeit unmöglich«, schrieb Mondrian seinem alten Freund. Beide schlugen nun neue Wege ein. Mondrian erforschte sein Konzept der reinen Farbe und Form in seinen Arbeiten und Schriften weiter und verbesserte es derart, dass er zu einem der wichtigsten Künstler der ersten Jahrhunderthälfte, sein Werk zu einem Markstein für die gesamte abstrakte Kunst wurde. Van Doesburg fuhr fort, im Elementarismus die Möglichkeiten der Diagonale zu erforschen und wurde 1930 mit seinem »Manifest der konkreten Kunst« der Begründer der *Konkreten Kunst, die sich aber erst nach seinem Tod im Jahr 1931 voll entwickeln sollte.

Die letzte Ausgabe von *De Stijl* (Nummer 90), 1932 veröffentlicht, war dem Andenken van Doesburgs gewidmet. Obwohl De Stijl mit ihm gestorben war, war der weitere Einfluss der Bewegung doch enorm und noch heute ist sie für Künstler, Designer und Architekten eine Inspirationsquelle. Viele Mitglieder von De Stijl traten später anderen internationalen Avantgarde-Gruppen, wie Abstraction-Création und CIAM (siehe International Style), bei.

Wichtige Sammlungen
Carnegie Museum of Art, Pittsburgh, Pennsylvania
Museum of Modern Art, New York
Kimbell Art Museum, Fort Worth, Texas
Kröller-Müller Museum, Otterlo, Niederlande
Stedelijk Museum, Amsterdam, Niederlande
Tate Gallery, London

Weiterführende Literatur
G. Fanelli, *Stijl-Architektur* (Stuttgart, 1985)
H. Holtzman und M. S. James (Hrsg.), *The New Art – The New Life. The Collected Writing of Piet Mondrian* (1987)
S. Lemoine, *Mondrian und De Stijl* (Genf, 1988)
T. v. Doesburg, *Über europäische Architektur* (Basel u. a., 1990)

1918-1945

Suche nach der neuen Ordnung

Le Corbusier vor einem Modell des Palastes der Räte, 1931

Arbeitsrat für Kunst

Kunst und Volk müssen eine Einheit bilden. Fortan ist der Künstler allein als Gestalter des Volksempfindens verantwortlich für das sichtbare Gewand des neuen Staates. Kunst darf nicht länger ein Luxus für die Wenigen sein, sie sollte von der breiten Masse erfahren und genossen werden.

MANIFEST DES ARBEITSRATS FÜR KUNST, 1919

Im Dezember 1918 gründeten der Architekt Bruno Taut (1880–1938) und der Architekturkritiker Adolf Behne (1885–1948) in Berlin den Arbeitsrat für Kunst. Ihr unmittelbares Ziel war es, eine Gruppe von Künstlern zusammenzuführen, die in der Lage waren, im Sinne der mächtigen Arbeiter- und Soldatenräte Druck auf die neue Regierung in Deutschland auszuüben. Langfristig gesehen wollten sie eine utopische Architektur für die neue Gesellschaft

ICON AND REVOLUTION
POLITICAL AND SOCIAL THEMES IN GERMAN ART 1918-1933

schaffen, die sich nach den Zerstörungen des Ersten Weltkriegs erhob. Ihre an Science-Fiction-Kulissen erinnernden Entwürfe waren Konstruktionen aus Stahl und Glas, die selbst bei weltlichen Bauten eine gewisse religiöse Inbrunst ausstrahlten.

Bald zählte die Gruppe fast 50 Mitglieder: radikale Künstler, Architekten, Kritiker und Gönner, die in und um Berlin lebten. Viele gehörten bereits dem *Deutschen Werkbund und dem Künstlerbund *Die Brücke an, die meisten waren dem *Expressionismus angegliedert.

Obwohl der Arbeitsrat alle Künste repräsentierte, war die Architektur doch sein größtes Betätigungsfeld. Die prominentesten Mitglieder waren die Architekten Otto Bartning (1883–1959), Walter Gropius (siehe Bauhaus), Ludwig Hilberseimer (1885–1967) und Erich Mendelsohn (siehe Expressionismus), die Maler Lyonel Feininger (siehe Bauhaus und Der Blaue Reiter), Hermann Finsterlin (1887–1973), Erich Heckel (siehe Die Brücke), Käthe Kollwitz (siehe Neue Sachlichkeit), Emil Nolde (siehe Expressionismus), Max Pechstein (siehe Die Brücke) und Karl Schmitt-Rottluff (siehe Die Brücke) sowie die Bildhauer Rudolph Belling (1886–1972), Georg Kolbe (1877–1947) und Gerhard Marcks (1889–1981). Viele gehörten auch der *Novembergruppe an, die sich der Förderung des Modernismus verschrieben hatte. Dahingegen lagen die Bestrebungen des Arbeitsrats für Kunst eher auf politischem Gebiet, wollte man doch vor allem gegen die staatliche Bevormundung von Künstlern und Architekten ankämpfen.

Taut war als Gründer die führende Persönlichkeit. Durch ihn übernahm die Gruppe die utopischen Tendenzen der Zeit. Die

Oben links: **Illustration eines Pamphlets, herausgegeben vom Arbeitsrat für Kunst, April 1919**
Wahrscheinlich handelt es sich bei der Abbildung um einen Holzschnitt von Max Pechstein, der ein bekanntes Mitglied der im März 1919 gegründeten Gruppe war.

Links: **Bruno Taut, Glashaus, Deutsche Werkbund-Ausstellung, Köln, 1914**
Tauts Glashaus war eine der Hauptattraktionen der Ausstellung. Es stand nur wenige Wochen lang im Sommer 1914; mit der Schließung der Ausstellung wurde es abgebaut.

Gegenüber: **Bruno Taut, Glashaus, Innentreppe, Deutsche Werkbund-Ausstellung, Köln, 1914**
Zitate aus Paul Scheerbarts Buch *Glasarchitektur* – »Glas bringt eine neue Ära«, »Buntes Glas zerstört den Hass« – waren überall im Gebäude angebracht und wurden illuminiert durch das Licht, das durch die Wände aus Glasbausteinen und durch die gotisch anmutende Kuppel fiel.

Bevorzugung von Glas und Stahl verrät den Einfluss von Taut und dessen Mentor, dem Dichter Paul Scheerbart, dessen Text *Glasarchitektur* (1914) Taut gewidmet war und die utopische, futuristische Überzeugung ausdrückte, eine neue Architektur sei notwendig, um die Kultur zu verändern. Dieses Ziel, meinte Scheerbart, sei nur durch eine Glasarchitektur zu erreichen, die Sonnen-, Mond- und Sternenlicht in die Räume scheinen lasse, und zwar nicht nur durch ein paar Fenster, sondern durch so viele Wände als möglich, die ganz aus Glas – farbigem Glas – bestehen müssten. Scheerbarts Forderungen fanden ihre Verwirklichung in Tauts Glashaus, entworfen für die »Deutsche Werkbund-Ausstellung« von 1914 in Köln.

Doch die politischen Ereignisse waren nicht günstig. Nach dem Januaraufstand 1919 wurden die beiden führenden Persönlichkeiten des Spartakusbundes, die Kommunisten Rosa Luxemburg und Karl Liebknecht, von Regierungstruppen ermordet. Der Arbeitsrat für Kunst konnte nicht hoffen, noch irgendeinen politischen Einfluss zu gewinnen. Desillusioniert trat Taut als Leiter zurück, Gropius nahm seine Stelle ein. Die Aktivitäten des Arbeitsrats beschränkten sich von nun an auf Diskussionen und Ausstellungen. Die »Ausstellung unbekannter Architekten« im April 1919 zeigte ganz bewusst visionäre Arbeiten einiger Mitglieder des Arbeitsrats. Im Katalog zur Ausstellung fasste Gropius in der Einleitung die utopischen Ziele der Gruppe zusammen, indem er schrieb, Maler und Bildhauer würden die Barrieren rund um die Architektur niederreißen, um Miterbauer und Waffenbrüder zu werden, damit das ultimative Ziel der Kunst erreicht werden könne: die Idee der Kathedrale der Zukunft, die endlich wieder alles in einer Einheit umfasse, Architektur, Bildhauerei und Malerei.

Zu jener Zeit initiierte Taut mit 14 führenden Persönlichkeiten der Kunstwelt, hauptsächlich Architekten, darunter Walter Gropius, Hermann Finsterlin, Hans (1890–1954) und Wassily Luckhardt (1889–1972) sowie Hans Scharoun (1893–1972), einen »utopischen Korrespondenz-Zirkel«, Die Gläserne Kette. Ziel war es, eine neue Architektur zu entdecken und letztlich zu etablieren. Jeder Teilnehmer solle, so Tauts Vorgabe, von Zeit zu Zeit und wie der

Geist ihn treibe, seine Ideen, die er mit dem Kreis teilen wolle, zu Papier bringen. Die Korrespondenz erwies sich als vitales Forum zur Diskussion neuer Ideen. Die Gläserne Kette bestand bis Dezember 1920, ein Großteil der Korrespondenz wurde in Tauts Magazin *Frühlicht* veröffentlicht. Die Forderungen an die Architekten lauteten, ursprüngliche und organische Formen als Inspirationsquelle der Architektur zu finden und die expressionistische Vorstellung von der wichtigen Bedeutung des schöpferischen Unbewussten in die Praxis umzusetzen.

1920 fanden weitere vom Arbeitsrat für Kunst organisierte Ausstellungen statt; sie zeigten Kunst von Arbeitern und Kindern (im Januar), von Avantgarde-Architekten (im Mai) sowie deutsche zeitgenössische Kunst in Amsterdam und Antwerpen. Die Ausstellungen hatten zwar großen Zulauf, doch blieb die finanzielle Situation angespannt und führte letztendlich zur Auflösung der Gruppe am 30. Mai 1921. Viele der Architekten entwickelten während der 1920er-Jahre funktionalere und rationalere Stile (siehe Der Ring und International Style) und setzten so ihre Bemühungen fort, genau das zu schaffen, was der Arbeitsrat gefordert hatte: eine neue architektonische Vision der Zukunft.

Wichtige Bauten

Hans Häring, Gut Garkau, Lübeck
Erich Mendelsohn, Steinberg, Herrmann & Co. Hutfabrik, Luckenwalde
Hans Poelzig, Großes Schauspielhaus, Berlin
Bruno Taut, Stahlwerkverbands-Pavillon, Leipzig

Weiterführende Literatur

B. Taut, *Die Stadtkrone* (Jena, 1919)
P. Scheerbart, *Glasarchitektur* (München, 1971)
R. Prange, *Das Kristalline als Kunstsymbol* (Hildesheim, 1991)

Novembergruppe

Kunst und Volk müssen eine Einheit bilden. Die Kunst soll nicht mehr Genuss Weniger, sondern Glück und Leben der Masse sein, Zusammenschluss der Künstler unter den Flügeln einer großen Baukunst ist das Ziel.

PROGRAMM DER NOVEMBERGRUPPE, 1919

Die Novembergruppe, benannt nach der deutschen Revolution vom November 1918, wurde am 3. Dezember 1918 in Berlin gegründet und existierte bis zu ihrem Verbot durch die Nationalsozialisten im September 1933. Zunächst wurde sie von dem *expressionistischen

Maler Max Pechstein (1881–1955, siehe Die Brücke) und von César Klein (1876–1954) geleitet, die alle revolutionären Geister aufriefen, sich ihnen anzuschließen und die Künste zu reorganisieren. Bald hatten sie mehr als 100 Mitglieder aus den verschiedensten

avantgardistischen Bewegungen angeworben, die überall im Lande »Ortsgruppen« bildeten. Zu den Mitgliedern gehörten die Maler und Bildhauer Heinrich Campendonck (1889–1957), Lyonel Feininger (siehe Bauhaus, Der Blaue Reiter), Otto Freundlich (1878–1943), Wassily Kandinsky (siehe Der Blaue Reiter), Paul Klee (siehe Der Blaue Reiter) Käthe Kollwitz (siehe Neue Sachlichkeit), die Architekten Walter Gropius (siehe Bauhaus, International Style), Hugo Häring (siehe Der Ring), Erich Mendelsohn (siehe Expressionismus) und Ludwig Mies van der Rohe (siehe Deutscher Werkbund, International Style) sowie die Komponisten Alban Berg und Kurt Weill und der Dramatiker Bertold Brecht.

Viele Mitglieder der Novembergruppe gehörten auch dem eher politisch orientierten *Arbeitsrat für Kunst an. Durch die Novembergruppe versuchten sie eine radikale Veränderung der Kunst zu bewirken, durch den Arbeitsrat bekundeten sie ihre politischen Sympathien. Beide Gruppen waren von derselben expressionistischen Ideologie geleitet, der zufolge Kunst und Architektur eine bessere Welt schaffen konnten, und beide förderten den Modernismus. Während der ganzen 1920er-Jahre organisierte die Novembergruppe Ausstellungen progressiver Kunst und Architektur, davon alleine 19 in Berlin. Ebenso arrangierte sie Wanderausstellungen nach Rom, Moskau und Japan und förderte Konzerte mit zeitgenössischer Musik, Vorträge und Dichterlesungen. Sie unterstützte experimentelle Filmkünstler, wie den Schweden Viking Eggeling (1880–1925) und den Deutschen Hans Richter (siehe Dada), und publizierte Broschüren – *An alle Künstler, Der Kunsttopf, NG* – und Grafikmappen. Gegen Ende ihres Bestehens verlor die Gruppe an Radikalität, doch während der gesamtem 1920er-Jahre spielte sie eine wichtige aktive Rolle und machte Berlin zu einem der bedeutendsten Zentren für künstlerische und intellektuelle Experimente in Europa.

Hans Richter, *Vormittagsspuk*, 1928
Hans Richter war einer der von der Novembergruppe unterstützten Filmemacher. In *Vormittagsspuk*, Richters fünftem Stummfilm, erleben Gegenstände und Menschen Surreales; das Motiv der schwebenden Hüte zieht sich durch den ganzen Film.

Wichtige Bauten
Walter Gropius, Wohnsiedlung Dammerstock, Karlsruhe
Ludwig Mies van der Rohe, Haus Wolf, Guben
Ludwig Mies van der Rohe, Haus Lange, Krefeld
Ludwig Mies van der Rohe, Weißenhofsiedlung, Stuttgart

Weiterführende Literatur
J. M. Fitch, *Walter Gropius* (Ravensburg, 1962)
H. Kliemann, *Die Novembergruppe* (Berlin, 1969)
Novembergruppe (Ausst.-Kat., Galerie Bodo Niemann, Berlin, 1993/94)
K. Frampton, *Die Architektur der Moderne* (Stuttgart, 1995)

Bauhaus

Bilden wir also eine neue Zunft der Handwerker *ohne die Klassen trennende Anmaßung, die eine hochmütige Mauer zwischen Handwerkern und Künstlern errichten wollte!*

WALTER GROPIUS, BAUHAUS-MANIFEST, 1919

Im April 1919 gründete der Architekt Walter Gropius (1883–1969) in Weimar durch den Zusammenschluss der Hochschule für bildende Kunst und der Kunstgewerbeschule das Staatliche Bauhaus, eine interdisziplinäre Hochschule der Künste, des Kunsthandwerks und des Industriedesigns. Hier sollten Studenten mit Kunsttheorie und -praxis vertraut gemacht und dazu befähigt werden, sowohl künstlerische als auch kommerzielle Produkte zu entwerfen. Gropius' Idee war die einer Gemeinschaft, in der Lehrer und Studenten gemeinsam lebten und arbeiteten. Dieses Konzept findet bereits im Namen der Institution Ausdruck, erinnert er doch an die Bezeichnung »Bauhütte«, mit der die mittelalterlichen Vereinigungen der Steinmetze und Bildhauer beim Kirchenbau bezeichnet wurden. Zum einen sollte das Bauhaus Künstler, Designer und Architekten mehr soziale Verantwortung lehren, zum anderen wurde angestrebt, das kulturelle Leben der gesamten Nation zu be-

reichern und zu einer besseren Gesellschaft beizutragen. Diese hochgesteckten Ziele können am besten verstanden werden, wenn man sie im Zusammenhang mit den seit dem Ende des 19. Jahrhunderts in Deutschland (und anderswo) diskutierten Fragen betrachtet. In seinem Manifest schrieb Gropius unter anderem:

> Wollen, erdenken, erschaffen wir gemeinsam den neuen Bau der Zukunft, der alles in einer Gestalt sein wird: Architektur und Plastik und Malerei, der aus Millionen Händen der Handwerker einst gegen Himmel steigen wird als kristallenes Sinnbild eines neuen kommenden Glaubens.

Gropius' fester Glaube an die Wandlungskräfte von Kunst und Architektur verband ihn mit zeitgenössischen Gruppen wie dem *Arbeitsrat für Kunst, dessen Vorsitzender er war, dem *Deutschen Werkbund, der *Novembergruppe und Bruno Tauts Gläserner Kette (siehe Arbeitsrat für Kunst), denen er allen als Mitglied ange-

hörte. Auch den expressionistischen Malern stand er nahe, und nicht von ungefähr wählte er für den Umschlag des Bauhaus-Manifestes einen Holzschnitt von Lyonel Feininger (1871–1956), ein Maler, der dem *Blauen Reiter angehörte. In einem Artikel von 1924 über Konzept und Entwicklung des Bauhauses würdigte Gropius den Einfluss, den John Ruskin und William Morris von der *Arts-and-Crafts-Bewegung sowie Henry van de Velde (siehe Art Nouveau) und Peter Behrens (siehe Jugendstil) auf sein Denken gehabt hatten. Er beschrieb sie als Menschen, die bewusst nach einem Weg gesucht hätten, die Welt der Arbeit wieder mit der Welt der Künste zu vereinen, und die diesen Weg gefunden hätten. Es gelang Gropius, eine außerordentliche Gruppe von Lehrern an das Bauhaus zu berufen. Dazu erläuterte er, dass er nicht mit Mittelmäßigkeit beginnen wolle, vielmehr sähe er es als seine Pflicht, bedeutende Persönlichkeiten anzuwerben, selbst wenn diese noch nicht ganz verstanden würden. Zwischen 1919 und 1922 gelang es ihm, Lyonel Feininger an das Bauhaus zu holen, ferner die Schweizer Maler Johannes Itten (1888–1967) und Paul Klee (1879–1940, siehe Der blaue Reiter), die Deutschen Gerhard Marcks (1889–1981), Georg Muche (1895–1987), Oskar Schlemmer (1888–1943) und Lothar Schreyer (1886–1966) sowie den russischen Maler Wassily Kandinsky (siehe der Blaue Reiter).

Itten entwickelte den hochgelobten Vorkurs, den alle Studenten absolvieren mussten und der dazu diente, vorgefasste Meinungen über die klassische Kunstausbildung abzubauen und das kreative Potential der Studenten zu erschließen. Der Kurs umfasste Ausbildungsfächer wie Material- und Werkzeugkunde, Farbtheorie, Analyse der Bilder Alter Meister, Meditation und Atemübungen. Die wichtigsten theoretischen Kurse waren die über Form und Farbe, abgehalten von Kandinsky und Klee. Johannes Ittens Beharren auf praktischer Erfahrung leitete sich von der progressiven Ausbildungstheorie des amerikanischen Philosophen John Dewey her, dessen Forderung »learning by doing« zum Modell für alle Kunst- und Gestaltungsschulen weltweit wurde.

Gegenüber: **Walter Gropius, Bauhaus Dessau, 1925–1926**
Dieses Bild des von Gropius und Meyer entworfenen funktionalen Gebäudes aus Stahl, Glas und Stahlbeton wurde am Eröffnungstag der Schule im Dezember 1926 aufgenommen.

Unten links: **Joost Schmidt, Plakat für die Bauhaus-Ausstellung, Juli bis September 1923**
Das Plakat wurde von Schmidt während seiner Studienzeit am Bauhaus entworfen, nachdem in der Politik und der Führung des Hauses einige Veränderungen erfolgt waren, und war in seiner Ästhetik Welten entfernt von dem expressionistischen Holzschnitt des Manifestes von 1919. Mit mehr als 15000 Besuchern war die Ausstellung ein Erfolg.

Unten: **Oskar Schlemmer als Türke in seinem *Triadischen Ballett*, 1922**
Die Bauhaus-Ausstellung von 1923 eröffnete mit einer besonderen »Bauhaus-Woche«, in der Schlemmers *Triadisches Ballett* und *Mechanisches Ballett* aufgeführt wurden. Außerdem gab es Vorlesungen, Filme und Konzerte.

Wer den Vorkurs erfolgreich abgeschlossen hatte, konnte in die Werkstatt seiner Wahl eintreten, wo Künstler als »Meister der Form« und Kunsthandwerker als »Meister des Kunsthandwerks« jeweils gemeinsam unterrichteten. Trotz begrenzter Mittel gab es 1922 Werkstätten für Möbelschreinerei (Gropius), Holz- und Steinbildhauerei (Schlemmer), Wandmalerei (Kandinsky), Glasmalerei und Buchbinderei (Klee), Metallarbeiten (Itten), Keramik (Marcks), Weben (Muche), Grafik und Druck (Feininger) und Theater (Schreyer). Zu dieser Zeit gab es noch keine Architekturkurse, doch dozierte Walter Gropius über »Raum« und sein Partner bei diesem Kurs, Adolf Meyer (1881–1929), lehrte bis 1922 Technisches Zeichnen.

Trotz großer Anstrengungen war keine engere Zusammenarbeit mit der Industrie zustande gekommen, lediglich die Keramik- und Textilwerkstätten erhielten Außenaufträge. Diese Tatsache weist deutlich auf eine Schwäche des Bauhauses hin. Das niederländische Magazin *De Stijl* übte 1922 heftige Kritik am Bauhaus und verlangte eine neue Führung. Das grundlegende Problem war, dass einige Lehrer (vor allem Itten) die Kunst als spirituellen Akt

verstanden, losgelöst von allen Einflüssen der Außenwelt. Mit dem Handwerk hatte man die Kunst fusioniert, doch nicht mit der Industrie. Um das Bauhaus zum Erfolg zu führen, hätten sich die Künstler von mystisch visionären Expressionisten zu praktischen Ingenieuren und Technikern im Sinne des *Konstruktivismus wandeln müssen. Künstler von *De Stijl wie El Lissitzky (der die Schule 1921 besuchte) und Theo van Doesburg (der zwischen 1921 und 1923 unabhängige Seminare über die Prinzipien von De Stijl in Weimar abhielt) machten ihren Einfluss geltend, um diese Veränderung zu bewirken. Nach kurzer Auseinandersetzung verließ Johannes Itten 1923 das Bauhaus und wurde von dem Ungarn László Moholy-Nagy (1895–1946) abgelöst, einem technisch orientierten Künstler, in dessen Werken und Ideen seine Verbindungen zum *Ungarischen Aktivismus, zu De Stijl und zum Konstruktivismus zu erkennen waren. László Moholy-Nagy und der ehemalige Bauhaus-Schüler Josef Albers (1888–1976) verlagerten den Schwerpunkt des Vorkurses und ermutigten die Studenten, sich vor allem der praktischen Seite ihrer Arbeit zuzuwenden und mit neuen Techniken und Materialien zu experimentieren. Moholy-Nagy änderte auch die Praxis der Metallwerkstätten. Statt, wie bisher, einzelne handgefertigte Werkstücke zu produzieren – ein Student bezeichnete sie etwas abfällig als »spirituellen Samowar« und »intellektuellen Türknauf« –, wurden jetzt praktische Entwürfe von Prototypen für die Industrie geschaffen. Ähnliche Veränderungen gab es auch in der Theaterwerkstatt, wo Schlemmer 1923 an die Stelle von Schreyer trat.

Diese neue Entwicklung wurde durch eine bedeutende Bauhaus-Ausstellung publik gemacht, die Gropius 1923 organisierte. Die veränderte Politik des Hauses war am Thema der von Gropius zum Anlass der Ausstellung gehaltenen Rede zu erkennen – »Kunst und Technik – eine neue Einheit«. Einer der Höhepunkte der Ausstellung war ein von Muche und Meyer entworfenes Modellhaus, der Prototyp eines funktionalen, billigen, in Massenproduktion aus den neuen Materialien Stahl und Beton herstellbaren Hauses, das mit maßangefertigten Teppichen, Heizungen, Fliesen, Lampen, Kücheneinrichtung und Möbeln aus den Bauhauswerkstätten ausgestattet werden konnte.

Doch gerade als das staatlich subventionierte Bauhaus rentabel zu werden begann, änderte sich das politische Klima in Weimar. Das Bauhaus, das eine sozialistische Politik vertrat, bekam den Rechtsruck zu spüren; die nationalistische Mehrheit der Weimarer Regierung beschloss 1925 die Streichung der Mittel für das Bau-

Oben: **Peter Keler, Wiege nach Wassily Kandinsky, 1922**
Die Wiege des Bauhausstudenten Keler spiegelt den Einfluss der Formenlehre Ittens, Kandinskys und Klees wieder. Die einfachen geometrischen Formen wurden zu einem stilistischen Merkmal des Bauhausdesigns.

Links: **Marianne Brandt und Hein Briedendiek, Nachttischlampe, entworfen für Körting und Mathiesen, 1928**
Die Arbeiten, die in den Dessauer Werkstätten entstanden, gaben dem Bauhaus eine klare visuelle Identität und brachten ihm den Ruf ein, schnittiges, funktionales Industriedesign zu liefern.

haus. Nach der Selbstauflösung zog das Bauhaus in das sozialistische Dessau, das sogar die Mittel zum Bau neuer Schul- und Wohngebäude für die Studenten und den Lehrkörper zur Verfügung stellte.

Nach der Umsiedlung nach Dessau hoffte Gropius, nun endlich auch die Architektur in die Lehre einbeziehen zu können. Eine diesbezügliche Erklärung fasste bereits die Prinzipien des später von ihm geschätzten *International Style zusammen; sein Ziel war es, eine klare, organische Architektur zu schaffen, deren innere Logik strahlend und bloß sei, nicht belastet durch verlogene Fassaden und andere Tricks. Eine Architektur, die an die moderne Welt der Maschinen, der Radios und schnellen Autos angepasst sei, eine Architektur, deren Funktion durch ihre Formen klar erkennbar sei.

Eine weitere wichtige Veränderung in Dessau war die Anstellung von sechs ehemaligen Studenten: Marcel Breuer (1902–1981), Herbert Bayer (1900–1985), Gunta Stölzl (1897–1983), Hinnerk Scheper (1897–1957), Joost Schmidt (1893–1948) und Josef Albers. Als zur ersten Generation von Bauhausabsolventen gehörig, waren sie vielseitig und sowohl theoretisch und praktisch in verschiedenen Disziplinen bewandert. Die Arbeiten, die in den neuen, 1927 unter dem Schweizer Architekten Hannes Meyer (1889–1954) eingerichteten Architekturklassen und ihren Werkstätten produziert wurden, schufen ein neues Bauhaus-Design, das sich durch Schlichtheit, verfeinerte Linien und Formen, geometrische Abstraktion, die Verwendung von Primärfarben und den Einsatz neuer Materialien und Techniken auszeichnete. Wichtige Beispiele sind Bayers serifenlose, stark vereinfachte Kleinbuchstabenschrift Universal, Breuers Stahlrohrmöbel und das soziale Wohnungsprojekt in Dessau-Törten (1926–1928).

Nachdem Gropius neun Jahre seines Lebens der Verwaltung der Schule gewidmet hatte, wollte er sich wieder seinen privaten Interessen zuwenden. Er trat 1928 zurück und ernannte Meyer zu seinem Nachfolger. Doch Meyers kompromisslos linkslastige Haltung machte ihn bei den Kollegen nicht sehr beliebt. Moholy-Nagy, Breuer und Bayer klagten, der Gemeinschaftsgeist sei von individuellem Konkurrenzdenken abgelöst worden, und kündigten. Die Schule entwickelte sich nun zu einer berufsbezogenen Ausbildungsstätte für Architekten und Industriedesigner. Es wurden neue Kurse angeboten, darunter Stadtplanung von Ludwig Hilberseimer (1885–1967) und Fotografie von Walter Peterhans (1897–1960). Gastdozenten hielten Vorlesungen über Soziologie, marxistische politische Theorie, Physik, Ingenieurwesen, Psychologie und Ökonomie. Unter Meyers Leitung hatte die Institution erstmals kommerziellen Erfolg. Körting und Mathiesen begannen Lampen zu produzieren, die in der Metallwerkstatt von Marianne Brandt (1893–1983), ebenfalls ehemalige Bauhausstudentin, entworfen worden waren. Tapeten aus der Werkstatt für Wandmalerei gingen ebenfalls in Serienfertigung und auch die Werkstätten für Möbelbau, Werbung und Textilien erhielten Außenaufträge.

Meyers marxistische Politik brachte ihn allerdings bald mit der Lokalregierung in Konflikt. 1930 wurde er zum Rücktritt gezwungen und von dem Architekten Ludwig Mies van der Rohe (1886–1969, siehe auch Deutscher Werkbund und Der Ring) abgelöst. Mies van der Rohe führte eine strengere Disziplin ein und bemühte sich um eine Trennung von Schule und Politik. Nach dem Sieg der Nationalsozialisten bei den Gemeinderatswahlen von 1931 wurde die Schule beschuldigt, zu kosmopolitisch und nicht deutsch genug zu sein, und 1932 wurden die Zuschüsse gestrichen. Die Übersiedlung nach Berlin und die Umwandlung in eine private Institution waren die letzten Versuche, die Schule zu retten, doch im April 1933 wurde sie von den Nazis zwangsweise geschlossen, weil sie angeblich eine der letzten Fluchtburgen jüdisch-marxistischer Kunst-Konzeption darstellte.

Damit trugen die Nazis unwissentlich zum Ruhm der Schule bei. Während das Bauhaus als Institution 1933 sein Ende fand, verbreiteten sich seine Ideen mit rasanter Geschwindigkeit. Bereits durch die Zeitschrift *Bauhaus* (1926–1931) und durch die 14 Bauhaus-Bücher über Kunst und Gestaltungstheorie, die von Gropius und Moholy-Nagy zwischen 1925 und 1930 gemeinsam herausgegeben worden waren, hatten Ideologie und Ruf des Hauses ein breites Publikum erreicht. Die erzwungene Auswanderung vieler Mitglieder des Lehrkörpers verbreitete die Ideen nun rund um den Erdball.

Die bekanntesten Lehrer emigrierten via London in die USA, wo sie als Helden empfangen wurden. Gropius und Breuer gingen an die Harvard University, Moholy-Nagy eröffnete in Chicago 1937 das New Bauhaus, aus dem dann das Chicago Institute of Design wurde. Mies van der Rohe wurde Dekan der Architekturabteilung des Armour Institute in Chicago (später Illinois Institute of Technology), Albers lehrte am Black Mountain College in North Carolina und Bayer konzipierte und organisierte 1938–1939 eine große Ausstellung von Bauhaus-Werken am Museum of Modern Art in New York. Obwohl nicht so viele Entwürfe in die Massenproduktion gingen, wie die Leiter des Bauhauses es sich gewünscht hätten, stellte diese Entwicklung dennoch sicher, dass das Bauhaus-Ethos des funktionalen Designs das Industriedesign des gesamten 20. Jahrhunderts nachhaltig beeinflusste.

Wichtige Sammlungen

Bauhaus-Archiv, Museum für Gestaltung, Berlin
Busch-Reisinger Museum, Harvard University, Cambridge,
  Massachusetts
Fine Arts Museum of San Francisco, San Francisco, Kalifornien
Minneapolis Institute of Arts, Minneapolis, Minnesota
Paul Klee Zentrum, Bern

Weiterführende Literatur

E. Neumann, *Bauhaus and Bauhaus People* (1970)
J. Itten, A. Itten, *Gestaltungs- und Formenlehre: mein Vorkurs
  am Bauhaus und später* (Ravensburg, 1997)
M. Droste, *Bauhaus 1919–1933* (Köln, 1998)
R. K. Wick, *Bauhaus – Kunstschule der Moderne*
  (Ostfildern-Ruit, 2000)

Präzisionismus

Unsere Fabriken sind unsere Ersatzreligion.

CHARLES SHEELER

Der Präzisionismus, auch kubistischer Realismus genannt, war eine Art amerikanischer Modernismus der 1920er-Jahre. Seine typischen Charakteristika waren die Verwendung kubistischer Konstruktionen und die Maschinenästhetik der *Futuristen, angewendet auf spezifisch amerikanische Sujets – Farmen, Fabriken und Maschinen, die integraler Bestandteil amerikanischer Landschaften waren. Der Maler und Fotograf Charles Sheeler (1883–1965) prägte die Bezeichnung und beschrieb damit sehr treffend sowohl seine gestochen scharfen Fotografien als auch seine quasi-fotografischen Gemälde.

In der »Armory Show« von 1913 stellte Sheeler Bilder aus, die vom Stil Paul Cézannes (siehe Post-Impressionismus) und Henri Matisses (siehe Fauvismus) beeinflusst waren; Sheeler hatte deren Werke auf Europareisen gesehen. Auch die Arbeiten von Pablo Picasso und Georges Braque (siehe Kubismus) interessierten ihn. 1910 pachtete er zusammen mit Morton Schamberg (1881–1918, siehe Dada), ebenfalls ein Präzisionist, eine Farm. Dort entwickelte er eine Faszination für Landmaschinen, die später ihren Weg in seine Arbeiten fand. Sheeler war zudem sehr darauf bedacht, seine fotografischen Künste zu entwickeln, ja, er wollte Fotografie und Malerei so miteinander vermischen, dass die Maltechnik kein Hindernis beim Sehen mehr darstellte.

In den Augen vieler Amerikaner der 1920er-Jahre waren Maschinen faszinierende Wunderwerke, und die Möglichkeiten der Massenproduktion (symbolisiert durch Henry Fords Fließbänder, die es jedem Amerikaner ermöglichen sollten, sein eigenes Auto zu besitzen) schienen ihnen das Zeitalter der Befreiung der Menschheit einzuläuten. Sheeler selbst – von der Ford Motor Company beauftragt, ihre River Rouge Fabrik in Detroit zu fotografieren – wurde vom amerikanischen Industrie-Traum verführt; er verlieh den Maschinen und Fabrikgebäuden in seinen Bildern eine solche Würde, Monumentalität und Nobilität, als wären sie Kathedralen.

Das vielleicht berühmteste präzisionistische Gemälde ist eine Arbeit von Charles Demuth (1883–1935), *The Figure 5 in Gold* (Die Zahl Fünf in Gold, 1928). Es ist sowohl ein Plakat-Porträt seines Freundes, des Dichters William Carlos Williams, als auch eine Interpretation von dessen Gedicht »The Great Figure«, das von einem Löschwagen auf dem Weg zum Einsatz handelt. Demuth fügte Namen und Initialen seines Freundes und seine eigenen in das Bild ein. Ganz allgemein gesehen, besonders jedoch in diesem Bild,

Oben: **Charles Demuth**, *Moderne Bequemlichkeit*, **1921**
Demuth kombiniert in seinen Gemälden kräftige horizontale, vertikale und diagonale Linien. Sein Einsatz von »Strahlenlinien« zur Verdeutlichung der Interaktion zwischen Licht und Oberfläche erinnert an die Technik der Futuristen. Bei ihm allerdings ist der Effekt kühl und monumental.

nimmt der Präzisionismus mit seiner Betonung amerikanischer Thematik die *Pop Art vorweg, und Demuth selbst war Gegenstand einer Hommage des Pop-Art-Künstlers Robert Indiana in dessen Bild *The Demuth Five* von 1963.

Wie die Präzisionisten waren auch die *Dadaisten von Maschinen fasziniert. Marcel Duchamps *Schokoladenreibe* I und II von 1913 und 1914 sowie Francis Picabias Maschinenporträts waren wichtige Vorbilder für die Präzisionisten. Nach der Gründung des New Yorker Dada im Jahr 1915, zu dessen Mitgliedern auch Morton Schamberg gehörte, trafen sich Avantgarde-Künstler beider Gruppen regelmäßig zu Diskussionen in der Wohnung der Sammler Walter und Louise Arensberg. Weitere Präzisionisten waren Preston Dickinson (1891–1930), Louise Lozowick (1892–1973) und Ralston Crawford (1906–1978).

Obwohl hauptsächlich für ihre biomorphen Abstraktionen von Blumen, Pflanzen und Landschaften bekannt, ist auch die kubistischrealistische Malerin Georgia O'Keeffe (1887–1986) mit Bildern von New Yorker Wolkenkratzern wie *Radiator Building – Night, New York* von 1927 dem Präzisionismus zuzurechnen. Befreundet mit Demuth, lernte sie zunächst in einer von japanischer

Kunst beeinflussten, zweidimensionalen Manier zu malen und interessierte sich später für Fotografie. Der Fotograf Alfred Stieglitz (1864–1946), der ihr Ehemann wurde, förderte ihre Arbeit durch Ausstellungen in seiner Galerie; in ihrem reiferen Werk wandte sie die bei ihm erlernten fotografischen Techniken an, wie etwa Nahaufnahmen und die Vergrößerung von Ausschnitten.

Der Präzisionismus war die wichtigste Entwicklung im amerikanischen Modernismus der 1920er-Jahre. Sein Einfluss macht sich bei vielen späteren Generationen gegenständlich und abstrakt arbeitender Künstler bemerkbar; ein Beispiel ist Fernand Légers Maschinen-Kubismus der 1940er-Jahre. Die vereinfachten, abstrakten Formen, die sauberen Linien und Oberflächen sowie die kommerziellen Themen nehmen sowohl die Pop Art als auch den *Minimalismus vorweg. Die Vermeidung sichtbarer Pinselstriche und der Respekt vor Sorgfalt und handwerklichem Können kündigen den *Hyperrealismus der 1970er-Jahre an.

Wichtige Sammlungen
Butler Institute of American Art, Youngstown, Ohio
Carnegie Museum of Art, Pittsburgh, Pennsylvania
Metropolitan Museum of Art, New York
Museum of Modern Art, New York
Whitney Museum of American Art, New York

Weiterführende Literatur
A. Ritchie, *Charles Demuth, with a tribute to the artist by Marcel Duchamp* (1950)
A. Davidson, *Early American Modernist Painting, 1910–1935* (1981)
K. Lucic, *Charles Sheeler and the Cult of the Machine* (1991)

▮ Art Déco

In unserer heutigen Zeit kontrastiert die Schlichtheit der Form mit der Fülle der Materialien … Die Schlichtheit der Moderne ist reich und luxuriös.

ALDOUS HUXLEY, 1930

Das »Jazz-Zeitalter«, beschrieben im Roman *Der große Gatsby* (1925) von F. Scott Fitzgerald, lässt vor dem geistigen Auge die Zeit der Hängerkleider, des Charleston und Tango erstehen. Eine Zeit, in der die Menschen das Trauma des Ersten Weltkriegs vergessen, sich amüsieren und in die Zukunft blicken wollten. Die modebewusste feine Gesellschaft verlangte nach beschleunigter Lebensart, Reisen, Luxus, Freizeit und Modernität, und Art Déco gab ihr die Bilder und Objekte, die diese Wünsche zu befriedigen schienen.

In den 1920er- und 1930er-Jahren war die Bezeichnung Art Déco noch unbekannt. In Frankreich sprach man vom »Style moderne« oder »Paris 1925«, nach der Kunstgewerbeausstellung »Exposition Internationale des Arts Décoratifs et Industriel Modernes« von 1925. Hier wurde erstmals der neue für die angewandten Künste und die Architektur kreierte Stil vorgestellt, der die Phantasien der Künstler weltweit beflügeln sollte. Erst Mitte der 1960er-Jahre kam der Name auf, unter dem die Richtung heute bekannt ist.

Lange Zeit galt der Art Déco als die Antithese der *Art Nouveau, ja des Modernismus überhaupt, doch er hatte mit beiden Gemeinsamkeiten. Ideologisch versuchte er, wie die Vorläufer in der Arts-and-Crafts- und der Jugendstil-Bewegung, die Unterschiede zwischen bildender und dekorativer Kunst zu eliminieren und bestätigte die wichtige Rolle, die der Künstler, der auch Kunsthandwerker war, in Design und Produktion spielte. Die verschwenderische Ornamentik des Art Déco wurde von den Anhängern der strengeren Richtungen des Modernismus, wie Le Corbusier und *Bauhaus, kritisiert, doch teilten sie die Begeisterung für die Maschine, für geometrische Formen, neue Materialien und Technologien.

Im Grunde nahm der Art Déco als ein luxuriöser, äußerst dekorativer Stil in Frankreich seinen Anfang, verbreitete sich dann bald über die Welt – besonders rasch jedoch in den USA – und entwickelte sich dort in den 1930er-Jahren zum eher Stromlinienförmigen und Modernistischen hin. Die Pariser Ausstellung von 1925 war eine von der Regierung unterstützte Initiative, die auf das Jahr 1907 zurückging, als man mit dem Ziel, neue Exportmärkte für französische Produkte zu erschließen, die Zusammenarbeit von Künstlern, Kunsthandwerkern und Herstellern förderte. Während der langen Vorbereitungszeit der Ausstellung machten die aus der Kunstwelt und anderen Bereichen kommenden Beteiligten unterschiedliche Entwicklungen durch. Einflüsse von *Fauvismus, *Kubismus, *Futurismus, *Expressionismus und Abstraktion spiegeln sich in den Linien, Formen und Farben des Art Déco. Vor allem die geometrischen Motive und rechtwinkligen Entwürfe der Jugendstilkünstler Charles Rennie Mackintosh und Josef Hoffmann beeindruckten die Designer des Art Déco sehr.

Ereignisse außerhalb der Kunstwelt erwiesen sich als noch stimulierender. Die exotischen Bühnenbilder und Kostüme von Sergej Diaghilews Ballets Russes zum Beispiel, vor allem die Entwürfe von Léon Bakst (siehe Welt der Kunst), inspirierten die Modeschöpfer

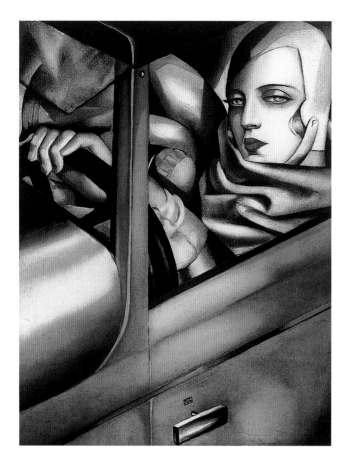

zu orientalisch und arabisch anmutenden Kreationen. Die Entdeckung des Grabes von Tutenchamun im Jahr 1922 läutete geradezu eine Phase der Ägyptomanie ein, ägyptische Motive und metallische Farben waren der letzte Schrei. Die amerikanische Jazz-Kultur, repräsentiert durch die Tänzerin Josephine Baker, beflügelte die Phantasien ebenso wie die »primitive« afrikanische Schnitzkunst.

Modeschöpfer und Architekten übernahmen die Führung. Der Couturier Paul Poiret (1879–1944) und der Architekt und Formgestalter Louis Süe (1875–1968) besuchten die Wiener Werkstätte (siehe Wiener Sezession) und waren beeindruckt von den eleganten, geradlinigen Jugendstil-Entwürfen und dem von allen Mitgliedern praktizierten Konzept des umfassenden Designs. Nach Paris zurückgekehrt, eröffneten sie den Prototyp eines Art-Déco-Studios, wo sie ihre ersten Entwürfe präsentierten, die schon die im Jugendstil vorherrschende, ausgeprägt geometrische Linie bei der Wiedergabe natürlicher Formen zeigten. 1911 gründete Poiret seine École d'Art Décoratif Martine und das Atelier Martine, um seine kubistisch inspirierten Möbel sowie seine floral gestalteten Dekorationsgegenstände und Textilentwürfe zu produzieren. Leuchtende Farben, natürliche Formen und eine Melange aus exotischen Einflüssen kennzeichneten bald den »Martine-Stil«. In der Mode erwies sich Poiret als noch revolutionärer, denn er kreierte eine neue Damenmode, die völlig auf das Korsett verzichtete. Illustrationen seiner Entwürfe von Paul Iribe (1883–1935) und Georges Lepape (1887–1971), die in den Zeitschriften *Gazette du Bon Ton* und *Modes et*

Manières d'Aujourd'hui erschienen, stellten den Erfolg sicher. Die Modeillustration erwies sich als eine der überraschendsten neuen Kunstrichtungen der Zeit. George Barbier (1882–1932), Umberto Brunelleschi (1879–1949), Erté (1892–1990) und Charles Martin (1884–1934) waren alle in diesem Bereich tätig. Der Maler Raoul Dufy (siehe Fauvismus) arbeitete für das Atelier Martine als Textildesigner und schuf 14 Wandbehänge für Poirets Modenschau, die er auf der Ausstellung von 1925 präsentierte. Poirets Ausstellungsstücke waren in drei spektakulären, mit Blumen bemalten Lastkähnen untergebracht, die unter der Brücke Alexandre III ankerten.

Auch die französischen Möbel jener Zeit waren sehr beliebt. 1919 gründeten Louis Süe und der französische Malermeister André Mare (1885–1932) La Compagnie des Arts Français und wurden bald berühmt für ihre traditionell inspirierten Möbel aus Luxusmaterialien. Ihr Pavillon auf der Ausstellung von 1925, »Un Musée d'Art Contemporaine«, wo sie in einem reich ausgestatteten Musikzimmer mit Blattgold überzogene Möbel ausstellten, fand viel Beachtung, ebenso das »Hôtel du Collectionneur«, eine opulente Ausstellung der Möbel von Jacques-Emile Ruhlmann (1879–1933). Seine superb gestalteten, eleganten Möbelstücke, furniert mit seltenen exotischen Hölzern, sind sozusagen der Inbegriff der extravaganten Linie des Art Déco. Andere bedeutende Art-Déco-Möbeldesigner in Frankreich waren die gebürtige Irin Eileen Gray (1878–1976), der Illustrator Paul Iribe, André Groult (1884–1967), Jean Dunand (1877–1942), Paul Follet (1877–1941) und Pierre Chareau (1883–1950). Einige von ihnen beschäftigten sich auch mit Innenarchitektur, Textildesign, Schmuck, Metallwaren, Tapeten, Lampen, Leuchten, Glas und Keramik, die alle in verschiedenen Pavillons der Ausstellung von 1925 gezeigt wurden.

Zwar vertraten überwiegend Designer und Architekten den Art-Déco-Stil, doch auch Maler schlossen sich dieser Richtung an, darunter die in Paris lebende, aus Polen stammende Tamara de Lempicka (1902–1980), René Buthaud (1886–1986), Raphaël Delorme (1885–1962), Jean Gabriel Domergue (1889–1962), André Lhote (1885–1962) und Jean Dupas (1882–1964), dessen Gemälde *Die Papageien* 1925 im »Hôtel du Collectionneur« ausgestellt war. Die Avantgarde-Künstler Robert Delaunay (siehe Orphismus) und Fernand Léger (siehe Kubismus) steuerten Wandbilder für die Ausstellung von 1925 bei, und Roberts Frau, die Künstlerin Sonia Delaunay (1885–1979, siehe Orphismus) kreierte

Oben: **Tamara de Lempicka,** *Selbstporträt (Tamara in einem grünen Bugatti),* **um 1925**
Lempickas Gesellschaftsporträts sind von winkeligen Formen und metallischen Farben gekennzeichnet. Damit vertritt sie den späteren eher stromlinienförmigen Stil des Art Déco, die Welt der schicken jungen Männer und Frauen in ihrer hochmodernen Umgebung.

Gegenüber: **A. M. Cassandre,** *Normandie,* **1935**
Cassandres elegante Plakate für verschiedene Transportunternehmen drücken auf brillante Weise die Lust der Zeit an beschleunigter Lebensart und luxuriösen Reisen aus. Ähnliche Motive finden sich auch in den schicken Porträts der englischen Fotografin Madame Yevonde (1893–1975), wie etwa *Ariel,* 1935.

Kleider, Einrichtungsgegenstände und Textilien im Art-Déco-Stil. Ihr Beitrag zur Ausstellung, die »Boutique Simultanée«, war eine Zusammenarbeit mit dem Kürschner Jacques Heim.

Für die grafische Kunst erwiesen sich die vereinfachten Formen und die kräftigen Farben des Art Déco als ideal. Der in der Ukraine geborene französische Künstler Adolphe Jean-Marie Mouron (1901–1968), bekannt als Cassandre, war der berühmteste Plakatkünstler seiner Zeit. Auf der Pariser Ausstellung von 1925 gewann er für seine Plakatentwürfe den »Grand Prix«.

Die Ausstellung von 1925 erwies sich als internationaler Erfolg, vor allem in den USA beeindruckte sie sehr. Während der Art Déco in Frankreich schon seinem Niedergang entgegen sah, blühte er in Amerika erst richtig auf. Das New Yorker Metropolitan Museum of Art tätigte noch während der Ausstellung eine Reihe von Ankäufen und veranstaltete mit diesen sowie mit einigen Leihgaben aus Paris im Jahr 1926 eine Wanderausstellung durch verschiedene amerikanische Großstädte. Andere Ausstellungen, veranstaltet vom Metropolitan Museum of Art, aber auch von großen Kaufhäusern, folgten in den 1920er- und 1930er-Jahren. Die Aus-

stellung des Metropolitan Museum of Art von 1933, »Amerikanische Quellen moderner Kunst: Azteken, Maya, Inka«, machte das Publikum mit weiteren »exotischen« Quellen vertraut. Der Art-Déco-Stil, der sich in den USA entwickelte, nahm diese Einflüsse ebenso an wie die französischen Impulse. Am hervorstechendsten war jedoch auch hier die Betonung der Ästhetik der Maschine. Der amerikanische Art Déco ist deutlich geometrischer und stromlinienförmiger als die französische Variante.

Der amerikanische Architekt William van Alen (1883–1954) und der Designer Donald Deskey (1894–1989) hatten beide die Pariser Ausstellung von 1925 besucht. Bei ihrer Rückkehr begannen sie sofort, exotische Art-Déco-Dekorationen mit der Quintessenz der amerikanischen Form, dem Wolkenkratzer, zu fusionieren. Die schlichten, aber vielfältigen Motive des Art Déco eigneten sich hervorragend zur Verwendung in der Architektur. Deskey sagte dazu, die ornamentale Syntax bestehe fast nur aus wenigen Motiven wie Zickzack, Dreieck und wellenartigen Kurven. Diese wenigen Details, an den neuen Gebäuden angebracht, veränderten die New Yorker Skyline in den 1930er-Jahren vollkommen.

Oben **links: William van Alen, Chrysler Building, New York, 1928–1930**
Mit Gespür für den großen Showeffekt setzte man die 27 Tonnen schwere Spitze heimlich im Inneren des Gebäudes zusammen und hob sie dann am Stück auf die Kuppel, sodass sie sich – zur Verwunderung der unten versammelten Menge – wie ein Schmetterling aus dem Kokon zu entfalten schien.

Oben rechts: **Die New York Skyline beim Bal des Beaux Arts, 1932**
Nur ein Jahr nach Fertigstellung des Chrysler Building wurde das noch höhere Empire State gebaut, doch in Sachen Stil – das scheinen auch diese Partygäste anzuerkennen – war es unübertrefflich.

Gegenüber links: **Sloan & Robertson, Badezimmer, Chanin Building, New York, 1928–1929**
Das 56 Stockwerke hohe Chanin Building, nach dem prominenten New Yorker Bauunternehmer Irwin Chanin benannt, wurde in nur 205 Tagen erbaut. Das preisgekrönte Badezimmer befindet sich im 52. Stock.

Gegenüber rechts: **Oliver Bernard, Foyer des Strand Palace Hotel, London, 1930**
Einige Hotels in London, wie das Savoy und das Claridge, weisen Inneneinrichtungen im Art-Déco-Stil der 1930er-Jahre auf, doch das Strand war bezüglich der eleganten Raumaufteilung unübertroffen.

Ein wichtiges Beispiel ist van Alens Chrysler Building (1928–1930). Mit seinen stufig angeordneten, metallverblendeten Rundbögen, die auf die Tätigkeit der Firma Chrysler verweisen und zugleich den Wolkenkratzer an sich glorifizieren, ist der Bau eine Ikone der Art-Déco-Architektur. Sowohl der Entwurf als auch die für den Bau verwendeten Materialien zelebrieren das Thema Wolkenkratzer. Die ausgesprochen amerikanische Verschmelzung des Art Déco mit der Wolkenkratzer-Ästhetik schlug sich auch in vielen Bereichen außerhalb der Architektur nieder. John Storrs (1885–1956) Skulpturen, das Cocktail-Service mit Tablett des Industriedesigners Norman Bel Geddes (1893–1958) und die Wolkenkratzer-Möbel von Paul T. Frankl (1879–1962) sind nur drei von zahllosen Beispielen.

Auch bei Innenausstattungen wurde der Stil erfolgreich angewandt. Deskey gestaltete die Innenräume der Radio City Musik Hall in New Yorks Rockefeller Centre (1930–1932); die Räume sollten, wie er sagte, vollkommen und kompromisslos zeitgenössisch in der Wirkung sein, absolut modern, was die Möblierung, die Tapeten, die Wandbilder, aber auch die technische Ausstattung für die Bühnendarbietungen anbelangte. Die Räume wurden nach Themen gestaltet und mit Wandbildern von bedeutenden Künstlern dekoriert. Neue Materialien wie Bakelit, Resopal, Spiegelglas, Aluminium und Chrom fanden bei diesem Meisterstück des neuen Stils Verwendung.

Von New York aus verbreitete sich der Stil rasch über die ganzen USA, wo nun überall Fassaden, Eingangshallen und Innenausstattungen im Art-Déco-Design zu sehen waren. Die regionalen Unterschiede waren gering, lediglich Miami Beach in Florida machte eine Ausnahme, denn hier verknüpfte man in der Architektur den Art Déco mit einem modernistischen Idiom aus leuchtenden tropischen Farben. Es war eine populäre, demokratische Architektur, gebaut als Ferienort für diejenigen, die nicht über das Geld oder den Status verfügten, um im exklusiven Palm Beach zugelassen zu werden. Auch anderswo, sowohl in den USA als auch in Europa, erreichte der moderne Stil die breite Öffentlichkeit, denn man verwendete ihn für die vielen Lichtspielhäuser, die in den 1920er- und 1930er-Jahren aus dem Boden schossen; er war hier so verbreitet, dass man ihm den Spitznamen »Odeon-Stil« gab.

Alles wurde vom Art-Déco-Stil erfasst: Schmuck und Feuerzeuge, Filmkulissen und Kinobauten, Einrichtungsgegenstände, Luxusdampfer und Hotels. Sein Überschwang und seine Phantasie fingen den Geist der »Goldenen Zwanziger« ein und boten zugleich eine Fluchtmöglichkeit vor den harten Realitäten der Wirtschaftskrise der 1930er-Jahre.

Wichtige Sammlungen
Cooper-Hewitt Museum, New York
Metropolitan Museum of Art, New York
Musée de la Publicité, Paris
Victoria & Albert Museum, London
Virginia Museum of Fine Arts, Richmond, Virginia
Whitney Museum of American Art, New York

Weiterführende Literatur
A. Duncan, *Art Déco* (Stuttgart, 1986)
A. Duncan, *American Art Déco* (1986)
H. Wichmann, *Design contra Art Déco* (München, 1993)
B. Hillier, S. Escritt, *Art Déco* (Stuttgart, 1997)

École de Paris

Emigranten, durch das gemeinsame Band des Alters oder der Rasse verbunden, verliebten sich in die Stadt Paris und ließen sich dort nieder.

PIERRE CABANNE UND PIERRE RESTANY, 1969

École de Paris (Schule von Paris) ist eine Bezeichnung für die internationale Künstlergemeinde, die sich um 1910 in Paris zusammenfand. Sie vertrat keinen eigenen strikten Stil, vielmehr erkannten ihre Mitglieder Paris als das Zentrum der Kunst der Welt an (allerdings nur bis zum Zweiten Weltkrieg), sozusagen als Symbol des kulturellen Internationalismus. Zwar erklärte die École de Paris zu verschiedenen Zeiten jeden Künstler als ihr zugehörig, der mit einer der in Paris ins Leben gerufenen modernen Kunstrichtungen – vom *Post-Impressionismus bis zum *Surrealismus – verknüpft war. In einem engeren Sinne jedoch ist lediglich die internationale Gemeinschaft modernistischer Künstler gemeint, die zwischen den beiden Weltkriegen in Paris lebte und arbeitete.

Paris war aus vielen Gründen attraktiv für ausländische Künstler: Es herrschten keine politischen Repressionen, ökonomisch war es relativ stabil, die großen Meister der modernen Kunst waren hier versammelt – Picasso, Braque, Rouault, Matisse und Léger (siehe Fauvismus, Kubismus und Expressionismus) –, und die Stadt wimmelte von Galerien, Kritikern, Sammlern und Mäzenen. Die gegenseitige Befruchtung der Künstler durch die vielen Ideen, Anregungen und Stile war ebenfalls ein wichtiger Aspekt der Schule von Paris.

Oft wurden Künstler, die sich nicht in irgendeine spezifische Kategorie einordnen ließen, der Schule zugerechnet, darunter die ungarischen Fotografen Brassaï (Gyula Halász; 1899–1984) und André Kertész (1894–1985), Bildhauer wie der Katalane Julio Gonzales (1876–1942), der Ukrainer Alexander Archipenko (1887–1964) und der Rumäne Constantin Brancusi (1876– 1957).

Brancusi, einer der einflussreichsten Bildhauer des 20. Jahrhunderts, ist für seine außerordentlich fein gearbeiteten Skulpturen berühmt, die fast bis zur Abstraktion vereinfacht sind. Dennoch bleibt immer ein Gefühl für die Herkunft der natürlichen Form erhalten; so enthüllt sich Brancusis Suche nach dem Wesen, der Essenz der Dinge, sei es nun Schöpfung, Flucht, Leben oder Tod.

Gegenüber: Marc Chagall, *Geburtstag*, 1915
Chagalls Heirat mit Bella Rosenfeld im Jahr 1915 lieferte ihm eine Inspiration für eine Reihe von Gemälden, die von Liebenden handeln. In diesem traumähnlichen Bild lässt die Liebe das Paar buchstäblich schweben.

Oben: Amedeo Modigliani, *Sitzender Akt*, 1912
Modiglianis Leben ist Legendenstoff. Seine Armut und Krankheit, durch Drogen und Alkohol noch verschlimmert, sein trunkener Exhibitionismus und der Streit mit seinen Freundinnen sind fast ebenso bekannt wie seine eleganten, hypnotischen Porträts und Aktbilder.

Einfachheit, so sagte er einmal, sei im Grunde immer Komplexität. Man müsse ihr Wesen mit der Muttermilch eingesogen haben, um ihre Bedeutung zu begreifen.

Der italienische Maler Amedeo Modigliani (1884–1920), der auch Plastiken schuf (durch ein Treffen mit Brancusi im Jahr 1909 dazu angeregt), der Russe Chaim Soutine (1893–1943), der Bulgare Jules Pascin (1885–1930) und der Franzose Maurice Utrillo (1883–1955) bildeten eine Untergruppe der Schule von Paris, die ihrer armseligen Lebensbedingungen wegen les maudits (die Verfluchten) genannt wurden. Ihr Fluch waren ihre Armut, Krankheiten, Verzweiflung und eine selbstzerstörerische Lebensweise. Wenn Modigliani der Archetyp des Bohemiens war, dann war Soutine der gequälte Exzentriker. Nicht nur für seine obsessive, ekstatische Malweise war er allgemein bekannt, sondern auch für seine Missachtung jeglicher Hygiene.

Soutines intensive Farben und seine expressive Pinselführung zeichnen ihn als verwandten Geist der frühen *Expressionisten wie Emil Nolde oder Oskar Kokoschka aus. Während Soutins Gemälde inneren Aufruhr, Wut und Qual ausdrücken, könnten die Bilder eines anderen Malers der École de Paris, die seines Freundes und Landsmannes Marc Chagall (1887–1985), nicht gegenteiliger sein. Durch eine Synthese aus seiner Imagination, fauvistischen Farben, kubistischer Raumteilung und der Bilderwelt der russischen Folklore, schuf er phantastische Bilder von lyrischer Expressivität, die von seiner Liebe zum Leben und zur Menschheit sprechen.

Die magische, kosmopolitische Welt der Schule von Paris kam mit dem Einmarsch der Nationalsozialisten in Paris abrupt zu einem Ende. Der amerikanische Kunstkritiker Harold Rosenberg fing das Wesen der informellen Gruppe 1940 in seinem Essay *The Fall of Paris* (Der Fall von Paris) ein, der im Kern ein Nachruf auf die verlorene Epoche war. Er schrieb darin: »In der École de Paris, die keinem einzelnen Land angehörte, sondern den Ländern und der Zeit der ganzen Welt, und die überall relevant war, katapultierte sich der Geist des 20. Jahrhunderts bereits in jene Möglichkeiten, die die Menschheit noch in vielen kommenden Zyklen sozialer Abenteuer beschäftigen werden.«

Wichtige Sammlungen
Albright-Knox Art Gallery, Buffalo, New York
Art Institute of Chicago, Chicago, Illinois
Centre Georges Pompidou, Paris
J. Paul Getty Museum, Los Angeles, Kalifornien
Metropolitan Museum of Art, New York
National Gallery of Art, Washington, D. C.

Weiterführende Literatur
B. Dorival, *The School of Paris in the Mussée d'Art Moderne* (1962)
The Circle of Montparnasse: Jewish Artists in Paris (Ausst.-Kat., Jewish Museum, New York, 1986)
Marc Chagall (Ausst.-Kat., Wilhelm-Hack-Museum, Ludwigshafen, 1990)

International Style

Das vorrangige Symbol der Architektur ist nicht länger der feste Backstein, sondern der offene Kasten.

HENRY-RUSSELL HITCHCOCK UND PHILIP JOHNSON, THE INTERNATIONAL STYLE, 1932

Der International Style, auch Internationaler Stil oder Neues Bauen genannt, war der dominante Baustil des Westens im zweiten Viertel des 20. Jahrhunderts. Charakteristisch dafür sind saubere, rechtwinklige Formen, flache Dächer, offene Innenräume, der Verzicht auf Ornamentik und die Verwendung neuer Materialien und Technologien. Zwei bekannte Entwürfe typisieren den Stil: Le Corbusiers strahlend weiße Betonhäuser der 1920er-Jahre (siehe Purismus) und Mies van der Rohes (siehe Bauhaus) gläserne Wolkenkratzer aus den 1940er- und 1950er-Jahren.

Der Internationale Stil steht für einen bemerkenswerten Zusammenfluss individueller Interessen der Europäer und der US-Amerikaner. Beeinflusst durch Louis Sullivan und die *Chicago School, Frank Lloyd Wright und die Prairie School sowie durch die *Arts-and-Crafts-Bewegung begannen einige europäische Avantgarde-Architekten einen ähnlichen Stil zu entwickeln, der ihrer Meinung nach zur modernen Zeit passte. Mit ihrem Interesse am neuen Architekturstil verfolgten sie zugleich auch das Ziel der gesellschaftlichen Erneuerung. Sehr allgemein ausgedrückt könnte man sagen, sie dachten sozialistisch und verfolgten utopische Ziele. Viele waren Mitglieder progressiver Bewegungen ihrer jeweiligen Herkunftsländer, wie dem *Deutschen Werkbund, *De Stijl, *Bauhaus, *Der Ring, *Arbeitsrat für Kunst, *Gruppo 7 oder *M.I.A.R. Drei Architekten – manchmal scherzhaft als die »Dreifaltigkeit« bezeichnet – bildeten sozusagen den Kern des Internationalen Stils: Walter Gropius (1883–1969), Le Corbusier (1887–1965) und Ludwig Mies van der Rohe (1886–1969).

Durch Zufall arbeiteten alle drei um 1910 im Berliner Büro von Peter Behrens (1868–1940, siehe Deutscher Werkbund). Behrens war an einer Zusammenarbeit zwischen Industrie und Kunst ganz besonders interessiert, und seine monumentale AEG-Turbinenhalle in Berlin (1908–1909) mit ihrer umfangreichen Glas- und Stahlkonstruktion stellte für spätere Architekten ein bedeutendes Vorbild dar. Um dieselbe Zeit begann der aus der Tschechoslowakei stammende Architekt Adolf Loos (1870–1933) seine Wohnhäuser nach überraschend neuen Richtlinien zu konzipieren. Loos hatte drei Jahre in Chicago bei Louis Sullivan zugebracht und sich dort Sullivans Verachtung des Ornamentalen zu Eigen gemacht, wie er 1908 in seinem bahnbrechenden Aufsatz »Ornament and Crime« (Ornament und Verbrechen) bekannte. Sein Steiner Haus in Wien (1910), eines der ersten Privathäuser aus Beton, war in einem kühlen, reinen Stil gehalten, den andere bald übernehmen sollten. Gropius spielte während der 1920er-Jahre eine Schlüsselrolle. Die Fagus-Schuhfabrik (1913) und das Bauhausgebäude in Dessau (1926), beide zusammen mit Adolf Meyer (1881–1929) entworfen,

sind exemplarisch. Ihre Charakteristika (Stahlrahmenstruktur, Glaswände, Fensterbänder) wurden von späteren Architekten vielfach imitiert. Gleichermaßen einflussreich waren Gropius' Publikationen und Vorlesungen, zunächst am Bauhaus und später dann an der Harvard Universität in den USA.

Zur selben Zeit dehnte Le Corbusier in Paris das Konzept der Maschinenästhetik, das er für seine puristische Malerei entwickelt hatte, auf Architektur und angewandte Kunst aus. Seine Einflussnahme auf die moderne Architektur wurde unter anderem durch seine Publikationen, wie die Erklärung *Almanach d'architecture*

Oben: Adolf Loos, Kärntner Bar, Wien, 1907
Für die Inneneinrichtung der Kärntner Bar verwendete Loos viele seiner bevorzugten Materialien, wie Marmor und Spiegel an den Decken, durch die er eine illusionistische Vergrößerung des Raums erzielte.

Gegenüber: Le Corbusier, Villa Savoye, Poissy, Frankreich, 1929–1931
Beim Bau dieses Hauses realisierte Le Corbusier seine »Fünf Punkte einer neuen Architektur« (1927). Kurz nach der Fertigstellung stand das Haus leer und verfiel. Am 16. Dezember 1965 zum »historischen Monument« erklärt, wurde es über einen Zeitraum von 20 Jahren restauriert.

(1926) und das Buch *Vers une architecture* (Kommende Baukunst) von 1923 ermöglicht; in letzterem formulierte er den berühmten Satz, das Haus sei eine Wohnmaschine. Le Corbusier, der ebenso Theoretiker wie Praktiker war, betonte in beiden Schriften, dass Weiträumigkeit, Licht und Luft ebenso wünschenswerte architektonische Elemente seien wie das rationale und flexible Design.

Zwei berühmte Beispiele für Le Corbusiers Arbeit sind die Villa Savoye in Poissy (1928–1931) und der Pavillon de l'Esprit Nouveau, der 1925 auf der Pariser »Exposition Internationale des Arts Décoratifs et Industriel Modernes« (der Kunstgewerbeausstellung, der *Art Déco seinen Namen verdankt) gezeigt wurde. Seine radikalsten Gedanken entwickelte Le Corbusier jedoch im Bereich der Stadtplanung. Sein berühmt-berüchtigter »Plan Voisin« (1924–1925) sah den Abriss großer bebauter Flächen in Paris zwischen Montmartre und der Seine vor, um Platz für 18 gigantische Hochhäuser zu schaffen.

Le Corbusier war im Juni 1928 in La Sarraz in der Schweiz auch Gründungsmitglied der CIAM (Congrès Internationaux d'Architecture Moderne), ein Diskussions- und Politforum für eine internationale Vereinigung von Architekten. Bei ihren regelmäßigen Zusammenkünften trugen die Mitglieder zum langsamen Durchbruch des Internationalen Stils bei. Beim letzten, 1959 abgehaltenen Treffen gab es in mehr als 30 Ländern der Erde angeschlossene Gruppierungen mit insgesamt 3000 Mitgliedern. In der ersten Phase (1928 bis um 1933) dominierten die deutschen Architekten mit Beiträgen über preiswerte Sozialwohnungen, effiziente Bau-

land- und Materialnutzung und Richtlinien zur Gewährleistung eines minimalen Lebensstandards. Nach der Abfassung der »Charta von Athen« im Jahr 1933 verlagerte sich der Schwerpunkt auf Stadtplanung und Städtebau, was Le Corbusiers wachsenden Einfluss innerhalb der Organisation verdeutlichte. In letzter Konsequenz führte dies zur Planung Brasilias (1956), der neuen Verwaltungshauptstadt Brasiliens, an der vor allem Lúcio Costa (1902–1998) und Oscar Niemeyer (geb. 1907) beteiligt waren.

Während der späten 1920er- und der 1930er-Jahre verbreitete sich der Gebäudetyp, den man 1927 bei der Ausstellung des Deutschen Werkbundes des in Stuttgart gesehen hatte und der nach 1928 von der CIAM vertreten wurde, rasch in ganz Europa und in den USA. Das Bibliotheksgebäude in Viipuri (1930–1935), entworfen vom finnischen Architekten Alvar Aalto (1898–1976), verdeutlichte die Expansion des Stils in den Norden, während der Italiener Giuseppe Terragni (1904–1943) mit seiner Casa del Fascio – Haus des Faschismus in Como – (1932–1936, siehe M.I.A.R.) bewies, dass der International Style nicht dem Sozialismus vorbehalten war. In Großbritannien wurden modernistische Gebäude von Einwanderern entworfen; einer der einflussreichsten war der russische Architekt Berthold Lubetkin (1901–1990), dessen Firma Tecton (1932–1948) zum Beipiel für Highpoint I, Highgate, London (1935) verantwortlich war. Das wichtigste Exportland allerdings waren die USA.

Die im Jahr 1932 unter dem Titel »Modern Architecture: International Exhibition« im New Yorker Museum of Modern Art ge-

zeigte Ausstellung war ein Meilenstein in der Geschichte des neuen Baustils, der nun durch das von Philip Johnson (geb. 1906) und Henry-Russell Hitchcock (1903–1987) verfasste Begleitbuch zur Ausstellung *The International Style: Architecture since 1922* endlich einen Namen bekommen sollte. Johnson und Hitchcock konzentrierten sich mehr auf das Erscheinungsbild und die Formsprache des europäischen Modernismus als auf seinen utopischen sozialistischen Hintergrund. Sie wollten die Loslösung vom Historismus, und anstelle von Stein und Backstein setzten sie Stahl, Beton und Glasummantelungen; sie folgten einer »Vorstellung von Architektur, der Volumen vor Masse geht«. Klarheit und Disziplin waren die von ihnen bewunderten Charakteristika und so gelangten sie (mit einer Verbeugung vor Louis Sullivan) zu der Maxime: »Weniger ist mehr«.

Die USA konnte sich bereits einiger modernistischer Gebäude rühmen. Die aus Wien eingewanderten Architekten Rudolph M. Schindler (1887–1953) und Richard Neutra (1892–1970) waren von Adolf Loos und Frank Lloyd Wright beeinflusst, wie sich an Schindlers Lovell Beach House in Newport Beach (1925–1926) und an Neutras Lovells Health House in Griffith Park, Los Angeles, (1927–1929) zeigte. Doch erst in den 1940er-Jahren fasste der International Style wirklich Fuß in den USA, was zum Teil mit dem Exodus der Avantgarde-Architekten aus Europa, vor allem aus Deutschland und Italien, zu tun hatte, die von ihren repressiven nationalistischen Regierungen vertrieben worden waren. Walter Gropius, Marcel Breuer (1902–1981, siehe Bauhaus) und Martin

Wagner (1885–1957, siehe Der Ring) erhielten Dozenturen in Harvard (wo Philip Johnson Anfang der 1940er-Jahre Architektur studierte), und Mies van der Rohe nahm einen Ruf nach Chicago an.

Mies van der Rohe, dessen Name bald zum Synonym für internationalen Modernismus wurde, adaptierte, regulierte und reduzierte den International Style und machte ihn so zu einem unterscheidbaren, verfeinerten geometrischen Stil. Indem er die ineinander greifenden Räume und die Asymmetrien des frühen europäischen Modernismus durch eine kühne, monumentale Symmetrie ersetzte, kam er zur »Miesschen Formel«: eine zum Glaskasten ausgebaute Skelettkonstruktion aus Beton oder Stahl. Frühe Beispiele für seine niedrigen horizontalen Bauten sind der Campus und die Gebäude des Illinois Institute of Technology (1940–1956) und das Farnsworth House in Plano, Illinois (1946–1950). Bei den berühmten Lake Shore Drive Apartements in Chicago (1948–1951) verwendete er seine glasverkleideten Stahlskeletttürme für Wohnbauten, und im folgenden Jahrzehnt entwarf er zusammen mit Johnson seine vielleicht einflussreichste Arbeit, das Seagram Building in New York (1954–1958). Inzwischen war Mies van der Rohe zum führenden Architekten der USA avanciert und wurde von vielen als rechtmäßiger Erbe von Sullivan und der Chicago School angesehen.

Der Miessche Glaskasten mochte als das letzte Wort des Internationalen Stils erscheinen, doch einigen Architekten gelang die Entwicklung persönlicher Varianten dieses Grundentwurfs. Zu

Oben: **Philip Johnson, Glashaus, New Canaan, Connecticut, 1949**
Johnsons transparentes Glashaus ist eine persönliche Variante von Mies
van der Rohes Glaskastenprinzip, insbesondere von dessen Farnsworth
House. Im soliden Backsteintrakt befindet sich das Bad.

Links: **Ludwig Mies van der Rohe, Lake Shore Drive Apartements in
Chicago, 1948–1951**
Bei diesen »Glashäusern« adaptierte Mies van der Rohe die Stahl- und
Glasbauweise für Wohnhäuser. Es waren die ersten Gebäude, die – im Jahr
1996 – zu Wahrzeichen Chicagos ernannt wurden.

Vorherige Seite: **Oscar Niemeyer, Parlamentsgebäude von Brasilia, 1960**
Während Oskar Niemeyer zusammen mit Le Corbusier an einem Projekt
arbeitete, traf er mit Juscelino Kubitschek zusammen. Als dieser Präsident
geworden war, machte er Niemeyer zum Chefarchitekten der neu zu
erbauenden Hauptstadt Brasilia.

den beachtenswertesten Beispielen gehören Johnsons transparentes
Glashaus (1947–1949) und das von dem finnischen Architekten
Eliel Saarinen (1873–1950) und seinem Sohn Eero (1910–1961)
entworfene General Motors Technical Centre in Warren, Michigan
(1948–1956), außerdem das Pirelli-Gebäude in Mailand (1956–
1958) von Gio Ponti (1891–1979, siehe Novecento Italiano), Pier
Luigi Nervi (1891–1979) und anderen.

Gegen Ende der 1950er-Jahre geriet der International Style
unter Beschuss, und die Kritik kam zum Teil von innen. Auf dem
10. Kongress der CIAM im Jahr 1959 kam es zum Eklat. Eine
Gruppe junger radikaler Architekten, die sich selbst »Team X«
nannten und zum Teil mit dem *Brutalismus assoziiert waren, be-
schuldigten den von der CIAM vertretenen Modernismus, den
emotionalen und räumlichen Bedürfnissen der Menschen keine
Beachtung zu schenken. Sie revoltierten gegen das »mechanistische
Konzept der Ordnung«, und drei Jahre später wurde die CIAM offiziell aufgelöst.

Viele der älteren Architekten waren selbst mit dem minimalistischen Stil nicht mehr zufrieden. Schon seit Ende der 1940er-
Jahre hatte sich Le Corbusier von seinem früheren präzisio-
nistischen Stil entfernt und sich einer antirationalen, sowohl
expressiven als auch phantastischen Architektur zugewandt, die in
seiner Wallfahrtskirche von Ronchamp, Notre-Dame-du-Haut
(1950–1954), mit ihrem siloähnlichen weißen Turm und dem
spitzkurvig auslaufenden schwebenden braunen Betondach ihren

Ausdruck fand. In einem Interview gestand Philip Johnson 1996:
»Unsere so genannte moderne Architektur war zu alt, zu eisig, zu
flach. Frank Lloyd Wright nannte sie immer flachbrüstig.«

Johnson und andere reagierten, indem sie die Reinheit und
Strenge der Glaskästen mit Humor und historischen Zitaten unterminierten. Das von Johnson entworfene Gebäude der AT&T
Corporate Headquarters in New York (1979–1984), ein gläserner
Wolkenkratzer mit einem an einen Chippendale-Bücherschrank
erinnernden Ziergiebel, gilt heute als eines der ersten Meister-
stücke der Postmoderne.

Wichtige Bauwerke
Le Corbusier, Villa Savoye, Poissy, Frankreich
Ludwig Mies van der Rohe, Lake Shore Drive Apartements,
    Chicago, Illinois
Seagram Building, New York

Weiterführende Literatur
H.-R. Russell und P. Johnson, *The International Style* (1932)
D. Sharp, *Architektur im zwanzigsten Jahrhundert* (München, 1973)
R. Banham, *The Age of the Masters* (1975)
K. Frampton, *Die Architektur der Moderne* (Stuttgart, 1997)

Novecento Italiano

*Das Wort Novecento soll in der Welt so zum Ruhme Italiens wiederhallen
wie einst das Wort Quattrocento.*

MARGHARITA SARFATTI

Die italienische Kunstbewegung Novecento wurde 1922 gegründet, um die Arbeit junger Künstler zu fördern, die mit der Galerie Pesaro in Mailand assoziiert waren: Anselmo Bucci (1887–1955), Leonardo Dudreville (1885–1975), Achille Funi (1890–1972), Gian Emilio Malerba (1880–1926), Piero Marussig (1879–1937), Ubaldo Oppi (1889–1946) und Mario Sironi (1885–1961). Der Name, der auf die Kunst des 20. Jahrhunderts verweist, war durchaus mit Bedacht gewählt, denn er sollte an die beiden anderen großen Kunstepochen Italiens erinnern – das Quattrocento (15. Jahrhundert) und das Cinquecento (16. Jahrhundert) – und somit verkünden, dass nun erneut eine bedeutende Kunstepoche angebrochen sei. Die Rückbeziehung auf die Vergangenheit sprach auch für die große Bewunderung, die man zu der Zeit für den italienischen Klassizismus hegte; dieser sollte modernisiert werden, um so die italienische Kunst wiederzubeleben, oder, wie es Marion Sironi ausdrückte, um eine Kunst hervorzubringen, die die von Gott geschaffene Welt nicht imitiere, sondern sich von ihr inspirieren lasse.

Die Gruppe wurde von der Schriftstellerin und Kunstkritikerin Margharita Sarfatti (1880–1961) geleitet, der Geliebten Benito Mussolinis. Mussolini hielt 1923 bei der ersten Ausstellung der Gruppe in der Galerie Pesaro die Eröffnungsrede, und Sarfatti stellte sicher, dass die Gruppe bei wichtigen Ausstellungen vertreten war, etwa bei der Biennale in Venedig im Jahr 1924, wo man erklärte, die Arbeiten seien reine italienische Kunst, die ihre Inspiration aus den reinsten Quellen beziehe; man sei entschlossen, alle importierten »-ismen« und Einflüsse zu verwerfen, die die klaren Wesenszüge der italienischen Rasse so oft verfälscht hätten.

Anfang 1925 löste Sarfatti die Gruppe Novecento auf und begründete sie erneut als Novecento Italiano unter einem weisungsbefugten Komitee, dem die Aufgabe zufiel, die Werke innerhalb

Mario Sironi, *Stadtlandschaft*, 1921
Klassisch-monumentale, aber ominös verlassene Fabriken und Häuserblocks sind häufige Sujets in Sironis frühen Werken. Als bekennender Faschist sah er seine Bilder als Kritik an der liberalen Regierung, die dann von Mussolini beseitigt wurde.

und außerhalb des Landes bekannt zu machen und zu fördern. Sarfatti präsentierte den neuen Stil als Quintessenz des Italienischen, als den Stil, der das neue, faschistische Italien am besten repräsentiere. Ihre Beziehung zu Mussolini und ihr Ruf als »Diktatorin der bildenden Künste« erlaubten ihr, bedeutende Künstler der verschiedensten künstlerischen Richtungen an die Gruppe zu binden, wie Carlo Carrà (1881–1966), zuvor tonangebende Persönlichkeit des *Futurismus und der *Pittura Metafisica, Massimo Campigli (1895–1971), Felice Casorati (1883–1963), Marino Marini (1901–1980), Arturo Martini (1889–1947) und Arturo Tosi (1871–1956).

Die erste große Ausstellung der neuen Gruppe, wiederum von Mussolini eröffnet, fand 1926 in Mailand statt und umfasste Werke von mehr als hundert angeschlossenen Künstlern. Sie läutete eine kurze Periode ein, in der die italienische Kunst vom Novecento beherrscht war. Doch die schiere Größe der Gruppe verhinderte einen Zusammenhalt als künstlerische Bewegung, und die allzu häufigen Ausstellungen erwiesen sich als kontraproduktiv. Sironi brachte es auf den Punkt, als er sagte, selbst die Gioconda [Mona Lisa] würde allen Wert verlieren, sähe man sie jeden Tag. Obwohl Sarfatti diesbezüglich gewaltige Anstrengungen unternahm, weigerte sich Mussolini, den Stil als die offizielle Kunst des Faschismus zu sanktionieren. Dies, die Angriffe von Andersdenkenden und die Verschlechterung der persönlichen Beziehung zwischen Sarfatti und Mussolini führten zwischen 1932 und 1933 zur Auflösung der Gruppe.

Doch die Bewegung gab ihren Namen an eine verwandte Architektur- und Gestaltungsbewegung jener Zeit weiter, die sich Novecentismos nannte. Sie konzentrierte sich auf eine Gruppe von Architekten aus Mailand, die von 1926 an zusammenarbeiteten, darunter Giovanni Muzio (1893–1982), Mino Fiocchi (1893–1983), Emilio Lancia (1890–1973), Gio Ponti (1891–1979), Aldo Andreani (1887–1971) und Piero Portaluppi (1888–1976). Ihre Ideen und Entwürfe verbreiteten sie durch das einflussreiche Magazin *Domus*, das Ponti 1928 gegründet hatte.

Inspiriert vom Neo-Klassizismus des Novecento und den traumähnlichen Welten der Pittura Metafisica, besonders den Bildern Giorgio de Chiricos, suchten diese Architekten die Formen der italienischen Klassik neu zu interpretieren, um so ein Gegengewicht zum Maschinenkult der Futuristen der Vorkriegszeit zu schaffen. Sie waren, wie Muzio zugab, Anti-Futuristen, die klassische Formen für zeitlos hielten. »Nehmen wir nicht vielleicht eine Bewegung vorweg, deren unmittelbar bevorstehende Geburt sich überall in Europa durch zögerliche aber allgemein verbreitete Symptome anzeigt?« Diese Schlüsselbemerkung Muzios lenkt die Aufmerksamkeit auf das Faktum, dass die oft als faschistisch apostrophierte Novecento-Bewegung wohl besser als Teil jenes Trends zu sehen ist, der nach dem Ersten Weltkrieg ganz Europa erfasste und den Jean Cocteau »rappel à l'ordre« (Rückkehr zur Ordnung) nannte. Die Suche nach Stabilität und Ordnung, die Ablehnung moderner Entwicklungen, die Rückkehr zu den einheimischen, eher gegenständlichen Quellen sind typische Züge der Künste jener Zeit, so zum Beispiel auch der Kunst der *American Scene, des *Purismus, des *Sozialistischen Realismus und der *Neuen Sachlichkeit.

Wichtige Sammlungen
Marini Museum, Mailand
Museo Arte Moderna e Contemporanea, Trient, Italien
Museum of Fine Arts, Houston, Texas
Palazzo Montecitorio, Rom
Pinacoteca di Brera, Mailand

Weiterführende Literatur
Italian Art in the 20th Century: Painting and Sculpture 1900–1988
(Ausst.-Kat., Royal Academy of Arts, London, 1989)
R. A. Etlin, *Modernism in Italian Architecture*, 1890–1940 (1991)

Der Ring

Der Kampf um die neue Wohnung ist lediglich Teil des größeren Kampfes um die neue soziale Ordnung.

LUDWIG MIES VAN DER ROHE, 1927

Der Ring war eine 1923 oder 1924 in Berlin gegründete Architektenvereinigung, die die Förderung des Modernismus in Deutschland zum Ziel hatte. Den Kern bildeten zehn Architekten, die sich als Zehnerring bezeichneten. Zu ihnen gehörten Otto Bartning (1883–1959), Peter Behrens (1868–1940), Hugo Häring (1882–1958), Erich Mendelsohn (1887–1953), Ludwig Mies van der Rohe (1886–1969, siehe International Style), Bruno (1880–1938)

und Max Taut (1884–1967). Wie der Name vermuten lässt, sah die Gruppe sich nicht als hierarchische Organisation, sondern als ein Kreis von Gleichgestellten. Viele waren auch in anderen Gruppierungen, wie etwa dem *Deutschen Werkbund, dem *Arbeitsrat für Kunst oder der *Novembergruppe, tätig.

Da sie meinten, der kleine Kreis behindere ihren Erfolg, erweiterten sie die Mitgliederzahl im Jahr 1926 auf 27 und nannten sich

nun einfach Der Ring; Häring wurde zum Generalsekretär ernannt. Zu den zahlenden Mitgliedern gehörten unter anderen Walter Gropius (1883–1969, siehe Bauhaus), Otto Haesler (1880–1962), Ludwig Hilbersheimer (1885–1967), die Brüder Hans (1890–1954) und Wassili Luckhardt (1889–1972), Ernst May (1886–1970), Adolf Meyer (1881–1929), Hans Scharoun (1893–1972), Martin Wagner (1885–1957) und der Kritiker Walter Curt Behrendt (1884–1945). Um den Boden für die neue Architektur einer wissenschaftlich und sozial erneuerten Epoche zu ebnen, beschäftigten sie sich mit allen Aspekten der Architektur und publizierten ihre Ansichten zum Thema Wohnungsbau und Stadtplanung vor allem in der vom Deutschen Werkbund unter der Leitung von Behrendt herausgegebenen Zeitschrift *Die Form*. Sie beteiligten sich an Ausstellungen und ließen neue Materialien und Konstruktionstechniken erforschen.

Nach 1926, als Martin Wagner den antimodernistisch eingestellten Stadtarchitekten Ludwig Hoffmann in Berlin ablöste, bekamen Mitglieder des Rings Aufträge von der Stadt Berlin. Bei Projekten wie der Siemensstadt (1929–1930), einer von Hans Scharoun, Otto Bartning, Walter Gropius, Hugo Häring und anderen entworfenen Wohnsiedlung, und der Hufeisensiedlung (1925–1930) von Bruno Taut und Martin Wagner, schufen Architekten des Rings Modelle für sozialen Wohnungsbau – fünf- oder sechsstöckige Wohnblöcke mit großen Fenstern für viel natürlichen Lichteinfall, die von großen parkähnlichen Grünflächen umgeben waren. 1927 waren sie auch an der Dauerausstellung der Häuser der Weißenhofsiedlung in Stuttgart (siehe Deutscher Werkbund) beteiligt, wo einige der ersten Beispiele des *International Style zu sehen waren.

Die modernistische Vision der Ring-Mitglieder blieb bei der Stuttgarter Ausstellung nicht unkritisiert. Nach der Ablehnung

Bruno Taut, Hufeisensiedlung, Berlin, 1925–1930
Martin Wagner initiierte den Bau der nach ihrer Form benannten Siedlung. Es war eine der ersten großen Wohnsiedlungen Berlins, deren Bewohner staatliche Mietzuschüsse bekamen.

ihrer Hausentwürfe, die traditionell geneigte Dächer vorsahen, zogen die beiden Architekten Paul Bonatz (1877–1956) und Paul Schmitthenner (1884–1972) diese unter Protest zurück und bildeten mit Dem Block eine Gegengruppe, die sich einer eher konservativ orientierten Architektur verschrieb. Mitglieder der Gruppe Der Block waren unter anderen German Bestelmeyer (1874–1942) und Paul Schultze-Naumburg (1869–1949). Sie vertraten eine traditionelle, ländliche, auf hergebrachten Formen basierende und damit antiurbane und antimoderne, letztlich antiinternationale Architektur, die sie als typisch deutsch definierten.

Während Der Block als Gruppe nur bis 1929 existierte, nahmen die Sichtweise seiner Mitglieder und deren bevorzugte Formen schon jene Attacken voraus, die später die Nationalsozialisten gegen die modernistische Architektur und ihre Vertreter reiten sollten. Der Konflikt zwischen den verschiedenen Architektenschulen – überspitzt formuliert zwischen den »Flachdach-Modernisten« und den »Schrägdach-Traditionalisten« – nahm während der 1930er-Jahre an Heftigkeit zu, als die architektonischen Formen der vom Staat geförderten modernen Wohnungsbauten der Weimarer Republik während des Dritten Reichs durch das angeblich »deutschere« geneigte Dach ersetzt wurden.

Die durch die Weltwirtschaftskrise verursachten ökonomischen Schwierigkeiten und der politische Rechtsruck in Deutschland schwächten die Position des Rings, 1933 löste sich die Gruppe auf. Seine Ideologie verbreitete sich jedoch weiter, vor allem, als Mitglieder wie Gropius, Hilbersheimer, Wagner, Mies van der Rohe, Mendelsohn, May und Meyer Ende der 1930er-Jahre aus Deutschland emigrierten und so dafür sorgten, dass ihre Version des Modernismus international wurde.

Wichtige Bauwerke
Scharoun u. a., Siemensstadt, Berlin
Bruno Taut und Martin Wagner, Hufeisensiedlung, Berlin-Neukölln
Ludwig Mies van der Rohe, Weißenhofsiedlung, Stuttgart

Weiterführende Literatur
B. M. Lane, *Architecture and Politics in Germany, 1918–1945* (Cambridge, MA, 1968)
K. Frampton, *Die Architektur der Moderne* (Stuttgart, 1997)
I. Heinze-Greenberg (Hrsg.), *Erich Mendelsohn, Gedankenwelten* (Ostfildern-Ruit, 2000)

Neue Sachlichkeit

Es handelt sich für mich immer wieder darum, die Magie der Realität zu erfassen und diese Realität in Malerei zu übersetzen.

MAX BECKMANN, 1919

Der Begriff Neue Sachlichkeit wurde von Gustav F. Hartlaub, Direktor der Kunsthalle Mannheim, im Jahr 1924 geprägt, um die in den 1920er-Jahren in Deutschland aufkommende realistische Tendenz in der Malerei zu beschreiben. Die Ausstellung »Neue Sachlichkeit« fand 1925 in der Kunsthalle statt und präsentierte Künstler, die sich, wie Hartlaub sagte, ihre Treue zur positiven, greifbaren Realität bewahrt oder sie wiedererlangt hätten. Der Idealismus und die utopischen Ideen, die sich unmittelbar nach dem Ersten Weltkrieg an den deutschen *Expressionismus knüpften (siehe Die Brücke, Der Blaue Reiter und Arbeitsrat für Kunst), verkehrten sich rasch in Enttäuschung und Zynismus, als sich Deutschland politisch nach rechts orientierte. In den Augen vieler Künstler erforderten diese Umstände einen antiidealistischen, sozial engagierten, realistischen Malstil. Dies war Teil einer weiteren Bewegung, dem so genannten »rappel à l'ordre«, der Rückkehr zur Ordnung, die man auch in den Werken der Maler der *American Scene und des *Sozialen Realismus in den USA erkennen kann.

Wie der Expressionismus fand auch die Neue Sachlichkeit natürlich Stützpunkte in deutschen Städten wie Berlin, Dresden, Karlsruhe, Köln, Düsseldorf, Hannover und München. Doch anders als die Expressionisten fanden sich die Künstler der Neuen Sachlichkeit nicht in Gruppen zusammen; sie arbeiteten als Individualisten. Die Bekanntesten sind Käthe Kollwitz (1867–1945), Max Beckmann (1884–1950), Otto Dix (1891–1969), George Grosz (1893–1959), Christian Schad (1894–1982), Conrad Felixmüller (1897–1977) und Rudolf Schlichter (1890–1955). Sie alle arbeiteten in verschiedenen Stilen, widmeten sich aber sehr ähnlichen Themen: den Schrecken des Krieges, der sozialen Heuchelei und moralischen Dekadenz, der Not der Armen, dem Aufstieg des Nazionalsozialismus.

Obgleich älter als die meisten expressionistischen Künstler und als die Vertreter der neuen Sachlichkeit schuf Kollwitz seit 1890 eindrucksvolle Bilder der Unterdrückten, zunächst als Radierungen, dann als Lithografien und Skulpturen. Die Drucke, die Kriegsopfer zeigen, wie die Zyklen *Der Bauernkrieg* (1903–1908) und *Der Krieg* (1922–1923), trugen ihr höchsten Respekt ein. Beckmann war zunächst Mitglied der Berliner Sezession (siehe Wiener Sezession), dann nannte er sich Expressionist (was 1912 zu einem in

der Zeitschrift *Pan* öffentlich ausgetragenen Streit mit Franz Marc führte), blieb aber immer eine isolierte Figur. Er erlitt während des Ersten Weltkriegs beim Dienst im Sanitätskorps einen Nervenzusammenbruch und kehrte nach Kriegsende nicht nach Berlin zu seiner Frau zurück, sondern begann in Frankfurt ein neues Leben. Seine harschen, symbolisch expressionistischen Darstellungen gequälter Figuren in monumentalen Szenarien, oft als mittelalterliche Triptychen angelegt, zeigen durch ihre religiöse Inbrunst den Wunsch, in einer Zeit des geistigen und moralischen Bankrotts spirituelle Werte zu vermitteln.

Die expressionistische Angst in den Werken von Kollwitz und Beckmann verkehrt sich bei Grosz und Dix in bitteren Zynismus. Ihr verzerrter Realismus ist auf die Spitze getriebene Satire. Wie Beckmann hatte auch Dix im Krieg gedient. Seine in den 1920er-Jahren entstandenen Bilder (darunter *Der Schützengraben*, 1922–

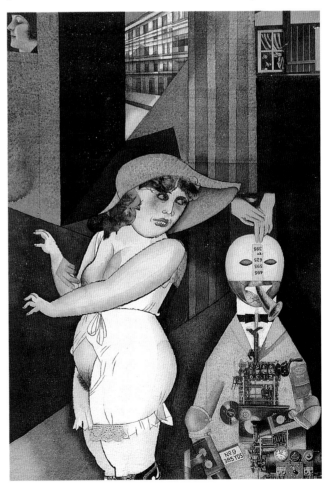

George Grosz: *Daum marries her pedantic automaton »George« in May 1920 John Heartfield is very glad of it*, 1920
Mit einer Verbeugung vor Heartfields bissigen und urkomischen Fotomontagen bringt Grosz den zur Maschine degenerierten Kapitalisten, der den Kopf voll Zahlen hat, mit der Prostituierten zusammen, die ihre Leidenschaft verkauft.

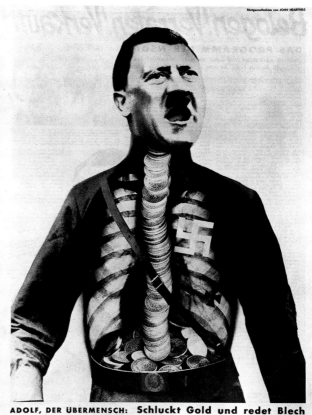

ADOLF, DER ÜBERMENSCH: **Schluckt Gold und redet Blech**

1923, seit 1943 verschollen, und die Radierungen in fünf Mappen *Der Krieg*, 1923–1924) bezeichnete der Kunsthistoriker G. H. Hamilton als die vielleicht mächtigsten, zugleich aber auch unangenehmsten Antikriegserklärungen der modernen Kunst. Denselben unverwandt kritischen Blick richtete Dix in seinen psychologischen Porträts der Epoche auch auf Einzelpersonen und die Gesellschaft.

Auch von Grosz erfuhren geldbesessene Politiker und Geschäftsleute keine sanftere Behandlung. Seine brutalen Karikaturen legten die Realität einer dekadenten Gesellschaft bloß. Auf der Suche nach dem direktesten Ausdruck des Gefühls ahmte er sogar Kritzeleien von den Wänden öffentlicher Pissoirs nach. Vor dem Krieg war Grosz Mitglied des Berliner *Dada; seine Satiren erinnern an die Fotomontagen anderer Berliner Dadaisten, wie John Heartfield, aber auch an die Bilder des amerikanischen Sozialrealisten Ben Shahn. 1925 schrieb Grosz, er habe aus Widerspruchsgeist heraus

gemalt und gezeichnet, um die Welt durch seine Werke von ihrer Hässlichkeit, Krankheit und Verlogenheit zu überzeugen. Immer war er provokativ (so trat er 1922 der Kommunistischen Partei bei und machte eine lange Reise nach Russland), doch Mitte der 1920er-Jahre hatte er großen Erfolg und seine Bilder wurden in Einzelausstellungen in deutschen Städten gezeigt.

Der Aufstieg des Nazionalsozialismus bedeutete das Ende der Künstler der Neuen Sachlichkeit. Anfang der 1930er-Jahre vertrieb man sie von ihren offiziellen Posten, ihre Arbeiten wurden konfisziert und in der berüchtigten Ausstellung »Entartete Kunst« von 1937 der Lächerlichkeit preisgegeben.

Oben: Otto Dix, *Kartenspielende Kriegskrüppel***, 1920**
Dix war ein wütender Satiriker der Weimarer Republik. Kriegskrüppel waren in Deutschland nach dem Ersten Weltkrieg ein vertrauter Anblick, doch hier werden sie zu einem Symbol der verstümmelten, entmenschlichten und korrupten Gesellschaft.

Oben rechts: John Heartfield, *Adolf, der Übermensch: Schluckt Gold und redet Blech***, 1932**
Heartfield (der seinen Namen Herzfelde aus Protest gegen die Nazis anglisiert hatte) war ein durch und durch politischer Künstler. Diese Fotomontage wurde vergrößert und, kurz nachdem Hitlers NSDAP bei den Reichstagswahlen 37 Prozent der Stimmen erhalten hatte, überall in Berlin als Plakat aufgehängt.

Wichtige Sammlungen
Fine Arts Museum of San Francisco, San Francisco, Kalifornien
Kunsthaus Zürich
Minneapolis Institute of Arts, Minneapolis, Minnesota
Museum Kunstpalast, Düsseldorf
Palazzo Grassi, Venedig

Weiterführende Literatur
J. Willett, *Explosion der Mitte, Kunst und Politik 1917–1933*
   (München, 1981)
M. Eberle, *World War I and the Weimar Artists. Dix, Grosz,*
   Beckmann, Schlemmer (1985)
H.-J. Buderer, *Neue Sachlichkeit* (Ausst.-Kat., Städtische Kunsthalle,
   Mannheim, 1994/95)

Surrealismus

Das Wunderbare ist immer schön, alles Wunderbare ist schön,
nur das Wunderbare ist schön.

ANDRÉ BRETON, 1934

Der Surrealismus wurde 1924 von dem französischen Dichter André Breton (1896–1966) begründet. Die Bezeichnung war zwar schon seit 1917 in Gebrauch – der Kritiker Guillaume Apollinaire hatte sie geprägt, um etwas zu beschreiben, das die Realität überstieg – doch Breton griff sie erfolgreich auf, um seiner eigenen Zukunftsvision einen Namen zu geben. Im ersten Manifest (1924) definierte Breton den Surrealismus als »Diktat des reinen Denkens ohne jegliche Überwachung durch die Vernunft, unbeeinflusst von allen ästhetischen oder moralischen Rücksichten.«

Mit dem Surrealismus wollte Breton eine Revolution herbeiführen, die so tiefgreifend war wie die Revolutionen derjenigen, die er als seine ideologischen Vorläufer sah: Sigmund Freud (1856–1939), Leo Trotzki (1879–1940) und die Dichter Comte de Lautréamont (Isidore Ducasse, 1846–1870) und Arthur Rimbaud (1854–1891). Marxismus, Psychoanalyse und okkulte Philosophien hatten Breton tief beeinflusst; sein Modell für den Künstler als

Visionär, der gegen die Gesellschaft revoltiert, entnahm er den Dichtungen Lautréamonts und Rimbauds. Ein Satz von Lautréamont gab den Surrealisten ihr Motto und drückte ihre Vorstellung aus, dass das Schöne oder das Wunderbare in einer unerwarteten, zufälligen Kombination von Dingen gefunden werden könne: »So schön wie die unvermutete Begegnung eines Regenschirms und einer Nähmaschine auf einem Seziertisch.«

In scharfem Kontrast zu dem Chaos und der Spontaneität von seinem Vorläufer *Dada war der Surrealismus unter Breton – der den Spitznamen Surrealismus-Papst trug – eine hochgradig organisierte Bewegung mit doktrinären Theorien. Tatsächlich revolutionierte Breton die Kunstkritik – von nun an war der Kunstkriti-

Max Ernst, *Rendezvous der Freunde*, 1922
Während André Breton (13) den versammelten Surrealisten seinen Segen erteilt, sitzt Max Ernst bei dem russischen Schriftsteller Dostojewski auf dem Schoß und zupft ihn am Bart.

ker als charismatischer Führer einer Avantgarde-Gruppe eine vertraute Figur. Als Breton 1966 starb, hatte sich der Surrealismus zur beliebtesten Kunstbewegung des 20. Jahrhunderts entwickelt. Die Surrealisten verfolgten kein geringeres Ziel als die völlige Transformation der menschlichen Denkweise. Indem sie die Barrieren zwischen der Innen- und der Außenwelt niederrissen, meinten sie die Wahrnehmung der Realität verändern, das Unbewusste emanzipieren, mit dem Bewussten versöhnen und so die Menschheit von den Fesseln der Logik und Vernunft befreien zu können, die bisher nur zu Krieg und Unterdrückung geführt hatten.

Viele der ersten Surrealisten, wie Max Ernst (1891–1976), Man Ray (1890–1976) und Hans Arp (1886–1966) kamen aus den Reihen von Dada. Später stießen Antonin Artaud (1896–1948), André Masson (1896–1987), Joan Miró (1893–1983), Yves Tanguy (1900–1955) und Pierre Roy (1880–1950, siehe Magischer Realismus) dazu. Während der 1920er- und 1930er-Jahre schlossen sich außerdem Tristan Tzara (siehe Dada), Salvador Dalí (1904–1989), Luis Buñuel (1900–1983), Alberto Giacometti (1901–1966), Matta (Roberto Matta Echaurren, geb. 1911) und Hans Bellmer (1902–1975) an. Andere Künstler hielten sich am Rande des Surrealismus auf, etwa der Belgier René Magritte (1898–1967, siehe Magischer Realismus). Wieder andere wurden dem Surrealismus zugeordnet, wie Pablo Picasso (siehe Kubismus), Marc Chagall (siehe École de Paris) und Paul Klee (siehe Der Blaue Reiter).

Bezüglich der Technik und der Entschlossenheit Grenzen zu überwinden blieb Dada das große Vorbild der Surrealisten. Von großem Einfluss waren auch die traumgleichen Gemälde Giorgio de Chiricos (siehe Pittura Metafisica). Doch den wahrscheinlich größten intellektuellen Einfluss auf die Surrealisten hatte Freud. Das Unbewusste, die Träume und eine Reihe der Schlüsselerkenntnisse Freuds dienten den Surrealisten als Repertoire unterdrückter Bilder, dessen sie sich frei bedienten. Vor allem Freuds Gedanken zu der Kastrationsangst, dem Fetischismus und dem Übernatürlichen erschienen ihnen interessant. Die Surrealisten bedienten sich dieser Ideen in verschiedenster Weise; sie verfremdeten das Vertraute, experimentierten mit dem automatischen Schreiben und Malen, verwenderen Zufälliges und stellten Merkwürdiges nebeneinander, stellten das verschlingende Weibliche dar und hoben die Grenzen zwischen den Geschlechtern sowie zwischen Mensch und Tier und zwischen Phantasie und Realität auf. Die Liebe von Dada zur Maschine wurde in surrealistischen Werken zur Angst vor dem entmenschlichten Automaten, zum Horror vor dem auferstandenen Toten; Masken und Glieder- oder Schaufensterpuppen sind

wiederkehrende Motive. Bellmers Fotografien von zerbrochenen Puppen wirken deshalb so aufwühlend, weil in ihnen die Trennlinie zwischen dem Lebendigen und dem Leblosen ausgelöscht zu sein scheint. Die meisten surrealistischen Werke (wie die des so genannten organischen Surrealismus, den Miró, Masson, Matta und Arp vertraten, oder des Traum-Surrealismus, für den Dalí, Magritte, Tanguy und Roy standen) sprechen beunruhigende Triebe wie Angst, Begierde und Sexualität an.

Max Ernst, der eine breite Palette von Ideen in verschiedenen Medien bearbeitete, ist eine Schlüsselfigur. Gemälde wie *Der blinde Schwimmer* (1934) oder *Zwei Kinder werden von einer Nachtigall bedroht* (1924) weisen traumgleiche Qualitäten auf. Die Gestalt in *Der blinde Schwimmer* könnte ein männliches oder weibliches Sexualorgan sein, was sowohl Vorstellungen von Fortpflanzung als auch Kastration evoziert. Für Ernst waren, wie für alle Surrealisten, der Zufall und die willkürliche Nebeneinanderstellung für zweideutige Effekte sehr wichtig. 1925 entdeckte Ernst in einem französischen Hotel am Meer die Technik der »frottage« (Durchreibetechnik), indem er Papier auf den Holzfußboden legte und mit schwarzer Kreide darüber strich. Er war überrascht, im entstandenen Abrieb der Maserung widersprüchliche Bilder zu entdecken, die, wie er sagte, nacheinander mit der Beharrlichkeit und Geschwindigkeit erotischer Träume auftauchten. Um 1930 begann er mit einer Reihe von »collage-novels« (Collage-Romane), deren berühmtester wohl *Une Semaine de Bonté* (Eine Woche des Glücks, 1934) ist. Indem er viktorianische Stahlstiche zerschnitt und neu zusammensetzte – wodurch er buchstäblich die Vergangenheit entweihte –, stellte er aus der sicheren, behüteten Welt der Bürgerlichkeit, in der er selbst aufgewachsen war, bizarre Phantasien her.

Giacometti schuf Meisterwerke surrealistischer Plastik, wie etwa *La femme egorgée* (1932), eine Bronzeskulptur einer zerstückelten weiblichen Leiche, und *L'objet invisible (mains tenant le vide)* (1934–1935). Beide zeigen den weiblichen Körper als etwas völlig Unmenschliches und Gefährliches. Die Werke bringen zwei den Surrealisten wichtige Vorstellungen zusammen, die Idee von der entmenschlichenden Maske (afrikanische Masken, Gasmasken, Schutzmasken) und die Vorstellung von der Frau als bedrohlichem Wesen, das wie eine Gottesanbeterin das Männchen während der

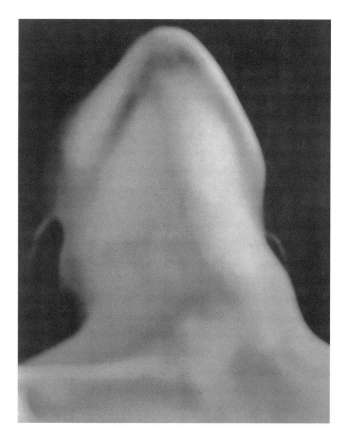

Kopulation verspeist. Die merkwürdige, traurige Figur des *objet invisible* könnte dementsprechend das »mordende Weibliche« darstellen und zugleich die Faszination der gefährlichen Sexualität beschreiben.

Man Ray war der erste surrealistische Fotograf, ihm folgten Hans Bellmer, Brassaï (Gyula Halász; 1899–1984), Jacques-André Boiffard (1902–1961) und Raoul Ubac (1910–1985). Durch Fotomontagen, Überblendungen, Mehrfachbelichtungen, Nahaufnahmen und ungewöhnliche Zusammenstellungen von Objekten erwies sich die Fotografie als geeignetes Medium, die in der Welt existierenden surrealen Vorstellungen herauszulösen. Der Doppelstatus der Fotografie als Dokument und Kunst bestätigte die Behauptung der Surrealisten, dass die Welt voller erotischer Symbole und surrealer Begegnungen sei. Man Ray arbeitete erfolgreich in der Pariser Avantgarde und der reinen Kommerzfotografie – oft erschienen Aufnahmen derselben Serien sowohl in Modemagazinen wie *Vogue* und *Vanity Fair* als auch in Kunstzeitschriften wie *La Surréalisme au Service de la Révolution* (1930–1933) und *La Révolution surréaliste* (1924–1929).

Die Schaufensterpuppe war für den Surrealismus ebenso wie für die Mode Symbol für die Frau als Objekt, konstruierbar und

Man Ray, *Anatomies*, um 1930
Die Fotografie legt eine beunruhigende männlich-weibliche Ambiguität dar, indem die Kamera auf unerwartete Weise Hals und Kinn einer Frau in einen Phallus verwandelt. Die surrealistische Assoziation mit der Freudschen Theorie ist nur zu offensichtlich, das Foto spielt auf Ängste vor Enthauptung und Kastration an.

manipulierbar und die Grenze zwischen Lebendigem und Leblosem verletzend. Trotz der Frauenfeindlichkeit, die sich in vielen surrealistischen Werken verbirgt, gab es einige wichtige Frauen im Surrealismus, darunter Leonora Carrington (geb. 1917), Leonor Fini (1908–1996), Jacqueline Breton (geb. 1910), Dorothea Tanning (geb. 1910), Valentine Hugo (1887–1968), Eileen Agar (1899–1991) und Meret Oppenheim (1913–1985), deren *Frühstück im Pelz* (1936), ein mit Pelz überzogenes Frühstücksgeschirr, zu den typischsten Arbeiten der Surrealisten gehört.

Durch große Ausstellungen in Brüssel, Kopenhagen, London, New York und Paris wurde der Surrealismus international. In England, der Tschechoslowakei, Belgien, Ägypten, Dänemark, Japan, den Niederlanden, Rumänien und Ungarn bildeten sich Künstlergruppen. Obwohl seine poetischen und vergeistigten Bestrebungen nicht überall erfasst wurden, beflügelten die Bilder doch die Phantasie der Massen. Das völlig beziehungslose Nebeneinander, die ungewöhnliche und an Träume gemahnende Bilderwelt fand überall Eingang, im Film ebenso wie in Elsa Schiaparellis (1890–1973) exklusiven Entwürfen für Abendmode, in der Reklame, in der Schaufensterdekoration und in der angewandten Kunst (zum Beispiel Dalís *Hummertelefon* und Mae Wests *Lippensofa*). Bei Ausbruch des Zweiten Weltkriegs befanden sich bedeutende Surrealisten, darunter André Breton, Max Ernst und André Masson in Amerika, wo sie neue Anhänger wie Dorothea Tanning, Frederick Kiesler (1890–1966), Enrico Donati (geb. 1909), Arshile Gorky (1904–1948) und Joseph Cornell (1903–1972) fanden. Doch als André Breton nach dem Krieg nach Paris zurückkehrte, musste er erleben, wie der Surrealismus von ehemaligen Mitgliedern, zum Beispiel Tristan Tzara, und der neuen Avantgarde unter Führung von Jean Paul Sartre (siehe Existenzielle Kunst) seines »ziemlich dummen Optimismus« wegen unter Beschuss genommen wurde. Dennoch wurden 1947 und 1959 große Surrealismus-Ausstellungen in Paris gezeigt. Surrealistische Ideen und Techniken hinterließen ihre Spuren und sind in vielen Kunstbewegungen der Nachkriegszeit zu finden, etwa bei *Informel und im *Abstrakten Expressionismus, bei *COBRA, im *Nouveau Réalisme und in der *Aktionskunst.

Wichtige Sammlungen
Chrysler Museum, Norfolk, Virginia
Fine Arts Museum of San Francisco, San Francisco, Kalifornien
Joan Miró Stiftung, Barcelona
Kunstmuseum Düsseldorf
Salvador Dalí Museum, St. Petersburg, Florida
Tate Gallery, London

Weiterführende Literatur
W. Rubin, *Dada und Surrealismus* (Stuttgart, 1972)
D. Ades, *Dada und Surrealismus* (München, 1975)
R. Krauss und J. Livingston, *L'Amour fou: Photography and Surrealism* (1985)
R. Martin, *Fashion and Surrealism* (1989)

Elementarismus

*Wir müssen verstehen, dass Kunst und Leben nicht zwei getrennte Domänen sind.
Deshalb muss die Vorstellung von Kunst als Illusion verschwinden.*

THEO VAN DOESBURG UND COR VAN EESTEREN, 1924

Elementarismus war eine Variante des Neo-Plastizismus, die Theo van Doesburg (1883–1931), das umtriebigste und lautstärkste Mitglied von *De Stijl, 1924 erfand. Indem er die neo-plastizistischen rechten Winkel und Grundfarben grundsätzlich beibehielt, seine Kompositionen aber um 45 Grad drehte, verlieh er ihnen einen Überraschungseffekt und zugleich eine Dynamik, die den strikt horizontal und vertikal gehaltenen Gemälden der anderen De Stijl-Künstler, wie etwa Piet Mondrian, fehlte. Der Schritt war kalkulierte Polemik und führte, wie abzusehen war, fast augenblicklich zu einem Streit zwischen Mondrian und van Doesburg, der mit dem Austritt Mondrians aus der Gruppe De Stijl endete.

Van Doesburg nannte seine neuen Gemälde »Kontrakompositionen«. Zwischen seinem Stil und der Malerei des *Futurismus und *Vortizismus lässt sich eine oberflächliche Beziehung herstellen, da in letzteren Diagonalen eingesetzt wurden, um die Energien des zeitgenössischen Lebens auszudrücken. Doch van Doesburgs Interessen galten der Architektur und der Formgestaltung, und so hatten *Bauhaus-Künstler und *Konstruktivisten einen wichtigen Einfluss. Wie sie war auch van Doesburg an der Synthese der Künste interessiert, an der praktischen Anwendung von Kunst im täglichen Leben. Auf Einladung von Walter Gropius besuchte er 1920 und 1921 das Bauhaus und attackierte den expressionistischen und mystischen Ansatz, der von Johannes Itten vertreten wurde. Er errichtete sogar

Theo van Doesburg, Café L'Aubette, Straßburg, 1926–1928
Das letzte und vielleicht größte Werk neo-plastizistischer Architektur kommt van Doesburgs Ziel, Malerei und Architektur zu verbinden, wohl am nächsten. Malerei ohne architektonische Konstruktion habe keinen Grund weiterzuexistieren, schrieb van Doesburg.

ein rivalisierendes Büro neben dem Bauhaus und schrieb triumphierend an einen Freund, er habe in Weimar alles auf den Kopf gestellt, überall habe er das Gift des neuen Geistes versprüht. Mit El Lissitzky (siehe Konstruktivismus), den er ebenfalls 1921 traf, unterhielt er eine weniger kämpferische Beziehung. Lissitzky hatte bereits Theorien darüber formuliert, wie Kunst und Architektur zu verbinden wären, und sein Einfluss auf van Doesburg war entscheidend.

Artikel und Manifeste begleiteten van Doesburgs neue theoretische und praktische Entwicklungen. In »Vers une construction collective« (1924) schrieben van Doesburg und Cor van Eesteren (1897–1988), sie hätten den wahren Ort der Farbe in der Architektur festgelegt, und ohne architektonische Konstruktion habe die Staffeleimalerei keinen Grund weiter zu existieren. Im »Manifest des Elementarismus«, in Folgen von 1926 bis 1928 in der Zeitschrift *De Stijl* publiziert, erläuterten sie die Prinzipien des Elementarismus genauer. Für van Doesburg waren »Kontrakompositionen« die reinste und zugleich direkteste Ausdrucksmöglichkeit des menschlichen Geistes, jedoch immer in Opposition zur Natur. Sein interessantester Plan war natürlich die Schaffung einer Synthese zwischen elementaristischer Malerei und Architektur, um eine Spannung herzustellen zwischen der Diagonale der Malerei und den horizontal-vertikalen Strukturen der Architektur.

1928, bei der Renovierung des Café L'Aubette in Straßburg, konnten Theo van Doesburg, Hans Arp (1886–1966, siehe Dada) und Sophie Taeuber-Arp (1889–1943, siehe Dada) dieses Vorha-

ben verwirklichen. Van Doesburg übernahm die planerische Oberaufsicht und jeder Künstler stattete einen Raum aus. Die inneren Wandflächen waren mit leuchtend farbigen, diagonal angeordneten, flachen geometrischen Reliefs geschmückt, die einen Kontrast bildeten zu den Horizontalen und Vertikalen der architektonischen Konstruktion. Diese Farben und Licht einbeziehenden Kontraste erzeugten eine dynamische Bewegung. Es war van Doesburgs letztes Großprojekt, er starb 1931; durch seinen Tod verlor der Elementarismus seine treibende Kraft.

Wichtige Sammlungen
Art Gallery of New South Wales, Australien
Museum of Modern Art, New York
Portland Art Museum, Portland, Oregon
Stedelijk Museum, Amsterdam
Tate Gallery, London

Weiterführende Literatur
Theo van Doesburg 1883–1931 (Ausst.-Kat., Eindhoven, 1968)
S. A. Mansbach, *Visions of Totality* (Ann Arbor, MA, 1980)
E. van Straaten, *Theo van Doesburg: Painter and Architect* (The Hague, 1988)
R. Banham, *Die Revolution der Architektur: Theorie und Gestaltung im ersten Maschinenzeitalter* (Brauschweig, 1990)
J.-A. Birnie Danzker (Hrsg.), *Theo van Doesburg, Maler – Architekt* (München 2000)

Gruppo 7

Das Kennzeichen der Jugend von heute ist der Wunsch nach Klarheit und Weisheit.

GRUPPO 7, MANIFEST, 1926

Der 1926 in Mailand gegründete Gruppo 7 war eine Vereinigung von Avantgarde-Architekten, die die moderne Architektur in Italien fördern wollten. Mitglieder waren Luigi Figini (1903–1984), Guido Frette (geb. 1901), Sebastiano Larco (geb. 1901), Adalberto Libera (1903–1963), Gino Pollini (1903–1991), Carlo Enrico Rava (1903–1985) und Giuseppe Terragni (1904–1943). 1926 und 1927 gaben sie in der Zeitschrift *La Rassegna Italiana* ihr vierteiliges Manifest heraus, in dem sie ihre Standpunkte umrissen. Sowohl dem *Futurismus (»ein eitles, destruktives Wüten«) als auch dem zahmen Wiederbelebungsstil des *Novecento Italiano (»ein

Giuseppe Terragni, Novocomum, Como, 1927–1928
Das schlicht-symmetrische, fünfstöckige weiße Gebäude, das über vier Stockwerke abgerundete glasverkleidete Ecken aufweist, war das erste bedeutende rationalistische Bauwerk Italiens; es vereinte Einflüsse des italienischen Klassizismus mit der strukturellen Strenge des russischen Konstruktivismus.

künstlicher Impetus«) standen sie kritisch gegenüber. Sie wollten nicht mit der Tradition brechen, erklärten sie, doch die neue, die wahre Architektur müsse aus der strikten Beachtung der Logik und der Rationalität erwachsen. Wie ihre Novecento-Zeitgenossen suchten auch die Architekten der Gruppo 7 nach einer »italienischen« Version der modernen Architektur, doch verschlossen sie sich dabei dem internationalen Modernismus nicht. Im Gegenteil, es war ihre Absicht, die »universalen Elemente« des *International Style zu nutzen, um daraus den spezifisch italienischen Modernismus zu schmieden.

Die Gruppe erregte erstmals Aufsehen, als sie 1927 an der Biennale in Monza teilnahm, eine vom Staat geförderte Ausstellung moderner Architektur und angewandter Kunst. Die von Maschinen inspirierten Entwürfe und Modelle der Gruppo 7 wurden neben denen der neo-klassizistischen Novecento-Vertreter gezeigt, denn beide Gruppen buhlten um die Aufmerksamkeit Mussolinis. Später im Jahr 1927 kamen einige ihrer Arbeiten zur Ausstellung des *Deutschen Werkbundes nach Stuttgart, wo sie neben denen anderer rationalistischer Architekten auf der internationalen Bühne standen.

Terragni, eines der wichtigsten Mitglieder von Gruppo 7, entwarf und baute das erste wichtige rationalistische Bauwerk Italiens, eine Wohnanlage in Como (1927–1928), einst Novocomum genannt, heute als Transatlantico bekannt. In Architektenkreisen provozierte der Bau hitzige Debatten. Er zeigt verschiedene Einflüsse, die von der Maschinenästhetik Le Corbusiers (siehe International Style und Purismus) über den russischen *Konstruktivismus bis hin zur zeitlos poetischen »Italianität« der Maler der *Pittura Metafisica reichen. Terragnis Leistung bestand darin, diese unterschiedlichen fremden und einheimischen Quellen harmonisch zu vereinen und daraus einen neuen Stil zu kreieren, der den Anspruch der Gruppo 7, Rationalistisches und Nationalistisches vereinen zu können, gelungen zur Schau stellte. Terragnis Gebäude beanspruchten, eine dem faschistischen Regime entsprechende Architektur zu verkörpern. Das Interesse der Öffentlichkeit führte im Jahr darauf zu einer großen Ausstellung in Rom. Bei dieser ersten »Esposizione dell'Architettura Razionale«, organisiert von Adalberto Libera und dem Kritiker Gaetano Minnucci, stellte Gruppo 7 erstmals zusammen mit anderen italienischen Rationalisten aus. Das Ergebnis war die Bildung einer größeren Vereinigung, der Movimento Italiano per l'Architettura Razionale (*M.I.A.R.) in der die Gruppo 7 zur weiteren Verbreitung der rationalistischen italienischen Architektur aufging.

Wichtige Bauwerke
Giuseppe Terragni, Novocomum (heute Transatlantico), Como, Italien

Weiterführende Literatur
G. R. Shapiro, »Il Gruppo 7«, Oppositions 6 and 12 (1978)
A. F. Marciano, Giuseppe Terragni Opera Complet 1925–1943 (1987)
D. P. Doordan, Building Modern Italy: Italian Architecture, 1914–1936 (1988)
R. Etlin, Modernism in Italian Architecture, 1890–1940 (1991)

M.I.A.R.

Die Entschlossenheit, den Kampf gegen den Anspruch einer »antimodernistischen« Mehrheit fortzusetzen.

EDOARDO PERSICO, 1934

Die Movimento Italiano per l'Architettura Razionale (Italienische Bewegung für rationale Architektur – M.I.A.R.) wurde 1930 gegründet und entstand aus der Erweiterung der *Gruppo 7, dessen Mitgliedern Luigi Figini (1903–1984), Adalberto Libera (1903–1963), Gino Pollini (1903–1991) und Giuseppe Terragni (1904–1943) sich weitere rationalistische Architekten anschlossen, darunter Luciano Baldessari (1896–1982), Giuseppe Pagano (1896–1945) und Mario Ridolfi (1904–1984). Ihr Ziel war es, die von Gruppo 7 begonnene Arbeit fortzusetzen und der rationalistischen Architektur zum Vorteil gegenüber den neo-klassizistischen Formen der *Novecento-Architekten zu verhelfen. Das war im faschistischen Italien keine leichte Aufgabe. Der auf klassischen italienischen Vorbildern fußende Stil des Novecento passte genau in die nationalistische Ideologie, wohingegen die modernistische Architektur einen internationalen Stil vertrat, der in den faschistischen Ländern bald als degeneriert verschrien sein sollte.

Um ihren Zielen näher zu kommen, veranstaltete die Bewegung 1931 in der Galleria d'Arte des Kritikers Pietro Maria Bardi in Rom eine »Esposizione dell'Architettura Razionale«. Ein Pamphlet Bardis mit dem Titel »Bericht an Mussolini über Architektur« sowie das »Manifesto per l'architettura razionale« begleiteten die Ausstellung, die von Mussolini eröffnet wurde. Doch all die Anstrengungen der Architekten, Überzeugungsarbeit zu leisten, wurden zunichte gemacht, weil auch die *Tavola degli orrori* (Tafel der

Schrecken), eine satirische Fotomontage von Werken angesehener neo-klassizistischer Architekten wie Marcello Piacentini (1881–1960), Mussolinis engster Ratgeber in Sachen Architektur, Teil der Ausstellung war. Die bis dahin im Streit zwischen Modernisten und Traditionalisten neutral gebliebene, staatlich gestützte Nationale Vereinigung der Architekten wandte sich nun gegen M.I.A.R., und die Gruppe löste sich auf.

In einer Reihe von Gebäuden, die zwischen 1932 und 1936 errichtet wurde, hielt sich der rationalistische Kurs jedoch am Leben. Terragnis Casa del Fascio (heute Casa del Popolo) in Como (1932–1936) ist ein Meisterwerk und ein Markstein des italienischen Rationalismus. Der weiße, geometrisch mit einem glasüberdachten Innenhof gestaltete Kubus ist mit Marmor verkleidet, was den italienischen Charakter ebenso betont wie die Modernität und die Funktion des Baus, der als lokales faschistisches Verwaltungszentrum diente. Die Partner Figini und Pollini und die Firma BBPR entwarfen und bauten ebenfalls weiterhin im rationalistischen Stil, vor allem für den Industriellen Adriano Olivetti (1901–1960). Figini und Pollini realisierten eine Reihe von Wohnungs- und Industriebauprojekten für Olivetti in Ivrea (1937–1957) und 1935 arbeiteten sie mit Alexander Schawinsky (1904–1979), einem *Bauhausabsolventen, zusammen an der Formgestaltung der berühmten Olivetti-Schreibmaschine »Studio 42«.

Von 1930 an genossen die Rationalisten die Unterstützung der Zeitschrift Casa Bella, die von Giuseppe Pagano und seinem Mitherausgeber, dem Kunstkritiker und Designer Edoardo Persico (1900–1936), geleitet wurde; letzterer vertrat die Ansicht, Rationalismus und Faschismus müssten sich nicht gegenseitig ausschließen. Doch in den späten 1930er-Jahren wurde klar, dass Piacentini und der kurz zuvor gegründete Raggruppamento Architetti Moderni Italiani die Oberhand hatten. Mit Nazi-Deutschland auf einer Linie nahm Italien eine antimodernistische Haltung ein. Casa Bella wurde eingestellt und viele Rationalisten schlossen sich dem antifaschistischen Untergrund an. Gianluigi Banfi (1910–1945) von der Firma BBPR und Giuseppe Pagano wurden verhaftet und nach Deutschland deportiert, wo sie 1945 im Konzentrationslager Mauthausen starben. Mit dem ebenfalls frühen Tod von Edoardo Persico im Jahr 1936 sowie dem Tod Giuseppe Terragnis, 1941, und seines Schülers Cesare Cattaneo im Jahr 1943 war der italienische Rationalismus ausgelöscht. Erst in den 1970er-Jahren machte sich mit den Bauten der New York Five und der Tendenza-Bewegung sein Einfluss in der internationalen Szene wieder bemerkbar.

Wichtige Bauwerke

Casa del Fascio (heute Casa del Popolo), Como, Italien
Olivetti Fabrik, Via Jervis, Ivrea, Italien
Piazza del Popolo, Como, Italien

Weiterführende Literatur

U. Pfammatter, Moderne und Macht: »razionalismo«
 (Braunschweig, 1990)
S. Germer (Hrsg.), Giuseppe Terragni, 1904–1943 (München, 1991)
R. Etlin, Modernism in Italian Architecture, 1890–1940 (1991)
T. L. Schumacher, Surface and Symbol: Giuseppe Terragni and
 the Architecture oft Italian Rationalism (1991)
F. Garofalo, Adalberto Libera (1992)

Guiseppe Terragni, Casa del Fascio, Como, 1932–1936
In Spiegelung der politischen Funktion des faschistischen Verwaltungsgebäudes öffneten sich die Glastüren zwischen Foyer und Piazza elektronisch, um den Massen bei Kundgebungen freien Zugang zum Inneren des Gebäudes zu ermöglichen.

Konkrete Kunst

Die überwältigende Dominanz des menschlichen Verstandes,
der Triumph des Menschen über das Chaos.

DENISE RENÉ

Theo van Doesburg, holländischer Künstler und Theoretiker sowie der Gründer von *De Stijl und *Elementarismus, definierte die Konkrete Kunst in einem Manifest, das im April des Jahres 1930 in der einzigen Ausgabe der Zeitschrift Art Concret erschien, indem er schrieb:

> Wir erklären: 1. Kunst ist universal. 2. Das Kunstwerk sollte vor seiner Ausführung vollkommen konzipiert und im Geist geformt sein. Es sollte nichts von den formalen Eigenschaften der Natur haben, auch nichts von Sensualität oder Sentimentalität. Wir wollen jeglichen Lyrizismus, Dramatismus, Symbolismus usw. ausschließen. 3. Das Bild sollte ausschließlich aus rein plastischen Elementen konstruiert sein, das heißt aus Flächen und Farben. Ein Bildelement hat keine andere Bedeutung als ›sich selbst‹, und daher hat das Bild keine andere Bedeutung als ›sich selbst‹. 4. Die Konstruktion des Bildes und all seiner Elemente muss einfach und visuell kontrollierbar sein. 5. Die Technik sollte mechanisch, das heißt exakt und antiimpressionistisch sein. 6. Bemühung um absolute Klarheit.

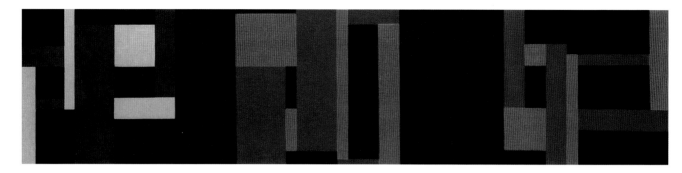

Das hier umrissene Konzept der abstrakten Kunst blieb der wichtigste Ausgangspunkt für diejenigen Künstler, die ihre zwischen 1930 und 1950 geschaffenen Werke als »konkret« bezeichneten. Das Manifest unterschied sehr deutlich zwischen Konkreter Kunst, den verschiedenen gegenständlichen Stilen der Zeit (siehe American Scene, Novecento Italiano und Surrealismus) und Formen des Abstrakten, etwa der expressiven abstrakten Kunst Wassily Kandinskys (siehe Der Blaue Reiter) und Werken, die die Natur abstrahierten, wie der *Kubismus, der *Futurismus oder der *Purismus.

Die Konkrete Kunst sollte keinerlei Gefühle, nichts Nationalistisches und nichts Romantisches aufweisen. Ihre Wurzeln lagen im *Suprematismus, im *Konstruktivismus, im De Stijl und in van Doesburgs Elementarismus. Sie sollte kein Produkt des irrationalen Geistes sein, wie es die Surrealisten forderten, sondern dem rationalen, bewusst denkenden Hirn eines Künstlers entspringen, in dem es keine Illusionen und Symbole gab. Diese Kunst sollte ihr Wesen in sich selbst tragen und nicht das Vehikel spiritueller oder politischer Ideen sein. In der Praxis wurde der Begriff Konkrete Kunst zum Synonym für eine geometrische Abstraktion in Malerei und Bildhauerei, mit der Betonung auf realen Materialien und realem Raum, auf der Liebe zum Raster, zu geometrischen Formen und glatten Oberflächen.

Trotz dem Tod van Doesburgs im Jahr 1931 gewann die Konkrete Kunst erheblich an Ansehen. Zunächst wurde sie von der Gruppe Abstraction-Création unterstützt, bis diese sich 1936 auflöste und der Schweizer Künstler und Architekt Max Bill (1908–1994), ein ehemaliger *Bauhausschüler, das Konzept weiterentwickelte. In den 1930er-Jahren wurde der geometrisch abstrakte Stil unter anderem von den Franzosen Jean Gorin (1899–1981), Jean Hélion (1904–1987) und Auguste Herbin (1882–1960) verfolgt, außerdem von dem Italiener Alberto Magnelli (1888–1971), dem Holländer César Domela (1900–1992), den Engländern Ben Nicholson (1894–1982) und Barbara Hepworth (1903– 1975), den Amerikanern Ilya Bolotowsky (1907–1981) und Ad Reinhardt (1913–1967) sowie den russischen Emigranten Antoine Pevsner (1886–1962, siehe Konstruktivismus) und Naum Gabo (1890–1977).

Max Bill, *Rhythmus in vier Quadraten*, 1943
In Bills streng komponiertem Gemälde liegt die Betonung auf den realen Materialien und dem realen Raum. Künstler wie Bill gingen dabei oft von wissenschaftlichen Konzepten oder mathematischen Formeln aus, was zu charakteristischen Rastern und geometrischen Formen führte.

Nach dem Zweiten Weltkrieg wurde Paris zum Zentrum der Konkreten Kunst. 1944 eröffnete Denise René ihre Galerie zur Förderung der Konkreten Kunst, der *Kinetischen Kunst und der *Op Art. Im folgenden Jahr fand in der Galerie René Drouin in Paris eine Ausstellung Konkreter Kunst statt – mit der Hilfe von Nelly van Doesburgs (der Witwe Theos) zusammengestellt – und 1946 wurde der Salon des Réalités Nouvelles eröffnet, der geometrische Abstraktionen zeigte. In den späten 1940er- und in den 1950er-Jahren schlossen sich internationale Künstler der Bewegung an, es bildeten sich Gruppen in Argentinien, Brasilien, Italien und Schweden. Zu den neuen Vertretern der geometrischen Abstraktion gehörten in England Mary Martin (1907–1969), Kenneth Martin (1905–1984) und Victor Pasmore (1908–1998), in den USA Bildhauer wie José de Rivera (1904–1985) und Kenneth Snelson (geb. 1927).

Die Nachkriegsdebatte um die abstrakte Kunst konzentrierte sich auf die relativen Vorzüge der »kalten« geometrischen Abstraktion gegenüber der »warmen« gestischen. In den 1950er-Jahren dominierte Letztere in Form des *Abstrakten Expressionismus und des *Informel – und wieder definierte sich die Konkrete Kunst in Opposition zur vorherrschenden Richtung und verteidigte das utopische Erbe der geometrischen Abstraktion gegenüber der neuen »existenzialistischen« Haltung, gegenüber Materie und Gestus. Aus dieser Position ging eine neue Generation konkreter Künstler hervor, deren Arbeiten schließlich zu den Werken der *Nachmalerischen Abstraktion, des *Minimalismus und der Op Art führten.

Wichtige Sammlungen
Stiftung für Konstruktivistische und Konkrete Kunst, Zürich
National Museum of Women in the Arts, Washington, D.C.
Sintra Museu de Arte Moderna, Sintra, Portugal
Tate Gallery, London
Tate St. Ives, England
Yale Centre for British Art, New Haven, Connecticut

Weiterführende Literatur
J. Balieu, *Theo van Doesburg* (1974)
T. v. Doesburg, *Grundbegriffe der neuen gestaltenden Kunst* (Mainz/Berlin, 1981)
N. Lynton, *Ben Nicholson* (1993)
J.-A. Birnie Danzker (Hrsg.), *Theo van Doesburg, Maler – Architekt* (München, 2000)

Magischer Realismus

Die Kunst des Malens ist eine Kunst des Denkens.

RENÉ MAGRITTE, 1949

Der deutsche Kunstkritiker Franz Roh prägte 1925 den Begriff *Magischer Realismus*, um zwischen den gegenständlichen und den expressiven Tendenzen in der zeitgenössischen Kunst zu unterscheiden. In Deutschland wurde diese Bezeichnung vom Titel *Neue Sachlichkeit überlagert, doch andere nahmen sie an und verwendeten sie neben Begriffen wie »präziser Realismus« und »Sharp-Focus-Realism«, um einen Malstil zu beschreiben, der in den USA und in Europa zwischen 1920 und 1950 populär war. Kennzeichen der Bilder sind im Allgemeinen eine übergenaue, fast fotografische Darstellung realistisch wirkender Szenen, die aber durch zweideutige

Perspektiven und ungewöhnliche Zusammenstellungen mysteriös und magisch wirken, ähnlich wie die Bilder des *Pittura-Metafisica-Malers Giorgio de Chirico. Wie die *Surrealisten bedienten sich die magischen Realisten der freien Assoziation, um ihren Alltagsthemen etwas Übersinnliches zu verleihen, doch lehnten sie die Freudschen Traumbilder und den Automatismus ab.

Paul Delvaux, *Die Hände (Der Traum)*, 1941
Der hypnotisiert wirkende, tranceähnliche Zustand der Frauen in diesem Gemälde erinnert an eine Traum- oder Märchenwelt und ruft im Betrachter das voyeuristische Gefühl hervor, besonderen Zugang zu den Gestalten zu haben.

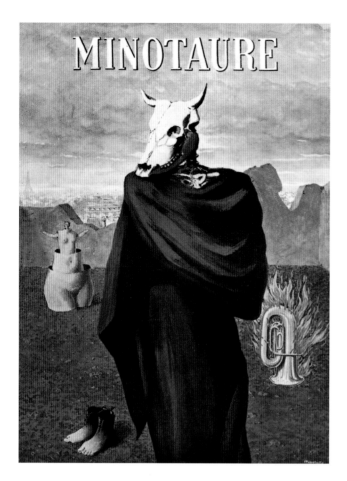

auf, errichten Gegensätze zwischen dem wirklichen und dem fiktiven Raum. Seine Techniken – absurde Zusammenstellungen, Bilder innerhalb der Bilder, Kombinationen aus Erotik und Alltag, Verschiebung von Maß und Perspektive – lassen Alltagsgegenstände als Abbilder des Mysteriösen erscheinen. Magritte war höchst interessiert an der Beziehung zwischen Gegenstand, Abbild und Sprache. Ein sehr berühmtes Bild, *La trahision des images*, zeigt eine Pfeife, unter der geschrieben steht »Ceci n'est pas une pipe« (Das ist keine Pfeife) – denn es ist ja lediglich ein Bild von einer Pfeife, die Abbildung einer Wirklichkeit. Ein großer Teil von Magrittes Werk lenkt unsere Aufmerksamkeit auf die Rolle des Sehens, auf die Art und Weise, in der unser Intellekt und unsere Emotionen unsere Wahrnehmung der Wirklichkeit bestimmen und beeinflussen, womit letztlich die Wirklichkeit, die wir sehen, infrage gestellt wird.

Magrittes Werke machten vor allem auf die Surrealisten Eindruck, doch er selbst hielt nichts von psychoanalytischen Deutungen. Die wahre Kunst des Malens bestehe darin, Bilder zu entwerfen und zu realisieren, die dem Betrachter eine rein visuelle Wahrnehmung der externen Welt vermitteln können, sagte er. Die externe Welt, wie Magritte sie präsentiert, ist freilich voller Widersprüche, Dislokationen, Rätsel und merkwürdiger Zusammenstellungen, sie ist, kurz gesagt, ein Mysterium. Im Gegensatz zur surrealistischen Doktrin vom Automatismus vertrat Magritte (wie de Chirico) die Ansicht, die sichtbare Welt sei als Quelle des Wunderbaren ebenso wertvoll wie die innere Welt des Unterbewussten.

Magrittes Titelblatt für die surrealistische Publikation *Minotaure* von 1937 vermittelt die düstere Seite des Surrealismus und des Magischen Realismus (der Minotaurus der griechischen Mythologie ernährte sich von Menschenfleisch). Da der Minotaurus als Sinnbild für den Nationalsozialismus betrachtet wurde, konnte Magrittes Darstellung als Omen des Bevorstehenden gelesen werden, als dringende Warnung an den orthodoxen Surrealisten und an die gesamte Öffentlichkeit, aus ihren Träumen aufzuwachen.

Die Strategien des Magischen Realismus, hatten großen Einfluss auf spätere Künstler, vor allem auf die Anhänger des *Nouveau Réalisme, *Neo-Dada, der *Pop Art und des *Hyperrealismus.

Zu den magischen Realisten gehörten die in den USA arbeitenden Künstler Peter Blume (1906–1992), Louis Guglielmi (1906–1956), Ivan Albright (1897–1983) und George Tooker (geb. 1920). In seinem berühmten Gemälde *Die ewige Stadt* (1934–1937) schuf Blume – indem er die Technik der *Präzisionisten mit der Protesthaltung der *Sozialen Realisten und dem halluzinatorischen visuellen Vokabular der Surrealisten vermengte – eine Art »sozialen Surrealismus«, der im Endeffekt eine gewaltige Kritik an Mussolini und dem italienischen Faschismus darstellte.

Europäische Surrealisten, wie der Franzose Pierre Roy (1880–1950) sowie die Belgier Paul Delvaux (1897–1994) und René Magritte (1898–1967), wurden auch als magische Realisten bezeichnet. Alle drei waren von de Chirico beeinflusst, besonders Delvaux, wie man an seinen Gemälden von stillen Städten, die von schlafwandelnden Akten bevölkert sind, sehen kann.

Magritte, der Maler der penibel realistischen Phantasien der Gemeinplätze, ist der bekannteste unter den magischen Realisten. Seine Bilder werfen die Frage nach der Wirklichkeit des Abgebildeten

René Magritte, Titelblatt von *Minotaure*, 1937
Magrittes Titelblatt für die surrealistische Publikation *Minotaure* vermittelt die düstere Seite des Magischen Realismus. Als Symbol des Nazismus verstanden, dient der Minotaurus als Warnung an den orthodoxen Surrealisten, sich nicht nur vor der Bestie im eigenen Innern zu hüten, sondern auch vor der Bestie draußen.

Wichtige Sammlungen
J. Paul Getty Museum, Los Angeles, Kalifornien
Minneaopolis Institute of Arts, Minneapolis, Minnesota
Museum of Modern Art, New York
National Museum of American Art, Washington, D.C.
Norton Museum of Art, West Palm Beach, Florida
Tate Gallery, London

Weiterführende Literatur
S. Menton, *Magic Realism Rediscovered*, 1918–1981 (1983)
A. M. Hammacher, *René Magritte* (Köln, 1992)
M. Pacquet, *René Magritte* (Köln, 1994)
A. Fluck, *»Magischer Realismus« in der Malerei des 20. Jahrhunderts* (Frankfurt am Main, 1994)

American Scene

Wirklich amerikanische Kunst ..., die echtem amerikanischem Boden entspringt und das amerikanische Leben zu interpretieren sucht.

MAYNARD WALKER, 1933

In den 1930er-Jahren erlebte Amerika ein Wiedererwachen der einheimischen realistischen Tradition, wie sie die *Ashcan School vertreten hatte. Der Börsenkrach von 1929, die Weltwirtschaftskrise und der Aufstieg des Faschismus in Europa führte zu einer Periode nationaler Nabelschau und wachsender Entfremdung von Europa, sowohl in politischer wie in künstlerischer Hinsicht. In den Augen vieler Amerikaner war die abstrakte Kunst Europas ein Zeichen der wachsenden Dekadenz der Europäer. Sie wandten sich folglich einer realistischen Kunst zu, die jene typisch amerikanische Darstellungsweise bevorzugte, die bereits in den 1920er-Jahren von den *Präzisionisten entwickelt worden war. Neben den Vertretern des *Sozialen Realismus schufen die Maler der American Scene (auch Maler des American Gothic und Regionalisten genannt) Gemälde, die ein zwischen bedrückender Isolation und stolzer Verherrlichung des neuen, ländlichen Eden schwankendes Bild von Amerika präsentierten.

Charles Burchfields (1893–1967) Darstellungen der ländlichen, volkstümlichen Kleinstadtarchitektur und die trostlosen Abbilder des städtischen Amerika eines Edward Hopper (1882–1967) vermitteln ein übermächtiges Gefühl von Einsamkeit und Verzweiflung. Burchfields phantastische, expressionistische Malweise verleiht den Bildern eine Aura des Verfalls, was einen Kritiker dazu provozierte, von »Hassgesängen« zu sprechen. Hopper schrieb,

Edward Hopper, *Approaching a City*, 1946
Hoppers Sujets, obgleich nicht ungewöhnlich und anonym und in unverblümter, eher fachmännisch nüchterner Weise gemalt, schaffen eine psychologische Atmosphäre, die oft – wie auch hier – den Übergang des Lebens zwischen Ankunft und Abreise andeutet.

die Bilder seines Freundes drückten die Langeweile des Alltags in einer Provinzstadt aus, und lobte ihn für seine Fähigkeit, eine Atmosphäre einfangen zu können, die man poetisch, romantisch, lyrisch oder sonst was nennen könne.

Hoppers bemerkenswerte Verwendung des Lichts, von der ein Kritiker sagte, es sei ein Licht, das immer erhelle, aber niemals wärme, verleiht seinen Bildern etwas Mysteriöses. Sein Ziel, so sagte er einmal, sei es, das geistlose Leben in der amerikanischen Kleinstadt und die traurige Trostlosigkeit der Vorstadtlandschaft zu spiegeln. Nach seinem Studium an der New York School of Art bei Robert Henri, einem der Väter des amerikanischen Realismus, unternahm Hopper seine erste Europareise, denn schon lange hegte er den Wunsch, in Paris zu studieren. Bereits nach wenigen Monaten, in denen er auch London, Amsterdam, Berlin und Brüssel besucht hatte, kehrte er zurück und sagte – vielleicht etwas zu selbstbewusst –, dass seine Parisreise keine Wirkung auf ihn gehabt habe.

Wen traf ich dort? Niemanden. Ich hörte von Gertrude Stein, aber ich kann mich nicht erinnern, je von Picasso gehört zu haben. Nachts ging ich in die Cafés, saß da und beobachtete. Ich ging ein bisschen ins Theater. Paris machte keinen großen oder direkten Eindruck auf mich.

Noch zweimal reiste er nach Europa, 1909 und 1910, doch obwohl seine Reisen einen gewissen Eindruck bei ihm hinterließen, konzentrierte er sich auf die Arbeit, für die er später bekannt werden sollte – das amerikanische Sujet. »Amerika schien mir entsetzlich roh und krude«, sagte er. »Ich brauchte zehn Jahre, um Europa zu verarbeiten.«

Während das ländliche und kleinstädtische Amerika, wie Burchfield und Hopper es darstellten, monoton und deprimierend erschien, verliehen die Regionalisten der American Scene demselben Sujet eine optimistischere und nostalgischere Note. 1933 veranstaltete der Journalist und Kunsthändler Maynard Walker im Kansas City Art Institute eine Ausstellung unter dem Titel »Amerikanische Malerei seit Whistler«, die Werke von Thomas Hart Benton (1889–1975), John Stuart Curry (1897–1946) und Grant Wood (1892–1942) umfasste. Walker war ein freimütig bekennender Förderer der realistischen amerikanischen Kunst. In der Einführung seines Begleitkatalogs zur Ausstellung forderte er die Sammler auf, diese Kunst zu unterstützen, anstelle der »Schiffsladungen voller Mist von der École de Paris, die gerade importiert worden sind«. Auch Henry Luce vom *Time*-Magazin begrüßte die Idee einer patriotischen amerikanischen Kunst enthusiastisch als Stütze »gesunder

amerikanischer Werte«. Das Titelblatt der Weihnachtsausgabe von *Time* im Jahr 1934 zeigt ein Gemälde von Benton, und im Innenteil finden sich Farbbilder und eine Laudatio auf andere Künstler dieser Stilrichtung. Der Mythos von den Regionalisten war geboren, und Benton, Curry und Wood spielten darin die Hauptrollen. Benton erinnerte sich später:

> Es wurde ein Stück geschrieben und eine Bühne für uns errichtet. Grant Wood bekam die Rolle des typischen Kleinstädters aus Iowa, John Curry die des Farmers aus Kansas, und ich selbst war der Hinterwäldler aus Ozark. Wir akzeptierten diese Rollen.

In der ersten Hälfte der 1930er-Jahre waren Grant Woods Bilder, die die Landschaften des Mittleren Westens, die Kleinstadtbürgerschaft und den stoischen, puritanischen Farmer aus Ioawa zeigten, beim Publikum äußerst beliebt. Sein berühmtes Gemälde *American Gothic* (1930), das der kargeren Seite der Malerei der American Scene ihren Namen verlieh, ist weit über die Zeit der Depression hinaus (für die es gedacht war) zur nationalen Ikone geworden.

Da unverblümter als Maynard Walker, wurde Thomas Hart Benton zum Sprachrohr des Regionalismus. Sein Nationalismus grenzte an Chauvinismus, wenn er zum Beispiel erklärte, eine Windmühle, ein Müllhaufen und ein Rotarier bedeuteten ihm mehr als Notre Dame oder der Parthenon. Seinen besonderen Spott bewahrte er sich für Großstädte auf – besonders New York –, die er »Särge für Lebende und Denkende« nannte, und für den europäischen Modernismus, den er als »ästhetischen Kolonialismus« bezeichnete. Sein schwungvoller heroischer Stil eignete sich besonders gut für die Wandgemälde, die er nach 1930 für öffentliche Gebäude schuf und in denen er die gesellschaftliche Entwicklung der Menschen im Mittleren Westen durch – entfernt an Michelangelo erinnernde – muskulöse Figuren darstellte und idealisierte.

Benton hatte in Paris bei dem amerikanischen Synchromisten Stanton MacDonald-Wright studiert, doch nachdem er zum Realismus und zur Förderung des ländlichen amerikanischen Goldenen Zeitalters konvertiert war, zerstörte er die meisten seiner früheren Werke. »Ich suhlte mich in jedem schieläugigen Ismus der mir in die Quere kam, und ich brauchte zehn Jahre, um diesen ganzen modernistischen Dreck aus meinem Organismus auszuspülen.«

Während der 1930er-Jahre lehrte er an der Arts Students League in New York und wurde Lehrer und Freund des jungen Jackson Pollock, der später die fließenden Linien und epischen Maße der Arbeiten Bentons zu einer neuen Art des Modernismus umformen

sollte. »Meine Arbeit mit Benton war wichtig als etwas, gegen das es später sehr heftig zu reagieren galt«, sagte er. In den frühen 1940er-Jahren erlebte der Regionalismus einen Niedergang, während die *Abstrakten Expressionisten, eine Künstlergruppe, die sich um Pollock scharte, beachtliche Aufmerksamkeit erweckten.

Die wichtigsten Erben der Regionalisten waren Norman Rockwell (1894–1978) und Andrew Wyeth (geb. 1917). Beide erfreuten sich großer Popularität. Rockwells Bilder der idealen amerikanischen Familie machten seinen Namen in den 1950er-Jahren zum Begriff und *Christina's World* (1948) von Wyeth streitet mit *American Gothic* um den Platz des beliebtesten Gemäldes der Amerikaner.

Oben: Norman Rockwell, *Freedom from Want*, 1943
Während des Kalten Krieges vermittelten Rockwells Bilder vom amerikanischen Familienleben – das immer als solide, verlässlich, blühend und vor allem frei dargestellt wurde – einer ganzen Generation von Amerikanern eine verlockende und überzeugende Sicht ihrer traditionellen Werte.

Gegenüber: Grant Wood, *Stone City*, Iowa, 1930
In der ersten Hälfte der 1930er-Jahre waren Woods Bilder, die die Landschaften des Mittleren Westens, die Kleinstadtbürgerschaft und den stoischen, puritanischen Farmer aus Ioawa zeigten, sehr beliebt, denn sie feierten das Durchhaltevermögen des hart arbeitenden Durchschnittsamerikaners.

Wichtige Sammlungen
Butler Institute of American Art, Youngstown, Ohio
Cedar Rapids Museum of Art, Cedar Rapids, Iowa
Knoxville Museum of American Art, Knoxville, Tennessee
National Museum of American Art, Washington, D.C.
Swope Art Museum, Terre Haute, Indiana

Weiterführende Literatur
W. M. Corn, *Grant Wood: The Regionalist Vision* (1983)
T. Benton, *An Artist in America* (1983)
H. Liesbrock, *Edward Hopper, das Sichtbare und das Unsichtbare* (Stuttgart, 1992)
R. Hughes, *American Visions: The Epic History of Art in America* (1997)
W. Schmied, *Edward Hopper: Portraits of America* (1999)

Sozialer Realismus

Ja, male Amerika, aber mit offenen Augen. Glorifiziere die Main Street nicht.
Male sie, wie sie ist – gemein, dreckig und habsüchtig.

MOSES SOYER

Zwei einschneidende Ereignisse der 1930er-Jahre, die Weltwirt-schaftskrise und der Aufstieg des Faschismus in Europa, veranlassten viele amerikanische Künstler, sich von der Abstraktion abzuwenden und die realistische Malweise zu wählen. Für die Regionalisten (siehe American Scene) bedeutete dies die Förderung einer ideali-sierten, oft chauvinistischen Sicht der ländlichen Vergangenheit Amerikas. Die Vertreter des Sozialen Realismus sahen dagegen die Verpflichtung, eine gesellschaftlich bewusstere Kunst zu schaffen.

Die oft als Stadtrealisten bezeichneten Maler Ben Shahn (1898–1969), Reginald Marsh (1898–1954), Moses (1899–1974) und Raphael Soyer (1899–1987), William Gropper (1897–1977) und Isabel Bishop (1902–1988) dokumentierten den Preis, den die Menschen für die politischen und ökonomischen Tragödien jener Zeit zahlen mussten. Thematisch sind sie mit Fotografen wie Do-rothea Lange (1895–1965), Walker Evans (1903–1975) und Mar-garet Bourke-White (1904–1971) verwandt, denen mit ihren ein-prägsamen Bildern vom Amerika der Zeit zwischen den Kriegen dieselbe charakteristische Mischung aus Reportage und bissiger Gesellschaftskritik gelang.

Oben: **Margaret Bourke-White, *At the Time of the Louisville Flood*, 1937**
Bourke-White, der wir einige der einprägsamsten Fotografien vom Amerika der Zeit zwischen den Kriegen verdanken, lieferte Bilder mit der für den Sozialen Realismus so typischen Mischung aus Reportage und bissiger Gesellschaftskritik.

Gegenüber: **Ben Shahn, *Years of Dust*, um 1935**
Shahn und andere Künstler und Fotografen (darunter Lange und Evans) arbeiteten in den 1930er-Jahren für die Farm Security Administration, die Berichte über die Armut der Landbevölkerung verfasste und für deren staatliche Unterstützung eintrat.

Shahn war sowohl Maler als auch Fotograf. Wie viele seiner Kollegen stellte er auch die Opfer einer Amok laufenden Justiz dar. In den frühen 1930er-Jahren wurde er für seine Bilder bekannt, die die Verhandlung, die Inhaftierung und die Hinrichtung der italie-nischen Einwanderer Nicola Sacco und Bartolomeo Vanzetti – von vielen als Opfer des amerikanischen Fremdenhasses gesehen – dar-stellten. Zusammen mit anderen Künstlern und Fotografen arbeite-te Shahn in den 1930er-Jahren für die Farm Security Administra-tion, die Berichte über die Armut der Landbevölkerung verfasste und für deren staatliche Unterstützung eintrat.

Viele Maler des Sozialen Realismus standen dem Marxismus nahe, wandten sich aber ab, als in Moskau die Schauprozesse (1936–1938) begannen und Hitler und Stalin 1939 ihren Nichtangriffs-pakt unterzeichneten. Obwohl sie ähnliche Sujets wählten, unter-scheidet der strenge Blick auf die graue Wirklichkeit die amerika-nischen Maler von den sowjetischen Künstlern des *Sozialistischen Realismus, die den Arbeiter zum Helden stilisierten. Eher könnte ein Vergleich mit den zeitgenössischen deutschen Künstlern George Grosz und Otto Dix (siehe Neue Sachlichkeit) gezogen werden.

Die Inspiration für den Sozialen Realismus kam von der *Ashcan School (viele hatten bei dem Ashcan-Künstler John Sloan in der Art Students League in New York studiert) und von den mexikani-schen Wandbildmalern Diego Rivera (1886–1957), José Clemente Orozco (1883–1949) und David Alfaro Siqueiros (1896–1974), die alle in den USA größere Wandgemälde geschaffen und damit ein Beispiel für populäre gegenständliche Malerei mit sozialem In-halt geliefert hatten. Von den frühen 1940er-Jahren an begannen neue Kunstformen, vor allen der *Abstrakte Expressionismus, die Aufmerksamkeit von Publikum und Kritikern auf sich zu ziehen.

Wichtige Sammlungen
Art Institute of Chicago, Chicago, Illinois
Butler Institute of American Art, Youngstown, Ohio
Modern Art Museum of Fort Worth, Texas
Oakland Museum of California, Oakland, Kalifornien
Springfield Museum of Art, Springfield, Ohio
Whitney Museum of American Art, New York

Weiterführende Literatur
D. Shapiro, *Social Realism: Art as a Weapon* (1973)
J. Treuherz, *Hard Times* (1987)
F. K. Pohl, *Ben Shaan* (1989)
H. Yglesias, *Isabel Bishop* (1989)

Sozialistischer Realismus

Die künstlerische Darstellung muss mit den Aufgaben der ideologischen Umgestaltung und der Erziehung der Werktätigen im Geiste des Sozialismus verbunden werden.

STATUT DES SOWJETISCHEN SCHRIFTSTELLERVERBANDES, 1934

Auf dem I. sowjetischen Schriftstellerkongress in Moskau wurde 1934 der Sozialistische Realismus zur offiziellen künstlerischen Ausdrucksform erklärt und seine Richtlinien wurden im Statut des sowjetischen Schriftstellerverbandes verbindlich festgehalten. Bald folgten für die anderen Künste ähnliche Kongresse, die ebenfalls den Sozialistischen Realismus zur einzig akzeptablen Kunstform der Sowjetunion erklärten. Diese Entscheidung setzte der Debatte zwischen den Vertretern der gegenständlichen und der abstrakten Kunst ein Ende, die seit den 1920er-Jahren die Frage zum Inhalt hatte, welche Kunstform der Revolution am besten diene (siehe Suprematismus und Konstruktivismus). Dies bedeutete zugleich das Ende aller »modernen« (abstrakten) Bewegungen in der Sowjetunion. Von 1934 an mussten alle Künstler Mitglied in einem der staatlich kontrollierten Künstlerverbände werden und Werke im akzeptierten Stil schaffen.

Die drei Leitprinzipien des Sozialistischen Realismus waren Parteitreue (Partijnost), Präsentation der richtigen Ideologie (Ideinost) und Volksnähe (Narodnost). Der künstlerische Wert bemaß sich einzig daran, in welchem Umfang das Werk zum Aufbau des Sozialismus beitrug, alles andere wurde verworfen. Der Realismus war der Stil der Wahl, denn er wurde von den Massen leichter verstanden. Doch es war selbstverständlich kein kritischer Realismus, wie etwa der *Soziale Realismus, sondern ein von der Regierung veranlasster erzieherischer und inspirativer.

Der Sozialistische Realismus sollte den Staat glorifizieren und die Überlegenheit der neuen, von den Sowjets geschaffenen klassenlosen Gesellschaft feiern. Die Einhaltung aller Forderungen an die künstlerische Darstellung wurde strikt überwacht, abgesegnete Kunstwerke zeigten folglich Frauen und Männer bei der Arbeit oder beim Leistungssport, politische Versammlungen, politische Führer und die Leistungen sowjetischer Wissenschaft und Technik. All dies wurde in naturalistisch idealisierter Weise dargestellt; die abgebildeten Menschen waren junge, kräftige, glückliche Mitglieder der progressiven klassenlosen Gesellschaft und ihre Führer waren Heroen. Die Werke des Sozialistischen Realismus sind meist monumental und verbreiten einen Hauch von heroischem Optimismus. Zu den bekanntesten Künstlern dieser Strömung zählen

Vera Muchina, *Arbeiter und Kolchosbäuerin*, 1937
Die Kunst des Sozialistischen Realismus, in naturalistischer, idealisierter Weise ausgeführt, zeigte Männer und Frauen beim Sport, bei politischen Versammlungen oder, wie bei dieser 24 m hohen Monumentalplastik, als heroisierte Werktätige – junge, muskulöse, glückliche Mitglieder der progressiven klassenlosen Gesellschaft.

Isaak Brodsky (1884–1939), Alexander Deineka (1899–1969), Alexander Gerasimow (1881–1963), Sergeij Gerasimow (1885–1964), Alexander Laktionow (1910–1972), Boris Wladimirsky (1878–1950) und Vera Muchina (1889–1953).

Die beliebtesten Sujets der Maler des Sozialistischen Realismus waren Mitte der 1930er-Jahre die Kolchosen und die Industriestädte, die die Ergebnisse der Fünf-Jahres-Pläne Stalins idealisierten. Gegen Ende der 1930er-Jahre, als der Personenkult zu blühen begann, der den erfolgreichen Abschluss der ersten großen Säuberungswelle begleitete, herrschten Porträts von Stalin selbst vor. Alexander Gerasimow, einer der Lieblingsmaler Stalins, erklärte dazu 1938 in einer Ansprache vor dem Künstlerverband, dass die Staatsfeinde, das trotzkistisch-bucharinsche Gesindel, die Agenten des Faschismus, die an der Front aktiv gewesen seien und in jeder nur denkbaren Weise den Aufstieg der Sowjetunion zu verhindern versucht hätten, nun demaskiert und vom sowjetischen Geheimdienst neutralisiert worden seien.

Nach dem Ende des Zweiten Weltkriegs formulierte Andrej Schdanow (1896–1948), seit 1934 Stalins Kulturfunktionär, noch striktere Resolutionen, die 1946 vom Zentralkomitee der Kommunistischen Partei angenommen wurden. Nun wurde nur noch ausgesprochen nationalistische Kunst gefördert; alle ausländischen Einflüsse, vor allem aus dem Westen, waren verpönt, die staatliche Zensur wurde verschärft. Zwischen 1946 und 1948 ließ Schdanow alle Schriftsteller, Musiker, Künstler, Intellektuelle und Wissenschaftler verfolgen, die unter Verdacht standen, die Ideologie zu vernachlässigen und westlichen Einflüssen zu unterliegen. Obwohl die Restriktionen nach Stalins Tod im Jahr 1953 ein wenig gelockert wurden, blieb bis zu Michail Gorbatschows Glasnost-Kampagne Mitte der 1980er-Jahre der Sozialistische Realismus der offizielle Stil der Sowjetunion und all seiner Satellitenstaaten.

Der erste Generalkongress der Sowjetischen Architektenunion rief 1937 dazu auf, die Prinzipien des Sozialistischen Realismus auch auf die Architektur anzuwenden. Von nun an sollten mithilfe der neuesten Bautechniken Gebäude im Volksstil der jeweiligen Region errichtet werden. Dadurch sollte mit jeglicher Tradition des abgeschafften Großbürgertums gebrochen werden, und das Ergebnis dessen sollten nationalistische Monumentalbauten sein. Die Moskauer Untergrundbahn wurde als so wichtig erachtet, dass man ihren Ausbau sogar nach Ausbruch des Krieges fortsetzte, während alle anderen Bauprojekte gestoppt wurden.

Seit den 1970er-Jahren hat eine Reihe offiziell nicht anerkannter Künstler, vor allem Vitali Komar (geb. 1943) und Alexander

Melamid (geb. 1945), die in den 1970er-Jahren in die USA emigrierten, das visuelle Vokabular des Sozialistischen Realismus mit dem der *Pop Art vermischt und so die Sots Art kreiert. Diese witzige Kombination zweier Stile, die während des Kalten Krieges dazu gedient hatten, die jeweiligen Mythen der Sowjetunion und der USA zu stützen, diente diesen Künstlern jetzt dazu, just diese Mythen zu demaskieren.

Vitali Komar und Alexander Melamid, *Doppelporträt als junge Pioniere*, **1982–1983**
Kolmars und Melamids witzige Zusammenstellungen erlauben ihnen, Mythos und Wirklichkeit der Sowjetunion mit den Mitteln zu maskieren, die während des Kalten Krieges Elemente des vorgeschriebenen Kunststils waren.

Wichtige Sammlungen
Dia Center for the Arts, New York City
Russisches Staatsmuseum, St. Petersburg
Galerie Tretjakow, Moskau

Weiterführende Literatur
P. György, *Staatskunstwerk: Kultur im Stalinismus* (Budapest, 1992)
G. Gorzka, *Kultur im Stalinismus* (Bremen, 1994)
D. Ades und T. Benton, *Art and Power* (1996)
T. Christ, *Der sozialistische Realismus* (Basel, 1999)
A. Julius, *Idolizing Pictures* (2001)

Neo-Romantizismus

Eine Welt der privaten Geheimnisse.

JOHN CAXTON, 1941

Der Begriff Neo-Romantizismus wird zur Beschreibung zweier verwandter, aber unterschiedlicher Gruppen verwendet: einer Pariser Künstlergruppe, die in den 1920er- und 1930er-Jahren tätig war, und einer Gruppe, die zwischen 1930 und 1950 in England wirkte. Zu den Hauptvertretern der Pariser Neo-Romantizisten gehörten der Franzose Christian Bérard (1902–1949) sowie die russischen Emigranten Pawel Tschelitschew (1889–1957) und Eugene (1899–1972) und Leonid Berman (1896–1976). Ihre phantastischen Darstellungen zeigen öde Landschaften mit traurigen, tragischen oder beängstigenden Gestalten, und der Einfluss von Giorgio de Chirico (siehe Pittura Metafisica) und René Magritte (siehe Magischer Realismus) ist in diesen visionären und enigmatischen Szenerien unverkennbar. In symbolischer Form sprechen sie von Verlust und Entfremdung, aber auch – man bedenke die Situation der russischen Emigranten – von Heimweh nach anderen Orten und Zeiten. Ein Vertreter der englischen Linie des Neo-Romatizismus, John Minton (1917–1957), studierte bei Tschelitschew in Paris und bewunderte die düster beklemmende Atmosphäre in den Arbeiten der Künstler der Pariser Gruppe. Die meisten der englischen Künstler, darunter Paul Nash (1889–1946), John Piper (1903–1992), Graham Sutherland (1903–1980), Keith Vaughan (1912–1977) und Michael Ayrton (1921–1975), wählten bewusst einheimische Themen und Stile als Inspirationsquellen. In der Vorkriegszeit anglisierten sie den kontinentaleuropäischen Modernismus, um ihn ihren Bedürfnissen anzupassen. Sie bezogen sich auf William Blake, Samuel Palmer, die Präraffaeliten, die Artussagen, die Architektur der ländlichen Kirchen und Kathedralen sowie die Tradition der englischen Landschaftsmalerei.

Etwas verallgemeinernd könnte man ihre Werke, in denen die Natur als ambivalente Quelle von Schönheit und Entfremdung vorgeführt wird, als emotional und symbolisch überladen bezeichnen. Objekte in der Landschaft, ob natürlich entstanden oder von Menschen geschaffen, werden quasi als Charaktere mit eigener Persönlichkeit dargestellt. Diese Fusion aus *Surrealismus und englischer Landschaftsmalerei (in der die Elemente, seien es Bäume, Gebäude oder Flugzeugwracks, vermenschlicht werden) deutet sich auch in Nashs berühmtestem Gemälde *Totes Meer* (1940–1941) an; dieses Bild aus dem Zweiten Weltkrieg zeigt die Wracks deutscher Flugzeuge, die Nash bei Oxford sah. Er selbst sagte dazu:

> Plötzlich erschien mir das ganze Feld voller Wrackteile wie ein überflutendes Meer … Im Mondlicht … hätte man schwören können, sie begannen sich zu bewegen, zu fliegen wie zuvor in der Luft. Eine Art Totenstarre? Nein, sie sind ziemlich tot und still. Die einzige lebendige Kreatur ist die weiße Eule, die über die Körper der räuberischen Kreaturen hinwegfliegt.

Nashs Gemälde, in dem das tote Meer aus den »Körpern« der Angreifer/Opfer gebildet wird, erlaubt die unterschiedlichsten As-

soziationen – man denkt an die visionären Landschaften Emil Noldes (siehe Expressionismus), an den Versuch der Surrealisten, zwischen Lebendigem und Unlebendigem eine Verbindung zu knüpfen, und auch an den Kampf zwischen Maschine und Natur.

Die Künstler des englischen Neo-Romantizismus bevorzugten Aquarellfarben und Tusche. Während des Krieges und kurz danach waren ihre Arbeiten als Illustrationen und Bucheinbände beliebt. Henry Moore (1898–1986, siehe Organische Abstraktion), dessen Kriegszeichnungen ganz besonders bedrückend sind, wird manchmal auch mit dem Neo-Romantizismus in Verbindung gebracht.

Wichtige Sammlungen
Aberdeen Art Gallery, Aberdeen, Schottland
Fine Arts Museum of San Francisco, San Francisco, Kalifornien
Museum of Modern Art, New York
National Gallery of Art, Washington, D.C.
Tate Gallery, London

Weiterführende Literatur
B. Kochno, *Christian Bérard* (1988)
N. Yorke, *The Spirit of the Place: Nine Neo-Romantic Artists and their Times* (1988)
A. M. Hammacher, *René Magritte* (Köln, 1992)
L. Kirstein, *Tchelitchew* (Santa Fe, CA, 1994)

Paul Nash, *Totes Meer*, 1940–1941
Nashs *Totes Meer* besteht aus den »Körpern« der Angreifer/Opfer; es erinnert an den Versuch der Surrealisten, zwischen Lebendigem und Unlebendigem eine Verbindung zu knüpfen, aber auch an den Kampf zwischen Maschine und Natur, in dem die Natur, besonders die englische Landschaft, metaphorisch siegt.

1945-1965

Eine neue Unordnung

Jackson Pollock in seinem Atelier in East Hampton, Long Island, bei der Arbeit an einem Bild

Art Brut

Eine Kunst, die aus der reinen Erfindung entspringt und die sich in keiner Weise auf chamäleon- oder papageienartige Prozesse gründet, wie es die Kulturkunst immerzu tut.

JEAN DUBUFFET

Der französische Künstler und Schriftsteller Jean Dubuffet (1901–1985) prägte 1945 den Begriff Art Brut (rohe, grobe Kunst), um die Objekte der Gemälde- und Skulpturensammlung zu beschreiben, die er gerade zusammenstellte. Er sammelte Werke von Kindern, Visionären, spiritistischen Medien, Strafgefangenen und Geisteskranken, von Menschen also, die keine ausgebildeten Künstler waren (siehe Outsider Art). Da diese Menschen seiner Meinung nach unberührt waren von den schädlichen Auswirkungen der akademischen Ausbildung und der gesellschaftlichen Konventionen, waren sie auch frei, Werke von wahrer Expressivität zu schaffen. Der Zweite Weltkrieg war vorüber und ein großer Teil Europas lag in Trümmern. Traditionen und Werte waren ebenso zerstört wie die Städte und Großstädte, alle, auch die Künstler, mussten ganz von vorn anfangen. Schon vor dem Krieg hatten sich die Surrealisten für die Kunst der Geisteskranken interessiert; Dubuffet knüpfte an dieses

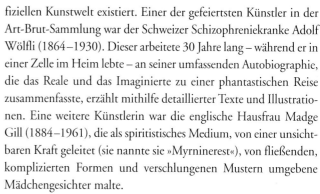

Interesse an, aber auch an die Ausstellungen von Kinderkunst, die während der Okkupation zu sehen gewesen waren, sowie an die großen Nachkriegsausstellungen der Psychiatrischen Klinik St. Anne in Paris, 1946 und 1950, die Bilder ihrer Patienten präsentierten. Auch hatte er die bahnbrechende Studie des Berliner Psychiaters Dr. Hans Prinzhorn *Bildnerei der Geisteskranken* (1922) gelesen und 1945 eine psychiatrische Klinik in der Schweiz besucht.

1948 gründeten Dubuffet, André Breton (siehe Surrealismus), Michel Tapié (siehe Informel) und andere die Gruppe Compagnie de l'Art Brut, eine nicht auf Gewinn ausgerichtete Gesellschaft, die Art Brut sammelte und studierte. Bisher hatte diese Kunst »ungezähmt und verborgen wie eine wilde Kreatur« nur außerhalb der offiziellen Kunstwelt existiert. Einer der gefeiertsten Künstler in der Art-Brut-Sammlung war der Schweizer Schizophreniekranke Adolf Wölfli (1864–1930). Dieser arbeitete 30 Jahre lang – während er in einer Zelle im Heim lebte – an seiner umfassenden Autobiographie, die das Reale und das Imaginierte zu einer phantastischen Reise zusammenfasste, erzählt mithilfe detaillierter Texte und Illustrationen. Eine weitere Künstlerin war die englische Hausfrau Madge Gill (1884–1961), die als spiritistisches Medium, von einer unsichtbaren Kraft geleitet (sie nannte sie »Myrninerest«), von fließenden, komplizierten Formen und verschlungenen Mustern umgebene Mädchengesichter malte.

Obwohl der überwiegende Teil der Werke der Sammlung von geisteskranken Menschen stammte, war Dubufett nicht der Ansicht, dass es so etwas wie »psychiatrische« Kunst gebe. Er zog keine Trennlinie zwischen der Kunst der Kranken und Unausgebildeten oder der Autodidakten, er zelebrierte beides als das Werk von Jedermann, als Beweis für die demokratische Natur der Kreativität. Was er besonders bewunderte, war die schiere Kraft und ungehemmte Expressivität der Art Brut. Im luxuriösen Katalog *L'Art brut préféré aux arts culturels* (Art Brut ist der Kulturkunst vorzuziehen), der die in der Galerie René Drouin in Paris 1949 stattfindende erste Ausstellung der Sammlung begleitete, schrieb er, die künstlerische Funktion sei in allen Fällen identisch, und es gebe genauso wenig eine Kunst der Geisteskranken, wie es eine Kunst der Menschen mit Verdauungsbeschwerden oder aufgeschürften Knien gebe.

Die Art-Brut-Ausstellung wanderte später in die USA, wo sie im Haus des Künstlers und Schriftstellers Alfonso Ossorio (1926–1990) auf Long Island zwischen 1952 und 1962 installiert blieb. Zu Besuch kommende Künstler konnten sie dort ansehen, der Öffentlichkeit wurde sie 1962 in der Cordier-Warren Gallery in New York zugänglich gemacht, kurz bevor die Werke nach Paris zurückgeschickt wurden. 1972 gelangte die mehr als 5000 Stücke umfassende Sammlung als Schenkung an die Stadt Lausanne, wo sie als »Collection de l'Art Brut« im Château de Beaulieu einen dauerhaften Platz fand. Seit Gründung dieser Institution umfasst Art Brut – theoretisch – nur die Werke in der Sammlung in Lausanne. Im englischen Sprachraum sind »Outsider Art« und »Visionary Art« häufiger benutzte Begriffe.

Oben: Madge Gill, *Ohne Titel*, um 1940
Für Madge Gill war der Spiritualismus Beruhigung und Stimulans. Bei ihren obsessiven Zeichnungen von Mädchengesichtern, die von fließenden, komplizierten Formen und verschlungenen Mustern umgeben waren, wurde sie von einer unsichtbaren Kraft, die sie »Myrninerest« nannte, geführt.

Gegenüber: Jean Dubuffet, *The Cow with the subtile Nose*, 1954
Absurd und dennoch anrührend bricht Dubuffets Kuh mit der europäischen Tradition, Kühe und Stiere als edle Sinnbilder der Fruchtbarkeit oder des männlichen Heroentums darzustellen, wie es etwa bei Picassos Minotaurus der Fall ist. Naivität und Humor laden zu einer neuen, ehrlichen Reaktion ein.

Oft wird Dubufetts eigene Kunst aber auch als Art Brut bezeichnet. Er selbst war nicht wirklich ein Außenseiter, obwohl er sein künstlerisches Leben erst spät begann, denn bis zu seinem 41. Lebensjahr arbeitete er als Weinhändler. Die 1940 entdeckten Höhlenmalereien von Lascaux beeindruckten ihn sehr, ebenso die anonymen Graffiti auf den Wänden in Paris, die Brassaï (Gyula Halász; 1899–1984) auf Fotografien festgehalten hatte. Beide bestärkten ihn in seiner Überzeugung, dass Menschen ein Urbedürfnis hätten, schöpferisch zu sein und individuelle, sichtbare Spuren zu hinterlassen. *The Cow with the subtile Nose* (1954), lächerlich aber anrührend, ist meilenweit entfernt von der europäischen Tradition der Darstellung von Kühen und Stieren, die immer als Repräsentanten von Kraft, Stärke und Potenz stehen; diese Kuh scheint in eine ihr eigene Unschuld entflohen zu sein.

Anders als sein Freund Antonin Artaud (1896–1948) – Dramatiker, Künstler, Kritiker, Mystiker und ehemaliger Surrealist –, hatte Dubuffet das Glück, Wahnsinn beobachten zu können, ohne selbst davon betroffen zu sein. Für Artaud hingegen waren Schreiben und Malen Mittel, seine Krankheit zu bekämpfen – kein Luxus, sondern Katharsis. In seinem viel beachteten Essay *Van Gogh le suicidé de la société* (van Gogh, der Selbstmörder durch die Gesellschaft, 1947) schrieb Artaud: »Niemand hat je geschrieben, gemalt, skulptiert, modelliert, gebaut oder erfunden ohne den buchstäblichen Drang, der Hölle zu entkommen.« Artauds eigener tragischer Abstieg in die Hölle wird in seinem gequälten Selbstporträt eindringlich sichtbar, das er mit immer wieder abbrechenden Stiften wie einen Angriff auf das Papier malte. »Er arbeitete voller Wut, brach Stift um Stift ab, um die Qual des Exorzismus zu ertragen«, schrieb ein Freund. Auch Dubuffet glaubte, dass die Kunst das Ergebnis des körperlichen Kampfes zwischen dem Künstler und seinem Medium sei. Seine außerordentlichen *haute-pâte*-Arbeiten der 1940er- und 1950er-Jahre sind reliefartige Objekte aus einer mit Sand, Teer, Kieseln und anderen Materialien gefertigten Masse, auf die dann seine Bilder gezeichnet oder in die sie mit brutaler Kraft eingekratzt wurden. Durch die Bearbeitung des pastenartigen Bildgrundes – Tapié beschrieb ihn als eine Art lebendige Materie, die ihre ewige Magie erzeuge – schuf Dubuffet gleichsam Gestalten aus dem Urschlamm. Obwohl sich seine späteren Arbeiten stark von den Frühwerken unterschieden, erforschte er doch weiterhin ähnliche Themen. Die *Hourloupe*-Serien aus der Zeit zwischen 1962 und 1974 waren von

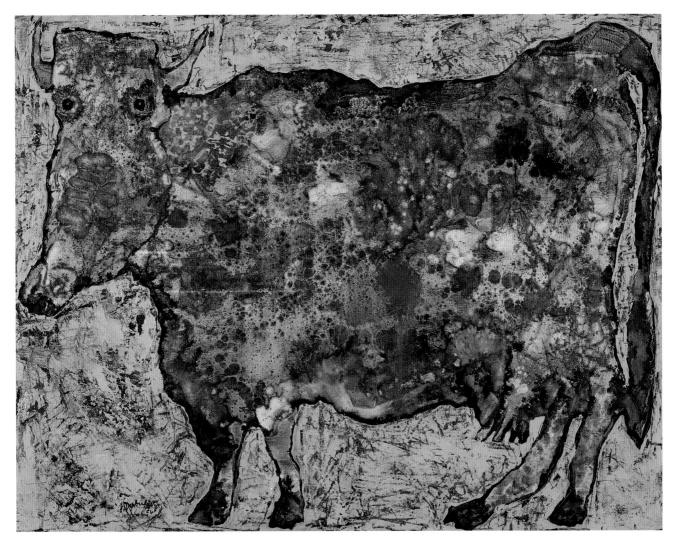

den halbbewussten Kritzeleien inspiriert, die man mit dem Kugelschreiber während des Telefonierens erstellt. Ausgehend von dem Werkzeug, das der moderne Mensch benutzt, um seine Spuren zu hinterlassen, schuf Dubuffet eine phantasievolle, puzzleartige Welt aus Gemälden, Plastiken und großen Kompositionen.

Mit seiner eigenen Kunst und durch die Förderung der Art Brut versuchte Dubuffet, die überlieferten Vorstellungen über Kunst auf den Kopf zu stellen. Die Betonung des Intuitiven als Urquelle der Kunst teilten die Künstler der Gruppierungen *Informel, *Existenzielle Kunst, *COBRA und *Abstrakter Expressionismus. Seine Erforschung neuer Techniken war für viele ein befreiendes Beispiel, etwa für den *Pop-Art-Künstler Claes Oldenburg, der 1969 schrieb: »Jean Dubuffet regte mich dazu an zu fragen, warum Kunst gemacht wird und worin der künstlerische Prozess besteht, statt zu versuchen, mit einer Tradition konform zu gehen oder sie zu erweitern.«

Wichtige Sammlungen

Adolf-Wölfli-Stiftung, Kunstmuseum Bern
Collection de l'Art Brut, Château de Beaulieu, Lausanne
Fine Arts Museum of San Francisco, San Francisco, Kalifornien
Kreegar Museum, Washington, D.C.
Musée des Arts Décoratifs, Paris
Museum of fine Arts, Boston, Massachusetts

Weiterführende Literatur

M. Thévoz, *Art Brut, Kunst jenseits der Kunst* (Aarau, 1990)
J. Dubuffet, *Jean Dubuffet: The Radiant Earth* (1996)
M. Haas, *Jean Dubuffet* (Berlin, 1997)

Existenzielle Kunst

Von unserer Generation wurde nur eins verlangt:
mit der Verzweiflung fertig zu werden.

ALBERT CAMUS, 1944

Der Existenzialismus war die vorherrschende Philosophie im Europa der Nachkriegszeit. Er vertrat die Position, dass der Mensch in der Welt allein stehe, ohne vorexistierende Moral oder ein religiöses System, das ihm Leitung oder Stütze sein könnte. Einerseits sei er gezwungen, diese Einsamkeit, die Sinn- und Nutzlosigkeit seiner Existenz zu erkennen; andererseits habe er die Freiheit, sich selbst zu definieren, sich selbst mit jeder Handlung neu zu erfinden. Dieses Gedankengebäude entsprach der Stimmung der ersten Nachkriegsjahre, und vor allem auf Künstler und Literaten der mondänen Jugendkultur von Saint-Germain-des-Prés, der amerikanischen Gegenkultur der Beat-Generation und der britischen »zornigen jungen Männer«, hatte es in den 1950er-Jahren großen Einfluss.

Die französischen Schriftsteller Jean-Paul Sartre (1905–1980) und Albert Camus (1913–1960), während des Zweiten Weltkriegs Widerstandskämpfer, gehörten zu den Helden der Nachkriegszeit. Sartre formulierte die Thesen seiner Existenzphilosophie erstmals in seinem Buch *L'Etre et le Néant* (Das Sein und das Nichts), das 1943 im besetzten Paris publiziert wurde. In den Nachkriegsjahren folgte dann, was die französische Schriftstellerin Simone de Beauvoir (1908–1986) die »existenzialistische Offensive« nannte: eine Flut von Büchern, Theaterstücken und Essays von Camus, Sartre, de Beauvoir und Jean Genet (1910–1986), die von dem vom Krieg desillusionierten Publikum begeistert aufgenommen wurden. Der Existenzialismus schien »die Menschen zu autorisieren, ihren Zustand des Übergangs zu akzeptieren, ohne das Absolute aufzugeben,

sich dem Grauen und der Absurdität zu stellen und dennoch ihre menschliche Würde zu behalten«, wie es de Beauvoir formulierte. Der Existenzialismus färbte rasch auf die Künste, vor allem die Literatur und die bildende Kunst, ab. Zwischen den Schriftstellern, darunter André Malraux (1901–1976), Maurice Merleau-Ponty (1908–1961), Francis Ponge (1899–1988) und Samuel Beckett (1906–1989), und den Künstlern jener Zeit bestanden enge Bande. Die Schlagwörter des Existenzialismus – Authentizität, Angst, Schuldgefühl, Entfremdung, Absurdität, Ekel, Transformation, Metamorphose, Furcht, Freiheit – fanden Eingang in die Sprache der Kunstkritiker, die angesichts der Kunstwerke ihre Eindrücke formulieren mussten. Für Sartre und seine Mitstreiter führte der Künstler – den sie als einen ununterbrochen nach neuen Ausdrucksformen Suchenden betrachteten – das existenzielle Dilemma des Menschen ständig auf.

Nicht der Stil, sondern die Stimmung und der Gedanke verleihen den Kunstwerken ihr existenzialistisches Flair. Werke der *Abstrakten Expressionisten, der Künstler des *Informel, der Gruppe *COBRA, der französischen Gruppierung L'homme Témoin (Mensch als Zeuge), der britischen *Kitchen Sink School oder der amerikanischen *Beat Art wurden alle irgendwann als existenzialistisch bezeichnet, ob sie nun abstrakt oder gegenständlich waren. Auch viele Künstler, die in keine Gruppierung passen, wie die Franzosen Jean Fautrier (1898–1964), Germaine Richier (1904–1959) und Francis Gruber (1912–1948), der Schweizer Alberto

Giacometti (1901–1966), der Holländer Bram van Velde (1895–1981) sowie die Briten Francis Bacon (1909–1992) und Lucian Freud (geb. 1922) erhielten dieses Etikett.

Fautriers bekannteste Serie von Gemälden und Plastiken, *Otages* (Geiseln), entstand während des Krieges, als der Künstler in einem Vorort von Paris in einem Heim für Geisteskranke Unterschlupf gefunden hatte und die Schreie der Gefangenen mit anhören musste, die von den Nazis gefoltert und in den umliegenden Wäldern hingerichtet wurden. Diese grauenhaften Erlebnisse spiegeln sich in seinen Werken. Seine Malereien auf einem aus Papier und Gips hergestellten Grund erinnern an verletztes Fleisch und abgetrennte Körperteile. Obwohl er Bilder von derart expliziter Grausamkeit schuf, schreckte Fautrier doch davor zurück, die menschliche Gestalt gänzlich wegzulassen; seine Mischung aus Figurativem und Abstraktem vermittelt auf eindrückliche Weise die menschliche Herkunft der Opfer und die abstrakte Anonymität der Toten in den Massengräbern. Die Bilder sind Ausdruck des obsessiven Wunsches, sowohl der Opfer zu gedenken, als auch die Gräuel zu dokumentieren, die ihnen angetan wurden. Als die *Otages* 1945 in der Galerie René Drouin in Paris erstmals ausgestellt wurden, lösten sie einen Skandal aus. Die Gemälde waren in engen Reihen nebeneinander gehängt, was die Assoziation mit Massenexekutionen verstärkte, und viele waren mit puderigen Pastellfarben koloriert, was ihnen eine schockierend erotische Schönheit verlieh. Malraux schrieb in seiner Einführung im Begleitkatalog zur Ausstellung, die Serie sei der erste Versuch, den zeitgenössischen Schmerz bis auf sein tragisches Ideogramm zu sezieren und ihn so in die Welt der Ewigkeit zu zwingen.

Wie Fautrier wurde auch Richier für ihre »Authentizität« (ein Schlüsselbegriff existenzialistischen Denkens) gelobt, und ihre Plastiken wurden entweder als hoffnungsvoll oder pessimistisch gesehen, als Abbilder der Schrecken des Krieges oder der Kraft des Menschen, diese zu überwinden. Die Gesichtszüge der von ihr dargestellten Figuren mögen ausgelöscht oder samt der Haut abgezogen sein, doch sie haben überlebt, haben sich eine gewisse Würde und einen Lebenssinn erhalten. Die Qual des Existenzialisten wird in Richiers Werk deutlich, doch kann man die Gewalt ihrer artistischen Sprache auch im *expressionistischen Licht sehen oder, betrachtet man die Fülle des Mysteriösen in ihren Werken, auch im *surrealistischen. Es ist die Kombination dieser Möglichkeiten, die das Werk für die Stimmung der Nachkriegszeit so typisch macht.

Für die Schriftsteller Sartre, Genet und Ponge war Giacometti, der ehemalige Surrealist, der Archetyp des existenzialistischen

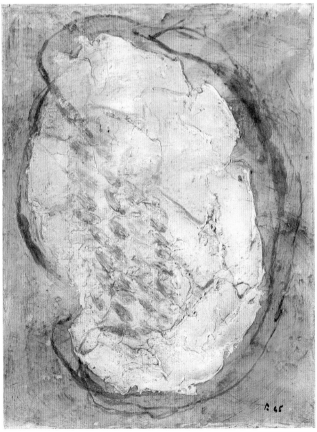

Oben rechts: **Germaine Richier, *Wasser*, 1953–1954**
Richiers Plastiken wurden entweder als hoffnungsvoll oder pessimistisch gesehen, als Abbilder der Schrecken des Krieges oder der Kraft des Menschen, diese zu überwinden. Die Gesichtszüge der von ihr dargestellten Figuren mögen ausgelöscht sein, doch sie haben überlebt, haben sich eine gewisse Würde und einen Lebenssinn erhalten.

Rechts: **Jean Fautrier, *Otages*, 1945**
Fautriers grauenhafte Erlebnisse spiegeln sich in den »Geiseln«. Seine Malereien auf einem aus Papier und Gips hergestellten Grund erinnern an verletztes Fleisch und abgetrennte Körperteile.

Künstlers. Seine Rückkehr zum immer gleichen Sujet und seine Figuren, die sich im Raum zu verlieren scheinen, waren für sie Ausdruck der Isolation des Menschen und seines Kampfes. Genet schrieb 1958, die Schönheit habe keine andere Quelle als die besondere Wunde, die jeder Mensch in sich trage, und Giacomettis Kunst scheine ihm das Ziel zu verfolgen, diese heimliche Wunde in jedem Lebewesen, selbst in jedem Ding, sichtbar zu machen, damit es durch sie erleuchtet werde. Auch Sartre schrieb über Giacometti. Sein Essay *La recherche de l'absolu* (Die Suche nach dem Absoluten) für den Katalog der ersten Giacometti-Ausstellung nach dem Krieg, die 1948 in der Pierre Matisse Gallery in New York stattfand, machte den Existenzialismus in den USA und Großbritannien bekannt.

Die »Trauer« der Existenzialisten war von den stilbewussten jungen Leuten in den Cafés, Kellerbars und Jazzlokalen von Saint-

Gegenüber: **Francis Bacon, *Figure in Movement*, 1976**
Die theatralische, gewalterfüllte und klaustrophobische Atmosphäre von Bacons Gemälden, die keinerlei Ausweg und Trost zu bieten scheint, brachte viele dazu, sein Werk als das gequälteste und unversöhnlichste der existenzialistischen Kunst zu betrachten.

Unten: **Alberto Giacometti, *Gehender Mann III*, 1960**
Der Abstrakte Expressionist Barnett Newman sagte, Giacomettis Figuren sähen aus, als wären sie aus Speichel gemacht, neue Dinge ohne Form oder Textur und doch irgendwie gefüllt. Indem sie die Unendlichkeit des Raums um sich herum betonen, erscheinen die Figuren zerbrechlich, vereinsamt und ausgeliefert.

Germain-des-Prés aufgegriffen und in den 1950er-Jahren zur Mode gemacht worden. Die misérabiliste-Attitüde der Malergruppe L'homme Témoin (Mensch als Zeuge), der Bernard Buffet (1828–1999), Bernard Lorjou (geb. 1908) und Paul Rebeyrolle (geb. 1926) angehörten, war besonders beliebt. In ihrem Manifest von 1948, geschrieben von dem Kritiker Jean Bouret, erklärten sie: »Die Malerei existiert um Zeugnis abzulegen, und nichts Menschliches kann ihr fremd sein.« Der Stil ihrer Wahl war ein dramatischer Realismus. Buffets stilisierte lineare Figuren in Nachkriegsszenarien voller Entbehrung und Trauer machten ihn über Nacht zur gefeierten Persönlichkeit und zu einem der erfolgreichsten Maler der 1950er-Jahre. Zu dieser Zeit war auch die Sprache der englischen Kunstkritiker durchsetzt mit den Ideen und Vokabeln des Existenzialismus. Vor allem Sartres Aufsatz über Giacometti erwies sich als wichtig für den englischen Kritiker David Sylvester und den Kreis britischer Künstler, der sich, zunächst in Paris, später in London, um ihn scharte und zu dem Künstler wie Francis Bacon, Reginald Butler (1913–1981), Eduardo Paolozzi (geb. 1924) und William Turnbull (geb. 1922) gehörten. Die theatralische, gewalterfüllte und klaustrophobische Atmosphäre von Bacons Gemälden verleitete viele dazu, ihn als den gequältesten unter den existenzialistischen Künstlern zu betrachten. Ganz ähnlich hatte die bedrückende Stimmung in Lucian Freuds hyperrealistischen Porträts in den 1940er-Jahren den Kritiker Herbert Read dazu gebracht, ihn den »Ingres des Existenzialismus« zu nennen.

Bis zum Ende der 1950er-Jahre war der Existenzialismus zu einem allgemein verbreiteten Phänomen geworden. Bei einer unter der Leitung von Peter Selz im Museum of Modern Art in New York stattfindenden Ausstellung im Jahr 1959 kamen viele europäische Existenzialisten mit ihren amerikanischen Kollegen, wie zum Beispiel dem Abstrakten Expressionisten Willem de Kooning, zusammen. Der Titel der Ausstellung, ›New Images of Man‹ (Neue Abbilder des Menschen), deutete auf die Beliebtheit des Existenzialismus als intellektuellen Rahmen zur Interpretation bildender Kunst hin. In den 1960er-Jahren wurde die existenzialistische Weltsicht von einer neuen Generation infrage gestellt, die Kunst in der Gemeinschaft mit anderen und ihrer Umgebung zu schaffen versuchte (siehe Neo-Dada, Nouveau Réalisme und Pop Art).

Wichtige Sammlungen
Sammlung der Beyeler-Stiftung, Basel
California State University Library, Northridge, Kalifornien
Fine Arts Museum of San Francisco, San Francisco, Kalifornien
Moderna Museet, Stockholm
Stedelijk Museum, Amsterdam
Tate Gallery, London

Weiterführende Literatur
F. Bacon, *Francis Bacon: meine Bilder* (München, 1983)
R. M. Mason, *Jean Fautrier's Prints* (1986)
L. Aragon, *Wege zu Giacometti* (München, 1987)
H. Matter, *Alberto Giacometti* (1987)
R. Hughes, *Lucien Freud: Paintings* (1989)

Outsider Art

Ihre Werke entstehen aus vitaler Notwendigkeit, aus Obsession und Zwang,
und ihre Motivationen sind ehrlich, rein und intensiv.

ANDY NASISSE

Outsider Art (Außenseiterkunst) beschreibt eine von Nicht-Künstlern geschaffene Kunst. Die Bezeichnung wird oft im Austausch mit *Art Brut verwendet, allerdings ist ihr Anwendungskreis größer, da sie sich auf jede Kunst, die von Menschen außerhalb des Kunstbetriebs produziert wird, bezieht. Der Terminus fand weiten Gebrauch, nachdem der Kritiker Roger Cardinal 1972 sein einflussreiches Buch *Outsider Art* veröffentlicht hatte. Cardinal suchte nach einem Begriff, der eher die kreative Unabhängigkeit der Schöpfer betonte als deren gesellschaftliche Randstellung oder ihren mentalen Zustand. Außenseiterkünstler stehen außerhalb der Kunstwelt, aber nicht notwendigerweise außerhalb der Gesellschaft. Visionäre Kunst, Intuitive Kunst, Grassroots Art sind andere Namen, die aus Gründen der Neutralitätswahrung geprägt wurden.

Zu den eindrucksvollsten Werken der Outsider Art gehören monumentale Gebäude, die über viele Jahre hin errichtet wurden. Ein solches ist das Palais Idéal in Hauterives in Frankreich, mit dessen Errichtung der französische Postbeamte Le Facteur (Ferdinand) Cheval (1836–1924) im Jahr 1879 begann und das er 30 Jahre später vollendete. Die bizarre Struktur, die an indische Tempelbauten oder gotische Kathedralen denken lässt, ist eine Erinnerung Chevals an die Pavillons der Pariser Weltausstellung von 1878. Bereits zu seinen Lebzeiten war das Gebäude eine Touristenattraktion und in den 1930er-Jahren wurde es von vielen Surrealisten besucht. Watts Towers, Los Angeles (1921–1955), von dem italienischen Bauarbeiter Simon Rodia (um 1879–1965) ist ein weiteres vielbeachtetes Monument aus Stahl und buntem Beton, dekoriert mit

Kacheln, Muschelschalen und Steinen. Wie Cheval arbeitete auch Rodia drei Jahrzehnte an seinem Gebäude, dann vermachte er es urkundlich seinem Nachbarn, verließ die Stadt und weigerte sich zurückzukehren, mit der Bemerkung: »Da ist ja nichts.« Während der 1960er-Jahre war Rodias Bauwerk für die Künstler der *Assemblage eine wichtige Inspirationsquelle. Die Felsgärten von Chandigarh (begonnen 1958) des indischen Straßeninspekteurs Nek Chand (geb. 1924) sind noch in Arbeit.

Diese Werke haben Künstlern der Massenkultur Modelle für visuelle und stilistische Formen geliefert, die von ungeschulten Künstlern stammen. Damit sind sie verführerisches Beispiel für den Gedanken, dass der Künstler ein Mensch ist, der unter dem Zwang steht, schöpfen zu müssen, dass er gar keine andere Wahl hat, sondern kreativ sein muss. Wie Andy Nasisse (geb. 1946) – ein zeitgenössischer Künstler, der Outsider Art sammelt, studiert und sich von ihr inspirieren lässt – betont, werden Outsider-Künstler für ihre Ernsthaftigkeit und ihr Durchhaltevermögen bewundert.

Das wachsende Interesse der Öffentlichkeit an der Kunst der Außenseiter hat ihr den Zugang zum Mainstream eröffnet, wie das Beispiel des amerikanischen Geistlichen Howard Finster (geb. 1916)

zeigt, der das Coverdesign der Alben *Little Creatures* (1985) von den Talking Heads und *Reckoning* (1988) von R.E.M. entworfen hat und damit bei einem Millionenpublikum bekannt wurde. Outsider-Kunstwerke werden in Galerien und Museen ausgestellt, sie werden gesammelt und gekauft, und Monumentalwerke werden unter Denkmalschutz gestellt. Als die Behörden den heimlich und illegal angelegten Garten von Nek Chand entdeckten, zerstörten sie ihn nicht, vielmehr bekam Chand ein Gehalt und Mitarbeiter, die ihm beim Weiterbau helfen sollten. Inzwischen umfasst das Bauwerk ein Gelände von rund zehn Hektar und täglich kommen mehr als 5000 Besucher.

Wichtige Bauwerke

Howard Finster, Paradise Garden, Pennville, Georgia
Le Facteur (Ferdinand) Cheval, Palais Idéal, Hauterives, Frankreich
Nek Chand, Die Felsengärten von Chandigarh, Chandigarh, Indien
Simon Rodia, Watts Towers, 107th Street, Los Angeles, Kalifornien

Weiterführende Literatur

R. Cardinal, *Outsider Art* (1972)
B.-C. Sellen und C. J. Johanson, *20th Century American Folk, Self-Taught, and Outsider Art* (1993)
B. Goldstone, *The Los Angeles Watts Towers* (Los Angeles, CA, 1997)
C. Rhodes, *Outsider Art* (2000)

Gegenüber: **Nek Chand, *Versammlung von Dorfbewohnern*, zweite Phase des Felsgartens, 1965–1966**
Der Felsgarten im Nordosten der Stadt Chandigarh ist aus Industrieabfall und weggeworfenen Gegenständen erbaut. Da sich der Status von Außenseiterkünstlern verbessert hat, bekommt Chand durch eine Stiftung finanzielle Unterstützung für den weiteren Ausbau und den Erhalt seiner Anlage.

▌Organische Abstraktion

In der kontemplativen Betrachtung der Natur werden wir ununterbrochen erneuert.

BARBARA HEPWORTH, 1934

Mit dem Begriff organische Abstraktion werden gerundete abstrakte Formen bezeichnet, wie sie auch in der Natur zu finden sind. Deshalb spricht man auch von biomorpher Abstraktion. Gemeint ist jedoch keine Schule oder Bewegung, sondern ein hervorstechendes Merkmal der Arbeiten einiger höchst unterschiedlicher Künstler, wie etwa Wassily Kandinsky (siehe der Blaue Reiter), Constantin Brancusi (siehe École de Paris) und die Künstler der *Art Nouveau und des *Jugendstils. Üblicherweise verwendet man den Begriff für Arbeiten der 1940er- und 1950er-Jahre, besonders für die der *Surrealisten Hans Arp, Joan Miró und Yves Tanguy sowie für die der britischen Bildhauer Barbara Hepworth (1903–

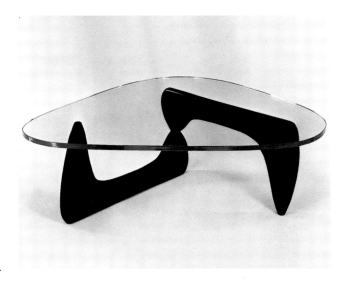

Rechts: **Isamu Noguchi, *Coffee Table*, 1947**
Noguchi sah all seine Arbeiten als Plastiken und bevorzugte biomorphe Formen, besonders während der 1940er-Jahre. Der Tisch zeigt die plastische Eleganz und Raffination der Materialien, die für sein Gesamtwerk typisch sind.

1975, siehe Konkrete Kunst) und Henry Moore (1898–1986, siehe Neo-Romantizismus).

Die Figuren der Plastiken von Arp, Miró und Moore zeigen deutliche Ähnlichkeiten mit natürlichen Formen, wie Knochen, Muscheln und Kieselsteinen. Ihre Arbeiten erfreuten sich großer Beliebtheit; Moore erklärte im Jahr 1937, es gebe universale Formen, auf die jeder Mensch im Unterbewusstsein konditioniert sei und auf die er reagieren könne, sofern die Kontrolle durch das Bewusstsein dies nicht verhindere. Nicht nur auf andere Künstler wie Alexander Calder (1898–1976, siehe Kinetische Kunst), Isamu Noguchi (1904–1988) und die *Abstrakten Expressionisten hatte die runde Form große Anziehungskraft, sondern auch auf eine ganze Generation von Möbeldesignern, vor allem in den USA, Skandinavien und Italien. Während Hepworth, Moore und Arp die Natur selbst als entscheidende Inspirationsquelle nutzten, ließen sich die Designer bei ihren Entwürfen vor allem von den gerundeten, fließenden Linien und Formen der Skulpturen beeinflussen.

Zu den bekannten Möbeldesignern in den USA gehörten Charles Eames (1907–1978) und seine Frau Ray Eames (1912–1988), Isamu Noguchi sowie der Finne Eero Saarinen (1910–1961). Eames und Saarinen wurden bekannt, als sie für ihre gemeinschaftlich entworfenen Wohnzimmermöbel beim Designwettbewerb »Organic

Design in Home Furnishings« (Organisches Wohnungsmöbel-Design), der vom Museum of Modern Art in New York ausgeschrieben worden war, in zwei Kategorien erste Preise gewannen; Eames sollte der erste Designer sein, der 1946 eine Einzelausstellung im Museum bekam. Die Beispiele der Avantgarde-Künstler und der Industriedesigner (besonders aus dem Flugzeug- und Automobilbau) sowie die neu entwickelten Techniken (vor allem neue Biegetechniken und neue Schichtpressstoffe aus verschiedenen Materialien) regten die Möbeldesigner dazu an, immer mehr organisch geformte Objekte zu entwerfen. Da gerundete Formen gefälliger wirken und bequemer sind, fanden organische Möbel großen Zuspruch.

Der 1955 ursprünglich als Geburtstagsgeschenk für den Regisseur Billy Wilder entworfene Lounge Chair aus Rosenholz und Leder mit Fußschemel gehört zu den gefeiertsten Entwürfen des Ehepaars Eames. Charles sagte, er wollte dem Sessel das warme, gemütliche Aussehen eines oft benutzten Baseballhandschuhs verleihen. Auch Saarinen entwarf epochemachende Sessel, deren Namen bereits auf die »organische« Quelle hinwiesen, so etwa der Womb Chair (Schoßsessel) von 1946 und der Tulpenstuhl von 1956. Auch in seinen architektonischen Entwürfen jener Zeit zeigen sich biomorphe Einflüsse, besonders im Gebäude der TWA auf dem JFK-Flughafen in New York (1956–1962). Noguchi betrachtete all seine Arbeiten als Plastiken, seien es Lampen, Spielplätze, Bühnenbilder oder Gärten, die alle gerundete Formen aufwiesen, besonders seine Arbeiten aus den 1940er-Jahren. Sein berühmter Coffee Table von 1947 mit Glasplatte und sanft gerundetem Holzgestell zeigt die plastische Eleganz und Raffinesse der Materialien, die für sein Gesamtwerk typisch sind.

Beim italienischen Wiederaufbau nach dem Krieg spielte die organische Form eine wichtige Rolle. Da die gerade Linie des Rationalismus zu sehr an den Faschismus erinnerte (siehe M.I.A.R.), wandten sich die Designer der Kurve zu. In ganz Italien war diese ausgesprochen organische Ästhetik zu sehen, die alle Bereiche – Autos, Schreibmaschinen, Vespas, Möbel und Einrichtungsgegenstände – umfasste und eine Fusion aus Aspekten des amerikanischen Design, des Surrealismus und den Skulpturen von Arp und Moore darstellte. Die aus Bugholz und Metall gefertigten Möbel von Carlo Mollino (1905–1973) zum Beispiel weisen ganz klar auf die genannten Quellen hin, sind aber auch einem weiteren Pionier des organischen Design verpflichtet: Antoni Gaudí (siehe Modernismus), dem Carlo Mollino seinen »Gaudi-Stuhl« von 1949 widmete. Auch Achille Castiglioni (geb. 1918) entwarf Möbel, die sich

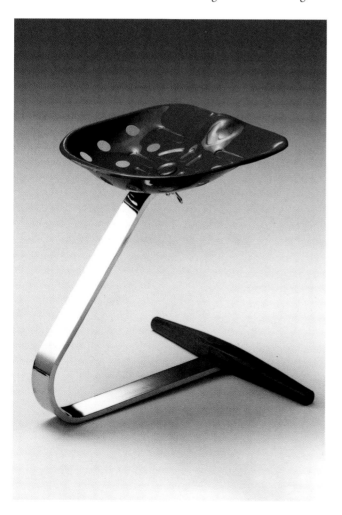

Links: **Achille Castiglioni, 220 *Mezzadro*, 1957**
Der aus einem Traktorsitz gearbeitete Hocker brachte die alte Debatte über die Beziehung zwischen Kunst, Formgestaltung und Technologie, die schon in den Tagen des Deutschen Werkbundes und des Bauhauses geführt wurde, wieder in Schwung.

Gegenüber: **Henry Moore, *Reclining Figure*, 1936**
Ein Jahr, nachdem er diese Plastik vollendet hatte, schrieb Moore, es gebe universale Formen, auf die jeder Mensch im Unterbewusstsein konditioniert sei und auf die er reagieren könne, sofern die Kontrolle durch das Bewusstsein dies nicht verhindere.

auf avantgardistische Kunst beziehen, etwa auf *Dada oder Surrealismus, sowie auf die Praxis, Kunst aus Fundstücken zu gestalten. Seine Stehhilfe Sella (1957), ein Fahrradsattel auf einer Stahlstange mit einer Halbkugel als Fuß, und sein aus einem Traktorsitz gearbeiteter Hocker Mezzadro (1957) brachten die alte Debatte über die Beziehung zwischen Kunst, Formgestaltung und Technologie (siehe Deutscher Werkbund und Bauhaus) wieder in Schwung.

Skandinavien war in den 1940er- und 1950er-Jahren ein weiterer Tummelplatz der organischen Abstraktion. Der Finne Alvar Aalto (siehe International Style), seine Frau Aino Marsio Aalto (1894–1949) und der dänische Architekt und Designer Arne Jacobsen (1902–1971) produzierten international anerkannte Arbeiten. Wie bei Saarinen zeigen sich auch bei Jacobsen die organischen Quellen in den Titeln, die er seinen bekanntesten Sitzmöbeln gab: Ameise (1951), Schwan (1957) und Ei (1957).

Die Tendenz zur organischen Abstraktion war in den 1940er- und 1950er-Jahren besonders deutlich sichtbar, doch heute ist sie noch immer ein fester Bestandteil in Kunst und Design, etwa im Werk von Bildhauern, die grundsätzlich unterschiedlich arbeiten,

wie Linda Benglis (geb. 1941), Richard Deacon (geb. 1949), Eva Hesse (1936–1970), Anish Kapoor (geb. 1954), Ursula von Rydingsvard (geb. 1942) und Bill Woodrow (geb. 1948) sowie bei den Designern Ron Arad (geb. 1951), Verner Panton (1926–1998) und Oscar Tusquets (geb. 1941).

Wichtige Sammlungen

Bolton Art Gallery, Bolton, England
Cornell Fine Arts Museum at Rollins College, Winter Park, Florida
National Museum of Women in the Arts, Washington, D.C.
Tate Gallery, London
Tate St. Ives, England

Weiterführende Literatur

B. Altshuler, *Isami Noguchi* (1994)
P. Curtis, *Barbara Hepworth* (1998)
P. Reed (Hrsg.), *Alvar Aalto* (1998)
W. Seipel, *Henry Moore: 1898–1986* (Ausst.-Kat., Kunsthist. Museum, Wien, 1998)

Informel

Heutzutage kann Kunst nicht existieren, es sei denn, sie stößt vor den Kopf.

MICHEL TAPIÉ, 1952

Als Art Informel (Kunst ohne Form) bezeichnete man in Europa jene gestische Art der abstrakten Malerei, die die internationale Kunstwelt seit der Mitte der 1940er- bis in die späten 1950er-Jahre dominierte. Der französische Schriftsteller, Kritiker, Bildhauer und Jazzmusiker Michel Tapié (1909–1987) sprach von der »Bedeutsamkeit des Formlosen«; er prägte den Begriff Informel, der allerdings mit anderen Bezeichnungen, wie etwa Lyrische Abstraktion, Materialbilder und Tachismus, im Wettstreit lag.

Der Terminus Lyrische Abstraktion, geprägt von Georges Mathieu (geb. 1921), lenkte die Aufmerksamkeit auf die körperliche Handlung des Malens bei dessen eigenem und dem Werk anderer Künstler, wie dem des Franzosen Camille Bryen (1907–1977), des

in Ungarn geborenen Simon Hantaï (geb. 1922), des aus der Tschechoslowakei stammenden Jaroslav Serpan (1922–1976) und der Deutschen Hans Hartung (1904–1989) und Alfred Otto Wolfgang Schulze, genannt Wols (1913–1951).

Die Materialbilder betonten die Ausdruckskraft der – oft ungewöhnlichen – Materialien, die französische Künstler wie Jean Dubuffet (siehe Art Brut) und Jean Fautrier (siehe Existenzielle Kunst), die Holländer Jaap Wagemaker (1906–1975) und Bram Bogart (geb. 1921), der Italiener Alberto Burri (geb. 1915) und der Katalane Antoni Tàpies (geb. 1923) für ihre Werke verwendeten. Der Tachismus, abgeleitet vom französischen Wort »tâche« (Fleck), bezog sich auf die impulsive abstrakte Ausdrucksgebärde, wie die des englischen Malers Patrick Heron (geb. 1920), des Franzosen Pierre Soulages (geb.1919) und des Belgiers Henri Michaux (1899–1984).

Einig waren sich alle Theoretiker der neuen Kunst lediglich darüber, dass die Werke all dieser Künstler einen radikalen Bruch mit der bis dahin dominanten Kunstpraxis der unmittelbaren Nachkriegsjahre signalisierten, eine Praxis, die die Kritikerin Geneviève Bonnefoi als »den Zwillingsterror aus *Sozialistischem Realismus und geometrischer Abstraktion« bezeichnete. Sowohl das Vokabular des Realismus als auch der Intellektualismus der geometrischen Abstraktion (siehe Konkrete Kunst, De Stijl und Elementarismus) wurden als unzureichende Mittel angesehen, sich den Realitäten der Nachkriegsepoche zu stellen. Armut, Leiden und Unmut konnten, so die Argumentation, nicht abgebildet, sondern nur ausgedrückt werden. Beeinflusst vom Existenzialismus der Zeit, feierte man die Künstler des Informel aufgrund ihrer Individualität, Authentizität, Spontaneität und bewunderte ihr emotionales und physisches Engagement während des künstlerischen Schaffensprozesses; sie kreierten Werke, die ihr »innerstes Wesen« offenbaren. Mathieu beschrieb seine Arbeit als »Geschwindigkeit, Intuition, Erregung« – das sei seine Methode der Schöpfung. Oft veranstaltete er große öffentliche Darbietungen, wie 1956 im Théâtre Sarah Bernhardt in Paris, wo er eine 12 x 12 Meter große Leinwand in weniger als 30 Minuten mit 800 Tuben Farbe bemalte.

Links: **Hans Hartung, *Ohne Titel*, 1961**
Hans Hartung war einer der europäischen Maler, die von Tapié zusammen mit amerikanischen Vertretern des Abstrakten Expressionismus, wie etwa Willem de Kooning und Jackson Pollock, ausgestellt wurden, um zu zeigen, dass die gestische Abstraktion eine internationale Tendenz darstellte.

Gegenüber: **Wols, *Das blaue Phantom*, 1951**
1963, lange nach dem Tod des Künstlers, schrieb Jean-Paul Sartre, Wols sei Mensch und Marsmensch, denn er bemühe sich, die Erde mit nichtmenschlichen Augen zu sehen, weil dies seine einzige Möglichkeit sei, unser Erleben zu universalisieren.

Die 1945 gleich nach Kriegsende stattfindenden Ausstellungen von Fautriers *Otages*, von Dubuffets *Haute Pâtes* und von Wols Zeichnungen und Aquarellen signalisierten für Tapié den Beginn des Informel-Abenteuers. Alle drei Ausstellungen fanden in der Galerie René Drouin in Paris statt, einem Ort, an dem man mit den neuen Kunstwerken umzugehen verstand. Wie bei der Ausstellung der *Otages* von Fautrier installierte Drouin auch die kleinen, ausdrucksstarken Werke von Wols in schwarzen Kastenrahmen, die einzeln ausgeleuchtet wurden, was die Intensität des Seherlebnisses steigerte. Für Tapié war Wols, wie er 1953 schrieb, »der Katalysator einer lyrischen, explosiven, antigeometrischen und informellen Nicht-Gestaltung«.

Wols war sowohl für Künstler als auch für Schriftsteller eine wichtige Inspirationsquelle. Jean-Paul Sartre zum Beispiel schrieb 1963, lange nach dem Tod des Künstlers, Wols sei Mensch und Marsmensch zugleich, denn er bemühe sich, die Erde mit nicht-menschlichen Augen zu sehen, weil dies seine einzige Möglichkeit sei, unser Erleben zu universalisieren. Wols ausschweifender Lebensstil, seine Armut, Depressionen und Alkoholsucht sowie sein früher Tod als Folge einer Fleischvergiftung brachten Sartre dazu, ihn als den Archetyp des existenziellen Künstlers zu präsentieren, der sich selbst opfert im zwanghaften Ringen darum, der Welt einen Sinn zu geben.

Der Dichter und Maler Michaux schuf in den zwei Monaten, die auf den Unfalltod seiner Frau folgten, mehr als 300 Zeichnungen, um seine Trauer zu verarbeiten oder, wie er sagte, um diese verworrene Welt der Konflikte, in die er geworfen sei, auseinander zu nehmen. Die Zeichnungen wurden 1948 in der Galerie Drouin ausgestellt, und wieder verstärkte die enge Hängung der Bilder deren Wirkung so sehr, dass der Kritiker René Bertelé dazu bemerkte, die

Wände der Galerie hätten ausgesehen, als wären sie von einer unkontrollierbaren Flutwelle bespritzt worden.

Wie viele andere Menschen in dieser Zeit war auch Michaux an östlichen Philosophien, wie Taoismus und Zen, sowie an chinesischer und japanischer Kalligrafie interessiert – ein Ergebnis seiner Suche nach den Grundlagen der visuellen und verbalen Kommunikation. Ausdruck fand dieses Interesse in seiner Serie von kalligrafieähnlichen Tuschzeichnung, die 1951 unter dem Sammeltitel *Movements* veröffentlicht wurden. Im Begleittext schrieb Michaux, er betrachte sie als eine neue Sprache, die das Verbale zurückweist, insofern sehe er sie als Befreier. Für Michaux, der als Schriftsteller ebenso bekannt war wie als Maler, war beides ein Mittel zur Selbsterforschung. 1959 schrieb er, er male genauso wie er schreibe, nämlich um sich selbst zu entdecken, wiederzuentdecken, um zu finden, was wahrhaftig sein sei, das was schon immer zu ihm gehört habe, ihm aber unbekannt gewesen sei.

Während viele Künstler und Kritiker eine neue *École de Paris errichten wollten, war Tapié mehr an der gestischen Abstraktion als an der internationalen Tendenz interessiert, und so lenkte er seine Aufmerksamkeit über die französische Hauptstadt hinaus auf Amerika und seinen *Abstrakten Expressionismus, auf die deutschen

Oben: **Patrick Heron, *Cadmium with Violet, Scarlet, Emerald, Lemon and Venetian*, 1969**
Heron sah die Natur als Stimulus, doch er arbeitete abstrakt, wobei die Farbe sein Thema und sein Hauptanliegen war. 1962 schrieb er, die Malerei habe noch immer einen Kontinent zu erforschen, nämlich den der Farbe.

Gegenüber: **Georges Mathieu, *Mathieu from Alsace goes to Ramsey Abbey***
Im Vorwort zum Katalog der Ausstellung »Véhémences Confrontées« (Widerstreitende Kräfte) im Jahr 1951 verneinte Mathieu jegliche Relevanz der Debatte Abstraktion versus Gegenständlichkeit der 1940er-Jahre und setzte dagegen, das Abenteuer sei von anderer Art und spiele sich woanders ab.

Gruppen Zen 49 und Quadriga, auf die kanadischen Automatisten, die italienische Gruppe Arte Nucleare und die japanische Verbindung Gutai. Zusammen mit dem extravaganten Maler und Propagandisten Mathieu organisierte er Ausstellungen in Paris, wie etwa die »Véhémences Confrontées« (Widerstreitende Kräfte) in der Galerie Nina Dausset im Jahr 1951, wo so unterschiedliche Künstler wie die amerikanischen Abstrakten Expressionisten de Kooning und Pollock mit Europäern wie Hartung, Bryen und Wols zusammengeführt wurden. Im Vorwort des Ausstellungskatalogs verneinte Mathieu jegliche Relevanz der Debatte Abstraktion versus Gegenständlichkeit der 1940er-Jahre und setzte dagegen, das Abenteuer sei von anderer Art und spiele sich woanders ab. 1952 griff Tapié das Thema auf und vertiefte es in seinem Buch *Un art autre* (Eine andere Kunst), in welchem er schrieb, es seien Temperamente nötig, die bereit seien alles niederzureißen, denn der wahre Kunstschöpfer wisse, dass seine einzige Möglichkeit, seine unausweichliche Botschaft auszudrücken, im Außergewöhnlichen liege, im Paroxysmus, in der Magie und der totalen Ekstase. Das Buch zeigt die verschiedenen Einflüsse auf den Informel auf, zu denen der Surrealismus der Vorkriegszeit mit seiner Betonung des Unbewussten als Sitz künstlerischer Inspiration gehört. Ein weiterer Einfluss ging vom *Expressionismus in seiner abstrakten Variante aus, wie sie Wassily Kandinsky (siehe Der Blaue Reiter) vertrat. Tapiés Interpretation der Arbeit der Informel-Künstler als Urzwang des Menschen, kreativ

sein zu müssen, deutet seine Nähe zur Art Brut an; sein Interesse an der Kunst und Philosophie der Existenzialisten zeigt die Beziehung zwischen Informel und anderen zeitgenössischen Trends, zum Beispiel dem *Lettrismus. Wie dieser kann auch Tapiés *Art Autre* als Teil des Wiedererwachens von *Dada gesehen werden; wie das Dada-Abenteuer war auch *Art Autre* eine Rückkehr zum Nullpunkt, eine Auseinandersetzung mit dem »Wirklichen« – ein ungeformter, indefiniter Raum, gegründet auf das Bewusstsein von der Entdeckung der Wissenschaft, der Mathematik, der Physik und des Alls. Das gemeinsame Interesse an der Kalligrafie und den Problemen der Kommunikation sowie die Versuche beider Bewegungen, visuelle Dichtung zu kreieren, zeigen ebenfalls die Überschneidungen zwischen Lettrismus und Informel auf.

Tapiés Konzept der *Art Autre*, das eher eine Haltung als einen Stil betonte, umfasste auch Künstler, deren Werke die widerstreitenden Parteien abstrakt/gegenständlich oder geometrisch/gestisch zu versöhnen schienen; zu diesen Künstlern gehören Roger Bissière (1888–1964), Maria Elena Vieira de Silva (1908–1992), Nicolas de Staël (1914–1955) und Germaine Richier (siehe Existenzielle Kunst) aus Frankreich, der Österreicher Friedensreich Hundertwasser (eigentlich Friedrich Stowasser, 1928–2000), die britischen Maler Roger Hilton (1911–1975), Peter Lanyon (1918–1964) und Alan Davie (geb. 1920) sowie die Künstler der Gruppe COBRA. Aber auch all jene, deren Werk ein Interesse an den psychischen Quellen der Kreativität zeigt, wie die russischen Emigranten Serge Poliakoff (1906–1969) und André Lanskoy (1902–1976), der Österreicher Arnulf Rainer (geb. 1929) und der Italiener Emilio Vedova (geb. 1919), könnten unter Tapiés Begriff eingeordnet werden.

Während der gesamten 1950er-Jahre fanden weitere Ausstellungen des Informel in Europa, Asien und Nordamerika statt. Der Abstrakte Expressionismus und Informel wurden zu internationalen Malstilen der Nachkriegsepoche. Doch in den späten 1950er-Jahren war eine neue Künstlergeneration herangewachsen (siehe Neo-Dada, Nouveau Réalisme und Pop Art), die die Bedeutung und Dominanz der alten Stile infrage stellte.

Wichtige Sammlungen

Centre Georges Pompidou, Paris
Fine Arts Museum of San Francisco, San Francisco, Kalifornien
Museum moderner Kunst, Wien
Tate Gallery, London
University of Montana Museum of Fine Arts, Missoula, Montana

Weiterführende Literatur

U. Krempel (Hrsg.), *Hans Hartung: Malerei, Zeichnung, Fotografie* (Berlin, 1981)
S. J. Cooke u.a., *Jean Dubuffet 1943–1963* (Ausst.-Kat., Hirshhorn Museum, Washington, D.C., 1993)
T. Belgin (Hrsg.), *Kunst des Informel, Malerei und Skulptur nach 1952* (Ausst.-Kat., Museum am Ostwall, Dortmund, 1997/98)
M. Leja, J. Lewison u.a., *The Informel Artists* (1999)
H. Michaux, *Henri Michaux, 1899–1984* (Ausst.-Kat., Whitechapel Art Gallery, London, 1999)

Abstrakter Expressionismus

*Was wir brauchen, ist gefühlte Erfahrung – intensiv, unmittelbar,
direkt, subtil, geeint, warm, lebhaft, rhythmisch.*

ROBERT MOTHERWELL, 1951

Während der Begriff Abstrakter Expressionismus bereits während der 1920er-Jahre benutzt worden war, um die frühen Abstraktionen Wassily Kandinskys (siehe Der Blaue Reiter) zu beschreiben, dient er heute meist dazu, eine Gruppe amerikanischer oder in den USA arbeitender Künstler zu benennen, die während der 1940er- und 1950er- Jahre sehr bekannt waren. Zu ihnen gehörten William Baziotes (1912–1963), Willem de Kooning (1904–1997), Arshile Gorky (1904–1948), Adolph Gottlieb (1903–1974), Philip Guston (1913–1980), Hans Hofmann (1880–1966), Franz Kline (1910–1962), Robert Motherwell (1915–1991), Lee Krasner (1908–1984), Barnett Newman (1905–1970), Jackson Pollock (1912–1956), Ad Reinhardt (1913–1967), Mark Rothko (1903–1970), Clyfford Still (1904–1980) und Mark Tobey (1890–1976).

Wie die *Expressionisten hielten auch sie die Gefühle, den inneren Aufruhr der Emotionen für das wahre Thema der Kunst; sie schöpften die fundamentalen Aspekte des Malprozesses – Gestus, Farbe, Form, Textur – aus, um so ihr expressives und symbolisches Potenzial voll auszunutzen. Mit ihren europäischen Zeitgenossen (siehe Existenzielle Kunst, Informel) teilten sie die romantische Vision vom Künstler als einem Menschen, der der Gesellschaft entfremdet ist und unter dem Zwang steht, eine neue Kunst zu schaffen, die sich der irrationalen, absurden Welt entgegenstellt.

Die Bezeichnung Abstrakter Expressionismus wurde im Jahr 1946 von dem Kritiker Robert Coates in einem Artikel über die Arbeit von Gorky, Pollock und de Kooning eingeführt, doch es war nur einer von vielen Namen für die Periode; man verwendete außerdem

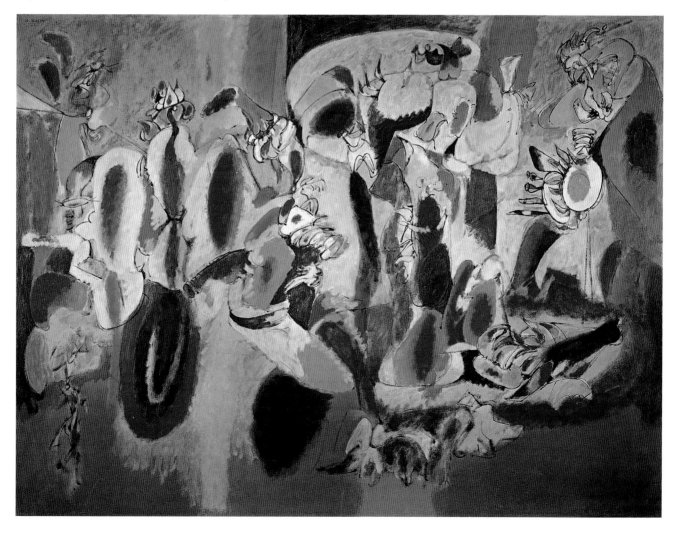

Termini wie New York School, American-Type Painting, Action Painting (Aktionsmalerei) und Colour-Field Painting (Farbfeldmalerei), wobei jeder Begriff einen anderen Aspekt des Abstrakten Expressionismus beleuchtete. Der Terminus Action Painting, vom Kritiker Harold Rosenberg in seinem Artikel »The American Action Painters« (*ARTnews*, Dezember 1952) geprägt, lenkte die Aufmerksamkeit auf den schweren körperlichen Einsatz, den die Künstler erbrachten: Pollock bei seinen Drip Paintings, de Kooning mit seiner heftigen Pinselführung und Kline mit seinen monumentalen, balkenartigen Pinselstrichen auf weißem Grund. Der Begriff bezog sich aber auch auf die Verpflichtung des Künstlers gegenüber dem Schöpfungsakt angesichts der immer gegebenen Wahlmöglichkeit, erinnerte also daran, dass das Werk an das vorherrschende Klima der unmittelbaren Nachkriegszeit geknüpft war, in der ein Gemälde nicht ein bloßes Objekt, sondern ein Protokoll des existenzialistischen Ringens mit der Freiheit, der Verantwortung und der Selbstdefinition war.

Trotz aller Stilunterschiede teilten die Künstler viele Erfahrungen und Ansichten. Während der Weltwirtschaftskrise und des Zweiten Weltkriegs aufgewachsen zu sein, bedeutete Verlust des Vertrauens in die althergebrachten Ideologien und die künstlerischen Stile, die sich auf sie stützten, sei es der Sozialismus und der *Sozialistische Realismus, der Nationalismus und der Regionalismus (siehe American Scene), der Utopismus und die geometrische Abstraktion (siehe De Stijl und Konkrete Kunst).

Eine Reihe von Ausstellungen an verschiedenen Orten Amerikas präsentierten einflussreiche europäische avantgardistische Werke – *Fauvismus, *Kubismus, *Dada und *Surrealismus – aber auch aztekische, afrikanische und indianische Kunst. Den neuen visuellen Eindrücken entsprach eine neue Generation von Lehrern, wie zum Beispiel Hofmann, der die europäische Avantgarde in Europa erlebt hatte, ehe er nach New York kam und dort 1934 die Hans Hofmann School of Fine Arts gründete. Ihm folgten andere europäische Künstler, die während des Zweiten Weltkriegs Schutz suchten, unter anderen die Surrealisten André Breton, André Masson, Roberto Matta, Yves Tanguy und Max Ernst. Es war ein wichtiger Moment in der Entwicklung des Abstrakten Expressionismus; denn das surrealistische Konzept vom »psychischen Automatismus« als einem

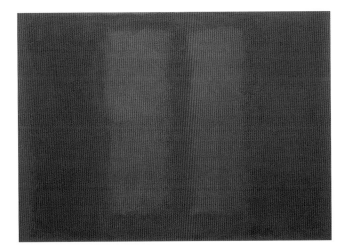

Oben: Mark Rothko, *Black on Maroon (Two Openings in Black over Wine)*, 1958
Rothko bestand immer darauf, seine Bilder eng nebeneinander und sehr tief zu hängen, um den Betrachter so direkt wie möglich einzubeziehen. Er sei, so sagte er, kein abstrakter Künstler, er sei nur daran interessiert, menschliche Gefühle auszudrücken.

Unten: Willem de Kooning, *Two Standing Women*, 1949
Dieses Bild steht am Anfang der großen Serie weiblicher Akte – zweideutige, kaleidoskopische Gestalten von enormer, wogender Vitalität. Das Fleisch, sagte de Kooning, sei der Grund, weshalb Ölfarben erfunden worden seien.

Gegenüber: Arshile Gorky, *The Liver is the Cock's Comb*, 1944
Gorkys vibrierende Konturen von Pflanzen- und Tierformen scheinen spontan und sind doch Ergebnis intensiver Naturbeobachtung und peinlich genauer Skizzen; der Künstler wollte das, wie er sagte, Pulsieren der atmenden Natur darstellen.

Mittel, Zugang zu den unterdrückten Bildern im Innern und zur eigenen Kreativität zu finden, machte auf die jungen amerikanischen Maler gewaltigen Eindruck. Dies fiel mit einem wachsenden Interesse an der Psychoanalyse nach C. G. Jung zusammen (Pollock unterzog sich zwei Jahre, von 1939 bis 1941, einer Jungschen Analyse).

Diese mächtigen kulturellen und intellektuellen Einflüsse machten aus der Arbeit an einem künstlerischen Werk einen verpflichtenden existenzialistischen Akt mit heroischen Implikationen. Die Spontaneität des Automatismus war für den Künstler nicht einfach nur eine Reise zur Entdeckung seines Selbst, sondern die Offenlegung universaler Mythen und Symbole, ein Akt, der zugleich persönlich und episch war.

Arshile Gorky, von André Breton zum Surrealisten erklärt, könnte ebenso als der erste Abstrakte Expressionist bezeichnet

werden. Ganz besonders beeindruckte ihn die *Organische Abstraktion von Wassily Kandinsky und Joan Miró, deren biomorphe Formen Eingang in seine wichtigsten Gemälde fanden – lebhafte, gewagte, zweideutige Bilder, die er mit 44 Jahren, wenige Jahre vor seinem Suizid, fertig stellte. Gorkys enger Freund de Kooning folgte seinem Beispiel und malte ebenfalls biomorphe Abstraktionen, ist aber bekannter für seine Beschäftigung mit der menschlichen Gestalt; vor allem die amerikanischen Pin-up-Girls, die von allen Plakatwänden des Landes herablächelten, fanden ein breites Publikum. In den 1950er-Jahren war seine *Women*-Serie berüchtigt – Bilder, in denen die expressive Gewalt des Pinselstrichs ein monströses, tief im Gedächtnis haftendes Bild sexueller Ängste vermittelt.

Der bekannteste Action Painter ist und bleibt Jackson Pollock. Während der Arbeit auf einem Film und auf Fotos von Hans Namuth festgehalten, die das Magazin *Life* veröffentlichte, wurde »Jack the Dripper« zum Archetyp des neuen Künstlers. In den 1950er-Jahren war es eine schockierende Innovation, die Leinwand einfach auf den Fußboden zu legen und die Farbe direkt aus dem Behälter, von einem Stock oder einem Handtuch tropfen zu lassen; auf diese Weise entstanden labyrinthische Bilder, die Pollock selbst als sichtbar gemachte Energie und Bewegung bezeichnete. Alles andere als hingeschluderte Klecksereien, sind die Arbeiten mit äußerster Disziplin ausgeführt und zeigen einen sicheren Sinn für Harmonie und Rhythmus.

Die amerikanische Landschaft, in Jackson Pollocks Arbeiten ein immer wiederkehrendes Thema, wird auch in den Bildern von Clyfford Still und Barnett Newman auf riesigen Leinwänden thematisiert, die die »heroische« Natur der zerklüfteten Berglandschaften und die weiten Ebenen des Westens heraufbeschwören. Newmans Erkennungszeichen ist der »Reißverschluss« in seinen Gemälden, die vertikale Linie, die manchen Kritikern zufolge den amerikanischen Transzendentalismus, den Augenblick der Erleuchtung, symbolisiert. Der religiöseste unter den Abstrakten Expressionisten war jedoch Mark Rothko. Seine reifen Gemälde, in einer Zeit entstanden, als der amerikanische Kaufrausch seine Hochblüte erreichte, lösen spiritualistische Empfindungen aus und laden zur Meditation ein. Die übereinander liegenden, intensiven Farbfelder scheinen zu schweben und zu schimmern, in überirdischem Glanz zu leuchten.

Sowohl die Kritiker als auch die Künstler selbst versahen die Werke mit heroischen, edlen Interpretationen. Newman sagte 1962 in einem Interview, dass aller Staatskapitalismus und aller Totalitarismus ein Ende finden würden, wären die Menschen nur in der Lage, seine Gemälde richtig zu lesen. Obwohl die meisten ihrer Werke abstrakt waren, bestanden die Künstler auf der Feststellung, dass ihre Werke ein Thema hätten, einen Gegenstand behandelten, ja dass dieses Thema von ausschlaggebender Bedeutung und Wichtigkeit sei. In einem manifestähnlichen Brief an die *New York Times* erklärten Rothko, Gottlieb und Newman als gemeinsame Unterzeichner: »Es gibt keine gute Malerei über nichts. Wir behaupten mit Nachdruck, dass das Thema entscheidend ist und dass allein der tragische und zeitlose Gegenstand Gültigkeit besitzt.« 1948 gründeten William Baziotes, Robert Motherwell, Mark Rothko und der Bildhauer David Hare (1917–1991) die Schule »Subjects of the Artist« (die Sujets des Künstlers). Motherwell erläuterte dazu, der Name sei mit Bedacht so gewählt worden, um zu betonen,

Oben: **Jackson Pollock, *Blue Poles*, 1952**
Pollocks »Drip Paintings« – unter allen Stilen der Avantgarde wahrscheinlich der revolutionärste Bruch mit traditionellen kompositorischen Techniken – waren erstmals im Januar 1948 zu sehen. De Koonings Kommentar dazu: »Jackson hat das Eis gebrochen.«

Gegenüber: **David Smith, *Cubi XVIII*, 1964**
Die Serie von 28 Kuben, beim Tode Smiths noch unvollendet, repräsentiert eine einmalige Errungenschaft in der Bildhauerei, denn jedes der riesigen Gebilde aus glänzendem, extrem hartem T-304-Stahl ist stark genug, sich gegenüber seinem natürlichen Hintergrund zu behaupten.

dass ihre Arbeiten nicht abstrakt seien, sondern ausgesprochen themengebunden. Wonach die Künstler letztlich strebten, waren subjektive und emotionale Themen oder, in den Worten der Künstler, »menschliche Urgefühle« (Rothko), »nur ich selbst, nicht die Natur« (Still), »meine Gefühle auszudrücken, statt sie zu illustrieren« (Pollock) , »eine Suche nach dem verborgenen Sinn des Lebens« (Still), »ein wenig Ordnung in uns selbst zu bringen« (de Kooning), »sich mit dem Universum zu vermählen« (Motherwell).

In den 1940er- und 1950er-Jahren setzten sich viele Kritiker, darunter Harold Rosenberg und Clement Greenberg, für die Abstrakten Expressionisten ein; in Peggy Guggenheims Gallery Art of This Century und anderen Lokalitäten fanden Ausstellungen statt. 1951 erfuhr die Bewegung durch die Ausstellung »Abstract Painting and Sculpure in America« (Abstrakte Malerei und Plastik in Amerika) im Museum of Modern Art in New York institutionelle Anerkennung. In der Zeit des Kalten Krieges, als die Sowjetunion ihren Sozialistischen Realismus absegnete und in den USA konservative Politiker und Kritiker die abstrakte Kunst als »kommunistisch« angriffen, stützten seine Befürworter den Abstrakten Expressionismus als Beweis für künstlerische Freiheit und Integrität.

Obwohl der Abstrakte Expressionismus vorrangig als eine Bewegung der Malerei angesehen wird, können doch auch die abstrakten Fotografien von Aaron Siskind (1903–1992) und die Plastiken von Herbert Ferber (1906–1991), David Hare, Ibram Lassaw (geb. 1913), Seymour Lipton (1903–1986), Reuben Nakian (1897–1986), Barnett Newman, Theodore Roszak (1907–1981) und David Smith (1906–1965) dazugerechnet werden. Die Bandbreite der Werke reicht von gefühlsbetont bis emotionslos und die der Sujets von persönlich bis universal. Smith war der bedeutendste Bildhauer der Zeit, er arbeitete mit Eisen und Stahl. Bei seinen großen Skulpturen nutzte er das expressive Potenzial der verschiedenen Farben und Oberflächen. Manche seiner Plastiken bemalte er, für im Freien stehende Werke verwendete er polierten Edelstahl, um die durch das Sonnenlicht sich verändernden Farben der umgebenden Landschaft in das Werk einzubeziehen; andere wieder ließ er rosten, so erzielte er ein tiefes Rot. Smith bezeichnete dieses Rostrot als »das Rot des mythischen Westens des Ostens – es ist das Blut des Menschen, es war ein Kultursymbol des Lebens«. Ob poliert oder rostig, er bearbeitete seine Werke immer mit einer Drahtbürste, was zarte Wirbelstrukturen und damit einen überraschenden Kontrast zu der architektonischen Massigkeit erzeugte. Um Smith, der bei einem Unfall ums Leben kam, wurde sehr getrauert, wie es auch in Motherwells leidenschaftlichen Worten zum Ausdruck kommt: »Oh David, du warst zart wie Vivaldi und stark wie ein Mack Truck.«

Nach der vom Modern Museum of Art 1958–1959 veranstalteten Wanderausstellung erlangte der Abstrakte Expressionismus internationale Anerkennung. Die Ausstellung mit dem Titel »The New American Painting« (Neue amerikanische Malerei) ging durch acht europäische Länder, doch waren die Werke zu dieser Zeit eigentlich schon nicht mehr neu, und auch das Schlagwort aus dem

Begleitkatalog – »John Donne zum Trotz: Jeder Mensch ist eine Insel« – wurde von einer neuen Generation von Künstlern (siehe Neo-Dada, Nouveau Réalisme und Pop Art), die der scheinbar formelhaften Entfremdungsängste ihrer Vorläufer müde waren, sehr skeptisch aufgenommen. Die lange Vorherrschaft des Abstrakten Expressionismus machte ihn dennoch zu einem wichtigen Ausgangspunkt für die nachkommende Generation. Neue Aspekte und unterschiedliche Interpretationen der Werke fanden Eingang in so divergierende Bewegungen wie *Nachmalerische Abstraktion, *Minimalismus und *Aktionskunst.

Wichtige Sammlungen

Aberdeen Art Gallery, Aberdeen, Schottland
Carnegie Museum of Art, Pittsburgh, Pennsylvania
Modern Art Museum of Fort Worth, Fort Worth, Texas
Montclair Art Museum, Montclair, New Jersey
Seattle Art Museum, Seattle, Washington
Tate Gallery, London

Weiterführende Literatur

M. Auping, *Arshile Gorky* (1995)
B. E. Buhlmann (Hrsg.), *Malerei des amerikanischen abstrakten Expressionismus* (Ausst.-Kat., Pfalzgalerie, Kaiserslautern, 1997/98)
P. Karmel (Hrsg.), *Jackson Pollock* (2000)
J. Weiss, *Mark Rothko* (New Haven, CT, 2000)
R. M. Buergel (Hrsg.), *Abstrakter Expressionismus* (Amsterdam u.a., 2000)

Lettrismus

Die emotionalen Kräfte der Buchstaben, reine Buchstaben,
Buchstaben, die aus allem Kontext gerissen sind.

LETTRISTE, PARIS, 1964

Lettrismus war eine idealistische literarische und künstlerische Bewegung, die der rumänische Dichter Isidore Isou (geb. 1925) Mitte der 1940er-Jahre in Bukarest gründete. Fest davon überzeugt, dass die einzige Hoffnung auf eine bessere Gesellschaft in der totalen Erneuerung der erschöpften Formen der Sprache und der Malerei läge, versuchte er ein visuelles Vokabular aus Zeichen und Buchstaben zu kreieren, das für alle verständlich sein sollte.

Isou und seine Kunst verfolgten ausgeprägt missionarische Ziele. Durch den Akt der Schöpfung, so Isous Glaube, käme der Künstler Gott am nächsten, und die Wahl der Buchstaben als Ausgangspunkt schien ihm göttlicher Zustimmung sicher. Isou war verschiedenen Einflüssen unterworfen; die 1940 entdeckten Höhlenmalereien von Lascaux bestätigten ihn in seiner Überzeugung, dass der Wille, schöpferisch zu wirken, fundamental sei. Noch wichtiger aber waren ihm Aspekte des *Dada und des *Surrealismus, Bewe-

gungen, die Isou durch den Lettrismus herausfordern und überbieten wollte. Der Wunsch nach Herausforderung drückte sich schon in der Wahl seines Pseudonyms aus (er wurde als Samuel Goldstein geboren), mit dem er auf Isidore Ducasse, den Helden der Surrealisten, anspielte; die Alliteration sollte auf den Namen seines Landsmannes und Mitbegründers der Dadabewegung, Tristan Tzara, hindeuten. Der junge Rumäne schien darauf zu brennen, sich selbst als die Reinkarnation der dadaistischen Ästhetik zu verkünden.

Im Januar 1945 kam er nach Paris, sagte sich vom *Sozialistischen Realismus und den surrealistischen Dichtern los und ver-

Oben: **Isidore Isou,** *Traité de bave et d'éternité* **(Abhandlung über Geifer und Ewigkeit) 1950–1951**
In diesem Schwarz-Weiß-Film traten neben Isidore Isou auch Marcel Achard, Jean-Louis Barrault, Danielle Delorme, Jean Cocteau und Maurice Lemaître – der auch Co-Produzent war – auf.

kündete im Januar 1946 öffentlich: »Dada ist tot. Der Lettrismus hat seinen Platz eingenommen.« Maurice Lemaître (geb. 1926), François Dufrêne (1930–1982, siehe Nouveau Réalisme), Guy Debord (1931–1994), Roland Sabatier (geb. 1942) und Alain Satié (geb. 1944) gehörten zu den Anhängern und Nachfolgern Isidore Isous; sie schrieben lettristische Gedichte, malten Bilder und machten Filme. Ursprünglich beschränkten sich die Künstler auf die Verwendung lateinischer Buchstaben, doch nach 1950 bedienten sie sich aller möglichen Alphabete und Zeichen, schon existierend oder erfunden, um »Hypergrafien« zu kreieren. Zwar gibt es den Lettrismus noch heute, seine eigentliche Blüte erlebte er jedoch zwischen 1946 und 1952. In jenem Jahr führten innere Debatten zu einer Spaltung; ausgeschiedene Mitglieder bildeten die Gruppe Lettrist International, woraus sich schließlich die *Situationistische Internationale entwickelte – eine Gruppe, die viele Ideen Isous auf noch radikalere Weise weiterentwickelte.

Wichtige Sammlungen
Archives de la Critique d'Art, Châteaugiron, Frankreich
Centre Georges Pompidou, Paris
Getty Research Institute, Los Angeles, Kalifornien
Sintra Museu de Arte Moderna, Sintra, Portugal

Weiterführende Literatur
J.-P. Curtay, *Letterism and Hypergraphics* (1985)
S. Home, *The Assault on Culture: Utopian Currents from Lettrisme to Class War* (1993)
L. Bracken, *Guy Dubord: Revolutionary* (Venedig, CA, 1997)
A. Jappe, *Guy Debord* (Berkeley, CA, 1999)

COBRA

Das Leben verlangt Schöpfung, und Schönheit ist Leben!

CONSTANT, 1949

Links: Corneille, Atelier Rue Santeuil, Paris, 1961
Zehn Jahre nach ihrer Auflösung übte die Gruppe COBRA noch immer Einfluss auf jüngere Künstler aus, die in ihrem Sog Methoden der Zusammenarbeit, aus der Phantasie entspringende Themen und abstrakte Figurationen entwickelten.

Die Gruppe COBRA war ein internationales Kollektiv aus vorrangig nordeuropäischen Künstlern, die sich zwischen 1948 und 1951 zusammenschlossen, um ihre Vision von einer neuen expressionistischen Kunst für das Volk umzusetzen. Die wichtigsten Mitglieder waren die Niederländer Constant (Constant A. Nieuwenhuys, geb. 1920) und Karel Appel (geb. 1921), der dänische Maler Asger Jorn (1914–1973), die belgischen Maler Corneille (Corneille Guillaume van Beverloo, geb. 1922) und Pierre Alechinsky (geb. 1927) sowie der belgische Dichter Christian Dotremont (1924–1979). Den Namen der Gruppe hatten sie von den Anfangsbuchstaben ihrer Heimatstädte – Kopenhagen, Brüssel und Amsterdam – abgeleitet.

In dem nach dem Zweiten Weltkrieg herrschenden Klima der Verzweiflung forderten diese jungen Künstler eine spontane Kunst, die sowohl die Unmenschlichkeit der Menschen als auch deren Hoffnung auf eine bessere Zukunft deutlich machen konnte. Sie standen in heftiger Opposition zu den rationalen, analytischen Prinzipien der geometrischen Abstraktion, zum Dogmatismus des *Sozialistischen Realismus und zur Vornehmheit der *École de Paris. Sie lehnten die Traditionen sowohl der gegenständlichen als

auch der abstrakten Malerei ab, machten sich aber Aspekte von beiden Richtungen zunutze, um die künstlerischen Grenzen zu erweitern und eine universale, populäre Kunst zu schaffen, die die Kreativität aller Menschen freisetzen könne. Sie publizierten Manifeste in den zehn Ausgaben der Zeitschrift *CoBrA*, in denen sie auch »Wort-Gemälde« veröffentlichten – Gemeinschaftsarbeiten von Dichtern und Malern. Die Gruppe praktizierte, was sie predigte, zumindest eine Zeit lang. Die Künstler und ihre Familien lebten zusammen und erstellten Gemeinschaftsarbeiten, zu denen auch die Innenausstattungen der Häuser ihrer Freunde zählten.

Im Zuge ihrer Kampagne für die Freiheit des Ausdrucks schöpften die Künstler der Gruppe COBRA aus verschiedenen Quellen. In der prähistorischen, der primitiven und der Volkskunst, in Graffitis, der nordischen Mythologie, der Kinderkunst und der Kunst der Geisteskranken (siehe Art Brut und Outsider Art) fanden sie eine verloren geglaubte Unschuld und die Bestätigung für die urzeitliche Notwendigkeit des Menschen, seine Wünsche und Begierden auszudrücken, seien sie schön oder brutal, feierlich oder reinigend. In gewisser Weise setzten die Künstler das von den *Surrealisten begonnene Projekt fort, nämlich das Unbewusste freizusetzen und den »zivilisierenden« Einflüssen der Kunst und Gesellschaft, die nach dem Krieg unglaubwürdig geworden waren, zu entkommen. Ihre Arbeiten greifen auch zurück auf die Malerei früher *Expressionisten, wie Edvard Munch und Emil Nolde. Im Gebrauch kräftiger,

mit expressiver Pinselführung aufgetragener Primärfarben weisen die COBRA-Arbeiten gewisse visuelle Ähnlichkeiten mit den frühen amerikanischen *Abstrakten Expressionisten auf, obgleich es sich um eine völlig unabhängige Entwicklung handelt, die gänzlich unterschiedliche Ziele und Ideologien verfolgte und andere Techniken einsetzte. In den 1950er-Jahren, als es weltweit zu immer mehr kriegerischen Auseinandersetzungen kam und sich der Kalte Krieg entwickelte, wurde es für die Gruppe immer schwieriger, ihren utopischen Optimismus aufrecht zu erhalten. In einer Reihe ihrer Arbeiten aus den späteren 1950er-Jahren wird ihre Enttäuschung und Wut sichtbar, zum Beispiel in Appels *Explodierter Kopf* von 1958. Obwohl sich die Gruppe bereits 1951 offiziell aufgelöst hatte, malten viele der Künstler weiterhin in der von COBRA entwickelten Weise und unterstützten revolutionäre Unternehmungen in Kunst und Leben, wie etwa die *Situationistische Internationale.

Karel Appel, *Fragende Kinder*, 1949
Appels grellbunte Werke zum Thema fragende Kinder lösten 1949 einen Skandal in Amsterdam aus. Ein Wandbild in der Kantine des Rathauses wurde mit Tapeten überklebt, da Angestellte sich beklagt hatten, sie könnten angesichts der Bilder nicht essen.

Wichtige Sammlungen
The Cobra Museum for Modern Art Amstelveen, Amstelveen, Niederlande
Solomon R. Guggenheim Museum, New York
Stedelijk Museum, Amsterdam
Tate Gallery, London

Weiterführende Literatur
J.-C. Lambert, *CoBrA* (1983)
COBRA, 40 Years After (Ausst.-Kat., Amsterdam, 1988)
W. Stokvis, *Cobra* (Braunschweig, 1988)
J. F. Lyotard, *Karel Apel: ein Farbgestus* (Bern u.a., 1998)
Künstler der Gruppen COBRA und SPUR (Ausst.-Kat, Galerie der Stadt Kornwestheim u.a., 1998/99)

▎Beat Art

Wie sie leben sollen, erscheint ihnen viel wichtiger als warum und wozu.

JOHN CLELLON HOLMES, NEW YORK TIMES MAGAZINE, 1952

Obwohl in der Regel die amerikanischen Schriftsteller der 1950er- und 1960er-Jahre im Mittelpunkt der Diskussion um die Beat Generation stehen, handelte es sich tatsächlich um eine interdisziplinäre gesellschaftliche und künstlerische Bewegung, die Malerei, Bildhauerei, Fotografie und Film einschloss. Geprägt wurde der Begriff Beat Generation 1948 von dem Schriftsteller Jack Kerouac (1922–1969), als er von seinem Schriftstellerkollegen John Clellon Holmes (1926–1988) gebeten wurde, die unzufriedene Generation ihrer Zeit zu beschreiben. Holmes veröffentlichte ihre Ansichten in seinem Artikel »This is the Beat Generation«, der 1952 in der *New York Times* erschien. Die Beats, so erklärte er, kannten nichts außer einer Welt voller zerschlagener Ideale, die sie als selbstverständlich

hinnahmen. Gelegentlich als amerikanische *Existenzialisten bezeichnet, fühlten sie sich entfremdet, doch im Gegensatz zur früheren »Lost Generation« hatte sie keinerlei Ambitionen, die Gesellschaft zu verändern – vielmehr wollten sie sich ihr entziehen und ihre eigene Gegenkultur errichten. Drogen, Jazz, Sex, Nachtleben, Zen-Buddhismus und Okkultismus waren Elemente der Beatkultur.

Bald schlossen sich in New York, Los Angeles, San Francisco und am Black Mountain College in North Carolina eine ganze Reihe von Avantgarde-Künstlern der Beat-Generation an. Zu ihnen gehörten die Schriftsteller William Burroughs (1914–1997), Allen Ginsberg (geb. 1926), Kenneth Koch (geb. 1925) und Frank O'Hara (1926–1966) sowie die Künstler Wallace Berman (1926–

1976), Jay DeFeo (1929–1989), Jess (Collins, geb. 1923), Robert Frank (geb. 1924), Claes Oldenburg (geb. 1929) und Larry Rivers (geb. 1923). »Beat« stellte eine Art Schnittpunkt für diese Künstler dar, die ansonsten anderen Gruppierungen, etwa *Neo-Dada, *Assemblage, *Aktionskunst oder *Funk Art, zugeordnet werden. Die Künstler wollten die Grenzen zwischen Leben und Kunst niederreißen; Kunst sollte in Cafés, Bars und Jazzclubs zur gelebten Erfahrung werden. Auch die Grenzen zwischen den verschiedenen Künsten sollten ihrer Ansicht nach aufgehoben werden. Maler schrieben Gedichte und Schriftsteller malten (Kerouac behauptete, er könne wahrscheinlich besser malen als Franz Kline). Die Performance (siehe Aktionskunst) war ein Schlüsselelement ihrer Werke; zu den wichtigsten Aktionen zählen das »Theater Event« am Black Mountain College im Jahr 1952 und Kerouacs Performance von 1951, während der er *On the Road* (Unterwegs) auf eine 31 Meter lange Papierrolle tippte. Was die Künstler verband, waren ihre Verachtung für die Konformisten und Materialisten, ihre Weigerung, die düsteren Seiten des »American Way of Life« – Gewalttätigkeit, Korruption, heimliche Zensur, Rassismus und moralische Heuchelei – zu ignorieren, und ihr Wunsch, eine neue Lebensform zu gestalten, die sich auf Rebellion und Freiheit gründete.

In Bermans Werk werden verschiedene Kunstströmungen zusammengeführt, vor allem in seinen auf dem Fotokopierer hergestellten Verifax-Collagen – Montagen aus Popkultur, Alltäglichem und Mystischem. *The Rose* (1958–1966) von DeFeo ist ein weiteres bahnbrechendes Werk. Die Künstlerin arbeitete an der Mischung aus Gemälde und Assemblage in nahezu ritualistischer Weise sieben Jahre lang, bis es eine Größe von 24 x 33 Meter erreicht hatte, manche Bereiche 20 Zentimeter dick waren und das Gesamtwerk eine Tonne wog. Jess' Serie der *Tricky-Cad*-Collagen, die zwischen 1954 und 1959 aus *Dick-Tracy*-Comic-Heften entstanden, präsentieren seine Sicht von einer verrückt gewordenen Welt.

Die Arbeiten der Beat Art porträtierten die amerikanische Lebensart mit all ihren Hoffnungen und Fehlschlägen. In den 1950er-Jahren noch Gerichtsverfahren wegen Obszönität unterworfen, waren die Beat-Werke in den 1960er-Jahren voll in die Massenkultur integriert. Beatniks traten jetzt in Fernsehshows auf und waren in populären Zeitschriften zu sehen. Die Einflüsse der Beat-Generation blieben lebendig, die Unangepasstheit der Bewegung inspirierte nachfolgende Generationen von Jugendlichen und Künstlern.

Oben: Jess, *Tricky Cad, Case I*, 1954
Die Comic-Heft-Collagen von Jess, die Wortspiele mit dem Namen des fiktiven Privatdetektivs Dick Tracy beinhalten, präsentieren eine Welt, in der die Charaktere nicht miteinander kommunizieren können. Sie sind eine verdeckte Kritik am Wettrüsten, an der McCarthy-Ära und der politischen Korruption.

Wichtige Sammlungen
Kemper Museum of Contemporary Art, Kansas City, Missouri
Modern Art Museum of Fort Worth, Fort Worth, Texas
Spencer Museum of Art at the University of Kansas, Lawrence, Kansas
Whitney Museum of American Art, New York

Weiterführende Literatur
B. Honrath, *Die New York poets und die bildende Kunst* (Würzburg, 1994)
M. Köhler (Hrsg.), *Burroughs, eine Bild-Biographie* (Berlin, 1994)
L. Phillips u.a., *Beat Culture and the New America* (1995)
R. Ferguson, *In Memory of My Feelings: Frank O'Hara and American Art* (Los Angeles, 1999)

Kinetische Kunst

Alles ist ständig in Bewegung. Bewegungslosigkeit gibt es nicht.

JEAN TINGUELY, 1959

Kinetische Kunst ist Kunst, die sich bewegt oder sich zu bewegen scheint. Dem Schriftsteller Umberto Eco zufolge handelt es sich um eine Art plastische Kunst, bei der die Bewegung der Formen, Farben und Flächen dazu dient, ein sich wandelndes Ganzes zu erzeugen.

Alexander Calder, *Four Red Systems (Mobile)*, 1960
Das Element des Zufalls, ein wichtiger Faktor in den nach 1934 geschaffenen Mobiles, lässt den Einfluss Calders dadaistischer Freunde erkennen. Die Freundschaft mit Joan Miró und Hans Arp führte ihn zur Entwicklung der organischen Formen.

Diese Definition beschreibt nicht nur den einfachsten Typus der Kinetischen Kunst – sich selbst bewegende Kunstobjekte –, sondern auch deren Varianten: eine Kunst etwa, bei der durch optische Effekte eine rein virtuelle Bewegung erzeugt wird (siehe Op Art), eine Kunst, die eine vom Betrachter ausgeführte Handlung benötigt, um die Illusion der Beweglichkeit zu erzeugen, und eine Kunst, die ständig wechselnde Lichteffekte beinhaltet (zum Beispiel die Neon-Arbeiten des Amerikaners Bruce Nauman, siehe Body Art, und die Werke der Mitglieder von Zero, siehe GRAV.)

197

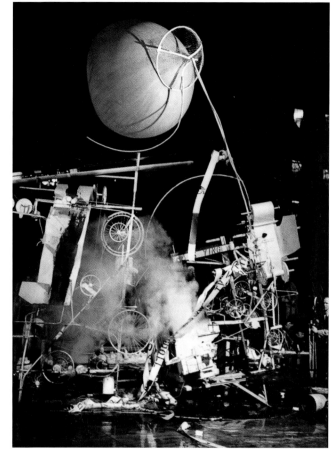

Zwar fällt die Blütezeit der Kinetischen Kunst in die 1950er-Jahre, doch experimentierten mit der Bewegung schon viele Künstler des frühen 20. Jahrhunderts. Die wichtigsten Voraussetzungen für die spätere Entwicklung lieferten der *Konstruktivismus einerseits und *Dada andererseits. Bereits 1919 entwarf Wladimir Tatlin ein Gebäude, das bewegliche Elemente umfasste (Monument für die III. Internationale), und im selben Jahr begann der Konstruktivist Naum Gabo mit seiner *Kinetischen Konstruktion* (oder *Stehende Welle*). Die Dadaisten waren mehr an den spielerischen und zufälligen Elementen der Kinetischen Kunst interessiert. Marcel Duchamps erstes Ready-made, *Fahrrad-Rad* (1913), ein von Hand zu drehendes Fahrrad-Vorderrad samt Gabel, umgedreht auf einen Küchenschemel montiert, ist ein frühes Beispiel.

Weitere Entwicklungen der 1920er- und 1930er-Jahre waren die Arbeiten des ungarisch-amerikanischen Künstlers László Moholy-Nagy (1895–1946, siehe Bauhaus) und des Amerikaners Alexander Calder (1898–1976). Moholy-Nagys außergewöhnlicher *Licht-Raum-Modulator* (1930) verändert den ihn umgebenden Raum durch das Spiel des Lichts, das von den unterschiedlichen, sich bewegenden Elementen reflektiert wird. Calder arbeitete ebenfalls echte Bewegung in seine Skulpturen ein: Sein aus Draht gestalteter *Circus* gab seine Vorführung 1926 vor einem begeisterten Avantgarde-Publikum in seinem Atelier in Paris. Nachdem Calder 1930 das Pariser Atelier von Piet Mondrian besucht hatte, das wie dessen

*De-Stijl-Gemälde gestaltet war, schrieb Calder an Duchamp, er würde gern »bewegliche Mondrians« herstellen. In den 1950er-Jahren begannen viele Künstler, Bewegung in ihre Arbeiten zu integrieren, und Kinetische Kunst wurde zu einer allgemein gebräuchlichen Klassifizierung. Die ausschlaggebende Ausstellung »Le Mouvement« fand 1955 in der Galerie Denise René in Paris statt. Sie umfasste Arbeiten der historischen Vorläufer Marcel Duchamp und Alexander Calder ebenso wie Werke zeitgenössischer Künstler, darunter der Israeli Yaakov Agam (geb. 1928), der Belgier Pol Bury (geb. 1922), der Däne Robert Jacobsen (1912–1993), der Venezuelaner Jesús Raphael Soto (geb. 1923) die Schweizer Jean Tinguely (1925–1991, siehe Nouveau Réalisme) und Victor Vasarely (siehe Op Art). 1961 wurde die Ausstellung zu einer größeren internationalen Übersicht über Kinetische Kunst und Op Art erweitert – es nahmen

Oben links: **László Moholy-Nagy, *Licht-Raum-Modulator*, 1930**
Nachdem Moholy-Nagy seinen Licht-Raum-Modulator erstmals in Bewegung gesehen hatte, fasste er seinen Eindruck mit den Worten zusammen, er habe sich wie der Zauberlehrling gefühlt. Die koordinierten Bewegungen und der artikulierte Wechsel von Licht und Schatten wären so überraschend gewesen, dass er fast angefangen hätte, an Magie zu glauben.

Oben rechts: **Jean Tinguely, *Hommage à New York*, 1960**
Tinguelys Maschine war ein großartiges Spektakel: Sie entzündete sich selbst, spielte Klavier, stellte ein Radio an, spulte Textrollen ab, entzündete Rauchsignale, hupte, ließ Stinkbomben explodieren und beging »Selbstmord«, indem sie in sich zusammenfiel.

75 Künstler teil – und unter dem Titel »Movement in Art« (Bewegung in der Kunst) einem riesigen Publikum in ganz Europa vorgestellt. Während der 1960er- und 1970er-Jahre produzierten viele verschiedene Künstler weltweit kinetische Werke von größter Variationsbreite, etwa der Brasilianer Abraham Palatnik (geb. 1928), die Amerikaner George Rickey (geb. 1907) und Kenneth Snelson (geb. 1927), der Deutsche Hans Haacke (geb. 1936), der Neuseeländer Len Lye (1901–1980), der von den Philippinen stammende David Medalla (geb. 1942), der Grieche Vassilakis Takis (geb. 1925) und der ungarisch-französische Künstler Nicolas Schöffer (1912–1992).

Die Bandbreite der Kinetischen Kunst ist ausgesprochen groß und reicht von den sich hypnotisch langsam bewegenden Werken Burys über die elegant schwingenden Freilandskulpturen Rickeys und die kybernetischen Arbeiten Schöffers bis zu den elektromagnetisch bewegten Skulpturen Takis. Doch am bekanntesten und beliebtesten sind wohl die Werke Jean Tinguelys – verrückte, wackelnde Müllmaschinen. Mitte der 1950er-Jahre schuf er seinen *Meta-Malewitsch* und seinen *Meta-Kandinsky* und setzte damit Calders Ambition, einen beweglichen Mondrian zu schaffen, in die Tat um. Gegen Ende der Dekade waren seine Meta-Matics – Maschinen, deren programmierte Zufallselemente abstrakte Zeichnungen herstellten – eine Sensation und zugleich eine witzig-ironische Bloßstellung der so ernst genommenen Originalität der vorherrschenden abstrakten Kunstrichtungen (siehe Informel und Abstrakter Expressionismus). Dann folgten Springbrunnen, die abstrakte Bilder sprühten, und seine berühmten sich selbst zerstörenden Maschinen, wie *Hommage à New York*, die am 17. März 1960 im Museum of Modern Art in New York vorgeführt wurde und in

sich zusammenfiel – ein Ereignis, das Robert Rauschenberg (siehe Neo-Dada und Combine Painting) als »ebenso real, interessant, kompliziert, verletzlich und liebevoll wie das Leben selbst« beschrieb.

Auch die heutigen Künstler sind von der Bewegung fasziniert, man denke nur an die LED-Installationen des Japaners Tatsuo Miyajima (geb. 1957), die Roboter des Amerikaners Chico MacMurtrie (geb. 1961), die wechselnden Lichtgestelle der Britin Angela Bulloch (geb. 1966) und an *Cold Dark Matter: An Explosive View* (1991) der Engländerin Cornelia Parker (geb. 1956). Sowohl Künstler als auch Publikum reagieren positiv auf eine Kunst, die den Worten Miyajimas zufolge ständig bemüht ist, »sich zu verwandeln, alles miteinander zu verknüpfen und ewig weiterzumachen.«

Wichtige Sammlungen

Centre Georges Pompidou, Paris
Fine Arts Museum of San Francisco, San Francisco, Kalifornien
Museum Jean Tinguely, Basel
Museum of Fine Arts, Houston, Texas
Tate Gallery, London
Whitney Museum of American Art, New York

Weiterführende Literatur

Kinetic art (Ausst.-Kat., Glynn Vivian Art Gallery, Swansea, Wales, 1972)
Jean Tinguely, *Meta-Maschinen* (Ausst.-Kat.,
  Wilhelm-Lehmbruck-Museum, Duisburg, 1978/79)
J. Morgan, *Cornelia Parker* (Boston, MA, 2000)
Force Fields: Phases of the Kinetic (Ausst.-Kat., Hayward Gallery,
  London, 2000)

Kitchen Sink School

Das Verhängnis ist in Mode, die Hoffnung ist unmodern ... die Atomfrage ist gelöst:
die existenzialistische Bahnstation, an der kein Zug mehr hält.

JOHN MINTON, 1955

Mit dem Terminus Kitchen Sink School (Spülsteinschule) bezeichnete man eine Gruppe von britischen Malern, zu denen John Bratby (1928–1992), Derrick Greaves (geb. 1927), Edward Middleditch (1923–1987) und Jack Smith (geb. 1928) gehörten und deren gegenständliche, realistische Arbeiten in Großbritannien während der Mitte der 1950er-Jahre sehr populär waren. Die Maler hatten am Royal College of Art in London studiert und stellten in der Beaux Arts Gallery aus, wo der Kritiker David Sylvester auf sie aufmerksam wurde; er prägte ihren Gruppennamen 1954 in einem Artikel über die Ausstellung. Einige der Künstler stammten aus dem Norden Englands (Greaves und Smith waren in Sheffield

aufgewachsen und Middleditch hatte später dort gelebt), wo die Themen Fabriken und Arbeiterklasse Tradition hatten, wie zum Beispiel in den Werken von L. S. Lowry (1887–1976). Auch die Kitchen Sink School machte sich diese Themen zu Eigen. In ihren Arbeiten stellten die Künstler in tristen, unheroischen Szenen die Kargheit und Entbehrung der Nachkriegszeit und die banale Alltäglichkeit dar: unaufgeräumte Küchen, ausgebombte Wohnungen und Hinterhöfe. Das Publikum verglich diese bewusst glanzlosen Bilder mit den literarischen Werken der »zornigen jungen Männer«, wie John Wain, Kingsley Amis und John Osborne (dessen Stück *Look Back in Anger* [Blick zurück im Zorn] 1956 uraufgeführt wurde).

Obwohl die Arbeiten spezifisch britisch waren, spiegelte sich in ihnen die generelle Tendenz zum sozialen Realismus, wie er in ganz Europa in den späten 1940er- und frühen 1950er-Jahren spürbar war, zum Beispiel in den Arbeiten der italienischen Maler Armando Pizzinato (geb. 1910) und Renato Guttuso (1912–1987) oder in denen der französischen Gruppe L'homme Témoin um Bernard Buffet (siehe Existenzielle Kunst). Auch im Werk der Kitchen Sink School ist manchmal die klassische existenzialistische Angst zu spüren, der man zu der Zeit auf den Grund zu kommen versuchte. Einer der Förderer der Gruppe, der marxistische Kritiker John Berger, beschrieb John Bratby in einem Artikel von 1954 als den Archetyp des existenzialistischen Künstlers:

Oben: John Bratby, *Table Top*, 1955
Nachdem die Kitchen Sink School dem Abstrakten Expressionismus hatte weichen müssen, wandte sich Bratby der Schriftstellerei zu; er schrieb in Breakdown (1960), die Maler seiner Generation hätten der Angst des Atomzeitalters Ausdruck geben wollen.

Bratby malt, als hätte er nur noch einen Tag zu leben. Er malt eine Schachtel Cornflakes auf einem unabgeräumten Tisch, als wäre sie Teil des Letzten Abendmahls. Er malt seine Frau, als starrte sie ihn durch Gitterstäbe an und er würde sie niemals wieder sehen.

Die Arbeiten von Bratby und den anderen Künstlern der Gruppe gaben auch die zeitgenössische Stimmung wieder, die vom Kalten Krieg und von der Bedrohung durch die Atombombe geprägt war. Sie fingen das ein, was der *Neo-Romantizist John Minton 1955 den »Schick des zeitgenössischen *désespoir* [Verzweiflung]« genannt hatte.

Die Werke der Kitchen Sink School wurden oft zusammen mit denen einer anderen Gruppe britischer Maler ausgestellt, die später als School of London bekannt werden sollte und zu denen Francis Bacon und Lucian Freud (siehe Existenzielle Kunst), Frank Auerbach (geb. 1931) sowie Leon Kossoff (geb.1926) gehörten; die beiden letzteren waren Schüler von David Bomberg (siehe Vortizismus), der am Borough Polytechnikum in London lehrte. Auch sie malten die hässlichere Seite der Städte, vor allem die heruntergekommenen Stadtteile Londons. Kossoffs Bildserie von der Kilburn Untergrundstation und dem Londoner Distrikt Hackney oder Auerbachs Darstellungen von Stadtbaustellen teilen die Thematik mit der der Kitchen Sink School, doch in ihrer Technik und der Art und Weise, wie sie sich ihrem Sujet näherten, unterscheiden sie sich deutlich von Bratby, Greaves, Middleditch und Smith, deren Leinwände dicht bemalt und expressionistisch sind.

Die Maler der Kitchen Sink School, die Großbritannien 1956 auf der Biennale von Venedig vertraten, waren kurze Zeit sehr in Mode. Gegen Ende der Dekade hatte sich die allgemeine Stimmung jedoch verändert und das zu neuem Wohlstand gekommene London kam wieder in Schwung.

Wichtige Sammlungen
Graves Art Gallery, Sheffield, England
National Portrait Gallery, London
Tate Gallery, London
The Lowry, Salford Quays, Manchester, England

Weiterführende Literatur
E. Middleditch, *Edward Middleditch* (1987)
L. S. Lowry. *L. S. Lowry* (Oxford, 1987)
J. Sandling, M. Leber, L. S. Lowry: *Mensch und Künstler* (Lünen, 1991)
L. Norbert, *Jack Smith* (2000)

Neo-Dada

Anstelle eines Objekts, das von einer Einzelperson geschaffen wird, ist Kunst ein Prozess, der von einer Gruppe von Leuten eingeleitet wird. Die Kunst wird gesellig gemacht.

JOHN CAGE, 1967

Neo-Dada war nur einer von verschiedenen Namen (neben Neuer Realismus, Factual artists, Polymaterialisten und Common-Objekt-artists), der einer – nicht-organisierten – Gruppe von jungen Experimentalkünstlern in den späten 1950er- und 1960er-Jahren verliehen wurde. Sie lebten fast alle in New York, und ihre Arbeiten lösten schärfste Debatten aus. Zu jener Zeit herrschte in der Kunst eine starke Tendenz zur formalen Reinheit, wie sie sich etwa in den Werken der *Nachmalerischen Abstraktion zeigt. In bewusster Opposition hierzu vermischten die Künstler des Neo-Dada Materialien und Medien und ließen es dabei nicht an Witz und Exzentrik fehlen. Neo-Dada wird manchmal als allgemeiner Begriff für eine Reihe verschiedener neuer Bewegungen verwendet, die während der 1950er- und 1960er-Jahre aufkamen, wie *Lettrismus, *Beat Art, *Funk Art, *Nouveau Réalisme und *Situationistische Internationale.

Für Künstler wie Robert Rauschenberg (geb. 1925), Jasper Johns (geb. 1930), Larry Rivers (geb. 1923), John Chamberlain (geb. 1927), Richard Stankiewicz (1922–1983), Lee Bontecou (geb. 1931), Jim Dine (geb. 1935) und Claes Oldenburg (geb. 1929) sollte die Kunst weiträumig und umfassend sein.

Rauschenberg in seinem Atelier in der Front Street, New York, 1958
Rauschenberg, der in den frühen 1950er-Jahren bei John Cage am Black Mountain College studiert hatte, wurde zu einer proteischen, einfallsreichen Gestalt der Kunstwelt. Er experimentierte mit Malerei, Objekten, Performance und Klang und öffnete vielen seiner Zeitgenossen neue Wege.

Die Entfremdung und Individualisierung, die man mit dem *Abstrakten Expressionismus assoziierte, lehnten die Künstler ab, sie bevorzugten eine gesellige Kunst. Zusammenarbeit war ein typischer Zug ihrer Werke; Neo-Dadaisten arbeiteten mit Dichtern, Musikern und Tänzern zusammen und verbanden sich auch mit gleichgesinnten Künstlern, wie etwa den Vertretern des Nouveau Réalisme. Das Ergebnis war eine neue Ästhetik, hervorgegangen aus Experimenten und gegenseitiger künstlerischer Befruchtung.

Während jener Zeit gab es vor allem in Amerika ein wiedererwachtes Interesse an der *Dada-Bewegung und an den Arbeiten Marcel Duchamps. Die Dada-Haltung des »anything goes« (alles geht) wurde von den Künstlern aufgegriffen. Die Collagen von Pablo Picasso und Kurt Schwitters, die Ready-mades von Marcel Duchamp und die Bemühungen der *Surrealisten, das »Wunderbare« der Alltagsgegenstände in eine Volkssprache zu verwandeln, waren wichtige Inspirationsquellen für sie. Jackson Pollocks Werk (siehe Abstrakter Expressionismus) wurde von Allan Kaprow (siehe Aktionskunst) dahingehend neu interpretiert, dass es auf die Welt des Alltagslebens hinweise und nicht auf die reine Abstraktion.

Zu den einflussreichsten Künstlern des Neo-Dada gehörten der Komponist John Cage (1912–1992), der Erfinder Buckminster Fuller (1895–1983) und der Medientheoretiker Marshall McLuhan (1911–1980). In einer Zeit des Nationalismus wiesen für viele McLuhans Konzept des »global village« (die ganze Erde ein Dorf) und Fullers Idee vom »Raumschiff Erde« – die beide die Erde als eine Einheit präsentierten – einen besseren Weg in die Zukunft als die Entwürfe, die von oft fanatischen zeitgenössischen Sozialkritikern und Existenzphilosophen aufgezeigt wurden. Wie viele der Neo-Dada-Werke umfassen auch Cages Mixed-Media-Kompositionen und seine Kollaborationen mit dem Tänzer Merce Cunningham (geb. 1919) den Einsatz des Zufälligen und des Experiments, auch betonen sie das soziale Umfeld.

Oben: **Larry Rivers, *Washington Crossing the Delaware*, 1953**
Rivers' Zielscheibe war gut gewählt – das gleichnamige Gemälde Emanuel Leutzes von 1851 war als herausragendes Beispiel des Patriotismus des 19. Jahrhunderts Generationen von amerikanischen Schulkindern bestens bekannt, als Rivers es für seine politische Attacke nutzte.

Gegenüber: **Jasper Johns, *Flag, Target with Plaster Casts*, 1955**
Indem er Dinge verwendete, »die der Geist schon kennt« (Zielscheiben, Flaggen, Zahlen), schuf Johns zweideutige, beunruhigende Werke, die zugleich abstrakte Gemälde und konventionelle Zeichen waren. Zweideutigkeit und sozialpolitisches Engagement, beides von Dada entlehnt, waren typisch für Neo-Dada.

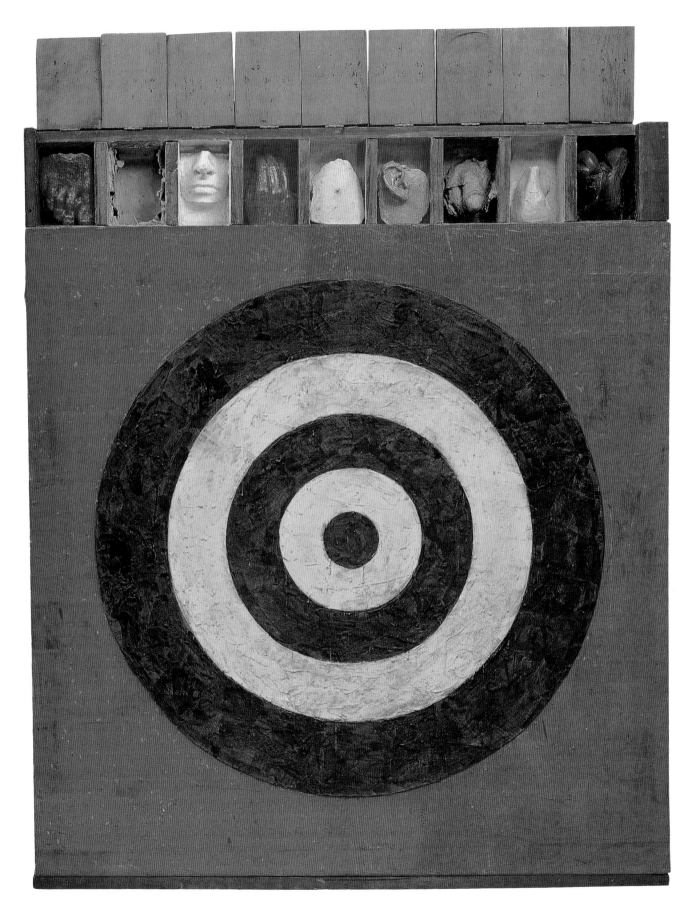

und Ganzen zeigen seine Arbeiten die Bereitschaft, sich der vollen Bandbreite der Quellen zu bedienen, was einen Vergleich mit der *Postmoderne ermöglicht.

Johns erlangte bereits mit seiner ersten Ausstellung in der Leo Castelli Gallery in New York im Jahr 1952 unverhofften Ruhm; 18 seiner 20 ausgestellten Werke waren bis zum Ende der Ausstellung verkauft. Die echt wirkenden Flaggen veranlassten das Publikum, deren Status zu hinterfragen: Handelte es sich um die Flagge oder um ein Gemälde? Auch die Installationen Rauschenbergs erweiterten die Grenzen der Kunst. Obwohl sie sehr unterschiedliche Werke schufen, haben Rauschenberg, Johns und Rivers gemeinsam, dass sie alle drei die Handhabung des Abstrakten Expressionismus transformierten, keinen Respekt vor der Tradition zeigten und eigenwilligen Gebrauch vom amerikanischen Bildgut machten. Der Einfluss dieser drei Künstler auf spätere Kunstrichtungen, wie *Pop Art, *Konzeptkunst, *Minimalismus und *Aktionskunst, ist beträchtlich.

Die anrührend optimistische Gemeinschaftsarbeit von Larry Rivers und Jean Tinguely *Turning Friendship of America and France* (1961) ist in vielerlei Hinsicht ein typisches Neo-Dada-Projekt. Rotierend wie die Erde präsentiert es die wünschenswerte Möglichkeit einer friedlichen Koexistenz und feiert den Einsatz des Handels (symbolisiert durch Abbilder von Zigarettenpäckchen) durch die Einführung eines kulturellen Austauschs auf allen Ebenen. Ganz ähnlich bietet Johns' Fuller-Landkarte ein potentes Abbild dieser neuen, verbundenen Kunstwelt und des Geistes der Zusammenarbeit zwischen Kunst und Technologie.

Bei all ihrer Heterogenität waren die Künstler des Neo-Dada äußerst einflussreich. Ihr visuelles Vokabular, ihre Techniken und vor allem ihre Entschlossenheit, sich Gehör zu verschaffen, wurde von späteren Künstlern aufgegriffen, die gegen den Vietnamkrieg, den Rassismus, den Sexismus und die Regierungspolitik protestierten. Die Betonung, die sie auf Partizipation und Aktion legten, spiegelte sich im Aktivismus, der die Politik und die Aktionskunst der späten 1960er-Jahre kennzeichnete.

Zu den bedeutendsten Werken der Neo-Dadaisten gehören Rivers' *Washington Crossing the Delaware* (1953), Rauschenbergs *Combine Painting*s (1954–1964) und Johns' *Map* (*Based on Buckminster Fuller's Dymaxion Air Ocean World*, 1967–1971) sowie seine Flaggen, Zielscheiben und Zahlen. Rivers' Neubearbeitung des bekannten Historiengemäldes von Emanuel Leutze aus dem Jahr 1851 wurde von der New Yorker Kunstwelt zunächst mit Spott überhäuft. Da er sich dem Sujet nach Art der Abstrakten Expressionisten genähert, die Gesamtkomposition aber durch eine unmodern gewordene Historienmalerei und angedeutete figürliche Darstellung »kontaminiert« hatte, unterstellte man Rivers, er habe sich sowohl gegenüber den Meistern der Vergangenheit als auch gegenüber denen der Moderne respektlos verhalten. Im Großen

Larry Rivers und Jean Tinguerly, *Turning Friendship of America and France*, 1961
Zu einer Zeit, als die Beschäftigung mit Grenzen ein beunruhigender Aspekt der internationalen Politik war, erkennt diese Gemeinschaftsarbeit (ein typisches Merkmal neo-dadaistischer Werke), die teils Maschine, teils Gemälde ist, auf spielerische Weise eine Zusammenarbeit von Künstlern über alle Grenzen hinweg an.

Wichtige Sammlungen
Centre Georges Pompidou, Paris
Museum of Modern Art, New York
Stedelijk Museum, Amsterdam
Whitney Museum of American Art, New York

Weiterführende Literatur
C. Haenlein, Larry Rivers, Retrospektive: *Bilder und Skulpturen*
    (Ausst.-Kat., Kestner-Gesellschaft, Hannover, 1980/81)
Robert Rauschenberg: A Retrospective (Ausst.-Kat., New York,
    Guggenheim Museum, 1997)
F. Orton, Figuring Jasper Johns: *Allegorien eines Künstlers*
    (Klagenfurt, 1998)
A. J. Dempsey, *The Friendship of America and France*, Ph. D.
    (Courtauld Institute of Art, University of London, 1999)

Combine Painting

Malerei bezieht sich sowohl auf die Kunst als auch auf das Leben. Keines von beiden kann gemacht werden. (Ich versuche, in der Kluft zwischen den beiden zu agieren.)

ROBERT RAUSCHENBERG, 1959

Im Sommer 1954 prägte der amerikanische Künstler Robert Rauschenberg (geb. 1925) den Begriff Combine zur Beschreibung seiner neuen Arbeiten, die Aspekte der Malerei und der Bildhauerei vereinten. Die an der Wand anzubringenden Werke, zum Beispiel *Bed* (1955), nannte er *Combine Paintings*, freistehende Arbeiten, wie etwa *Monogram* (1955–1959) bezeichnete er als *Combines*. Die beiden genannten Werke sind wohl seine berühmtesten und zugleich seine berüchtigtsten, bedenkt man die Reaktionen, die sie bei ihrer Ausstellung hervorriefen.

Bed war 1958 zur Teilnahme an einer Ausstellung junger amerikanischer und italienischer Künstler beim »Festival der zwei Welten« in Spoleto, Italien, ausgewählt worden. Die Ausstellungsleiter weigerten sich jedoch, das Materialbild auszustellen und brachten es in einen Lagerraum. Im folgenden Jahr, als *Monogram* in New York gezeigt wurde, bot ein reicher Sammler an, es für das Museum of Modern Art in New York zu kaufen, doch das Museum lehnte die Schenkung ab.

Rauschenberg bezeichnete seine Entscheidung, für *Bed* eine Steppdecke zu bemalen, als Notwendigkeit – er besaß keine Leinwand mehr. Die Kombination von realen Gegenständen, Nagellack, Zahnpasta und abstrakt expressionistischer Malweise schockierte die New Yorker Kunstwelt jener Zeit. Während sie die Innovation diskutierte, ein Bett hochkant an die Wand zu stellen, meinte Rauschenberg, dies sei das freundlichste Bild, das er je gemalt habe. »Ich hatte immer Angst, jemand würde hineinkriechen wollen.« Andere empfanden das Werk als unerträglich, es erschien ihnen als Ort einer Vergewaltigung oder eines Mordes. Lässt man die Reaktionen außer Acht, klärt das Werk über Rauschenbergs Inspirationen auf – indem der Künstler die Techniken von Kurt Schwitters (Collagen aus Alltagsmüll) und Marcel Duchamp (Ready-mades, siehe Dada) mit der Pinselführung des *Abstrakten Expressionismus vermischte, schuf er einmalige Assemblagen (siehe Assemblage).

In den späten 1950er- und in den 1960er-Jahren betitelte man Robert Rauschenberg und andere Künstler seiner Generation, wie Jasper Johns und Larry Rivers, oft als *Neo-Dadaisten, weil ihre Werke Ähnlichkeiten mit Dada und der dadaistischen Missachtung der Traditionen aufwiesen. Die Künstler jener Zeit versuchten, sich dem übermächtigen Einfluss der abstrakten Expressionisten hinzuge-

Robert Rauschenberg, *Bed*, 1955
Seine Entscheidung, für *Bed* eine Steppdecke zu bemalen, bezeichnete Rauschenberg als Notwendigkeit – er besaß keine Leinwand mehr und hatte auch kein Geld, neue zu kaufen. Das Kopfkissen, sagte er, habe er um der Ausgewogenheit der Komposition willen hinzugefügt.

ben, aber auch über ihn hinaus zu gelangen. Sie behielten die Technik expressionistischer Malweise teilweise bei und arbeiteten gleichzeitig Alltagsbilder aus den Medien und allgemein Bekanntes mit ein; so schufen sie Werke, die ihrerseits großen Einfluss auf zukünftige Kunstrichtungen haben sollten, wie etwa auf die *Pop Art.

Obwohl Rauschenberg von vielen Kritikern als »Witzbold« abgetan wurde, wuchs seine Berühmtheit bei anderen Künstlern und beim Publikum sehr rasch. In den frühen 1960er-Jahren gab es eine Reihe von Retrospektiven seiner Werke, zum Beispiel 1963 im Jewish Museum in New York und 1964 in der Whitechapel Art Gallery in London. Im selben Jahr beschrieb ihn ein Londoner Kritiker als den »wichtigsten amerikanischen Künstler seit Jackson Pollock«, und bei der Biennale in Venedig erhielt er den Internationalen Großen Preis für Malerei. Nach 1964 verabschiedete sich Rauschenberg von den Combines und experimentierte mit Siebdrucken, verschiedenen künstlerischen Techniken, Tanz und Performance.

Wichtige Sammlungen

Moderna Museet, Stockholm
Museum Ludwig, Köln
Museum of Contemporary Art, Los Angeles, Kalifornien
Museum of Modern Art, New York
Stedelijk Museum, Amsterdam

Weiterführende Literatur

Robert Rauschenberg, *Werke 1950–1980* (Ausst.-Kat., Staatliche Kunsthalle, Berlin, 1980)
H. D. Huber, *System und Wirkung: Rauschenberg, Twombly, Baruchello* (München, 1989)
M. L. Kotz, *Rauschenberg: Art and Life* (1990)
S. Hunter, *Robert Rauschenberg* (1999)

▌Brutalismus

Der Brutalismus versucht, der Gesellschaft der Massenproduktion ins Auge zu sehen und den konfusen und mächtigen Kräften, die am Werk sind, eine raue Poesie zu entlocken.

ALISON UND PETER SMITHSON, 1957

Brutalismus (englisch auch »New Brutalism«) war ein in den 1950er-Jahren geprägter Begriff zur Bezeichnung einer architektonischen Reformbewegung, die das britische Architekten-Ehepaar Alison (1928–1993) und Peter Smithson (geb. 1923) initiiert hatte. Im Druck tauchte der Terminus erstmals 1953 auf, und zwar in der Dezemberausgabe der Zeitschrift *The Architectural Review;* er wurde benutzt, um Le Corbusiers Verwendung von Sichtbeton (béton brut) bei Gebäuden, wie der Unité d'Habitation in Marseille (1947–1952), und den rohen Ausdruck der Materialien in Jean Dubuffets *Art Brut zu betiteln. Die Smithsons griffen den Terminus zur Beschreibung ihrer eigenen Arbeit auf, bei der sie die Eleganz und Sterilität des Modernismus des späten *International Style ebenso ablehnten wie die nostalgische Vornehmheit der britischen Nachkriegsarchitektur, wie sie der Wohlfahrtsstaat förderte. Ihr Ziel war ein kraftvolles, klares Industriedesign für die nach dem Krieg in Großbritannien so dringend benötigten Wohnhäuser und Schulen; ihre Architektur sollte den Bedürfnissen der darin lebenden und arbeitenden Menschen gerecht werden.

Die Smithsons griffen auf ausgewählte Werte der modernistischen Pioniere zurück, etwa auf Louis Sullivans holistische Vision des »Funktionalismus« (siehe Chicago School) sowie auf die sozialen Bestrebungen von Walter Gropius, Le Corbusier, und Ludwig Mies van der Rohe (siehe International Style). Aber sie waren sich auch der kommenden Massenkultur bewusst, die die *Pop Art und

das Design prägen sollte. Brutalismus war der Versuch, mächtige, funktionale Gebäude zu errichten, die in ihre Umgebung integriert und mit der verlockenden Klarheit des modernen Industriedesign ausgestattet waren.

Die Hunstanton Secondary Modern School (1949–1954) der Smithsons in Norfolk gilt mit ihren sichtbaren Materialien und Versorgungsleitungen sowie ihrem strengen Design als das erste Beispiel des Brutalismus. In den USA stellt die Yale University Art Gallery in New Haven (1951–1953) von Louis I. Kahn (1901–1974) und Douglas Orr das erste brutalistische Bauwerk dar. Beide Gebäude sind Ausdruck der Ethik des Brutalismus, die »Ehrlichkeit« bei der Verwendung von Baumaterialien und existenzialistische Werte beinhaltet. Die Smithsons bewunderten Mies van der Rohes Arbeiten und sein Bekenntnis zu einer klaren Gebäudestruktur.

Le Corbusier war für viele Architekten eine noch einflussreichere Gestalt, vor allem für jene, die während der 1950er-Jahre bekannt wurden, etwa die Briten William Howell (1922–1974), Alison und Peter Smithson, James Stirling (1926–1992) und Denys Lasdun (1914–2001), die Niederländer Aldo van Eyck (1918–1999) und Jacob Bakema (1914–1981), der Japaner Kenzo Tange (geb. 1913) sowie die Amerikaner Louis I. Kahn und Paul Rudolph (1918–1997). Le Corbusiers expressionistische Teilhabe am Funktionalismus des Internationale Styles, die Aufmerksamkeit, die er der Umgebung widmete, und seine Verwendung einheimischer Formen

und Bauweisen machten ihn zu einer unerschöpflichen Inspirationsquelle. Seinem Beispiel folgend setzten Architekten des Brutalismus Glas, Backstein und Beton ihrer expressiven Qualitäten wegen in ihren Bauwerken ein. Die Verwendung von in Schalungen gegossenem Sichtbeton betonte die Strukturelemente der Gebäude sowie die Natur des Materials. Kahn erläuterte dazu, er glaube, dass in der Architektur, wie in jeder Kunst, der Künstler instinktiv Spuren hinterlasse, die die Art der Herstellung einer Sache verrieten. Der Brutalismus repräsentierte eine Lockerung der strikten Formeln des orthodoxen Modernismus; er stellte eine neue Freiheit zur Schau, die die Architekten der *Postmoderne noch tiefer ausloten sollten.

Jack Lynn und Ivor Smith, *Park Hill*, Sheffield, 1961

Nach den Richtlinien des Golden Lane Projekts der Smithsons gebaut, folgt Park Hill sehr genau der Topologie des Baugeländes. Innere Zirkulation, gute Zugänglichkeit und Freiräume zwischen den dicht bevölkerten Wohnblocks sind von überragender Bedeutung.

Wichtige Bauwerke

Louis Kahn, Kimbell Art Museum, Fort Worth, Texas
Louis Kahn und Douglas Orr, Yale University Art Gallery,
    New Haven, Connecticut
Denys Lasdun, National Theatre, Southbank Centre, London
Alison und Peter Smithson, Hunstanton Secondary Modern School,
    Norfolk, England
Alison und Peter Smithson, Golden Lane Housing, London
Kenzo Tange, Olympiahallen, Tokio

Weiterführende Literatur

R. Banham, *The New Brutalism* (1966)
L. I. Kahn, *Die Architektur und die Stille, Gespräche und
    Feststellungen* (Basel u.a., 1993)
W. Curtis, *Denys Lasdun* (1994)
K.-P. Gast, *Louis I. Kahn, die Ordnung der Ideen* (Basel u.a., 1998)

Funk Art

Organisch, meist biomorph, nostalgisch, antropomorph, sexuell, glandulär, viszeral, erotisch, zotig, skatologisch.

HAROLD PARIS, »SWEET LAND OF FUNK«, ART IN AMERICA, 1967

Während der späten 1950er-Jahre bezeichnete man die Werke einer Reihe von kalifornischen Künstlern, wie Bruce Conner (geb. 1933), George Herms (geb.1935) und Ed Kienholz (1927–1994), als »funky« – stinkend. Der Terminus leitete sich von den verwendeten Materialien ab: Müll und Kram oder, wie Kienholz sagte, »Überreste menschlicher Erfahrung«. Die Funk-Künstler brachten ihre Reaktion auf die für sie inakzeptablen monumentalen und abstrakten Züge vieler *Abstrakter Expressionisten zum Ausdruck. Ihr Ziel war es, ein gewisses Maß an Realismus und an gesellschaftlicher Verantwortung in die zeitgenössische Kunstszene einzuführen.

Ed Kienholz, Bruce Conner, Paul Thek (1933–1988), Lucas Samaras (geb. 1936) und der britische Künstler Colin Self (geb. 1941) setzten den Schock als eine Taktik ein, um auf Themen aufmerksam zu machen, die nur allzu gern unter den Teppich gekehrt wurden, wie etwa Abtreibung, Gewalt, Todesstrafe, Justizirrtümer, Geisteskrankheit, Gewalt gegen Frauen sowie Angst vor Krankheit, Alter, Tod und Atomkrieg.

Ihre Werke setzten die gesellschaftskritische Tradition der *Sozialen Realisten und des *Magischen Realismus der 1930er-Jahre fort, und sie überschnitten sich mit *Neo-Dada und *Beat Art. Während die Künstler der beiden letztgenannten Bewegungen die Überzeugung teilten, Kunst müsse in und von dieser Welt sein und keine Flucht aus ihr, zeigt die Funk Art eine deutlichere moralische Empörung als Neo-Dada und es fehlt ihr die spirituelle und mystische Dimension der Beat Art.

Vor allem Conner und Kienholz stellten sich den gesellschaftspolitischen Fragen der Zeit mit wütendem Ernst. Conners Assemblagen aus zerrissenen Kleidern, kaputten Möbeln und zerbrochenen Nippes sind quasi in Kunst verwandelte verlorene Leben. *BLACK DAHLIA* (1959) ist ein Kommentar zum anhaltenden voyeuristischen Interesse an dem unaufgeklärten, sensationellen Mord an der jungen Schauspielerin Elizabeth Short (1947), die den Spitznamen Black Dahlia (die Schwarze Dahlie) trug (später auch das Thema des gleichnamigen Romans von James Ellroy). *The Child*

(1959–1960) weist auf von den Eltern vernachlässigte Kinder hin, demzufolge handelt es sich nicht um ein lächelndes Kind aus einem Hochglanzmagazin, sondern um eine typische Conner-Figur, zusammengesetzt aus Lumpen und Dreck. *Roxy's* (1961) von Kienholz, die großformatige Nachbildung des Interieurs eines Bordells in Nevada, behandelt Frauenfeindlichkeit und moralische Heuchelei. Es enthält Mobiliar, das aus Frauenkörpern gemacht ist, und Frauen, die aus Tierknochen bestehen; es zeigt Frauen als Liebhaberinnen, Lustobjekte, Möbel, Opfer, Tiere und Raubtiere.

Sowohl Conner als auch Kienholz fühlten sich von Ereignissen angezogen, die man aus der offiziellen Geschichte gern gestrichen hätte. Beide schufen Werke zur Hinrichtung von Caryl Chessman, die durchgeführt wurde, weil die Nachricht von der Aufschiebung der Exekution die Vollzugsbeamten zu spät erreichte. Conner begann die Arbeit an *Homage to Chessman* (1960) – einer verwest aussehenden Assemblage mit einer Telefonschnur – am Tage der Hinrichtung als Protest gegen das Ereignis. Der Titel von Kienholz' vulgärem Stück *The Psycho-Vendetta Case* (1960) hinterfragt die geistige Gesundheit der Befürworter der Todesstrafe, ja eines ganzen Staates, der diese Strafe als Racheakt verhängt.

Conner und Kienholz wandten ihren Blick auch auf Themen wie die Furcht vor Geisteskrankheit und deren Realität, die Entfremdung im modernen Leben, die Tragödie der Abtreibung im Hinterzimmer, Kriege und die Angst vor dem Atomkrieg. Der verwesende, zerstückelte Körper auf einem blutverschmierten Sofa in *Conners Couch* (1963) ist ein ganz besonders grauenhaftes Abbild einer solchen Möglichkeit. Mit seinem *Portable War Memorial* (1968) konfrontiert Kienholz den Betrachter mit der schrecklichen Wahrheit, dass der Krieg Teil des täglichen Lebens geworden ist und dass wir von einer Unzahl von austauschbaren Kriegsdenkmälern umgeben sind, die uns längst nicht mehr anrühren oder dazu bewegen, unser Verhalten zu ändern. Es waren jene »ungerührten Betrachter«, die die Funk-Künstler zu erreichen suchten.

Während der 1960er-Jahre bezog man sich mit dem Begriff Funk Art auch noch auf eine andere Gruppe von Künstlern, die zumeist in San Francisco arbeiteten. Zu ihnen gehörten Robert Arneson (1930–1992), William T. Wiley (geb. 1937), David Gilhooly (geb. 1943) und Viola Frey (geb. 1933). Ihr Blick war weniger grimmig und humorvoller, sie waren eher ein regionaler *Pop-Funk-Hybrid. Viele arbeiteten als Keramiker, wobei sie hohe Kunst mit Handwerk verschmolzen, und verknüpften ihre Arbeit mit visuellen

Rechts: **Bruce Conner, BLACK DAHLIA, 1959**
BLACK DAHLIA ist ein Kommentar zu einem sensationellen Mordfall. Das Werk ist eine Komposition aus Fotografien und Fetischobjekten (Pailletten, Federn, Spitzen, Nylonstrümpfe), die eine Anspielung auf private Tabus und öffentliche Schaustellung sind.

Gegenüber: **Ed Kienholz, *Portable War Memorial*, 1968**
Das Tableau ist zweigeteilt; die linke Seite ist mit – wie der Künstler es nennt – »Propagandamaterial« (Ikonen des Krieges und des Patriotismus) gefüllt, die rechte Seite zeigt ungerührte Zuschauer in einer Snackbar. Tafel, Kreide und Lappen erlauben es, die Namensliste von Opfern immer auf den neuesten Stand zu bringen.

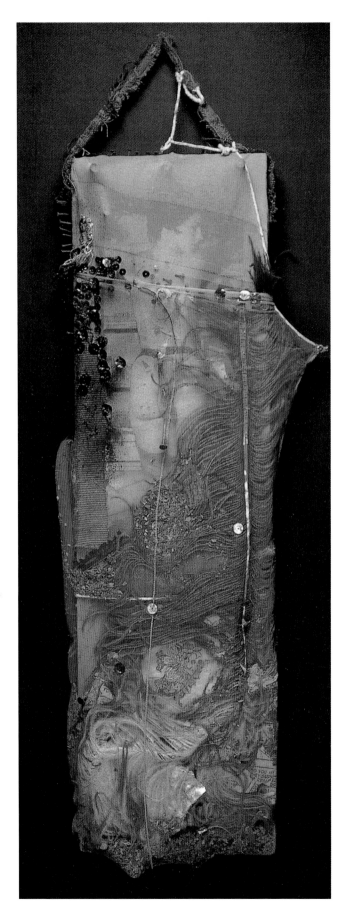

und verbalen Wortspielen. Arnesons Überarbeitungen nationaler Ikonen – bei *In God We Trust* (1965) etwa ersetzte er das Bild von George Washington auf einem 25-Cent-Stück durch sein eigenes – sind eher witzig als bissig.

Eine Reihe jüngerer britischer Künstler, wie Jake (geb. 1966) und Dinos Chapman (geb. 1962), Sarah Lucas (geb. 1962) und Damian Hirst (geb.1965), wählen sich ebenfalls die Unmenschlichkeit des Menschen im Umgang mit seinesgleichen, den Tod und die Instrumentalisierung der Frau zum Thema ihrer makabren oder grotesken Assemblagen. *Hell* (1999–2000) der Brüder Chapman, *Lucas' Bunny* (1997) und *Hirsts A Thousand Years* (1990) – ein verwesender Kuhkopf mit Maden – sind drei Beispiele, bei denen sich die beißende Gesellschaftskritik von Kienholz und Conner mit dem schwarzen Humor der späteren kalifornischen Funk-Künstler vereint.

Wichtige Sammlungen
Moderna Museet, Stockholm
Norton Simon Museum, Pasadena, Kalifornien
Saatchi Collection, London
San Francisco Museum of Modern Art, San Francisco, Kalifornien

Weiterführende Literatur
M. Franke, *Work in progress – art is liturgy* (Frankfurt am Main u.a., 1993)
R. L. Pincus, *On a Scale that Competes with the World* (Berkeley, CA, 1994)
L. Phillips, *Beat Culture and the New America, 1950–65* (1995)
T. Crow, *The Rise of the Sixties* (1996)
E. Kienholz: A Retropsective (Ausst.-Kat., Whitney Museum of American Art, New York, 1996)

Nouveau Réalisme

Das ist Nouveau Réalisme: neue perzeptive Annäherungen an die Realität.

PIERRE RESTANY, 1960

Die Werke, die von den europäischen Anhängern des Nouveau Réalisme in den späten 1950er- und in den 1960er-Jahren geschaffen wurden, weisen eine große Bandbreite auf – sie reichen von den Plakatzerfetzungen des Franzosen Raymond Hains (geb. 1926) über die Fallenbilder des Schweizers Daniel Spoerri (geb. 1930) bis hin zu den »Akkumulationen« des Franzosen Arman (geb. 1928). Die Gemeinsamkeit dieser Werke liegt in der bewussten scharfen Abgrenzung von der allgemeinen Strömung des Modernismus jener Zeit.

Gegen Ende der 1950er-Jahre, als Richtungen wie *Abstrakter Expressionismus und *Informel bereits eine zweite und dritte Generation hervorbrachten, schienen diese Bewegungen vielen zu abgehoben und nicht mehr mit den gesellschaftlichen Realitäten in Kontakt. Die Zustände des Mangels und der Entbehrungen, unter denen die Künstler der unmittelbaren Nachkriegszeit hatten arbeiten müssen, waren einer neuen Gesellschaft gewichen, die in wachsendem Wohlstand, technologischem Fortschritt und raschen politischen Veränderungen lebte. Diese neue Welt wollten die Künstler des Nouveau Réalisme erforschen.

Im Oktober 1960 gründete der französische Kunstkritiker Pierre Restany in der Wohnung von Yves Klein (1928–1962) offiziell die Gruppe Nouveau Réalisme. Pierre Restany unterschrieb zusammmen mit acht Künstlern – den Franzosen Yves Klein, Raymond Hains, Arman, François Dufrêne (1930–1982), Martial Raysse (geb. 1936) und Jacques de la Villeglé (geb. 1926) sowie den Schweizer Künstlern Daniel Spoerri und Jean Tinguely (1925–1991) – eine Deklaration, der zufolge sie »die soziologische Realität

ohne jede polemische Absicht« darstellen wollten. Dieser Grundkonsens lieferte ihnen die Identität für ihre kollektiven Aktivitäten und umfasste die unterschiedlichen Werke dieser und all der anderen Künstler, die sich ihnen später anschlossen, darunter der französische Plastiker César (1921–1999) und sein Landsmann Gérard

Oben: **Arman, *Boum boum, ça fait mal*, 1960**
Arman sagte, nicht er habe die Akkumulationen entdeckt, sie hätten ihn entdeckt. Es sei schon immer offensichtlich gewesen, dass die Gesellschaft ihr Sicherheitsdenken mit dem Packratteninstinkt nährt, der sich in Schaufensterauslagen, auf Fließbändern und Müllbergen zeigt.

Gegenüber: **Yves Klein, *Anthropometrien der Blauen Periode*, 9. März 1960**
Vor dem Publikum bestrichen sich Kleins Modelle mit seiner patentierten Farbe (IKB - International Klein Blue) und drückten ihre Körper nach seinen Anweisungen auf die am Boden liegende Unterlage; dazu wurde Kleins *Symphonie Monotone* gespielt.

Deschamps (geb. 1937), der Italiener Mimmo Rotella (geb. 1918) sowie die Franco-Amerikanerin Niki de Saint Phalle (geb. 1930). Der aus Bulgarien stammende Christo (geb. 1935) nahm in der Frühzeit seiner Karriere an einer Reihe von Ausstellungen und Festivals der Gruppe teil, sah sich selbst aber nie als Vertreter des Nouveau Réalisme (siehe Installation und Earth Art).

Nouveau Réalisme wird im Allgemeinen als das französische Gegenstück zur amerikanischen *Pop Art präsentiert, die Künstler selbst betrachteten sich jedoch als den *Neo-Dadaisten näher. Wie sie zogen auch die Mitglieder des Nouveau Réalisme ihre Inspiration aus dem Dadaismus, aus Marcel Duchamps Ready-mades, aus der Anerkennung des »Wunderbaren« im Gewöhnlichen der *Surrealisten und aus der *Kubistischen Maschinenästhetik von Fernand Légers »Neuem Realismus«. Die abstrakt arbeitenden Künstler lehnten den Kult, der um sie gemacht wurde, ab und ermutigten die Zuschauer, sich an ihrem Werk zu beteiligen.

1961 organisierte Restany in Paris eine Ausstellung mit dem Titel »Le Nouveau Réalisme à Paris et à New York«; gezeigt wurden Werke des Nouveau Réalisme und Arbeiten der Amerikaner Robert Rauschenberg, Jasper Johns, John Chamberlain, Varden M. Chryssa, Lee Bontecou und Richard Stankiewicz. Bis zum letzten, im Jahr 1970 in Mailand stattfindenden Festival des Nouveau Réalisme nahmen die Künstler, die Restany unter dem Etikett Nouveaux Réalistes zusammengefasst hatte, gemeinsam an zahlreichen Ausstellungen, Festivals und Performances in Europa und den USA teil.

Yves Klein blieb der Bekannteste der Gruppe; sein umfangreiches Werk übte großen Einfluss auf verschiedenste Bereiche der Kunst des späten 20. Jahrhunderts aus: Multimedia, multidisziplinäre Kunst, Gemeinschaftsarbeiten, *Aktionskunst, *Minimalismus, *Body Art, *Konzeptkunst usw. Obwohl er selbst die Vorstellung des Einzigartigen in der Kunst ironisierte, belebte doch paradoxerweise seine eigene Persönlichkeit alles, was er schuf. 1957 malte er eine Reihe identischer monochromer Bilder in einem leuchtenden, tiefen Ultramarin, das er sich später als »IKB« (International Klein Blue) patentieren ließ und zu unterschiedlichen Preisen verkaufte. Im Jahr 1958 präsentierte er in der Galerie Iris Clert in Paris *Le Vide* – vollkommen leere Räume – und verkaufte Abschnitte dieser »Leere« auf der Grundlage, dass sie seine Sensibilität enthielten. Zwei Jahre später fanden seine Anthropometrien statt: Performances, bei denen Klein nackte Frauen mit seinem IKB einstrich und dann über große, auf dem Boden ausgebreitete Leinwände zog, während ein Orchester seine *Symphonie Monotone* spielte (eine einzige Note, die, alternierend mit jeweils 20-minütigen Pausen, 20 Minuten lang gespielt wurde) und das Publikum in Smoking und Abendkleid andächtig zusah und lauschte.

Werke wie Césars »Kompressionen« und Armans »Akkumulationen« weisen bereits auf zukünftige Entwicklungen hin. Césars Ready-mades zum Beispiel nehmen die industriellen »Kuben« der Minimalisten vorweg; sie sind jedoch auch insofern interessant, als sie in direktem, provokativem Bezug zu den zeitgenössischen sozialen Problemen stehen, ein ganz entscheidender Zug der Kunst des Nouveau Réalisme. Césars Kompressionen – mit einer Metallpresse zusammengedrückte Autokarosserien, die so als Kunstwerke ein neues Leben bekamen – können als Kritik an der Konsumgesellschaft und ihrer Verschwendungssucht gesehen werden oder, etwas positiver, als Anerkennung der wichtigen Rolle von Maschinen.

Armans Sammlungen von Objekten unterminieren anerkannte künstlerische Werte und Zwecke. Seine *Poubelles* (Mülleimer) sind in Plexiglaskästen gefüllte Inhalte von Papierkörben, seine *Colères* (Wutanfälle) bestehen aus zerschlagenen Objekten. In den Accumulations werden gleiche Gegenstände in durchsichtigen Kästen angehäuft; sie sollen den Betrachter dazu anregen, den Stellenwert

Niki de Saint Phalle, *Venus de Milo*, 1962
Während einer Performance in New York im Jahr 1962 wurde die Venusstatue, die Farbbeutel enthielt, auf die Bühne gerollt. Saint Phalle schoss mit einem Gewehr darauf, wodurch die idealisierte Darstellung der Weiblichkeit zum »gemordeten«, farbbespritzten Leichnam wurde.

dieser Gegenstände im Zeitalter des Massenkonsums neu zu überdenken. Oft bezieht sich Arman auch auf historische Themen – *Home Sweet Home* (1960), eine Akkumulation von Gasmasken, konfrontiert den Betrachter mit den Gräueln des Holocausts, aber auch mit der Tragödie der anhaltenden Kriege und Völkermorde.

Viele Werke der Nouveaux Réalistes sind die Ergebnisse von Aktionen und Performances und repräsentieren »kreative Zerstörungen«; Kleins *Anthropometrien*, Armans *Colères* und Niki de Saint Phalles *Tirs* (Schießbilder) sind nur einige Beispiele. Saint Phalle beschrieb ihre Bilder, bei denen sie Farbe auf Leinwände oder Objekte schoss, als symbolischen Protestakt gegen das stereotype Bild der Frau, das die zeitgenössische Gesellschaft ihr überstülpt. Diese Konzentration auf das Weibliche und seine Repräsentation in der Kunst kündigte schon das Bildgut und die Themen der feministischen Diskussion an, die in den 1970er-Jahren vorherrschend wurden.

Wichtige Sammlungen

Centre Georges Pompidou, Paris
Museum of Modern and Contemporary Art, Nizza
Museum of Modern Art, New York
Tate Gallery, London
Whitney Museum of American Art, New York

Weiterführende Literatur

J. Becker (Hrsg.), *Happenings, Fluxus, Pop art, Nouveau réalisme*
  (Reinbek bei Hamburg, 1968)
M. Vaizey, *Christo* (1990)
S. Stich, *Yves Klein* (Ostfildern, 1994)
A. J. Dempsey, *The Friendship of America and France: A New
  Internationalism, 1961–1965*, Ph. D. (Courtauld Institute of Art,
  University of London, 1999)

Situationistische Internationale

Es kann keine situationistische Malerei oder Musik geben,
nur eine situationistische Anwendung dieser Mittel.

INTERNATIONALE SITUATIONNISTE NO 1, JUNI 1958

Die Situationistische Internationale (SI; ohne Beziehung zu den Situation artists der frühen 1960er-Jahre), 1957 in Cosio d'Arroscia in Italien gegründet, war ein Zusammenschluss verschiedener Gruppen avantgardistischer Künstler, Poeten, Schriftsteller, Kritiker und Filmemacher, die sich sowohl der modernen Kunst als auch einer radikalen Politik verschrieben hatten. Ihrer Meinung nach war die künstlerische Tätigkeit ein politischer Akt: Durch die Kunst konnte die Revolution erreicht werden. In Theorie und Praxis griff die SI bewusst auf die Ideale von *Dada, *Surrealismus und *COBRA zurück.

Das Kollektiv bestand ursprünglich aus Mitgliedern der Pariser Lettrist International (eine Splittergruppe des *Lettrismus) – zu denen der Filmemacher und Theoretiker Guy Debord (1931–1994), seine Frau, die Collagekünstlerin Michèle Bernstein, und Gil J. Wolman (1929–1995) gehörten –, außerdem aus Mitgliedern des International Movement for an Imaginist Bauhaus (eine Gruppe, die sich nach der Auflösung von COBRA gebildet hatte), darunter das frühere COBRA-Mitglied Dane Asger Jorn (1914–1973) und der Italiener Giuseppe Pinot-Gallizio (1902–1964), sowie dem britischen Künstler Ralph Rumney (geb. 1934). Andere prominente Künstler, wie das frühere COBRA-Mitglied Constant (Constant A. Nieuwenhuys, geb. 1920), schlossen sich an, und bald hatte die SI 70 Mitglieder aus Algerien, Belgien, Großbritannien, Frankreich, Deutschland, den Niederlanden, Italien und Schweden. Es wurden jährliche Kongresse abgehalten und eine Zeitschrift, *Internationale Situationniste* (1958–1969), herausgegeben.

Die Arbeit der SI kreiste um Schlüsselstrategien; eine davon war die »konstruierte Situation«. Indem sie künstliche Situationen arrangierten, anstatt traditionelle Kunstobjekte zu schaffen, glaubten die Situationalisten, die Kunst vor der Kommerzialisierung retten zu können, die aus der Kunst nichts weiter als ein teures Statussymbol zu machen drohte. Folgerichtig schuf Pinot-Gallizio seine »Industriebilder« – riesige, bis zu 145 Meter lange Leinwände, die er mit neuen Materialien und Techniken bearbeitete (Spritzpistolen, Industriefarben, Harze) und vom laufenden Meter verkaufte. Damit setzte er sich über die Gepflogenheiten des Kunstmarkts hinweg, der sich nur mit originalen und exklusiven Kunstwerken befasste.

Die Situationisten waren fest davon überzeugt, dass die Einmischung der Kunst in das Alltagsleben die Menschen auf ihre Umgebung aufmerksam machen und so zu einer Veränderung der Gesellschaft führen werde. So war es zum Beispiel Pinot-Gallizios Intention, seine Riesenbilder auf Leitern zu montieren, um ganze Städte zu schmücken und diese so zu angenehmeren, dynamischeren Umgebungen umzugestalten. Seine *Cavern of Anti-Matter* (1959), eine multisensorische Multimedia-Installation, versuchte den Betrachter einzubeziehen. Ein weiterer Schlüsselgedanke der SI-Mitglieder war die »Psychogeografie«, womit die Untersuchung des psychologischen Einflusses der Stadt auf ihre Einwohner gemeint war. Anders als Le Corbusiers funktionale Stadt (siehe International Style) gründete sich Constants Projekt New Babylon (1956–1974), der Entwurf einer idealen Stadt, auf die Prämisse, dass die

darin lebenden Individuen in der Lage sein sollten, sie nach ihren eigenen Wünschen umzugestalten. In den 1960er- und 1970er-Jahren hatte dies großen Einfluss auf die Praxis von Architektur und Design, etwa bei Archigram und Archizoom (siehe Anti-Design).

Détournement (Umsturz oder Verfall) war ein weiteres wichtiges Konzept der Situationisten. Indem sie sich existierender Kunst näherten und sie veränderten, stellten sie alte Ideen infrage, unterminierten sie und schufen etwas Neues. Jorns »Modifikationen«, 1959 begonnen, bestanden aus der Übermalung von Leinwänden aus zweiter Hand, die er billig auf Flohmärkten erstand. Im selben Jahr arbeitete er mit Debord zusammen an einem Buch mit veränderten Bildern und Texten (*Memoires*); das Buch war in Sandpapier gebunden, damit man es nicht wie üblich mit anderen Büchern in den Schrank stellen konnte.

Zwischen 1957 und 1961 schufen Situationistische Künstler zahllose Kunstwerke, Filme, Modelle und Pläne, veranstalteten Ausstellungen und gaben Pamphlete und Zeitschriften heraus. Doch der Zusammenschluss von radikaler Kunst und Politik war nur von kurzer Dauer; interne Streitigkeiten führten zu Ausschlüssen und Rücktritten. Bis 1962 hatten fast alle professionellen Künstler die Gruppe verlassen. Die unter Debord in Paris verbliebenen Mitglieder konzentrierten sich mehr auf politische Theorien und Aktivitäten. Ihre Ideen flossen direkt in die französische Studentenbewegung von 1968 ein, die im Mai 1968 in Massendemonstrationen und massivem Polizeieinsatz in Paris gipfelten. Mit SI-Slogans wie »Unter den Pflastersteinen liegt der Strand« und »Konsum ist das Opium des Volks«, die überall auf Pariser Haus-

wänden erschienen, stieg der Bekanntheitsgrad der Bewegung auf eine zuvor nicht gekannte Höhe – ironischerweise begann damit aber auch ihr Untergang. Interne Unstimmigkeiten und die Furcht, von der »Spaßgesellschaft« vereinnahmt zu werden, veranlassten Debord, die Gruppe 1972 im Stillen aufzulösen.

Es zeigen sich auffallende Parallelen zwischen der Situationistischen Internationale und anderen Künstlern jener Epoche (siehe Nouveau Réalisme, Aktionskunst, Fluxus, Beat Art und Neo-Dada). Außerhalb der Kunstwelt wurden SI-Techniken zu Gemeinplätzen, zum Beispiel in der Werbung. Themen, die sonst mit der *Postmoderne assoziiert werden, etwa die Politisierung der Stadtlandschaften, die Rolle der Mediendarstellungen, das Absinken der Kunst zum Gebrauchsartikel und Fetisch sowie die Beziehung zwischen Kunst und Politik, wurden alle schon von der SI aufgebracht.

Wichtige Sammlungen
Centre Georges Pompidou, Paris
Fine Arts Museum of San Francisco, San Francisco, Kalifornien
Sintra Museu de Arte Moderna, Sintra, Portugal
Tate Gallery, London

Weiterführende Literatur
E. Sussman (Hrsg.), *On the passage of a few people through a rather brief moment in time* (Cambridge, MA, 1991)
Der Beginn einer Epoche: Texte der Situationisten (Hamburg, 1995)
Situationistische Internationale 1957–1972 (Ausst.-Kat., Museum Moderne Kunst, Stiftung Ludwig, Wien, 1998)
A. Jappe, *Guy Debord* (Berkeley, CA, 1999)
R. Ohrt (Hrsg.), *Das große Spiel: die Situationisten zwischen Politik und Kunst* (Hamburg, 2000)

Guiseppe Pinot-Gallizio, *Le Temple des Mécréants*, 1959
Diese Installation, ein Öl-auf-Leinwand-Environment, wurde 1989 im Centre Georges Pompidou in Paris ausgestellt. Es war Teil des Versuchs der Situationisten, den kommerziellen Status des Kunstobjekts zu verändern.

Assemblage

Alle Formen montierter Kunst und alle Arten von Nebeneinanderstellungen.

WILLIAM C. SEITZ, 1961

Als William C. Seitz, damals Direktor am Museum of Modern Art in New York, Anfang der 1960er-Jahre eine Ausstellung über die Geschichte der Collage zusammenstellte, erweckte ein junges Kunstwerk seine Aufmerksamkeit, das nicht in die traditionellen Kategorien passte. Das Ergebnis dieser Entdeckung war die Ausstellung »The Art of Assemblage« (Die Kunst der Assemblage) von 1961. Seitz schrieb dazu: »Was als eine geschichtliche Ausstellung begonnen hatte, entwickelte sich nach seiner eigenen Logik und unter dem Druck der Ereignisse in einen Überblick über eine internationale Welle, die gerade hereinzubrechen begann.«

Den Begriff, den Seitz wählte, hatte Jean Dubuffet (siehe Art Brut) schon seit 1953 zur Beschreibung seiner eigenen Arbeiten benutzt. Seitz schrieb, die Ausstellung sei »ein Versuch, einen der vielen Fäden aufzunehmen, die durch das Labyrinth der Stile des 20. Jahrhunderts führen«; er präsentierte eine ganze Palette historischer und zeitgenössischer Werke, die er folgendermaßen beschrieb:

Louise Nevelson, *Royal Tide IV* (Königliche Gezeiten IV), 1960
Nevelson verwendete für ihre Konstruktionen aus einzelnen Kisten gern Holzteile, die sie zwischen drei und vier Uhr morgens in den Straßen von New York aufsammelte. Die zu großen Wandskulpturen zusammengesetzten Assemblagen wurden einfarbig gestrichen. Bei späteren Werken (als es ihr finanziell besser ging) verwendete die Künstlerin Metall und Plexiglas.

1. Sie sind eher ›zusammengetragen‹ als gemalt, gezeichnet, modelliert oder geschnitzt. 2. Im Ganzen wie im Teil sind ihre Bestandteile Elemente aus vorgeformten natürlichen oder hergestellten Materialien, Objekte oder Fragmente, die nicht als Kunstmaterialien gedacht waren.

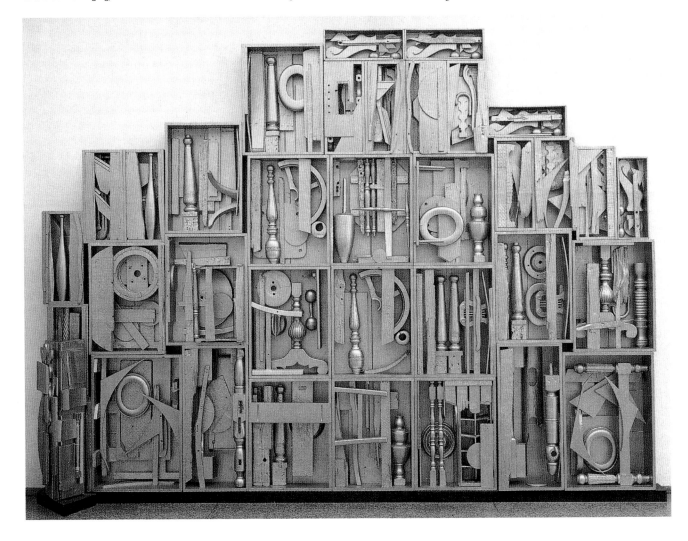

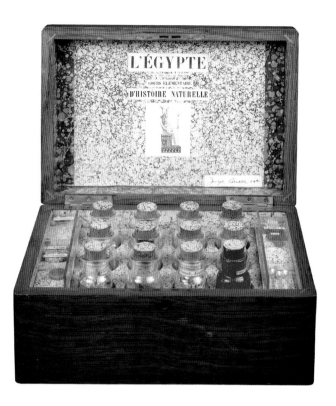

Die Ausstellung umfasste 252 Werke von 138 Assemblage-Künstlern aus 20 Ländern, von denen viele bereits als *Kubisten, *Futuristen, *Konstruktivisten, *Dadaisten und *Surrealisten bekannt waren. Herausragende dadaistische Ausstellungsstücke waren Marcel Duchamps Ready-mades und der *Merzbau* von Kurt Schwitters sowie Collagen aus Abfall und *objets trouvés* (Fundstücke). Viele Künstler waren vom Surrealismus mit seinen theatralischen Möglichkeiten inspiriert – seinem dramatischen Nebeneinander und der Anerkennung des »Wunderbaren« im Alltäglichen. Das zeigte sich vor allem in den Arbeiten zweier früher amerikanischer Meister der Assemblage, den kleinen, intimen Kästen von Joseph Cornell (1903–1972) und den großformatigen, wandähnlichen Holzkonstruktionen von Louise Nevelson (1899–1988).

Die Abteilung der zeitgenössischen Künstler brachte amerikanische und europäische Künstler zusammen, wie etwa die Künstler des *Nouveau Réalisme, der *Beat und *Funk Art, der *Kinetischen Kunst und des *Neo-Dada. Zu den anderen wichtigen Assemblage-Künstlern gehörten die Amerikaner Jean Follett (geb. 1917), Marisol Escobar (geb. 1930), Richard Stankiewicz (1922–1983), Lucas Samaras (geb. 1936) und H. C. Westermann (1922–1981), die Italiener Enrico Baj (geb. 1924), Alberto Burri (1915–1995) und Ettore Colla (1899–1968) sowie die Briten John Latham (geb.1921)

Joseph Cornell, *L'Egypte de Mlle Cléo de Mérode: cours élémentaire d'Histoire Naturelle*, 1940
Cornell stellte einen Kasten voller ägyptischer Symbole (Sand, Weizen, Botschaften auf Papier) zusammen, die der Khedive von Ägypten in den 1890er-Jahren einer von ihm begehrten berühmten französischen Kurtisane dargebracht haben könnte.

und Eduardo Paolozzi (geb. 1924). In dieser Werkschau fanden sich einige einheitliche Richtungen: Skulpturen und Reliefs aus altem Trödelkram von Lee Bontecou (geb. 1931), Richard Stankiewicz und anderen; dreidimensionale Collagen von George Herms (geb. 1935), Robert Rauschenberg (siehe Combine Painting), Daniel Spoerri (geb. 1930) und anderen; Kastenkonstruktionen mit Readymades von Joseph Cornell, Louise Nevelson, Arman (siehe Nouveau Réalisme) und anderen; satirische Holzfiguren von Marisol und H. C. Westermann. Das gemeinsame Band, das diese Künstler vereinte, war das Interesse an der Verwendung von Alltagsgegenständen, ihr Engagement für die Umwelt und ihre Zurückweisung der expressiven Abstraktion, die seit dem Kriegsende dominierte (siehe Informel und Abstrakter Expressionismus).

An einem im Rahmen der Ausstellung abgehaltenen Symposion nahmen die Künstler Marcel Duchamp, Richard Huelsenbeck und Robert Rauschenberg, der Kunsthistoriker Roger Shattuck und der Kritiker Lawrence Alloway als Gremiumsmitglieder teil. Die auf hohem Niveau geführte kritische Debatte verhalf der Assemblage zu rascher internationaler Anerkennung. Die Ausstellung zeigte die Arbeiten von Duchamp, Schwitters und Dada in neuem Licht, außerdem half sie dabei, die seit dem 19. Jahrhundert bestehenden rigiden Klassifikationen aufzubrechen.

Die Assemblage erhob die Collage in die dritte Dimension, und Assemblage-Künstler wie Jim Dine (geb. 1935), Allan Kaprow (geb. 1927), Ed Kienholz (1927–1994), Claes Oldenburg (geb. 1929), Samaras und Carolee Schneemann (geb.1939) erweiterten sie mit ihren *Installationen und ihren Performances (siehe Aktionskunst) zu ganzen Environments. Obwohl sich die Aufmerksamkeit der Kunstwelt in den späten 1960er-Jahren der *Pop Art und dem *Minimalismus zuwandte (Bewegungen, die einen Teil ihrer Ideen dem Interesse der Assemblage-Künstler an der Massenkultur und am Gebrauch von vorgefertigten Materialien verdankten), konnte sich die Assemblage als flexible Technik etablieren, die von vielen zeitgenössischen Künstlern bevorzugt wird.

Wichtige Sammlungen
Centre Georges Pompidou, Paris
Museum of Modern Art, New York
Stedelijk Museum, Amsterdam
Tate Gallery, London
Whitney Museum of American Art, New York

Weiterführende Literatur
W. Seitz, *The Art of Assemblage* (Ausst.-Kat., Museum of Modern Art, New York, 1961)
J. Elderfield (Hrsg.), *Studies in Modern Art 2: Essays on Assemblage* (1992)
J. Cornell, *Theater of the Mind* (1993)
A. J. Dempsey, *The Friendship of America and France*, Ph. D. (Courtauld Institute of Art, University of London, 1999)
C. Simic, *Medici Groschengrab: die Kunst des Joseph Cornell* (München u.a., 1999)

Pop Art

Populär, kurzlebig, erweiterbar, billig, in Massen produziert, jung, geistreich, sexy; voller Gags; glamourös, und Big Business.

RICHARD HAMILTON, 1957

Der umgangssprachliche Begriff »Pop« wurde erstmals in einem Artikel des englischen Kritikers Lawrence Alloway (1926–1990) im Jahr 1958 verwendet, doch das neue Interesse an der »populären«, also der Massen- und Konsumkultur, und der Versuch, Kunst daraus zu machen, waren schon Inhalte der in den frühen 1950er-Jahren in London tätigen Independent Group. Bei ihren informellen Treffen im Institute of Contemporary Arts (ICA), diskutierten Lawrence Alloway, Alison und Peter Smithson (siehe Brutalismus), Richard Hamilton (geb.1922), Eduardo Paolozzi (geb.1924) und andere über die wachsende Massenkultur in Film, Werbung, Science-Fiction, Konsumartikeln, Medien, Kommunikationsmitteln, im Produktdesign und in den neuen Technologien, die aus Amerika stammten, sich nun aber zunehmend in der gesamten westlichen Welt verbreiteten. Werbung, Grafik und Produktdesign waren die Bereiche, die die genannten Künstler und Kritiker besonders faszinierten; sie wollten eine Kunst und eine Architektur gestalten, an der die breite Masse Gefallen finden würde. Bereits 1947 verwendete Paolozzi (immer schon an *dadaistischen und *surrealistischen Taktiken interessiert) das Wort Pop in seiner Collage *I was a Rich Man's Plaything,* und seine Collagen aus den späten 1940er- und frühen 1950er-Jahren werden meist als »Proto-Pop« bezeichnet. Seine von Dias begleitete Vorlesung »Bunk«, 1952 im ICA gehalten, war insofern innovativ, als sie Bildgut der Massenkultur als etwas vorstellte, das ernsthafter Beachtung wert war.

Drei Künstler, die am Royal College of Art in London studierten (wo Paolozzi und Hamilton befristete Lehraufträge hatten), Peter Blake (geb.1932), Joe Tilson (geb.1928) und Richard Smith (geb.1931), produzierten frühe Pop Art, doch Richard Hamiltons Collage *Just what is it that makes today's homes so different, so appealing?* (1956) gilt als das erste Werk, das den Status einer Ikone errang. Es wurde aus Reklamebildern amerikanischer Zeitschriften zusammengesetzt und für die Gruppenausstellung »This is Tomorrow« (Das ist das Morgen) produziert, die die Independent Group 1956 in der Whitechapel Art Gallery in London organisierte. In dem Bild scheinen der gefeierte Bodybuilder Charles Atlas und ein glamouröses Pin-up-Girl als das neue Paar der Zukunft die kommende Ära einzuläuten.

Die nächste Studentengeneration am Royal College of Art in London – darunter der in den USA geborene R. B. Kitaj (geb. 1932), Patrick Caulfield (geb. 1936), David Hockney (geb. 1937) und Allen Jones (geb. 1937) – arbeitete ebenfalls Motive der Massenkultur in ihre Collagen und Assemblagen ein. In der Zeit zwischen 1959 und 1962 waren diese Künstler berüchtigt für ihre

jährlichen »Young Contemporaries«(Junge Zeitgenossen)-Ausstellungen. Ihre Arbeiten basierten auf allgegenwärtigem städtischem Bildgut, Graffitis, Reklametafeln und Werbeplakaten, und manchmal erinnerten ihre Werke (etwa Hockneys Zeichnungen) an die verkratzten Grafiken von Jean Dubuffets *Art Brut, manchmal an schicke Hochglanzbilder, die absichtlich den Gedanken an Mode- oder Pornomagazine evozierten (wie Jones' Bilder und später auch seine Plastiken). Anders als die Werke der ersten Generation der britischen Pop-Künstler, die durchgängig gegenständlich waren, brachten die Künstler der zweiten Generation häufig auch abstrakte Elemente in ihre Werke ein, denn sie wollten nicht nur das amerikanische Konsumverhalten als Thema verwerten, sondern auch Techniken anwenden, die man mit der amerikanischen abstrakten Malerei assoziierte (siehe *Abstrakter Expressionismus und *Nachmalerische Abstraktion).

In Amerika schockierten Künstler, die den Richtungen *Neo-Dada, *Funk Art, *Beat Art und der *Aktionskunst zugerechnet

Richard Hamilton, *Just What Is It That Makes Today's Homes So Different, So Appealing?* 1956
Diese dicht gefüllte Collage wurde zur Ikone des Pop. Comics, Fernseh- und Plakatwerbung sowie Markennamen und ein absurd idealisiertes Pärchen fordern den Betrachter heraus, sich kritisch zu distanzieren.

wurden, in den 1950er-Jahren die Kunstwelt mit Arbeiten, die Artikel der Massenkultur umfassten. Erwähnenswert sind vor allem Ray Johnsons (1927–1995) Collagen von Berühmtheiten wie James Dean, Shirley Temple und Elvis Presley. Die Neo-Dada-Werke von Jasper Johns, Larry Rivers und Robert Rauschenberg waren einer Gruppe von Künstlern besonders wichtig, die durch eine Reihe von Einzelausstellungen in den Jahren 1961 und 1962 hervorgetreten waren; zu ihnen gehörten Billy Al Bengston (geb. 1934), Jim Dine (geb. 1935), Robert Indiana (geb.1928), Alex Katz (geb. 1927), Roy Lichtenstein (1923–1997), Marisol Escobar (geb. 1930), Claes Oldenburg (geb. 1929), James Rosenquist (geb. 1933), George Segal (geb. 1924), Andy Warhol (1928–1987) und Tom Wesselmann (geb.1931). In den frühen 1960er-Jahren sah das Publikum erstmals Werke, die inzwischen weltweite Berühmtheit erlangten: Warhols Siebdrucke von Marilyn Monroe, Lichtensteins Comicstrip-Ölbilder, Oldenburgs riesige Hamburger und Eistüten aus Vinyl und Wesselmanns Serie der Great American Nudes – Assemblagen, die neben weiblichen Akten auf riesigen Leinwandflächen echte Konsumrequisiten wie Duschvorhänge, Telefone und Badewannen beinhalteten. Unter dem Titel »New Realists« (Neue Realisten) wurde in der Sidney Janis Gallery in New York vom 31. Oktober bis zum 1. Dezember 1962 eine große internationale Ausstellung veranstaltet. Werke von britischen, französischen, italienischen, schwedischen und amerikanischen Künstlern gruppierten sich thematisch um »Alltagsgegenstände« und »Massenmedien« sowie um die »Wiederholung« oder »Akkumulation« von Gegenständen der Massenproduktion; es war ein ausschlaggebender Moment. Sidney Janis war der führende Kunsthändler, wenn es um erstklassige Werke der europäischen Moderne und des Abstrakten Expressionismus ging, und eine Ausstellung bei ihm konsekrierte ein Werk als das nächste, das kunstgeschichtlich von Bedeutung sein und gesammelt würde.

Die Kritik war sowohl für als auch gegen die neue Kunst. Manche Kritiker waren so irritiert davon, dass hier »niedere Kultur« und kommerzielle Kunsttechniken akzeptiert wurden, dass sie Pop als Unkunst oder Antikunst abtaten. Max Kozloff war ein solcher, er beschimpfte die Pop-Künstler 1962 als »neue Vulgäristen«, »Gummi-Kauer« und »Kriminelle«. Andere betrachteten die Pop Art als

Gegenüber: **David Hockney,** *I'm in the Mood for Love*, 1961
Kurz nachdem er 1961 die Goldmedaille des Royal College of Art, London, gewonnen hatte, wurde Hockney zu einem der führenden Pop-Künstler. Nachdem er sich in den USA niedergelassen hatte, brachte er einen Hauch von amerikanischer Vitalität und Genussfreude in die Londoner Kunstszene.

Oben: **Andy Warhol,** *Orange Disaster*, 1963
Warhols Disaster-Bilder weisen auf die Sensationsgier und den Voyeurismus hin; die an Zeitungsdruck erinnernde Qualität und die Farben setzen den Betrachter einer ironisch-kühlen Distanz aus, die seine Aufmerksamkeit auf unsere Gleichgültigkeit angesichts täglicher Katastrophen lenken soll.

eine neue Art von *American-Scene-Malerei oder als *Sozialen Realismus. Viele Kritiker hatten Schwierigkeiten, diese Kunst überhaupt zu besprechen; die offensichtlich fehlende politische Stellungnahme und Gesellschaftskritik empfanden sie als zermürbend. Für Kozloff jedoch, der das Thema in Jahr 1973 noch einmal aufrollte, war es die Kombination von »brennenden Themen aus den Bereichen Verbrechen, Sex, Essen, Gewalt« und der völlige Mangel an »politischer Stellungnahme«, was den Werken ihren »aufrührerischen Wert« verlieh. Mehr als alles andere waren es diese Merkmale, die die Pop Art mit anderen Kunstströmungen jener Zeit verknüpfte, zum Beispiel mit dem französischen Nouveau Roman, dem Nouvelle Vage Film, dem *Minimalismus und der Nachmalerischen Abstraktion.

Zu jener Zeit wurden die Werke mit verschiedenen Namen belegt, man sprach von Neuem Realismus, Factual Art, Common-Object-Painting und Neo-Dada. Den amerikanischen Kritikern war bei dem Begriff Realismus wegen seiner Anklänge an den Sozialen und den Sozialistischen Realismus nicht wohl, deshalb griffen sie auf den in Großbritannien schon eingebürgerten Begriff Pop Art zurück.

Los Angeles, mit seinen weniger fest verwurzelten künstlerischen Traditionen und seiner jungen, wohlhabenden Bevölkerung, die daran interessiert war, zeitgenössische Kunst zu sammeln, nahm die neue Kunst mit besonders offenen Armen auf. Kurz vor der Ausstellung in New York veranstaltete das Pasadena Art Museum vom 25. September bis zum 19. Oktober 1962 eine Ausstellung mit dem Titel »The New Painting of Common Objects« (Neue Malerei der Altagsgegenstände), bei der Werke von Jim Dine, Roy Lichtenstein, Andy Warhol und den kalifornischen Künstlern Robert Dowd, Joe Goode (geb. 1937), Philip Hefferton, Edward Ruscha (geb. 1937) und Wayne Thiebaud (geb. 1920) gezeigt wurden. Auch die Dwan Gallery zeigte 1962 unter dem Titel »My Country ›Tis of Thee‹« (Mein Land, es ist von dir) [Erste Zeile des Gedichts *America* von Samuel Francis Smith. A.d.Ü.] Arbeiten von Künstlern des Neo-Dada und der Pop Art. Warhol hatte seine erste größere Ausstellung in der Ferus Gallery in Los Angeles, wo 32 seiner Campbell's-Soup-Gemälde vorgestellt wurden. Pop-Gegenstände (Comics, Konsumprodukte, Ikonen der Filmfabrik, der Werbung oder der Pornografie) und Pop-Themen (die Erhebung der »niederen« Kunst, amerikanische Vorstädte, die Mythen und Realitäten des amerikanischen Traums) wurden an der Westküste ebenso rasch erkannt und etablierten sich hier genauso schnell wie an der Ostküste.

Durch zahlreiche Ausstellungen in Galerien und Museen verbreitete sich die Pop Art nun in den gesamten USA und in Europa. Europäische Künstler der Zeit, wie die Franzosen Martial Raysse (geb. 1936), Jacques Monory (geb. 1934) und Alain Jacquet (geb. 1939) sowie der Italiener Valerio Adami (geb. 1935) und der Schwede Öyvind Fahlström (1928–1976), schufen ebenfalls popnahe Kunst. Bis zum Jahr 1965 hatte sich die Bedeutung des Terminus nochmals erweitert und umfasste nun alle Aspekte der städtischen Popkultur.

So wie die Pop Art durch das Werbedesign und die Massenkultur inspiriert war, so nahm sie ihrerseits Einfluss auf das kommerzielle Design, auf Werbung, Industrieprodukte, Mode, Möbel- und Einrichtungsgegenstände. Zwei der berühmtesten Popgrafiken waren Entwürfe von Milton Glaser (geb. 1929) vom Push Pin Studio in New York (dessen Mitbegründer er 1954 war): der »I-love-New-York«-Sticker mit dem Herzen und das Bob-Dylan-Plakat von 1967. Dieses Plakat zeigte auch das wiedererwachte Interesse an *Art Nouveau und *Art Déco während der 1960er-Jahre; Elemente dieser Richtungen vereinten sich nun mit der jungen Drogenkultur, ihrer Musik und der Pop Art zu einer psychedelischen Variante. Von Designern – wie dem Dänen Verner Panton (1926–1998) und dem italienischen Team Gionatan de Pas (1932–1991),

Oben: Roy Lichtenstein, *Mr Bellamy*, 1961
Lichtenstein malte Figuren aus Comics, indem er ihre billigen Druckmethoden samt Rasterpunkten per Hand kopierte. Die Banalität des Bildes bekommt durch die Übertragung auf Leinwand und die Monumentalität einen allegorischen Beigeschmack. Es ist eine Parodie und wirft zugleich die Frage auf, welche Bilder wir ernst nehmen und warum.

Gegenüber: Gionatan de Pas, Donato d'Urbino und Paolo Lomazzi, *Sofa »Joe«*, 1970
Charles Eames sagte von seinem Sessel, er solle gemütlich wie ein alter Baseballhandschuh sein; dieses nach Joe DiMaggio benannte Sofa macht den Wunsch wahr. Pop-Künstler machten aus Haushaltsgegenständen und Markennamen Kunst – und umgekehrt.

Donato d'Urbino (geb. 1935) und Paolo Lomazzi (geb. 1936), deren aufblasbares Sofa und der Stuhl *Blow* (1967) ein ebenso großes Aufsehen erregten wie ihr wie ein überdimensionaler Baseballhandschuh geformtes Sofa *Joe* (1970) – wurden vom Pop inspirierte Möbel entworfen. Das nach Joe DiMaggio benannte Sofa scheint den Wunsch des Vaters des organischen Designs, Charles Eames, zu seinem logischen Ende zu führen (wollte er doch, dass sein Sessel gemütliche wie ein alter Baseballhandschuh sei), zugleich aber ist er eine Verbeugung vor Claes Oldenburgs weichen Skulpturen.

Im Rückblick können Pop-Kunst und -Design als Teil der allgemeinen Reaktion auf die lang anhaltende Dominanz der modernistischen Nachkriegsstile betrachtet werden. Sie lehnten die Ernsthaftigkeit, die neurotische Angst und das Elitäre ab, das man gemeinhin mit der internationalen Abstraktion (siehe Abstrakter Expressionismus und Informel) verband, ebenso die Anonymität und Kälte der Architektur des *International Style.

Während der frühen 1960er-Jahre veränderte sich vor allem in den USA die Beziehung zwischen der Avantgarde und ihrem Publikum, aber auch die Rolle der Kritik. Bisher war es Tradition gewesen, dass die Avantgarde die Bourgeoisie verachtete, nun richteten sich Nouveaux Réalistes, Neo-Dadaisten und Pop-Künstler ganz bewusst an die Mittelklasse und ihr Interesse an allem, was neu und modern war. Obwohl dies manchen Kritikern Probleme bereitete, waren Händler und Sammler schnell bereit, sich der neuen Kunst zuzuwenden. Galeristen, wie Leo Castelli, Richard Bellamy, Virginia Dwan und Martha Jackson, engagierten sich, ohne auf die Absegnung der Kritiker zu warten, und beraubten so den Kritiker seiner Rolle als »Torhüter«. Angeregt durch den Glamour und die Berühmtheit, änderte sich auch die Rolle der Künstler.

Die Popularität der Pop Art ist kaum abgeflaut, obwohl sich die Aufmerksamkeit der Kunstwelt bald anderen Bewegungen, wie der *Op Art, der *Konzeptkunst und dem *Hyperrealismus, zuwandte, die der Pop Art vieles zu verdanken haben. Das Pop-Art-Phänomen selbst erlangte während der 1980er-Jahre neues Interesse (siehe Neo-Pop)

Wichtige Sammlungen
Andy Warhol Museum, Pittsburgh, Pennsylvania
Fine Arts Museum of San Francisco, San Francisco, Kalifornien
Museum of Contemporary Art, Chicago, Illinois
Phoenix Art Museum, Phoenix, Arizona
Sintra Museu de Arte Moderna, Sintra, Portugal
Tate Gallery, London

Weiterführende Literatur
C. Ratcliff, *Andy Warhol* (München, 1984)
G. Kolberg, *Pop-Art* (Köln, 1988)
David Hockney, *Exciting times are ahead. Eine Retrospektive*
    (Ausst.-Kat., Kunst- und Ausstellungshalle der Bundesrepublik
    Deutschland in Bonn, 2001)
J. James, *Pop Art* (1996)
L. Bolton, *Pop Art* (Licolnwood, III., 2000)

Aktionskunst

*Der junge Künstler von heute braucht nicht länger zu sagen »Ich bin ein Maler«
oder »ein Dichter« oder »ein Tänzer«. Er ist einfach »ein Künstler«.*

ALLAN KAPROW, 1958

Aktionskunst oder Performance war in vielen Avantgarde-Schulen
und -Bewegungen des 20. Jahrhunderts, etwa im *Futurismus,
*Rayonismus, *Konstruktivismus, bei *Dada, den *Surrealisten und
beim *Bauhaus, eine wichtige Komponente. Während der 1950er-
Jahre schälte sich der Aufführungsaspekt der Kunst immer deutlicher
heraus, zum Beispiel in der *Kinetischen Kunst, bei den Malern des
*Abstrakten Expressionismus, des *Informel, der japanischen Gutai-
Gruppe und der *Beat Art. In der Nachkriegsperiode arbeiteten der
Komponist John Cage (1912–1992), der Pianist David Tudor (1926
–1996) und der Choreograph und Tänzer Merce Cunningham
(geb. 1919) zusammen an Performance-Projekten, und 1952 brachten sie am Black Mountain College in North Carolina ihr bahnbrechendes »Theater Event« auf die Bühne. Cage schrieb darüber:

> Verschiedene Aktivitäten, Tanz von Merce Cunningham, Ausstellung
> von Bildern von Robert Rauschenberg, der eine Victrola
> [ein Fonograf A.d.Ü.] spielen ließ, Dichterlesungen von Charles Olsen
> und M.C. Richards von der Spitze einer Leiter außerhalb des Publikums
> herab, das Klavierspiel von David Tudor, das Verlesen meines eigenen
> Vortrags von der Spitze einer anderen Leiter außerhalb des Publikums
> herab, fanden alle in zufallsbestimmten Zeiträumen innerhalb der
> Gesamtzeit meiner Vorlesung statt.

Die Nachricht von dem Ereignis verbreitete sich rasch. Bald sollten Aspekte dieser Performance – der Angriff auf alle Sinne durch
die Kombination von Medien und Disziplinen, die nicht-narrative
Struktur, die Zusammenarbeit von Künstlern verschiedener Richtungen – wichtige Züge dessen werden, was als Happenings bekannt wurde, aufgeführt in New York von Künstlern wie Allan
Kaprow (geb. 1927), Red Grooms (geb. 1937), Jim Dine (geb.
1935) und Claes Oldenburg (geb. 1929).

Kaprow gehörte zu den ersten, die die Entwicklung beschrieben. In seinem Manifest von 1958, »The Legacy of Jackson
Pollock« (Das Vermächtnis des Jackson Pollock), verfolgt er die
Anfänge des Happenings zum Action Painting des Abstrakten Expressionismus zurück, wenn er schreibt: »Dass Pollock seine Tradition [die Malerei] nahezu zerstörte, darf als Rückkehr zu jenem
Punkt gesehen werden, als die Kunst noch aktiv mit dem Ritual,
mit der Magie und dem Leben verbunden war.« Kaprows erstes
öffentliches Happening, *18 Happenings in 6 Parts,* fand 1959 in
der Reuben Gallery in New York statt.

In den 1960er-Jahren kam die Performance mit einer regel-
rechten Explosion verschiedener Ausformungen erst richtig in
Schwung. Hierzu gehörten die »Action-Spectacles« der *Nouveaux

Réalistes, bei denen die Performance Teil der Erschaffung des
Kunstwerks war, wie bei Yves Kleins berühmten *Anthropometrien*
und Niki de Saint Phalles Schießbildern; aber auch die eigentlichen Happenings – die selbst das »Kunstwerk« darstellten – und
Performances aus Jazz und Dichterlesung sowie Multi-Media-Er-
eignisse von Künstlern wie Cage und Cunningham, Mitgliedern
des *Neo-Dada, des Nouveau Rèalisme, der E.A.T. (Experiments
in Art and Technology), des *Fluxus und des Judson Dance Theatre.
Auch im Werk vieler *Minimalisten und Künstler der *Konzeptkunst spielte Performance eine Rolle.

Oben: **Yves Klein, *Leap into the Void*, 1960**
Kleins Ziel war es, den Geist der Schöpfung von der Welt der Objekte und
des Kommerzes zu lösen, wie es sich in diesem offensichtlichen Versuch zu
fliegen ausdrückt. Seine patentierte Farbe IKB (International Klein Blue)
war Ausdruck derselben kosmischen Ambition.

Gegenüber: **Carolee Schneemann, *Meat Joy*, 1964**
In Paris und New York aufgeführt, versuchte diese Performance die Tast-,
Geruchs-, Geschmacks-, Gehör- und Gesichtssinne zusammenzubringen.
Die Akteure, deren Körper mit Blut und Fleisch bedeckt waren, agierten mit
rohen Fischen, Hühnerkarkassen und Würsten.

Die Performance-Ereignisse waren rasch sehr beliebt. Das Gefühl der Befreiung wirkte ansteckend auf Künstler und Publikum. »Wir fühlten uns frei, die reale Welt auf die verrückteste Weise zusammenzubauen«, sagte Kaprow, und der Ballettkritiker Jill Johnson erinnerte sich, dass in den 1960er-Jahren die Idee, jeder könne alles, wie ein Buschfeuer in der Kunstwelt um sich gegriffen habe. Maler hätten Choreografien, Tänzer Musik, Komponisten Gedichte, Dichter Bilder gemacht. Überall hätten Leute sich künstlerisch betätigt, auch die Kritiker, ihre Frauen und Kinder.

Manchmal wurden bei Festivals verschiedene Performances zusammengebracht. Ein solches Festival war das »New York Theater Rally« (New Yorker Theater-Treffen), im Jahr 1965 von dem Tänzer Steve Paxton und dem Direktor Alan Solomon veranstaltet. Es war ein interdisziplinäres Ereignis, bei dem 22 Performances in sieben Programmen angeboten wurden, darunter Oldenburgs Happening *Washes* (1965), die Installation *Shower* (1965) von Robert Whitman (geb. 1935), Robert Morris' *Site* (1964, siehe Minimalismus), zwei Performances von Robert Rauschenberg (siehe Neo-Dada und Combine Painting), *Pelican* (1963) mit Cunningham, der Tänzerin Carolyn Brown und dem Fluxus-Künstler Per Olof Ultvedt (geb. 1927) sowie *Spring Training* (1965) mit den Tänzern Trisha Brown, Barbara Lloyd, Viola Farber, Deborah Hay, Steve Paxton und Rauschenbergs Sohn Christopher. Die mosaikartige Nebeneinanderstellung der unterschiedlichsten Elemente, Bilder und Geräusche führte Kritiker dazu, Rauschenbergs Performances als »lebendige Collagen« zu bezeichnen; es war, als wären seine Combines wahrhaftig lebendig geworden, sodass die Aktionskunst auf hübsche Weise mit dem Geist vieler der dreidimensionalen Werke jener Zeit verbunden wurde.

Damit niemand auf die Idee käme, der neuen Ausdrucksform kunsthistorische Traditionen aufzuzwingen, schrieb Rauschenberg 1966 in einem Beinahe-Manifest:

> Wir nennen uns ›Bastard Theater‹, um unsere Beziehung zum
> traditionellen Theater (dem klassischen und dem zeitgenössischen) korrekt
> darzustellen. Unsere Einflüsse sind fragwürdig und unsere Erziehung
> unsauber. Unsere schlecht konzipierte Ästhetik erlaubt uns ein Maximum
> an Freiheit und Flexibilität bei der Arbeit. Unsere Launenhaftigkeit wird
> durch die konstante Weigerung gestützt, irgendeiner Bedeutung, einer
> Methode oder einem Medium zu dienen. Wir haben keinen endgültigen
> Namen und genießen es.

Die multidisziplinären, hybriden Events jener Zeit machten sich Strömungen innerhalb und außerhalb des Theaters sowie innerhalb und außerhalb der Kunsttraditionen zunutze. Die Experimente mit und die gegenseitigen Befruchtungen durch Theater, Tanz, Film, Video und bildende Kunst waren von grundlegender Bedeutung für die Entwicklung der Aktionskunst, denn sie erlaubten den Künstlern, die Grenzen zwischen Medien und Disziplinen, zwischen Kunst und Leben zu verwischen und zu überschreiten.

Aktionskunst als Ausdrucksform gewann in den 1960er- und 1970er-Jahren weiter an Boden und nahm oft die Form der *Body

Art an. Seither haben Aktionskünstler nicht nur für die Kunstwelt relevante Themen erforscht, sie haben auch Werke geschaffen, die sich direkt mit aktuellen gesellschaftspolitischen Fragen befassen. Sexismus, Rassismus, Kriege, Homosexualität, AIDS und eine Vielzahl weiterer kultureller und sozialer Tabus waren und sind von Aktionskünstlern in oftmals neuer und beunruhigender Weise behandelt worden.

Schlüsselwerke wurden unter anderen von Vito Acconci und Carolee Schneemann (siehe Body Art), den Wiener Künstlern des Aktionismus, Rebecca Horn (geb. 1944), Jacki Apple (geb. 1942), Martha Wilson (geb. 1947) Eleanor Antin (geb. 1935), Adrian Piper (geb. 1948), Yayoi Kusama (geb. 1929), Karen Finley (geb. 1956), Diamanda Galas (geb. 1952) und Ron Athey (geb. 1961) geschaffen.

Dass viele Performances programmatisch sensationell und für das Publikum grauenhaft waren, betont eine Chronistin der Aktionskunst, die in den USA lebende RoseLee Goldberg: »Aktionskünstler haben uns Dinge gezeigt, die wir kein zweites Mal sehen werden, und manchmal auch Dinge, die wir lieber gar nicht gesehen hätten.«

Von Anfang an waren auch Humor und Satire häufiger Bestandteil der Happenings, und in den 1960er-Jahren machten sich

viele Künstler mit ihren Performances über die Großspurigkeit der Kunstwelt lustig, wie etwa die kanadische Gruppe General Idea (A. A. Bronson, Felix Partz und Jorge Zontal) und der in London lebende schottische Künstler Bruce McLean (geb. 1944). 1972 gründete Bruce McLean mit Paul Richards, Gary Chitty und Robin Fletcher die Gruppe »Nice Style, The World's First Pose Band« (Hübscher Stil, der Welt erste Posen-Gruppe) und veröffentlichte ein Buch mit Vorschlägen für Posen-Stücke wie *Waiter, waiter There's a Sculpture in my Soup* (Ober, da ist eine Skulptur in meiner Suppe), *Piece* (Stück) oder *He Who Laughs Last Makes the Best Sculpture* (Wer zuletzt lacht, macht die beste Skulptur).

Autobiografische Themen wie individuelle und kollektive Erinnerung und Identität konnten durch die Performance intimer dargestellt werden als durch andere Medien. Die unterhaltenden, erzählerischen Monologe Spalding Grays (geb. 1941), die kabarett- ähnlichen Performances von Eric Bogosian (geb. 1953) und Laurie Andersons (geb. 1947) Multimedia-Aufführungen standen in deutlichem Gegensatz zur esoterischen, intellektuellen Natur vieler Minimalismus- oder Konzeptkunst-Performances. In den 1980er-Jahren wurde die Aktionskunst immer zugänglicher, besonders dank Künstlern wie Anderson, deren ausgeklügelte Mischung aus hoher Kunst und Popkultur ein großes internationales Publikum mit der Kunstrichtung vertraut machte.

Die Aktionskunst war aus einer breiten Palette von Quellen erwachsen – Kunst, Varieté, Vaudeville, Tanz, Theater, Rock 'n' Roll, Musical, Film, Zirkus, Kabarett, Clubkultur, politischer Aktivismus usw. – und bis zu den 1970er-Jahren hatte sie sich als Genre mit eigener Geschichte etabliert. Als Folge davon begann sie nun ihrerseits Einfluss auf die Entwicklungen in Theater, Film, Musik, Tanz und Oper zu nehmen. Die groß angelegten Theaterproduktionen der 1970er- und 1980er-Jahre von Künstlern wie Robert Longo (geb. 1953), Jan Fabre (geb. 1958) und Robert Wilson (geb. 1941) – dessen *Einstein on the Beach* (Einstein am Strand, 1976) eine fünfstündige multidisziplinäre Produktion war, die Aktionskünstler wie Philip Glass und Lucinda Childs zusammenbrachte – waren hier besonders einflussreich.

Die Stärke der Aktionskunst ist ihre undefinierbare Natur. Eine Veteranin der Aktionskunst, Joan Jonas (geb. 1936), erklärte es 1995 in einem Interview so:

Was mich zur Performance hinzog, war die Möglichkeit, Klang, Bewegung, Bild und all die verschiedenen Elemente zu vermischen, um so eine komplexe Aussage machen zu können. Es lag mir nie, eine einzelne, einfache Aussage zu machen – wie bei einer Skulptur.

Genau hierin liegt die weiter bestehende Anziehungskraft der Performance für viele Künstler. Werke wie *Throat* (Schlund, 1999– 2001) von John-Paul Zaccarini (geb. 1970) führen viele der bekannten Stränge der Aktionskunst zusammen. Zaccarini benutzt verschiedenste Kunstformen – Zirkus, Tanz, gesprochenes Wort, Texte, Klänge, Clownerei und Film –, die er mit Autobiografischem, Gesellschaftskommentaren und Humor verbindet.

Oben: Laurie Anderson, *Wired for Light and Sound, aus Home of the Brave*, New York, 1986
Die Künstlerin konstruierte eine spezielle Kombination aus Glühbirne und Mikrofon, die sie in den Mund nehmen konnte. Während ihre Wangen von innen erleuchtet wurden, gab sie zugleich singende Töne von sich, die an eine Geige erinnerten.

Gegenüber: Yayoi Kusama, »Anti-War« Naked Happening and Flag Burning at Brooklyn Bridge, 1968
Kusama wählte für ihre Performances, die den Angriff auf den Krieg und das Establishment zum Ziel hatten, wichtige Örtlichkeiten wie den Central Park und die Wall Street in New York. Hier sind ihre Akteure von ihren Punkten »gezeichnet«.

Wichtige Sammlungen
Dia Center for the Arts, Beacon, New York
Modern Art and Contemporary Art Museum, Nizza
New Museum of Contemporary Art, New York
Tate Gallery, London
The Sherman Galleries, Sydney, Australien

Weiterführende Literatur
R. Kostelanetz, *The Theatre of Mixed Means* (1968)
S. Banes, *Greenwich Village 1963: Avant-Garde Performance and the Effervescent Body* (1993)
T. Dreher, *Performance Art nach 1945* (München, 2000)
R. Goldberg, *Performance Art: From Futurism to the Present* (2001)

GRAV

Kunstwerke sind wie Picknickplätze oder spanische Kneipen,
wo man das verzehrt, was man selber mitgebracht hat.

FRANÇOIS MORELLET

In den 1960er-Jahren erforschten Künstler spezifische Aspekte der Malerei und der Plastik, wie optische Illusionen, Bewegung und Licht. Damals bezeichnete man solche Gruppen von Künstlern allgemein als »La Nouvelle Tendence« (Die neue Tendenz). Eine Gruppe, die in diese Kategorie fiel, war die Groupe de Recherche d'Art Visuel (Gruppe zur Erforschung der visuellen Kunst), kurz GRAV, die 1960 in Paris gegründet und 1968 wieder aufgelöst wurde.

GRAV war eine Vereinigung von Künstlern verschiedener Nationalitäten. Elf Künstler unterzeichneten das Gründungsmanifest; zu ihnen gehörten die Franzosen François Morellet (geb. 1926), Joel Stein (geb. 1926) und Jean-Pierre Vasarely (geb. 1934; Sohn von Victor Vasarely, siehe Op Art), bekannt als Yvaral, die Argentinier Horacio García-Rossi (geb. 1929) und Julio Le Parc (geb. 1928) sowie der Spanier Francisco Sobrino (geb. 1932). Im Jahr nach ihrer Gründung veröffentlichte die Gruppe die Schrift »Assez de Mystifications!« (Schluss mit der Mystifizierung!), in der sie ihr Bemühen erklärte, das menschliche Auge zu beschäftigen und sich vom Elitedenken loszusagen, das der traditionellen Kunst innewohne. Wie viele andere Künstler ihrer Generation lehnten sie das Schuldgefühl, den Egoismus und die Selbstgefälligkeit ab, die man mit der gestischen Abstraktion des *Informel und des *Abstrakten Expressionismus in Verbindung brachte. Sie waren entschlossen, mit der elitären Tradition zu brechen, die in der Kunst etwas Besonderes, gar Heiliges sah. Ihr Ziel war es, das Publikum in den künstlerischen Prozess einzubeziehen. Ausgehend von der Überzeugung, dass Kunst und Wissenschaft keineswegs diametral entgegengesetzt seien und folglich zusammengebracht werden könnten, machten sich die GRAV-Künstler sowohl künstlerische Strategien als auch technologische Methoden zunutze, um ihre dynamischen, demokratischen Werke zu schaffen, von denen sie meinten, sie würden letztlich die Welt verbessern. Um sicherzustellen, dass ihre Werke in Eignung und Relevanz dem Ziel der Gruppe als Ganzes entsprachen, überließen die Künstler ihre individuellen Arbeiten der Begutachtung durch andere Gruppenmitglieder.

GRAV-Arbeiten weisen Ähnlichkeiten mit Werken der Op Art und der *Kinetischen Kunst auf. Victor Vasarely (1908–1997), der ungarisch-französische Vater der Op Art, war eine inspirative Ge-

stalt, und tatsächlich scheinen viele von Morellets Werken Vasarelys geometrische Abstraktion in die dritte Dimension zu erheben. Einer der einfallsreichsten und erfolgreichsten GRAV-Künstler war der in Paris lebende Argentinier Julio Le Parc. Sein Ziel war es, den Betrachter zu desorientieren und aus seiner Apathie aufzurütteln. Sein Werk *Continual Mobile, Continual Light* (1963), in dem hängende Spiegel von Ventilatoren bewegt und von sich bewegenden Lichtern angestrahlt werden, nutzt die Effekte von Bewegung, Licht, Illusion und Zufall aus. Bei anderen seiner Arbeiten bezieht der Künstler die Betrachter direkt mit ein, indem er sie bittet, Apparate einzuschalten oder verzerrende Brillen aufzusetzen. Für seine beachtlichen Experimente und seine fruchtbare Phantasie bekam Le Parc 1966 auf der Biennale in Venedig den Großen Preis für Malerei.

Der Optimismus der GRAV-Künstler und ihr Glaube an die mögliche Verquickung von Kunst und Technologie verbindet sie mit zwei anderen zeitgenössischen Künstlergruppen, der deutschen Gruppe Zero und der amerikanischen Gruppe E.A.T. (Experiments in Art and Technology). Die Gruppe Zero wurde 1957 in Düsseldorf von den Künstlern Otto Piene (geb. 1928) und Heinz Mack (geb. 1931) gegründet. Ihr Interesse galt der Auslotung der Möglichkeiten von Licht und Bewegung, wie in Pienes *Lichtballett* zu sehen ist, das 1961 in einer Reihe von europäischen Museen gezeigt wurde. E.A.T. wurde 1966 in New York von Robert Rauschenberg (geb. 1925, siehe Neo-Dada und Combine Painting) und den Ingenieuren Billy Klüver und Fred Waldhauer gegründet. Ihre gemeinsamen Aktionen, international aufgeführt, bezogen Künstler, Tänzer, Komponisten und Wissenschaftler ein; so kreierten sie Werke, die nicht nur in die Domäne der Kunst, der Wissenschaft oder der Industrie fielen, sondern eine Interaktion dieser Bereiche darstellten.

Wichtige Sammlungen
Albright-Knox Art Gallery, Buffalo, New York
Groninger Museum, Groningen, Niederlande
Museo de Arte Moderno, Bogotá, Kolumbien
Sintra Museu de Arte Moderna, Sintra, Portugal
Tate Gallery, London

Weiterführende Literatur
J. Le Parc, *Continual Mobile, Continual Light* (1963)
S. Lemoine, *Francois Morellet* (Zürich, 1986)
E.-G. Güse (Hrsg.), *Francois Morellet: grands formats* (Ausst.-Kat., Saarland-Museum, Saarbrücken, 1991)
P. Wilson, *The Sixties* (1997)

Gegenüber: **Julio Le Parc, *Lunettes pour une vision autre*, 1965**
Le Parcs Arbeiten waren oft so konzipiert, dass sie die Betrachter mit einbezogen; zum Beispiel ließ der Künstler sie verschiedene Brillen aufsetzen, die besondere Effekte erzeugten. Wie andere GRAV-Künstler erforschte er die Macht optischer Illusionen, um die Weise, wie wir die Welt sehen, ganz buchstäblich zu verändern.

Fluxus

Fluxus ist, was Fluxus macht – doch keiner weiß, wer's war.

EMMETT WILLIAMS

Ob sie die Form der *Aktionskunst, der Mail Art, der *Assemblage, die von Spielen, Konzerten oder Publikationen annahmen, die grundlegende Idee hinter Fluxusaktivitäten war immer die, dass das Leben selbst als Kunst erfahren werden kann. Den Begriff Fluxus erfand George Maciunas (1931–1978) im Jahr 1961, um die sich ständig wandelnde Natur der Gruppe zu verdeutlichen und um eine Verbindung herzustellen zwischen ihren verschiedenen Aktivitäten, Medien, Disziplinen, Nationalitäten, Geschlechtern, Berufen und Vorgehensweisen. Für Maciunas war Fluxus »eine Mischung aus Spike Jones, Vaudeville, Gag, Kinderspielen und Duchamp«. Die meisten Werke dieser informellen internationalen Gruppe erforderten Zusammenarbeit – entweder mit anderen Künstlern oder mit den Zuschauern – und so entwickelte sich Fluxus rasch zu einer immer größer werdenden Gemeinschaft von

Künstlern verschiedener Disziplinen und Nationalitäten. George Brecht (geb. 1925) erklärte dazu, Fluxus sei für ihn eine Gruppe von Menschen gewesen, die gut miteinander zurechtkamen und an der Arbeit und der Persönlichkeit der anderen interessiert waren. Zu den Mitgliedern gehörten George Maciunas, George Brecht, Robert Filliou (1926– 1987), Dick Higgins (1938–1998), Alison Knowles (geb. 1933), Yoko Ono (geb. 1933), Nam June Paik (geb. 1932), Diter Rot (1930–1998), Daniel Spoerri (geb. 1930), Ben Vautier (geb. 1935), bekannt als Ben, Wolf Vostell (1932–1998), Robert Watts (1923– 1988), Emmett Williams (geb. 1925) und La Monte Young (geb. 1935).

Fluxus kann als eine Strömung der *Neo-Dada-Bewegung der 1950er- und 1960er-Jahre und als verwandt mit *Lettrismus, *Beat Art, *Funk Art, *Nouveau Réalisme und der *Situationisti-

gar, es sei die erste Aufführung gewesen, die völlig anders als das Gewohnte war, und sie habe sein Leben verändert. Der Fluxus- und *Video-Künstler Paik ging sogar so weit, seine gesamte Karriere als »bloße Erweiterung eines denkwürdigen Ereignisses von 1958 in Darmstadt« zu bezeichnen.

Fluxus-Arbeiten reichten vom Absurden bis zum Mondänen und Aggressiven und umfassten nicht selten Elemente gesellschaftspolitischer Kritik, mit dem Ziel, die Aufgeblasenheit der Kunstwelt lächerlich zu machen und die Betrachter darin zu bestärken, selbst künstlerisch tätig zu werden. So durchzog alle Fluxus-Werke ein Hauch von »Do-it-yourself«-Mentalität; meist wurden so genannte »Partituren« erstellt, schriftliche Handlungsvorlagen, die von jedem ausgeführt werden konnten. Während der 1960er- und 1970er-Jahre gab es zahlreiche Fluxus-Festivals, -Konzerte und -Tourneen, auch -Zeitungen, -Anthologien, -Filme, -Spiele, -Läden, -Ausstellungen, ja sogar Fluxusscheidungen und Fluxusheiraten. Higgins schuf einen Stempel mit der Erklärung: »Fluxus ist: eine Art, Dinge zu tun, eine Tradition, eine Lebensart und eine Sterbensart.« So, wie Cage es zuließ, dass jeder Laut Musik wurde, so ließ Fluxus es zu, dass alles für die Kunst benutzt werden konnte. Maciunas bestätigte dies 1965 in einem Manifest; er schrieb, es sei Aufgabe des Künstlers zu zeigen, dass alles Kunst sein und dass jeder es machen könne.

Viele Ziele von Fluxus wurden von dem Collage-Künstler und Vater der Mail Art, Ray Johnson (1927–1995), umgesetzt. In den 1950er-Jahren begann er damit, Künstlern und Berühmtheiten, die er verehrte, Briefe und Zeichnungen zu schicken, entweder als Geschenk oder mit der Bitte, etwas hinzuzufügen und es dann an ihn zurückzuschicken. Bis 1962 hatte sich aus diesem Briefverkehr ein Netzwerk gebildet, das sich zur New York Correspondance [sic] School (NYCS) erweiterte, die Kurse in Selbststudium und Tanz anbot. Mit seinen frei verteilten Kunstwerken, die nur empfangen, nicht ge- oder verkauft werden konnten, schuf Johnson ein internationales Netz von Sammlern und Mitarbeitern außerhalb des Kunstmarkts. Die 1960er- und 1970er-Jahre waren die Blütezeit von Fluxus und Mail Art; beide bestehen und entwickeln sich jedoch noch heute, wobei sie sich neuester Technologien, wie etwa des Internets, bedienen.

schen Internationale betrachtet werden. Wie viele ihrer Zeitgenossen strebten die Fluxus-Künstler eine engere Integration der Kunst in das Leben und einen demokratischeren Ansatz bei der Schaffung, Aufnahme und Sammlung von Kunst an. Sie waren anarchistische Aktivisten (wie vor ihnen die *Futuristen und die *Dadaisten) und utopische Radikale (wie die russischen *Konstruktivisten). Unmittelbaren Einfluss hatten Robert Motherwells Anthologie *The Dada Painters and Poets* (1951) und die Arbeiten und Ideen des Experimental-Komponisten John Cage (1912–1992, siehe Neo-Dada und Aktionskunst). Viele der amerikanischen Fluxus-Komponisten und -Künstler kannten Cage persönlich oder hatten bei ihm am Black Mountain College oder an der New School for Social Research in New York studiert. Higgins erinnerte sich, dass sie in Cages Unterrichtsstunden gelernt hätten, dass sich alles machen ließe – zumindest theoretisch.

Während seiner Europatournee (1958–1959) gewann Cage internationalen Einfluss, nicht zuletzt durch sein Konzert der »Fragen«. Für den zukünftigen Nouveau-Réaliste- und Fluxus-Künstler Spoerri erwies es sich als zutiefst inspirativ, ja er behauptete so-

Oben: Yoko Ono, *A Grapefruit in the World of Park ...*, 24. November 1961
Ono steht hinter dem Plakat, das ihren Auftritt in der Carnegie Hall in New York ankündigt; dort führte sie ein Text und Musik umfassendes Werk für »Erdbeeren und Violine« auf.

Gegenüber: George Maciunas, Dick Higgins, Wolf Vostell, Benjamin Patterson, Emmett Williams führen Philip Comers *Piano Activities* bei Fluxus Internationale Festspiele Neuester Musik, Wiesbaden, September 1962, auf
Das erste Fluxus-Festival fand in Wiesbaden statt, wo Maciunas als Designer der amerikanischen Luftwaffe angestellt war.

Wichtige Sammlungen
Galerie der Gegenwart, Kunsthalle Hamburg
Queensland Art Gallery, South Brisbane, Australien
Tate Gallery, London
Whitney Museum of American Art, New York

Weiterführende Literatur
H. W. Sohm (Hrsg.), *Happening & Fluxus* (Ausst.-Kat.,
Kölnischer Kunstverein, Köln, 1970/71)
E. Williams, *My Life in Flux- and Vice Versa* (1992)
C. Dierks, *Fluxus* (Oldenburg, 1994)
E. Williams und A. Noel, *Mr. Fluxus: A Collective Portrait of
George Maciunas 1931–1978* (1997)

Op Art

Das Vorhandensein eines Kunstwerks zu erleben ist wichtiger,
als es zu verstehen.

VICTOR VASARELY

Während im Grunde jede Kunst in gewissem Maß auf optischer Täuschung beruht, nutzt die Op Art die optischen Phänomene auf besondere Weise aus, um den Wahrnehmungsprozess zu verwirren. Aus präzisen geometrischen Mustern in Schwarz und Weiß oder aus den Kombinationen kontrastreicher Farben komponiert, scheinen Op-Art-Gemälde zu vibrieren, zu blenden, zu flimmern, sie erzeugen Moiréeffekte, die Illusion von Bewegung oder Nachbilder.

Mitte der 1960er-Jahre verkündete die modebewusste New Yorker Kunstwelt bereits den Niedergang der *Pop Art, und man war auf der Suche nach einem Ersatz. 1965 lieferte eine von William C. Seitz (siehe auch Assemblage) unter dem Titel »The Responsive Eye« (Das leicht reagierende Auge) im Museum of Modern Art in New York gezeigte Ausstellung, wonach man suchte. Obwohl sie Werke von *GRAV sowie den Vertretern der *Nachmalerischen Abstraktion und der *Konkreten Kunst enthielt, stahlen die von Seitz als »Wahrnehmungsabstraktionisten« bezeichneten Künstler allen anderen die Schau. Für die Amerikaner Richard Anuszkiewicz (geb. 1930) und Larry Poons (geb. 1937), die Briten Michael Kidner (geb. 1917) und Bridget Riley (geb. 1931) sowie den ungarisch-französischen Künstler Victor Vasarely (1908–1997) war es der Beginn einer Periode intensiven Medieninteresses.

Schon vor Eröffnung der Ausstellung waren ihre Werken als Op Art bezeichnet worden (eine Abkürzung für optical art (optische Kunst) und zugleich ein Verweis auf die Pop Art), und zwar von den Medien. In einem unsignierten Artikel im *Time* Magazine vom Oktober 1964 tauchte der Begriff das erste Mal auf; bis zum Zeitpunkt der Ausstellung 1965 war er bereits in allgemeinem Gebrauch und beflügelte die Phantasie der Öffentlichkeit – Besucher einer Vorausstellung von »The Responsive Eye« kamen bereits in einer Kleidung, die von der Op Art inspiriert war. Die neue Kunstrichtung eroberte die Mode, die Werbe- und Gebrauchsgrafik sowie die Inneneinrichtung. Wie bei der Pop Art wertete auch hier ihre Popularität die neue Kunst in den Augen der Kritiker ab, vor allem in den USA, wo die Förderer des *Abstrakten Expressionismus, des *Minimalismus und der Nachmalerischen Abstraktion die Op Art als Firlefanz abtaten. Die Künstler selbst standen der Popularität ihrer Werke zwiespältig gegenüber. Bridget Riley, deren Arbeiten vom Publikum begeistert aufgenommen wurden, drohte einem Hersteller von »Riley-Kleidung« mit einer juristischen Klage und erklärte öffentlich, dass die »Kommerzialisierung, die Trittbrettfahrerei und die hysterische Sensationslust« für die Entfremdung der Kunstwelt verantwortlich seien. Rileys überraschender Einsatz geometrischer Formen in Schwarz und Weiß erzeugt eine

effektvolle rhythmische Verzerrung. Bei ihren späteren Werken rückte die Künstlerin von der Schwarz-Weiß-Technik ab und arbeitete mit kontrastierenden Farben und tonalen Variationen.

Die Ursprünge der optischen Kunst liegen in der traditionellen Technik des trompe l'œil (Augentäuschung). Auch Künstler des 20. Jahrhunderts, die dem *Bauhaus, *Dada, *Konstruktivismus, *Orphismus, *Futurismus und *Neo-Impressionismus zugerechnet wurden, hatten sich für die optische Wahrnehmung und die Illusion interessiert. Schon 1920 hatten die Dadaisten Marcel Duchamp und Man Ray mit ihren *Rotary Glass Plates (Precision Optics)* optische Täuschungen erforscht. László Moholy-Nagy (siehe Kinetische Kunst und Bauhaus) und Josef Albers (siehe Bauhaus) hatten ebenfalls die visuellen Effekte untersucht, die sich mit Licht, Raum,

Oben: Bridget Riley, *Pause*, 1964
Obwohl die Modeindustrie sie (zum Bedauern der Künstlerin) augenblicklich zum letzten Schrei erklärte, sind Rileys frühe Schwarz-Weiß-Gemälde alles andere als beruhigend; sie lösen im Gegenteil ein bedrohliches, subversives Gefühl von Desorientierung aus.

Gegenüber: Victor Vasarely, *Vega-Gyongiy-2*, 1971
Nach Ansicht Vasarelys war es wichtiger, dass sein Werk einen körperlichen Effekt beim Betrachter auslöse, als dass dieser es intellektuell begreife. Für seine Gemälde, die auf einer dreidimensionalen Täuschung beruhen, prägte er den Begriff Cinetic Art, um auszudrücken, dass es sich um virtuelle, nicht um reale Bewegung handelte.

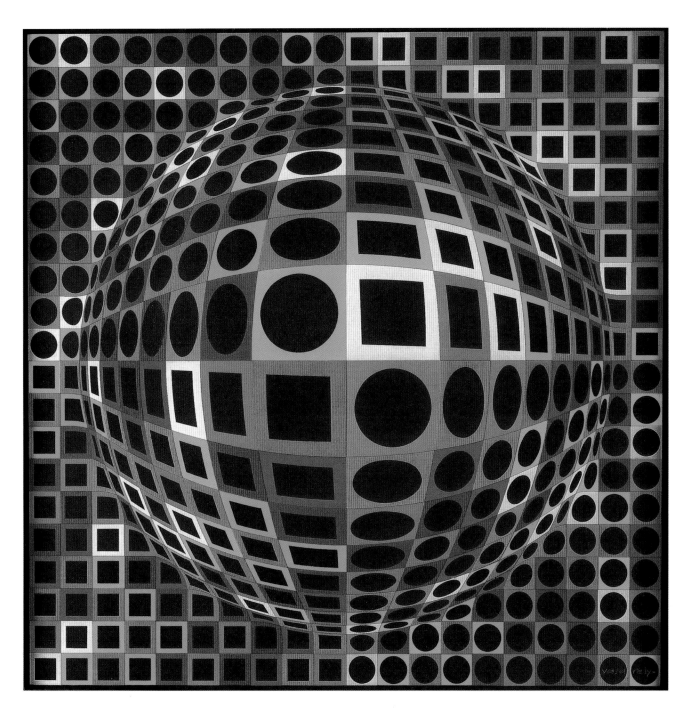

Bewegung, Perspektive und Farbrelationen erzeugen lassen, und ihre Werke waren in Europa und den USA weithin bekannt.

Victor Vasarely hatte 1929 in Budapest bei dem *ungarischen Aktivisten Sándor Bortnyik studiert und strebte wie andere ungarische Aktivisten und Mitglieder der Gruppe GRAV, die er später inspirierte, immer die Erfindung einer Kunst an, die expansiv, kollektiv und utopisch war. Er wollte Muster entwerfen, die von anderen Menschen oder Maschinen erkannt und in die Architektur und Stadtplanung integriert werden konnten. Sein Ziel war die Erschaffung einer neuen Gesellschaft und der »neuen Stadt – geometrisch, sonnig und voller Farben.« Die Anwendung seiner Serie »Planetarische Folklore« auf Architektur und Stadtplanung sah er als einen Beitrag, seinem Ideal näher zu kommen. Werke Vaserelys und anderer Europäischer Op-Art-Künstler waren 1955 Teil der Ausstellung »Le Mouvement« .

Die Op Art verlangt die Mitarbeit des Betrachters, um »vervollständigt« zu werden. In diesem Sinne sind die Werke »virtuell«, denn sie veranlassen den Betrachter, die Prozesse der Wahrnehmung und des Denkens zu beachten und die trügerische Natur der Realität infrage zu stellen.

Diese Aspekte verknüpfen die Op Art mit einer Reihe zeitgenössischer Bewegungen, zum Beispiel mit *Fluxus, *Hyperrealismus und GRAV sowie mit den Theorien der Gestaltpsychologie (denen zufolge das Ganze als größer empfunden wird als die Summe seiner Teile) und anderen neuen Entdeckungen der Psychologie und der Physiologie der Wahrnehmung. Die Illusion der Bewegung oder der Metamorphose als Bestandteil der Op Art ist auch ein wichtiger Aspekt der Kinetischen Kunst.

Obwohl die Op Art rasch wieder aus der Mode kam, wurden ihr Bildgut und ihre Techniken in den 1980er-Jahren von einer neuen Künstlergeneration wiederbelebt, der unter anderen der Amerikaner Philip Taaffe (geb. 1955) und der New Yorker Maler Peter Schuyff (geb. 1958) angehörten. Dieses Interesse führte zu einer neuen Einschätzung der Werke engagierter Op Art Künstler – etwa der Arbeiten Bridget Rileys, des Amerikaners Julian Stanczak (geb. 1928) und des Briten Patrick Hughes (geb. 1939), der seit 1964 dreidimensionale Reliefbilder geschaffen hatte.

Wichtige Sammlungen
Dia Center for the Arts, Beacon, New York
Fondation Vasarely, Aix-en-Provence, Frankreich
Henie Onstad Art Center, Høvikodden, Norwegen
Museum of Modern Art, New York
Tate Gallery, London

Weiterführende Literatur
M. Kidner, *Michael Kidner* (1984)
K. Türr, *Op-art – Stil, Ornament oder Experiment?* (Berlin, 1986)
R. W. Gassen (Hrsg.), *Vasarely, Erfinder der Op-art* (Ausst.-Kat., Wilhelm-Hack-Museum, Ludwigshafen, 1998)
B. Riley, *Bridget Riley* (2000)

Nachmalerische Abstraktion

Was man sieht, ist, was man sieht.

FRANK STELLA, 1966

Der Begriff Nachmalerische Abstraktion wurde 1964 von dem einflussreichen amerikanischen Kunstkritiker Clement Greenberg (1909–1994) geprägt, als er eine Ausstellung im Country Museum of Art in Los Angeles betreute. Der Begriff umschloss verschiedene individuelle Stile: Hard-edge Painting, vertreten von Al Held (geb. 1928), Ellsworth Kelly (geb. 1923), Frank Stella (geb. 1936) und Jack Youngerman (geb. 1926), Stain Painting, repräsentiert im Werk von Helen Frankenthaler (geb. 1928), Joan Mitchell (1926–1992) und Jules Olitski (geb. 1922), Washington Color Painting, angewandt von Gene Davis (1920–1985), Morris Louis (1912–1962) und Kenneth Noland (geb. 1924), Systematic Painting, bezogen auf Arbeiten von Josef Albers (1888–1976), Ad Reinhardt (1913–1967), Stella und Youngerman, sowie Minimal Painting, ein Begriff, mit dem Werke von Robert Mangold (geb. 1937), Agnes Martin (geb. 1912), Brice Marden (geb. 1938) und Robert Ryman (geb. 1930) beschrieben wurden.

All diese verschiedenen Arten amerikanischer abstrakter Malerei entwickelten sich in den späten 1950er- und frühen 1960er-Jahren aus dem *Abstrakten Expressionismus und waren zugleich eine Gegenreaktion darauf. Allgemein gesprochen mieden die neuen abstrakt arbeitenden Künstler die offensichtliche Emotionalität der Abstrakten Expressionisten und lehnten den expressiv gestischen Pinselstrich und die taktilen Oberflächen des Action Painting ab; sie bevorzugten einen kühleren, anonymeren Stil. Zwar teilten sie gewisse visuelle Charakteristika und Maltechniken mit den Abstrakten Expressionisten Barnett Newman und Mark Rothko,

konnten sich deren transzendentalen Glaubensvorstellungen, die Kunst betreffend, jedoch nicht anschließen. Sie tendierten im Gegenteil dazu, die Malerei als Objekt zu betonen, anstatt sie als Illusion zu sehen. Shaped canvas – die zum objekthaften Bildträger ausgeweitete Bildfläche – betonte die Einheit zwischen gemaltem Bild, Form und Format der Leinwand. Von Reinhardts Haltung des

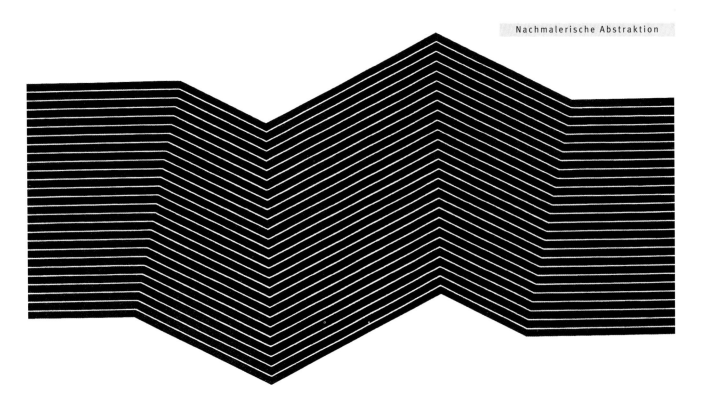

»Kunst um der Kunst willen« beeinflusst, lehnten sie die sozialen und utopischen Aspirationen der *Konkreten Kunst ab, auch wenn deren Werke äußerlich manchmal ihren eigenen Arbeiten glichen.

Stellas *Black-Stripe*-Gemälde wurden 1959 im Museum of Modern Art in New York ausgestellt. Die Unmittelbarkeit und Direktheit dieser Bilder machten deutlich, dass es sich um gemalte Objekte und nicht um *Existenzielle Erfahrungen oder Vehikel für gesellschaftliche Kommentare handelte. In der Einschätzung mancher Kritiker war Stella ein »Besserwisser« oder ein »jugendlicher Randalierer«, seine Ablehnung der liebevoll gehegten, romantischen malerischen Qualitäten der Abstrakten Expressionisten empfand man als »einen Schlag ins Gesicht«. Für andere jedoch – vor allem für junge Künstler – bot Stella einen Ausweg aus der Sackgasse des Abstrakten Expressionismus.

Für Greenberg, den lautesten Verfechter der Nachmalerischen Abstraktion, war die Geschichte der modernen Kunst vom *Kubismus über den Abstrakten Expressionismus bis hin zur Nachmalerischen Abstraktion eine konsequent weitergeführte puristische Reduktion. Seiner Meinung nach hatte sich jede Kunstart auf die Eigenschaften zu beschränken, die ihr selbst innewohnten. Die Malerei als visuelle Kunst sollte also auf die optische Erfahrung reduziert sein und alle Assoziationen mit Plastik, Architektur, Theater,

Musik oder Literatur meiden. Werke der Nachmalerischen Abstraktion, die ihre formalen Qualitäten betonten, indem sie die rein optischen Eigenschaften des Farbpigments ausnutzten und die Form der Leinwand und die Flachheit der Bildfläche hervorhoben, repräsentierten für Greenberg die überlegene Kunstform der 1960er-Jahre. Andere Stile der Zeit, wie *Pop Art und *Minimalismus, tat der Kritiker als »Mode-Künste« ab, obwohl die Vertreter aller drei Stile eine sachliche, anti-expressionistische Haltung einnahmen und dem misstrauten, was Jasper Johns (siehe Neo-Dada) »den Gestank des Künstleregos« genannt hatte.

Greenbergs Einfluss erwies sich als beträchtlich, und die Nachmalerische Abstraktion dominierte die Museumsausstellungen der 1960er- und 1970er-Jahre. Die Gegenreaktion setzte während der 1970er-Jahre mit dem Aufkommen verschiedener Strömungen der *Postmoderne ein, als Künstler und Kritiker den Greenbergschen Modernismus herausforderten.

Oben: **Frank Stella, *Nunca Pasa Nada*, 1964**
Aus freier Hand auf lange Leinwände über präzise geometrische Zeichnungen gemalte schwarze Streifen und durchscheinende unbemalte Leinwand vereinen Aspekte der gestischen und der geometrischen Abstraktion und scheinen diese zu verspotten, wobei die eine gereinigt, die andere besudelt wird.

Gegenüber: **Kenneth Noland, *First*, 1958**
Noland bevorzugte klar definierte Konturen, einfache Motive, reine Farben. Seine Technik, die in der Färbung einer ungrundierten Leinwand mit meist dünnflüssiger, transparenter Acrylfarbe bestand, negierte das Empfinden für die Hand des Künstlers und jegliche taktile Oberflächeneigenschaft.

Wichtige Sammlungen
Kemper Museum of Contemporary Art, Kansas City, Missouri
Museum of Contemporary Art, San Diego, Kalifornien
National Museum of American Art, Washington, D.C.
Portland Art Museum, Portland, Oregon
Tate Gallery, London

Weiterführende Literatur
K. Wilkin, *Kenneth Noland* (1990)
R. Armstrong, *Al Held* (1991)
W. Seitz, *Art in the Age of Aquarius* (1992)
D. Schwarz, *Agnes Martin: paintings and works on paper* (Ausst.-Kat., Kunstmuseum Winterthur, 1993)
Frank Stella (Ausst.-Kat., Haus der Kunst, München, 1995/96)
D. Waldmann, *Ellsworth Kelly: Retrospektive* (Ausst.-Kat., Haus der Kunst, München, 1997/98)

1965 bis heute

Jenseits der Avantgarde

Keith Haring vor einer seiner Zeichnungen in der New Yorker U-Bahn, 1982

Minimalismus (Minimal Art)

Was an der Malerei vor allen Dingen falsch ist,
ist die rechteckige Fläche, die flach an die Wand gehängt wird.

DONALD JUDD, 1965

Der Minimalismus erweckte die Aufmerksamkeit der New Yorker Kunstwelt, nachdem zwischen 1963 und 1965 Einzelausstellungen der Werke von Donald Judd (1928–1994), Robert Morris (geb. 1931), Dan Flavin (1933–1996) und Carl Andre (geb. 1935) stattgefunden hatten. Minimalismus war keine organisierte Gruppe oder Bewegung; der Terminus wurde neben vielen anderen (zum Beispiel Primärstrukturen, Einheitliche Objekte, ABC Art und Cool Art) von Kritikern benutzt, um die scheinbar einfachen geometrischen Strukturen zu bezeichnen, die diese und andere Künstler dieser Zeit schufen. Die Künstler selbst mochten die Bezeichnung nicht, schien sie doch zu implizieren, ihre Werke seien simpel und es mangele ihnen an »künstlerischem Inhalt«.

Die Minimalisten schenkten auf bemerkenswerte Weise dem Schaffen der russischen *Konstruktivisten und *Suprematisten Beachtung, vor allem solchen Künstlern, deren Arbeiten zu einer geradlinigen Abstraktion tendierten. Das Bild *Schwarzes Quadrat* (um 1915) des Suprematisten Kasimir Malewitsch war ein wichtiger Indikator für eine neue Art von Kunst, die ganz bewusst weder utilitaristisch und noch gegenständlich war.

Mit der Ausstellung »Primary Structures: Younger American and British Sculptors« (Primäre Strukturen: Jüngere amerikanische und britische Bildhauer), die 1966 im Jewish Museum in New York stattfand, etablierte sich der Minimalismus. Kurz danach wurde der Begriff auf die Werke der amerikanischen Bildhauer Carl Andre, Richard Artschwager (geb. 1924), Ronald Bladen (1918–1988), Larry Bell (geb. 1939), Dan Flavin, Donald Judd, Sol LeWitt (geb. 1928), Robert Morris, Beverly Pepper (geb. 1924), Richard Serra (geb. 1939) und Tony Smith (1912–1980), auf die Arbeiten der britischen Künstler Sir Anthony Caro (geb. 1924), Phillip King (geb. 1934), William Tucker (geb. 1935) und Tim Scott (geb. 1937) sowie auf die Gemälde der *Nachmalerischen Abstraktion angewendet.

Judd, der an der Columbia University in New York Philosophie und Kunstgeschichte studiert hatte, wurde zu einem der interessantesten Kommentatoren der Kunst, die er und die anderen Mi-

Links: **Donald Judd, *Ohne Titel*, 1969**
»Drei Dimensionen sind realer Raum. Das löst das Problem des Illusionismus und des tatsächlichen Raums, Raum in und um Zeichen und Farben ... die störenden Begrenzungen der Malerei existieren nicht mehr.«
Donald Judd, »Specific Objects«, 1965

Gegenüber: **Dan Flavin, *Fluorescent light installation*, 1974**
Flavin verwendete fluoreszierende Lichtröhren und betrachtete den Raum dazwischen als integralen Bestandteil des Werkes. Dadurch, dass Licht und Raum den Platz des konventionellen Kunstwerks einnahmen, war sein Werk »entmaterialisiert«.

nimalisten schufen. In seinem bahnbrechenden Artikel »Specific Objects« (Spezifische Objekte) schrieb er 1965:

> Tatsächlicher Raum ist essenziell mächtiger und spezifischer als Farbe auf einer Leinwand ... Das neue Werk ähnelt ganz offensichtlich eher der Skulptur als dem Gemälde, aber es ist dem Gemälde näher ... Die Farbe ist niemals unwichtig, wie es gewöhnlich bei der Skulptur der Fall ist.

Die Künstler, auf die sich Donald Judd bezog – Frank Stella (siehe Nachmalerische Abstraktion), die *Neo-Dadaisten Robert Rauschenberg, John Chamberlain und Claes Oldenburg sowie der Nouveau Rèaliste Yves Klein –, schufen Werke, die nicht in die etablierten Kategorien Malerei oder Plastik passten, sondern Aspekte von beiden kombinierten (siehe auch Assemblage). Judd nannte sie »Spezifische Objekte«, eine Bezeichnung, die auch oft für seine eigenen Werke benutzt wurde. Von 1961 an arbeitete er dreidimensional; mit seinen Wandstapeln vermischte er die traditionelle Präsentation gemalter Bilder (flach an der Wand hängend) und der Skulptur (freistehend auf einem Sockel) und warf damit die entscheidende Frage auf, ob es sich bei seinen Arbeiten um Gemälde oder Skulpturen handele. Judd verwendete Farbe, wie es bei Gemälden üblich ist, doch treten seine Werke deutlich aus der Wand hervor, die damit selbst Teil des Werkes wird. Außerdem bestehen sie aus Materialien, die von Bildhauern selten verwendet werden, wie Sperrholz, Aluminium, Plexiglas, Eisen und Edelstahl. Die sichtlich einfachen Strukturen lösen also eine Reihe von komplexen Problemen aus. Ein Thema ist das Zusammenspiel zwischen negativen und positiven Räumen innerhalb der Objekte sowie die Interaktion der Objekte mit ihrer unmittelbaren Umgebung, wie etwa dem Museums- oder Galerieraum. 1971 setzte sich Judd ausführlich mit dieser Problematik auseinander, indem er nach Marfa in Texas zog und dort eine Reihe von Gebäuden zu permanenten Installationen seiner und der Werke anderer Künstler umfunktionierte.

Die kubischen Kästen von Morris weisen auf ähnliche Interessen. Die großen Spiegelobjekte, die Betrachter und der Galerieraum interagieren miteinander und bilden Teile eines sich ständig wandelnden Ausdrucks von Raum und Bewegung. Aufgrund die-

röhren, das an Tatlins frühe Bemühungen erinnert, Ästhetik und Technologie zu vereinen. Auch gibt der Künstler zu, den schwebenden *Endless Columns* (um 1920) Constantin Brancusis (siehe École de Paris) verpflichtet zu sein: Seine Diagonale vom 25. Mai 1963, eine einzige gelbe Neonröhre in einem Winkel von 45 Grad zur Horizontalen aufgehängt, ist Brancusi gewidmet. Flavins Werk erinnert mit seiner transzendentalen Aura an die Skulpturen Brancusis, und seine Installationen fanden ihres »sakralen Charakters« wegen Beachtung.

Für Andre erwiesen sich sowohl Brancusis Plastiken als auch die innere Symmetrie von Stellas Streifenbildern als wichtige Inspiration. Er experimentierte mit den verschiedenen Farben und Gewichten einer Reihe von Metallen und anderen Materialien, wobei er die rechtmäßige Position der Plastik und ihre Beziehung zum menschlichen Körper untersuchte. In 37 *Pieces of Work*, 1969 für das Guggenheim Museum geschaffen, sind 36 Einzelteile so zusammengeschlossen, dass sie das 37. bilden. Im Unterschied zur traditionellen Plastik ist das Werk nicht senkrecht und nicht auf einem Podest installiert, sondern waagerecht wie ein Teppich auf dem Fußboden ausgelegt. Der Betrachter ist aufgefordert, mit dem Werk zu interagieren, indem er darüber geht und dabei die visuellen und physikalischen Unterschiede der verwendeten Metalle erfährt.

Als die ersten minimalistischen Werke auftauchten, empfanden viele Kritiker und ein lautstarkes Publikum sie als kühl, anonym und abweisend. Die vielfach verwendeten vorfabrizierten Industriematerialien hatten in ihren Augen nichts mit »Kunst« zu tun. Doch da sich der Kunstbegriff in der zweiten Hälfte des 20. Jahrhunderts erweiterte, scheinen viele der früheren Attacken heute unverständlich. So mag Judd seine Werke bei Firmen in Auftrag gegeben haben, doch sie sind eindeutig als »Judds« identifizierbar. Darüber hinaus ist die schiere Sinnlichkeit der Materialien und Oberflächen vieler minimalistischer Werke alles andere als kalt. Flavins Lichtinstallationen verwandeln einen Galerie- oder Museumsraum in eine ätherische Umgebung; Judds Wandbilder reflektierten ihr Licht so auf die sie umgebende Wand, dass es an durch Kirchenfenster fallendes Licht erinnert, und Andres Fußbodenwerke lassen an kostbare Mosaike oder Teppiche denken. Durch die Beschränkung der Elemente, die bei den Werken zum Einsatz kommen, entstehen komplexe und keineswegs minimale Effekte.

Die scheinbare Ablehnung sichtbarer Gefühlsäußerung verbindet den Minimalismus mit anderen Kunstformen der 1950er- und

ser Inhalte wird Minimalismus in Beziehung zur *Aktionskunst und zur *Earth Art gesetzt, Gebiete, in denen sich Morris ebenfalls betätigte. Eine Aussage von Morris aus dem Jahr 1966 betont das Paradox der Einfachheit:

> Die Einfachheit der Form muss nicht notwendigerweise eine Einfachheit des Erlebnisses bedeuten. Gleichartige Formen reduzieren die Beziehungen nicht. Sie ordnen sie.

Flavin widmete sich Themen, die Raum und Licht beinhalteten; er ist vor allem für seine fluoreszierenden Lichtskulpturen oder Environments, wie *Pink and Gold* (1968), bekannt. Diese Werke verkörpern eine ganz besondere minimalistische Tendenz: das Objekt wird in seinem eigenen Licht dargestellt. In ihrem Gebrauch des Lichts und in der Verwendung des Raums, in dem sie installiert sind, scheinen Flavins Werke sich einem entmaterialisierten Zustand zu nähern, der vom Objekt selbst unabhängig ist. Die Symbolisierung sei im Schwinden, schrieb Flavin 1967 über den Minimalismus. Wie Judd hatte Flavin an der Columbia University Kunstgeschichte studiert und bekannte sich stets zu seinen zahlreichen kunsthistorischen Bezügen, wie den Ready-mades von Marcel Duchamp (siehe Dada) und den Konstruktivisten. Flavins *Monument to V. Tatlin* (1964) ist ein Arrangement von Neon-

Oben: **Carl Andre,** *Equivalent VIII*, **1978**
Als die Tate Gallery in London dieses Arrangement aus Backsteinen erwarb, löste das harsche Kritik in der britischen Presse aus. Die Behauptung, peinlich akkurat aufgestellte Industrieprodukte könnten in einem Museum oder einer Galerie eine neue Identität annehmen, überzeugte nicht jeden.

Gegenüber: **Foster and Partners und Sir Anthony Caro, Millennium Bridge, London, 1998–2000**
Diese flache Hängebrücke, von ihren Erbauern als minimal-invasives Bauwerk bezeichnet, besitzt die Leichtigkeit und Schlichtheit der Entwurfszeichnung – trotz der beachtlichen technischen Schwierigkeit, dass die Ufer nur wenig Platz zur Verankerung boten.

1960er-Jahre, etwa dem französischen Nouveau Roman, dem Nouvelle-Vage-Film, *Neo-Dada, der *Pop Art und der Nachmalerischen Abstraktion. Die Distanzierung des Künstlers von der eigenen Herstellung seiner Kunst und die Anforderung, die an den Intellekt des Betrachters gestellt wird, erinnern an Aspekte der *Konzeptkunst. In den letzten Jahren bezeichnete man auch Einrichtungen, Möbel, Grafikdesign und Mode von einfachen, klaren Linien und ohne dekorative Elemente (paradoxerweise oft eingesetzt, um besonders luxuriöse Effekte zu erzielen) als minimalistisch.

Obwohl der Ausdruck vor den frühen 1970er-Jahren üblicherweise nicht auf die Musik angewendet wurde, assoziierte man bereits in den 1960er-Jahren die Werke verschiedener Komponisten mit dem Minimalismus. Die kompositorischen Praktiken waren denen der bildenden Kunst verwandt; typisch waren statische Harmonien, Wiederholung und der Einsatz ungewöhnlicher Instrumente. Ziel war es, das kompositorische Medium auf ein Minimum zu reduzieren. Kompositionen, die Modulationen oder Wiederholungen zur Struktur erheben (zum Beispiel bei Terry Riley, Steve Reich oder Philip Glass), erinnern insofern an minimalistische Kunst, als sie durch ein zeichenloses Raster eine Art Ordnung als Basis einer reinen Form verwenden, die frei ist von einer interpretierbaren Bedeutung. Mehrere Komponisten, darunter La Monte Young und John Cage, betrachteten ihr Werk ohnehin eng als mit *Aktionskunst, *Fluxus und *Konzeptkunst verknüpft.

Obwohl eine Schule minimalistischer Architektur genau genommen nicht existierte, haben doch zahllose modernistische Architekten nach einer Klarheit und Reinheit in ihren Entwürfen gesucht, die man als minimalistisch bezeichnen könnte (siehe Purismus und International Style). In diesem Sinne ist der strenge Stil von Ludwig Mies van der Rohe (der ja sagte, weniger sei mehr) minimalistisch, ebenso die Arbeit des mexikanischen Architekten Luis Barragán (1902–1988), dessen eigenes Haus in Tacubaya, Mexiko-Stadt (1947), für seine geometrische Strenge und seine kräftigen Farben berühmt ist. Malerei, Skulptur und Architektur vereinigten sich in den Torres de Satélite City Towers (1957), dem Autobahnmonument, das Barragán zusammen mit dem Bildhauer Mathias Goeritz (1915–1990) entwarf. Las cinco torres, die fünf gestrichenen Betontürme außerhalb von Mexiko-Stadt, auch »Türme ohne Funktion« genannt, ragen 49–58 Meter hoch in die Luft.

In den 1980er-Jahren schuf eine neue Generation herausragender Architekten, darunter Kazuo Shinohara (geb. 1925), Fumihiko Maki (geb. 1928), Arata Isozaki (geb. 1931) und Tadao Ando (geb. 1941), minimalistische Werke, die vom klassischen Stil des Zen-Buddhismus ebenso beeinflusst waren wie vom europäischen Modernismus.

Auch die *High-Tech-Architekten teilen Ziele und Techniken mit den Minimalisten. Diese Affinität resultiert aus der Zusammenarbeit des Bildhauers Sir Anthony Caro (geb. 1924) mit dem Architekturbüro Foster and Partners und dem Ingenieurbüro Ove Arup and Partners bei der Millennium Bridge (2000) in London. Die Hängebrücke musste nach der Eröffnung drei Tage lang geschlossen werden, um Schwingungen abzustellen, die bei ihrem Betreten eingesetzt hatten. Die Brücke funktioniert in wunderbarer Weise sowohl als »Zeichnung im Raum« als auch als »Sculpitecture« (Skulpitektur), ein Terminus, den Caro seit 1989 für seine architektonischen Konstruktionen verwendet.

Obwohl die Reinheit und die intellektuelle Natur des Minimalismus in der Kunstwelt der 1980er-Jahre aus der Mode kamen, gelangten typische Merkmale des Stils in das Repertoire einer späteren Künstlergeneration. Durch die Konzentration auf die Wirkung des Kontextes und die Inszenierung des Seherlebnisses übte der Minimalismus einen indirekten, aber sehr mächtigen Einfluss auf spätere Entwicklungen der Konzeptkunst, Aktionskunst und *Installation aus und lieferte den Hintergrund für den Aufstieg der *Postmoderne.

Wichtige Sammlungen
Chinati Foundation, Marfa, Texas
Modern Art Museum of Fort Worth, Texas
Montclair Art Museum, Montclair, New Jersey
Museum Boijmans van Beuningen, Rotterdam, Niederlande
Museum of Modern Art, New York
Tate Gallery, London

Weiterführende Literatur
D. Judd, *Complete Writings, 1959–1975* (1975)
P. Noever (Hrsg.), *Donald Judd: Architektur* (Ausst.-Kat., Österreichisches Museum für angewandte Kunst, Wien, 1991)
K. Gallwitz (Hrsg.), *Dan Flavin – Installationen in fluoreszierendem Licht* (Ausst.-Kat., Städtische Galerie, Frankfurt am Main, 1993)
G. Battcock (Hrsg.), *Minimal Art: A Critical Anthology* (Berkeley, CA, 1995)
D. Batchelor, *Minimalism* (1999)
J. Meyer, *Minimalism* (2001)

Konzeptkunst

Jetzt Künstler sein, heißt die Natur der Kunst infrage stellen.

JOSEPH KOSUTH, ARTS MAGAZINE, 1969

Die Konzeptkunst trat ihr Erbe als Kunstkategorie oder Bewegung in den späten 1960er- und frühen 1970er-Jahren an. Oft auch Ideenkunst oder Informationskunst genannt, war das Grundprinzip der Konzeptkunst dasjenige, dass die Idee oder das Konzept das eigentliche Kunstwerk ausmache. Ob *Body Art, *Aktionskunst, *Installation, *Videokunst, *Klangkunst, *Earth Art oder *Fluxus-Aktivitäten, das Objekt, die Installation, die Aktion oder Dokumentation wird lediglich als das Vehikel zur Präsentation des Konzepts angesehen. In ihrer extremsten Ausformung übergeht die Konzeptkunst das physische Objekt vollkommen und bedient sich verbaler oder schriftlicher Botschaften, um ihre Idee zu übermitteln.

Die Werke und Ideen von Marcel Duchamp (siehe Dada) waren von grundlegendem Einfluss. Seine Infragestellung der Regeln der Kunst, seine Einbeziehung des Intellekts, des Körpers und des Betrachters sowohl in den Herstellungsprozess als auch in die Wahrnehmung des Kunstwerks sowie der Vorrang, den er der Idee vor der traditionellen Vorstellung von Stil und Schönheit einräumte, machten ihn eindeutig zum Proto-Konzeptkünstler.

Einige *neo-dadaistische Werke gelten als Vorwegnahme der Explosion der Konzeptkunst in den späten 1960er-Jahren: Etwa Robert Rauschenbergs *Erased De Kooning Drawing* (1953, eine ausradierte Zeichnung, die ihm de Kooning überlassen hatte) sowie sein Telegramm-Porträt von Iris Clert – *This is a Portrait of Iris Clert if I say so* (1961), oder der als »Sprung ins Leere« (1960) dokumentierte Flugversuch des französischen Nouveau Réalisme-Künstlers Yves Klein sowie die Ausstellung und der Verkauf seiner »immateriellen Zonen« 1958 und 1959. Auch die Signierung von Zuschauerkörpern, die der Italiener Piero Manzoni (1933–1963) 1961 vornahm, der 1961 auch 90 Dosen mit seinen eigenen Exkrementen als *Merda d'artista* (Künstlerscheiße) füllte, etikettierte, nummerierte und signierte, werden als Vorläufer der Konzeptkunst gesehen. Der *Funk-Art-Künstler Ed Kienholz beschrieb 1963 seine eigenen Werke als »concept tableux« und im selben Jahr veröffentlichte der Fluxus-Künstler Harry Flint (geb. 1940) in der *Anthology* des Komponisten La Monte Young einen Essay mit dem Titel »Concept Art«, in dem er sagt, Konzeptkunst sei zuvorderst eine Kunst, deren Material das Konzept sei, etwa in der Weise, wie das Material der Musik der Klang sei. Da Konzepte eng mit Sprache verbunden seien, sei die Konzeptkunst ein Art Kunst, deren Material die Sprache sei.

Zwei weitere führende Vertreter der Konzeptkunst, die Amerikaner Sol LeWitt (geb. 1928) und Joseph Kosuth (geb. 1945) definierten sie weiter. In seinem Aufsatz »Paragraphs on Conceptual Art« (Paragrafen der Konzeptkunst) von 1967, beschreibt LeWitt die Konzeptkunst als diejenige Kunst, die gemacht sei, den Geist des Betrachters zu beschäftigen, nicht seine Augen oder Emotionen. Weiter erklärte er, dass die Idee selbst, auch wenn sie nicht sichtbar gemacht werde, ebenso ein Kunstwerk sei wie jedes fertige Produkt.

Für Kosuth bestand die Herausforderung für den Künstler darin, die Natur und Sprache der Kunst aufzudecken und zu definieren. In seinem manifestähnlichen Aufsatz »Art after Philosophy« (Kunst nach der Philosophie, 1969) schrieb er, Kunst sei die einzige

Links: **Joseph Kosuth, *One and Three Chairs*, 1965–1966**
Drei gleichwertige Teile – ein Stuhl, die Fotografie eines Stuhls und eine gedruckte Wörterbuchdefinition desselben – bilden das Werk. Den Worten eines Kritikers zufolge ist es ein Fortschreiten vom Realen zum Idealen. Wie LeWitt half auch Kosuth die Parameter der Konzeptkunst festzulegen.

Gegenüber: **Joseph Beuys, *Das Rudel*, 1969**
Während des Krieges nach einem Flugzeugabsturz von Tartaren gerettet, die seinen Körper mit Fett und Filz behandelten, benutzte Beuys diese Materialien später als künstlerische Symbole der Heilung und des Überlebens. Er sah sich selbst als Lehrer (er gründete die »Freie internationale Hochschule für Kreativität und interdisziplinäre Forschung e.V.«) und hatte eine große persönliche Anhängerschaft.

Rechtfertigung der Kunst. Kunst sei die Definition der Kunst. Seine Theorien stützen sich auf sein Interesse an linguistischer Analyse und am Strukturalismus. Ad Reinhardt (ein wichtiger Künstler der *Nachmalerischen Abstraktion und des *Minimalismus) hatte 1961 erklärt, was man über Kunst sagen könne, sei, dass sie Kunst sei. Kunst sei Kunst, aber auch alles andere. Kunst sei wie die Kunst nichts als Kunst. Was nicht Kunst sei, sei eben keine Kunst.

Kosuths Beispiel von Konzeptkunst, *One and Three Chairs* (1965–1966), sollte den Betrachter auf die linguistische Natur von Kunst und Wirklichkeit und auf die Wechselwirkung zwischen einer Idee und ihrer visuellen und verbalen Darstellung aufmerksam machen.

Obwohl zuerst in New York definiert, wurde der Terminus bald auf die verschiedensten Künstler angewendet, wodurch Konzeptkunst zu einer umfassenden internationalen Bewegung wurde. Folgende Künstler sind besonders eng mit der Konzeptkunst assoziiert: Die Amerikaner John Baldessari (geb. 1931), Robert Barry (geb. 1936), Mel Bochner (geb. 1940), Dan Graham (geb. 1942), Douglas Huebler (geb. 1924), William Wegman (geb. 1943) und Lawrence Weiner (geb. 1940), die Deutschen Joseph Beuys (1921–1986), Hanne Darboven (geb. 1941), Hans Haacke (geb. 1936) und Gerhard Richter (geb. 1932), die Japaner Shusaku Arakawa (geb. 1936) und On Kawara (geb. 1933), der Belgier Marcel Broodthaers (1924–1976), der Niederländer Jan Dibbets (geb. 1941), die Briten Victor Burgin (geb. 1941) und Michael Craig-Martin (geb. 1941), die Art & Language Group in Großbritannien und New York und die in Paris lebenden französischen und Schweizer Künstler von BMPT, darunter vor allem Daniel Buren (geb. 1938, siehe auch Kunst im öffentlichen Raum). Große Ausstellungen dokumentierten 1969 die Aktivitäten der Konzeptkünstler; 1970 erlangte der Terminus mit der Ausstellung »Conceptual Art and Conceptual Aspects« (Konzeptkunst und Konzeptaspekte) im Cultural Center, New York, offizielle Anerkennung, die mit der »Information«-Ausstellung des Museum of Modern Art, New York, ebenfalls 1970, weiter ausgebaut wurde.

Ein großer Teil der Konzeptkunst tritt in Form von Dokumenten, schriftlichen Vorschlägen, Filmen, Videos, Aktionen, Fotografien, Installationen, Karten oder mathematischen Formeln auf. Die Künstler setzten ganz bewusst Formate ein, die visuell oft als uninteressant gelten, um so die Aufmerksamkeit auf die zentrale Idee zu lenken. Die vorgestellten Aktivitäten könnten zeitlich oder örtlich woanders oder einfach im Kopf des Betrachters angesiedelt sein. Inbegriffen war die Absicht, den kreativen Akt zu entmystifizieren.

Lawrence Weiner hörte 1968 auf zu malen und begann, Anregungen in Bücher oder direkt auf die Wände von Galerien zu schreiben. Der »Titel« jedes Stückes erklärte, wie es geplant war und wie es sich in der Phantasie eines Betrachters entfalten könnte, was viele verschiedene persönliche Sichtweisen des Werkes zuließ. Weiner erklärte es so: »Wer etwas über eines meiner Werke weiß, dem gehört es. Ich habe keine Möglichkeit, ihm in den Kopf zu kriechen und es wieder rauszuholen.« Wie Weiner beschäftigten sich auch viele andere Konzeptkünstler mit der Sprache, darunter Kosuth, Barry, Baldessari und Art & Language. Wie die Arbeiten der *Pop Art-Künstler Robert Indiana und Ed Ruscha, deren Worte auch als Bilder dienten, eigneten sich die Werke zur Reproduktion.

LeWitt schrieb nicht nur bahnbrechende Aufsätze über die Konzeptkunst, er schuf auch einige ihrer bestbekannten Werke. Er setzte sich das ausdrückliche Ziel, alle Elemente des Zufalls und der Subjektivität aus seinen seriellen Arbeiten, die aus Zahlen und Buchstaben bestehen und wie Geschichten zu lesen sind, und aus den Wandzeichnungen, deren Liniennetzwerke von jedem, den präzisen Anweisungen LeWitts willig folgenden Assistenten gezeichnet werden können, auszuschließen.

Während sich viele frühe Konzeptkünstler mit der Sprache der Kunst befassten, schauten während der 1970er-Jahre andere nach draußen und schufen Werke, die Natur-Phänomene einschlossen (Barry, Dibbets, Haacke und Earth Art), mit Humor und Ironie gefärbte Erzählungen und Geschichten präsentierten (Arakawa, Baldessari, Kawara und Wegman), die die Macht der Kunst erforschten, um Leben und Kunst zu verändern (Beuys, Buren und Haacke) sowie Arbeiten, die eine Kritik der Machtstrukturen der Kunstwelt und allgemeinerer sozialer, ökonomischer und politischer Zustände der Welt verfolgten (Broodthaers, Buren, Burgin und Haacke). Die meisten Konzeptkunstwerke stellten die an die intellektuellen Fähigkeiten der Betrachter appellierende Frage – was ist Kunst? Wer bestimmt, was Kunst ist? Wer entscheidet, wie und wo sie ausgestellt und kritisiert wird? Dies spiegelt die wachsende Politisierung vieler Künstler in der Zeit des Vietnamkriegs, der Studentenproteste, der Attentate, der Bürgerrechtsbewegung und des Beginns des Feminismus, der Antiatomkraft- und der Umweltbewegung.

Links: **Piero Manzoni, *Merda d'artista no 066* (Künstlerscheiße Nr. 066), 1961**
Manzoni füllte 90 Dosen mit seinen eigenen Exkrementen, etikettierte, nummerierte und signierte sie. Die mechanisch verschlossenen Dosen wurden dem Gewicht des Inhalts entsprechend zum Goldpreis des Tages verkauft.

Gegenüber: **Marcel Broodthaers, *Museé d'Art Moderne, Département des Aigles, Section XIXième Siècle*, Brüssel 1968–1969**
Broodthaers fiktives Museum war die Nachahmung eines Museums mit künstlerischer und politischer Intention, die dazu diente, das Wesen von ausgestellten Objekten und öffentlichen Ausstellungen selbst zu überdenken.

Beuys, eine Art moderner Schamane, brachte höchst persönliche – und oft konfrontierende – Events auf die Bühne, bei denen er solche Themen dramatisierte. Gefragt, warum er Politik und Kunst vermische, antwortete er, weil wahre zukünftige politische Vorhaben künstlerisch sein müssten.

1970 verbrannte Baldessari seine bis dahin geschaffenen Werke und wandte sich der Konzeptkunst zu. Im folgenden Jahr machte er sein erstes *I-Will-Not-Make-Any-More-Boring-Art* (Ich will keine langweilige Kunst mehr machen)-Stück, bei dem der Satz in ständiger Wiederholung, wie bei einer schulischen Strafarbeit, die Fläche bedeckte. Indem er seine Empörung über die anhaltende Dominanz von Minimalismus und Nachmalerischer Abstraktion und deren wachsende Distanz zur realen Welt zum Ausdruck brachte, sprach er für viele. Werke von Haacke, Buren und Broodthaers zerstören den Mythos, dass Kunst und Kultur in getrennten unpolitischen Sphären existieren. Ihre Installationen und Stücke lenken die Aufmerksamkeit auf die Institutionen der Kunst. Indem sie deren Einfluss auf Kunstproduktion und -rezeption untersuchen, legen die Künstler offen, auf welche Weise Kunst zum Funktionieren gebracht werden kann – nämlich als Gebrauchsartikel-Fetisch.

Haackes gesellschaftspolitisches, auf Informationen gründendes Werk befasst sich mit den Ideologien der Kunstinstitutionen (siehe auch Postmoderne). Mit Stücken wie *MOMA-Poll* (1970) lud Haacke die Besucher ein, Wahlzettel zur Beantwortung einer Frage abzugeben. Der Inhalt des Werkes bestand in den Antworten, die die Besucher gegeben hatten. Burens Arbeiten befassen sich mit der Art und Weise, in der Galerien und Museen Kunstobjekte und Publikum dirigieren. Er stellte seine vertikal gestreiften Leinwände und Plakate in verschiedenen Kontexten aus: in Museen, auf Plakatwänden, Fahnen und Sandwichboards [von einem Menschen auf Brust und Rücken getragene Reklametafeln], und lenkte damit die Aufmerksamkeit auf die Rolle, die der Kontext spielt, um ein Objekt als »Kunst« zu identifizieren, aber ebenso auf die umgekehrte Beziehung, auf die Macht der Kunst, einen Raum oder Kontext so zu verändern, dass er der Kunst für wert erachtet wird.

Broodthaers, ein Dichter, der sich Mitte der 1960er-Jahre der Kunst zuwandte, kritisiert den Status von Kunst und Museen und beleuchtet die Umstände der Repräsentation mithilfe von Werken, bei denen Worte, Bilder und Objekte in Wechselwirkung stehen. Broodthaers' Interesse an Wortspielen lässt den Einfluss, den seine künstlerischen Vorfahren auf ihn hatten, erkennen – Marcel Duchamp und René Magritte. Zwischen 1968 und 1972 gründete er in seinem Haus in Brüssel das (fiktive) *Museé d'Art Moderne, Département des Aigles* (Museum der modernen Kunst, Abteilung der Adler). In der ersten Abteilung – Section XIXième Siècle (Sektion 19. Jahrhundert) – waren Plakate, Postkarten, Packkisten und Inschriften ausgestellt, die alle Adler zeigten. 1972 brachte er in der *Section des Figures* (Sektion der Figuren) an Magritte erinnernde Informationsschildchen an, auf denen »Dies ist kein Kunstwerk« stand. Broodthaers' fiktives Museum forderte den Besucher auf, die Faktoren zu überdenken, die festlegen, ob ein Objekt als Kunstwerk zu betrachten sei, aber auch die von Museumssammlungen präsentierte Version der Kunstgeschichte dahingehend zu hinterfragen, ob sie nicht ebenso fiktiv sei wie Broodthaers' Museum. Als er sein Museum schloss, erklärte Broodthaers, dass er manchmal die Rolle eines politischen Parodisten künstlerischer Ereignisse gespielt habe und manchmal die eines künstlerischen Parodisten politischer Ereignisse, und dass dies genau das sei, was auch die offiziellen Museen täten. Der Unterschied bestehe jedoch darin, dass die Fiktion dazu verwendet werden könne, sowohl die Realität zu beleuchten als auch das, was sich hinter ihr verberge.

Während der Mitte der 1970er-Jahre erlebte die Konzeptkunst ihren Höhepunkt, dann wurde sie von Künstlern ausgelöscht, deren Interesse wieder traditionellen Materialien und dem Ausdruck von Emotionen galt (siehe Transavantgarde und Neo-Expressionismus). In den 1980er-Jahren kam es durch Künstler, die vor allem der Postmoderne zugerechnet werden, zu einer starken Wiederbelebung des Interesses an der Konzeptkunst. Viele Künstler wie Susan Hiller (geb. 1942), Peter Kennard (geb. 1949), Juan Muñoz (1953–2001), Gabriel Orozco (geb. 1962) und Simon Patterson (geb. 1967) werden als Konzeptkünstler bezeichnet.

Wichtige Sammlungen

Art Gallery of Ontario, Toronto, Ontario
DeCordova Museum and Sculpture Park, Lincoln, Massachusetts
Hood Museum of Art, Hanover, New Hampshire
Housatonic Museum of Art, Bridgeport, Connecticut
Museum of Modern Art, New York
Tate Gallery, London

Weiterführende Literatur

T. Dreher, *Konzeptuelle Kunst in Amerika und England zwischen 1963 und 1976* (Frankfurt am Main u.a., 1992)
U. Meyer (Hrsg.), *Conceptual Art* (1972)
A. Rorimer, *New Art in the 60s and 70s* (2001)
L. Schirmer (Hrsg.), *Joseph Beuys: eine Werkübersicht* (München u.a., 2001)

Body Art

Wenn der Minimalismus so groß war, was konnte ich da tun?
Was fehlte, war die Quelle. Ich musste die Quelle aufzeigen.

VITO ACCONCI

Body Art (Körperkunst) ist eine Kunst, die den Körper, meist den des Künstlers selbst, als Medium benutzt. Seit den späten 1960er-Jahren war sie eine der populärsten und zugleich umstrittensten Kunstformen, die sich über die ganze Welt verbreitete. In mancherlei Weise ist sie eine Reaktion auf die Anonymität der *Konzeptkunst und des *Minimalismus. Vito Acconci (geb. 1940) sagte dazu, es sei die körperliche Präsenz des Kunstmachers, die im größten Teil der zeitgenössischen Kunst fehle. Aber Body Art kann auch als eine Erweiterung der Konzeptkunst und des Minimalismus gesehen werden. In Fällen, wo sie die Form öffentlicher Rituale oder einer Performance annimmt, überschneidet sie sich auch mit der *Aktionskunst, obwohl sie häufig privat geschaffen und dann per Dokumentation dem Publikum vorgeführt wird, wie etwa die *Autopolaroids* des Amerikaners Lucas Samaras (geb. 1936), die den Betrachter zum Voyeur machen. Das Publikum nimmt eine Reihe von Rollen an, vom passiven Zuschauer über den Voyeur bis zum aktiven Teilnehmer. Extrem emotionale Reaktionen werden durch Werke hervorgerufen, die in voller Absicht entfremdend, langweilig, schockierend, nachdenklich stimmend oder lustig sind.

Einige wichtige Künstlerpersönlichkeiten lieferten Acconcis Generation einflussreiche Beispiele. Eine von ihnen war Marcel Duchamp (siehe Dada), dessen Prämisse, alles könne als Kunstwerk dienen, erstmals den Körper als »Material« einführte. Weitere Vorbilder waren Yves Klein (siehe Nouveau Réalisme), der für seine *Anthropometrien* von 1960 Frauenkörper als »lebende Pinsel« verwendete, und Piero Manzoni (siehe Konzeptkunst), der 1961 die

Körper verschiedener Leute mit seinem Namen signierte, um so eine Serie »lebender Skulpturen« zu schaffen. Eine Reihe von frühen Body-Art-Werken scheinen hier ihren geistigen Anfang zu nehmen. *Self-Portrait as a Fountain* (Selbstporträt als Springbrunnen, 1966) des Amerikaners Bruce Nauman ist als Hommage an Duchamps berühmte »Fontäne« gedacht, erweitert aber Duchamps Konzept insofern, als es den Künstler selbst in das Werk einbezieht. Nauman sagte dazu, der wahre Künstler sei ein erstaunlicher, leuchtender Brunnen. In Naumans Werk ist der Körper ein wiederkehrendes Thema, sei es in Neonlicht oder Video übersetzt. Sein Werk erforscht den Körper im Raum, die psychologischen Nuancen und Kraftspiele zwischenmenschlicher Beziehungen, die Körpersprache, den Körper des Künstlers als Ausgangspunkt und den selbstsüchtigen Narzissmus des Künstlers.

Die im Mittelpunkt der Body Art stehende Fusion von Kunst und Leben wird von den britischen Künstlern Gilbert (geb. 1943) & George (geb. 1942) zu einem humorvollen Extrem geführt. Wo Manzoni andere in »lebendige Skulpturen« verwandelte, machten sie sich selbst zu »lebendigen Skulpturen« und verwandelten damit implizit ihr ganzes Leben in Kunst. Im Werk *The Singing Sculpture* von 1969, auch als *Underneath the Arches* bekannt, erklärten sie: »Wir werden nie aufhören, für dich zu posieren, Kunst.« Wie Naumann mit seinem Brunnen werfen auch Gilbert & George die grundlegende Fragen auf: Was ist Kunst und wer entscheidet das?

Die amerikanische Malerin, Aktionskünstlerin, Filmemacherin und Schriftstellerin Carolee Schneemann (geb. 1939) benutzte in ihren kontroversen Werken mit gesellschaftlichen, sexuellen und kunsthistorischen Anspielungen den »Körper als Wissensquelle«. Eines ihrer bestbekannten Stücke, *Meat Joy* (siehe Bild S. 223), 1964 in New York und Paris aufgeführt, ist ein orgiastisches Multimedia-Spektakel mit blut- und farbgetränkten männlichen und weiblichen Akteuren, die sich in rohen Fischen und Hühnerkadavern wälzen. Während Schneemanns Stück gewiss einige der wichtigsten gesellschaftspolitischen Fragen der 1960er-Jahre reflektierte

Links: **Bruce Nauman, *Self-Portrait*, 1966–1967**
Mit bewusster Bezugnahme auf Duchamps berühmtes Urinal (Bild S. 115) folgt Bruce Nauman Duchamps Idee, dass alles in Kunst verwandelt werden könne. Das Bild zeigt den Künstler, wie er innerhalb des Rahmens der Kunst auftritt, nicht außerhalb als bloßer Hersteller.

Gegenüber: **Chris Burden, *Trans-fixed*, 23. April 1974**
Der Künstler liegt »gekreuzigt« auf dem Heck eines Volkswagens. Body-Art-Künstler gingen unterschiedlich weit – vom Sadomasochismus bis zur Selbstverstümmelung –, um die körperliche Interaktion zwischen Kunst und Welt auch in Hinsicht auf Unterdrückung und Opferung zu vermitteln.

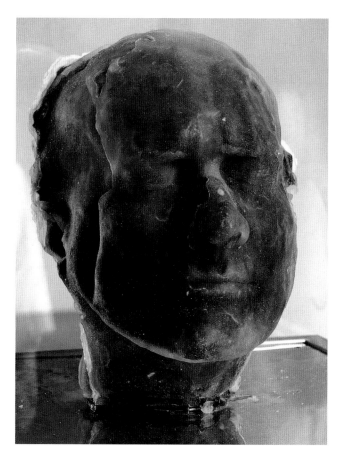

Die aufwühlendsten Beispiele der Body Art wurden während der Studentenunruhen und der Bürgerrechtsproteste im Zusammenhang mit dem Vietnamkrieg und der Watergate-Affäre in den späten 1960er- und den 1970er-Jahren geschaffen. Vor dem Hintergrund von Gewaltakten und Korruption schufen Vito Acconci, Dennis Oppenheim (geb. 1938) und Chris Burden (geb. 1946) unter hohem persönlichem Risiko in einer Art Selbstmissbrauch Werke mit sadomasochistischem Unterton. In Europa gingen der Engländer Stuart Brisley (geb. 1933), die Serbin Marina Abramovic (geb. 1946), die Italienerin Gina Pane (1939–1990) und der Österreicher Rudolf Schwarzkogler (1940–1969) ähnliche Wege. Ihre extremen Aktionen waren oft Bravourleistungen des Durchhaltevermögens und des Überlebens und umfassten häufig Selbstverstümmelungen und ritualisierten Schmerz. Gewalt und Masochismus sind Aspekte der Body Art. Sie setzen sich auch im Werk des französischen Multimedia-Aktionskünstlers Orlan (geb. 1947) fort, der verkündete, er sei der erste Künstler, der sich der Chirurgie bediene um den Zweck der kosmetischen Chirurgie zu verändern. Vielleicht am grauenhaftesten waren die sadomasochistischen Performances des Amerikaners Bob Flanagan (1925–1996), der sich rituell Schmerz zufügte, um Macht über sein Leiden zu gewinnen, das von seiner Krankheit, zystischer Fibrose, ausgelöst wurde.

Wenn uns Flanagans Werk mit der Angst vor Krankheit, Schmerz und Tod konfrontiert, so hinterfragt Orlan kulturell bedingte Schönheitsnormen. Die fotografierten Selbstporträts des alternden, nackten Körpers des Amerikaners John Copland (geb. 1920) von 1984, zwingen uns, uns der Angst vor dem Altern zu stellen und lenken die Aufmerksamkeit auf die Haltung der Gesellschaft, die Schönheit mit Jugend gleichsetzt. Ende des 20. Jahrhunderts erweiterten neue Technologien die Bandbreite der Body Art. *Corps étranger* (Fremder Körper, 1994) der in Palästina geborenen Künstlerin Mona Hatoum (geb. 1952) ist ein Video einer endoskopischen Reise durch ihren eigenen Körper. *Self* (1991) ist eine Serie von Körperabdrücken des englischen Künstlers Marc Quinn (geb. 1964), die aus gefrorenem Blut bestehen. Quinn sagte 1995: »Es ist das Selbst, das jeder am besten und zugleich am wenigsten kennt ... einen Abdruck vom eigenen Körper zu machen, gibt einem die Möglichkeit, das Selbst zu ›sehen‹.«

– die sexuelle- und die Frauenbefreiung –, könnte es auch als eine Herausforderung·an die von Männern dominierte Kunstwelt interpretiert werden, als Folge und Unterwanderung von Kleins Performance-Malerei. In den *Anthropometrien* (siehe Bild S. 211) dirigiert ein makellos gekleideter Mann (Klein) die Handlungen, die von nackten Frauen ausgeführt werden. Bei *Meat Joy* übernahm Schneemann als Frau diese Stelle und orchestrierte ein animalisches Verhalten von Männern und Frauen, indem sie den Frack ablegte und eine Kunst gestaltete, die so schmutzig war wie das Leben selbst.

Diese drei Werke umfassen viele Merkmale der Body Art. Sie präsentieren und bezweifeln zugleich eine Vielzahl von Interpretationen der Rolle des Künstlers (der Künstler als ein Kunstwerk und als sozialer und politischer Kommentator) und der Rolle der Kunst selbst (Kunst als Flucht vor dem täglichen Leben, Kunst als Auseinandersetzung mit gesellschaftlichen Tabus, Kunst als Mittel zur Selbsterfahrung, Kunst als Narzissmus). Der Körper bietet ein aussagekräftiges Mittel, die unterschiedlichsten Themen zu behandeln. Die Inszenierungen reichen von sadomasochistischem Exhibitionismus bis zu Gemeindefesten, von Gesellschaftskritik bis zur Comedy.

Marc Quinn, *Self* (Detail), 1991

Quinn sammelte etwa 4,5 Liter seines eigenen Blutes (die durchschnittliche Blutmenge im menschlichen Körper), das er in Abdrücken seines eigenen Körpers gefrieren ließ. Eine überraschende Studie des Selbstporträts, der Vitalität und der Sterblichkeit.

Wichtige Sammlungen
Kemper Museum of Contemporary Art, Kansas City, Missouri
Museum of Contemporary Art, Los Angeles, Kalifornien
Saatchi Collection, London
Tate Gallery, London

Weiterführende Literatur
A. Jones, *Body Art: Performing the Subject* (Minneapolis, MN, 1998)
Kunstkörper – Körperkunst, Bilder zur Geschichte der Beweglichkeit
   (Ausst.-Kat., 1989, Galerie d. Stadt Stuttgart, 1989)
Bruce Nauman, *Skulpturen und Installationen* (Ausst.-Kat.,
   Mus. für Gegenwartskunst, Basel, 1990/91)
A. Rorimer, *New Art in the 60s and 70s* (2001)

Installation

Installationskunst, ob raumspezifisch oder nicht, ist als flexibles Idiom hervorgetreten.

DAVID DEITCHER, 1992

Die Installationskunst ging in den frühen 1960er-Jahren aus denselben Quellen hervor wie *Assemblage und Happenings (siehe Aktionskunst). Zu jener Zeit benutzte man den Begriff »Environment« (Umgebung, Umwelt) zur Beschreibung solcher Werke wie der Tableaus des *Funk-Art-Künstlers Ed Kienholz, der begehbaren Assemblagen der *Pop-Art-Künstler George Segal, Claes Oldenburg und Tom Wesselmann und den Happenings von Allan Kaprow, Jim Dine, Red Grooms und anderer. Diese Environments verbanden sich mit dem sie umgebenden Raum – eine ungeheuerliche Zurückweisung traditioneller Kunstpraxis – und inkorporierten die Betrachter in das Werk. Expansiv und umfassend waren sie als Katalysatoren für neue Ideen gedacht, nicht als bloße Träger fixer Bedeutungen.

Kunst von solcher Fließkraft und Provokation war sofort populär. Seit den 1960er-Jahren wurden Installationen in unterschiedlichster Weise von vielen verschiedenen Künstlern entwickelt (siehe Pop Art, Op Art, Fluxus, Minimalismus, Aktionskunst, Klangkunst, Kinetische Kunst, Situationistische Internationale, Konzeptkunst, Earth Art, Arte Povera und Site Works). Der Trend war nicht auf ein einzelnes Land beschränkt. In Paris stellte der *Nouveau-Réalisme-Künstler Yves Klein 1958 einen leeren Galerieraum als *Le Vide* (die Leere) aus, worauf zwei Jahre später der Nouveau-Réalisme-Künstler Arman mit *Le Plein* (die Fülle) reagierte, indem er denselben Raum völlig mit Müll anfüllte. Die Ausstellung »Environments, Situations, Spaces« (Umgebungen, Situationen, Räume) in der Martha Jackson Gallery in New York 1961 war eine weitere frühe Schau, die dem gewidmet war, was bald Installationskunst genannt werden sollte.

Installationen waren in den 1960er-Jahren nichts völlig Neues. Schon früher im 20. Jahrhundert hatten Künstler Environments geschaffen, doch waren das vor allem dreidimensional erweiterte Gemälde. Das von *Elementaristen gestaltete Café l'Aubette in Straßburg, der *Merzbau* des *Dadaisten Kurt Schwitters und die Environments aus fluoreszierenden Lichtern und Neonröhren des Italieners Lucio Fontana (1899–1968) sind lediglich drei Beispiele. Die *Surrealisten mit ihrem Gespür für Theatralik waren besonders einflussreich. Von ihnen stammte die Idee der Installation als kreatives Konzept einer Ausstellung als Ganzes. In der Surrealisten-Ausstellung 1942 in New York konstruierte der Dadaist Marcel Duchamp ein Gespinst aus Fäden in den Räumen, in denen die Bilder hingen, *Mile of String* genannt, welches die aktive Mitarbeit der Besucher herausforderte. Duchamp war das große Beispiel eines Künstlers als Museumsdirektor und Zeremonienmeister, der Installationen seiner Werke bis ins Detail plante, einschließlich der

erst posthum 1969 im Philadelphia Art Museum gezeigten Ausstellung »Etant Donnés«.

Installationskunst umschloss rasch eine extrem divergierende Bandbreite an Werken, zum Beispiel temporäre Arbeiten wie die der Verpackungskünstler Christo und Jean-Claude (beide geb. 1935, siehe Nouveau Réalisme und Earth Art). Ein frühes Werk von Christo und Jean-Claude, *Rideau de Fer* (Eiserner Vorhang), war eine Antwort auf den Bau der Berliner Mauer (1961) und zeigte 240 leuchtend bemalte Ölfässer zu einer Barriere aufgerichtet, die die rue Visconti (Paris) absperrte. Nach der Wiedervereinigung der beiden deutschen Staaten konnten im Sommer 1995 ca. fünf Millionen Schaulustige den *Verhüllten Reichstag* drei Wochen lang bestaunen. Oft werden Installationen für bestimmte Ausstellungen gemacht, etwa die riesige Arbeit *Hon* (Sie, 1966) von Niki de Saint Phalle (siehe Nouveau Réalisme), Jean Tinguely (siehe Kinetische Kunst) und dem finnischen Künstler Per Olof Ultvedt (geb. 1927) für das Moderna Museet in Stockholm. Es handelte sich um eine zurückgelehnte, riesige schwangere Frau, zwischen deren Beinen die Besucher, von Hostessen willkommen geheißen, in ihr Inneres gingen, in dem ein Kino, eine Bar und eine Ecke für Liebende eingerichtet waren. Auch Künstler, die sich mit *Video- oder *Klangkunst beschäftigen oder der Konzeptkunst zuneigen, wie Gabriel Orozco (geb. 1962) und Juan Muñoz (1953–2001), machten Installationen. Sie können autobiografisch sein, wie die Werke von

Marcel Duchamp, *Mile of String*, 1942
Das Werk war bei der Surrealismus-Ausstellung in New York installiert. Frühe Beispiele der Installationskunst (obwohl der Begriff erst in den 1960er-Jahren geprägt wurde) waren oft inszenierte Eingriffe in eine Kunstumgebung und dadurch notwendigerweise zeitlich begrenzt.

Tracey Emin (geb. 1963), oder im Gedenken an das erfundene Leben von anderen geschaffen sein, wie die Werke von Christian Boltanski (geb. 1944), Sophie Calle (geb. 1953) und Ilya Kabakow (geb. 1933). Es können auch Interventionen in architektonische Räume sein, wie die Einschnitte in Gebäude (Building Cuts) von Gordon Matta-Clark (1943–1978).

Seit den 1970er-Jahren haben kommerzielle Galerien und alternative Ausstellungsräume überall in der Welt die Installationskunst gezeigt, darunter die Galerie De Appel in Amsterdam, New Yorks PS1 Museum, Pittsburghs Mattress Factory und die Matt Gallery in London. Auch größere Museen wie das Museé d'Art Contemporain in Montréal, das Museum of Modern Art in New York, das Museum of Contemporary Art in San Diego und die Royal Academy of Art in London haben wichtige Ausstellungen der Installationskunst abgehalten; 1990 eröffnete das Museum of Installation in London.

Oben: Barbara Kruger, *Ohne Titel*, 1991
Kruger benutzt Plakate und Plakatwände für ihre umfassenden Montagen von Wörtern und Bildern, die vorherrschende Meinungen herausfordern und auseinandernehmen. Ihre Werke fordern den Betrachter zum Nachdenken auf.

Gegenüber: Maurizio Cattelan, *La Nona Ora*, 2000
Das Werk löste einen Sturm der Empörung aus, als es im Jahr 2000 in der Schau »Apocalypse« in der Royal Acadamy in London ausgestellt wurde. Es zeigt eine Wachsfigur von Papst Johannes Paul II., niedergestreckt von einem Meteoriten (oder »der Hand Gottes«).

Installationen können an einen bestimmten Raum gebunden sein (siehe Site Works) oder die Lokalität wechseln. *La Nona Ora* (Die neunte Stunde, 1999) von Maurizio Cattelan (geb. 1960) war ursprünglich für eine Museumsausstellung in Basel gedacht, wurde im folgenden Jahr in der Royal Academy of Art in London ebenso wirkungsvoll für die Ausstellung »Apocalypse« rekonstruiert. Der Humor, das Pathos und die Zweideutigkeit der lebensgroßen Wachsfigur, die durchgeschlagene Decke, der rote Teppich und das samtene Absperrungsseil überstanden die Verlagerung und warfen auch am neuen Ort die Fragen bezüglich blinden Glaubens, der Natur von Wundern und der Macht und Erhöhung durch die Religion (und die Kunst) auf. In derselben Ausstellung beschäftigte sich *Shelter* (1999) von Darren Almond (geb. 1971) ganz konkret mit einer anderen Lokalität: Auschwitz. Die plastische Nachbildung der originalen Bushaltestellen außerhalb der Gefangenenlager wurden dort aufgestellt, während das Original zu einer Ausstellung nach Berlin gebracht wurde – als Erinnerung an die Kontinuität der Alltagsroutine außerhalb eines Ortes, an dem die größte Tragödie des 20. Jahrhunderts stattgefunden hat. Für aktivistische Künstler wie Robert Gober (geb. 1954), Mona Hatoum (geb. 1952) und Barbara Kruger (geb. 1945, siehe auch Postmoderne) erwies sich die Installation als äußerst potentes Genre. Krugers Installation in der Mary Bonne Gallery in New York, 1991, bedeckte Wände, Decke und Boden mit Texten und Bildern über

Gewalt gegen Frauen und Minderheiten in einem die Besucher umschließenden und anklagenden Environment.

Während der 1980er und 1990er-Jahre begannen Künstler, die Medien und Stile innerhalb der Installationen zu mischen. Auf den ersten Blick scheinen sie aus unverbundenen Einzelteilen zu bestehen, doch ein zentrales Thema hält sie zusammen. Der Kanadier Claude Simard (geb. 1956) stellt figurative Gemälde, Skulpturen, Objekte und Elemente der Performance in einer Installation zusammen. Während er die Unabhängigkeit von aller Verpflichtung gegenüber einem bestimmten Stil oder Medium zur Schau stellt, die eines Duchamp wert gewesen wäre, benutzt er alle nötigen und möglichen Mittel, um sein Projekt der Erinnerung, Identität, Autobiografie und Geschichte zusammenzustellen. In seinem 1996 verfassten Artikel »The Web of Memory« (Das Netz der Erinnerung) schrieb er, seine Kunst sei eine Serie von Erdachtem, um seine Erinnerungen auszulöschen, zu verhöhnen und neu zu interpretieren. Installationen im Musée d'Art Contemporain de Montréal, Quebec (1998) und in der Jack Shainman Gallery in New York (1999) bestanden aus einzelnen, jedoch miteinander in Beziehung stehenden Stücken und waren so, wie ein Kritiker anmerkte, »ein

Museum der Psyche« – der Psyche nicht nur von Simard, sondern auch des kleinen ländlichen Städtchens in Quebec, in dem er aufwuchs.

Zur Jahrtausendwende hat sich die Installationskunst fest als wichtiges Genre etabliert. Viele Künstler schaffen Werke, die als Installationen bezeichnet werden können, denn seit die Praxis der Installation, ihre Flexibilität und die Variationsbreite der zugerechneten Werke gewachsen sind, gilt der Terminus als generelle und weniger als spezifische Bezeichnung.

Claude Simard, Installation in der Jack Shainman Gallery, New York 1999
Simards Installation präsentiert eine Ansammlung von Objekten, Gemälden und Skulpturen (geschnitzte Holzplastiken, Porträtbüsten, Marionetten, digitale Fotografien, Platten, Sonnenblumen), um die Themen Erinnerung und Identität auszuloten.

Wichtige Sammlungen
Hamburger Kunsthalle, Hamburg
Kemper Museum of Contemporary Art, Kansas City, Missouri
The Mattress Factory, Pittsburgh, Pennsylvania
Saatchi Collection, London
Solomon R. Guggenheim Museum, New York
Tate Gallery, London

Weiterführende Literatur
N. De Oliveira, N. Oxley und M. Archer, *Installation Art* (London, 1994)
Blurring the Boundaries. Installation Art 1969–96 (Ausst.-Kat., Museum of Contemporary Art, San Diego, Kalifornien, 1997)
J. H. Reiss, *From Margin to Centre: The Spaces of Installation Art* (Cambridge, MA, 1999)

Hyperrealismus

Ich will mit dem Bild umgehen, das sie [die Kamera] geliefert hat, ... ein Bild, das zweidimensional und mit Oberflächendetails beladen ist.

CHUCK CLOSE, 1970

Der Hyperrealismus war keine definierte Bewegung und erhielt eine Reihe anderer Namen, darunter Fotorealismus, Superrealismus und Sharp-Focus-Realism. Hierbei handelt es sich um eine besondere Art von Gemälden und Plastiken, die in den 1970er-Jahren besonders in den USA prominent waren. Während die Abstraktion, der *Minimalismus und die *Konzeptkunst in Hochblüte standen, schufen einige Künstler illusionistische, deskriptive, gegenständliche Gemälde und Plastiken. Die meisten Gemälde sind Kopien von Fotografien, und viele Skulpturen entstanden nach Körperabgüssen. Damals waren die Werke bei Händlern, Sammlern und dem Publikum sehr beliebt, viele Kritiker lehnten sie dagegen als rückschrittlich ab. Im Laufe der Zeit wurde es leichter, die Eigenschaften des Hyperrealismus zu erkennen – die charakteristisch kühle, unpersönliche Erscheinung, die Beschäftigung mit allgemeinen oder industriellen Themen bringen den Hyperrealismus in Verbindung mit Strömungen wie *Pop Art und Minimalismus. Die große Aufmerksamkeit, die dem Detail gewidmet wird, die hohe handwerkliche Qualität und die beinahe wissenschaftliche Annäherung an den Gegenstand Kunst haben Vorläufer im *Präzisionismus und *Neo-Impressionismus. Der Hyperrealismus zeigt, was die Malerei seit dem *Impressionismus dem Einfluss der Fotografie verdankt.

Die wichtigsten Vertreter des Hyperrealismus in der Malerei waren der in den USA lebende Engländer Malcolm Morley (geb. 1931), die Amerikaner Chuck Close (geb. 1940), Richard Estes (geb. 1936), Audrey Flack (geb. 1931), Ralph Goings (geb. 1928), Robert Cottingham (geb. 1935), Don Eddy (geb. 1944), und Robert Bechtle (geb. 1932), der britisch-amerikanische Künstler John Salt (geb. 1937), die Deutschen Gerhard Richter (geb. 1932) und die Mitglieder der Gruppe Zebra in Hamburg Dieter Asmus (geb. 1939), Peter Nagel (geb. 1942), Nikolaus Störtenbecker (geb. 1940) und Dietmar Ullrich (geb. 1940).

Richard Estes, *Holland Hotel*, 1984
Estes Werke entstehen aus mehreren, aus verschiedenen Winkeln aufgenommenen Fotografien, so dass ein Bild von einheitlicher Tiefenschärfe entsteht, das »wahrer« wirkt als die Fotografie. Der Spiegelhallen-Effekt der reflektierenden Glasscheiben verwirrt die Raumwahrnehmung.

doch individuelle Vorlieben für bestimmte Techniken und Themen. Malcolm Morley, der 1965 den Begriff »Superrealism« prägte, malte fotografiegleiche Bilder von dem wohlhabenden Mittelstand und von Ozeanriesen wie *SS Amsterdam in Front of Rotterdam* (1966). Viele seiner Motive stammen von Postkarten, Schnappschüssen, Reiseplakaten und -katalogen. Oft fügte er sie in weiße Rahmen ein, um auf die Herkunft des Motivs zu verweisen und so den »artifaktualistischen« Effekt zu verstärken.

Der wohl bekannteste Hyperrealist ist Chuck Close. Die riesigen, reklametafelgroßen Porträts seiner Freunde und von ihm selbst sind weltberühmt. Close schuf diese Bilder mit der Airbrushtechnik und einem Minimum an Farbpigment, um eine glatte, fotografiegleiche Oberfläche zu erzielen. Die in diesem Prozess den Details geschenkte äußerste Sorgfalt und Aufmerksamkeit wird an Hautporen und feinsten Härchen sichtbar, aber auch an den leicht unscharfen Stellen der Fotovorlage. Die Kombination von Übergröße und »unpersönlicher« Technik lässt Bilder entstehen, die zugleich intim, monumental und unverwechselbar Close-Gemälde sind.

In Richard Estes' Bildern hingegen kommen kaum direkt dargestellte Gestalten vor, ihre Gegenwart wird impliziert durch Gegenstände und die städtische Umgebung oder durch ihre Spiegelbilder in Schaufenstern – ein Markenzeichen seiner Werke. Anders als die meisten anderen Hyperrealisten arbeitet Estes nach mehreren Fotografien desselben Motivs. Indem er die verschiedenen Blickwinkel kombiniert, schafft er Bilder von einheitlicher Tiefenschärfe, die »wirklicher« erscheinen als die Fotos. Der Spiegelhallen-Effekt, hervorgerufen durch die sich gegenseitig reflektierenden Glasscheiben, verwirrt die Raumwahrnehmung des Betrachters und wirft die Frage auf, was real und was Realität ist. Auch in Ralph Goings glänzenden Bildern der Highway-Kultur und der Massenprodukte – Autos, Lastwagen, Trucks, Speisewagen und Wohnmobile – fehlt es an menschlicher Präsenz, und so verbreiten sie eine Öde und Einsamkeit, die an Edward Hopper erinnern.

Audrey Flack ist bekannt für ihre Betonung der Vanitas in Bildern, die nicht die Neutralität von Fotografien besitzen, sondern im Gegenteil ihre emotionalen, nostalgischen und symbolischen Assoziationen gezielt ausnutzen. Ihre komplizierten Stillleben in lebhaften Farben, die oft Objekte zeigen, die mit weiblicher Eitelkeit aber auch Gemahnungen an den Tod in Verbindung gebracht werden, sind Meditationen über Narzissmus und Materialismus.

Gerhard Richters »Fotogemälde« basieren auf »gefundenen« Fotos aus Zeitungen und Zeitschriften oder eigenen Schnappschüssen.

Diese Künstler arbeiteten auf unterschiedliche Weise und porträtierten unterschiedliche Objekte – Menschen, Landschaften, Stadtlandschaften, Vorstädte, Gegenstände und Angehörige des Mittelstandes in ihrer Freizeit. Obwohl ihre Technik damals als anonym und mechanisch eingestuft wurde, tragen ihre Werke bei genauerer Betrachtung eine ebenso individuelle Handschrift wie expressionistische Kunstwerke.

Die Art und Weise, wie diese Werke die Aufmerksamkeit darauf lenken, welchen Einfluss die Medien – Fotos, Reklame, Film und Fernsehen – auf unsere Wirklichkeitswahrnehmung haben, macht sie so neu und so typisch für ihre Zeit. Vor allem die Gemälde entstanden nicht in direkter Auseinandersetzung mit der Wirklichkeit, sondern mit Abbildern dieser Wirklichkeit, was die Frage nach Wirklichkeit und Künstlichkeit aufkommen lässt. Ein hyperrealistisches Gemälde ist kein Abbild des Lebens, sondern zweimal gefilterte Realität – das Bild von einem Bild des Lebens. Diese doppelte Täuschung, kombiniert mit der oftmals überwältigenden Intensität der Details, verleiht den Werken eine besonders unwirkliche oder surrealistische Qualität. Dies veranlasste den amerikanischen Kunsthistoriker und Kritiker William Seitz, »Artifaktualismus« als geeigneteren Begriff vorzuschlagen.

Obwohl man die Werke der Hyperrealisten zu einer Einheit zusammenfassen kann, zeigt die genauere Beschäftigung mit ihnen

Oben: **John Ahearn, *Veronica and her Mother*, 1988**
Ahearns Skulpturen, Porträts der Bewohner der South Bronx, New York, werden manchmal vor den dortigen Hauswänden aufgestellt. »Der Grundstein für die Arbeit ist eine Kunst, die eine populäre Basis hat, nicht nur im Gefallen, sondern auch in der Herkunft und der Bedeutung ... Sie kann hier etwas bedeuten und ebenso im Museum.«

Gegenüber: **Chuck Close, *Mark*, 1978–1979**
Close schuf seine Bilder, indem er ein Raster über die Fotos legte und dann Feld um Feld mit Airbrush-Technik und einem Minimum an Farbpigment übertrug, um ein glatte fotoähnliche Oberfläche zu erzielen.

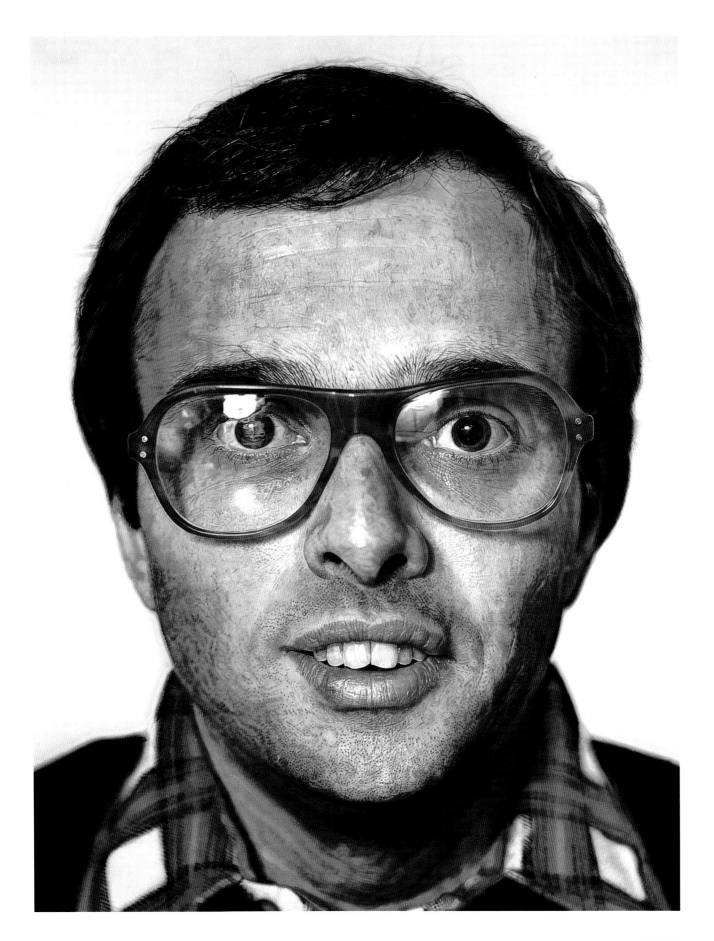

Er überträgt sie auf Leinwand und verwischt sie mit trockenem Pinsel, um ihre Körnigkeit zu übertragen und ganz bewusst die Mängel der Amateurbilder herauszuarbeiten. Seine weichgezeichneten romantischen Bilder von Landschaften, Figuren, Inneinrichtungen, Stillleben und Abstraktionen scheinen Malerei und Fotografie, Abstraktion und Illusion miteinander versöhnen zu wollen und die Aufmerksamkeit darauf zu lenken, wie Malerei und Fotografie unsere Wahrnehmung der Realität und der Vergangenheit färben.

Hyperrealistische Techniken wurden auch auf die Plastik angewendet. Eine Kritik lautete, die Abstraktion sei schon oftmals unter Beschuss geraten, doch nie so umfassend. Sie bestätigt den Einfluss der »veristischen Skulpturen« der Amerikaner Duane Hanson (1925–1996) und John De Andrea (geb. 1941). Beide Bildhauer arbeiteten nach der Natur, doch während Andreas nackte Frauen junge, attraktive Ideale sind, stellen Hansons Arbeiten verschiedene Typen des durchschnittlichen Amerikaners eher bloß als dar. Seinen Figuren liegen direkte Körperabformungen aus Polyesterharz und Fiberglas zugrunde, und sie tragen echte Kleidung.

Auch die amerikanischen Bildhauer John Ahearn (geb. 1951) und Rigoberto Torres (geb. 1962) und der in London lebende Australier Ron Mueck (geb. 1958) könnten als Hyperrealisten bezeichnet werden. Ahearn und Torres Skulptur-Relief-Porträts von Bewohnern der südlichen Bronx in New York sind mit Fiberglas ausgegossene Abdrücke aus Kunststoff, die sie von Charakterköpfen ihrer Nachbarschaft gemacht und dann bemalt haben. Sie werden nicht nur in Galerien ausgestellt, sondern auch an den Hauswänden der Nachbarschaft angebracht.

Während Ahearns und Torres' Plastiken ganz bestimmte Menschen in einer bestimmten Zeit an einem bestimmten Ort darstellen, erforschen Muecks Skulpturen Stereotypen. Ihnen liegen keine Abdrücke zugrunde, sondern Tonmodelle, die er zunächst von Freunden und Verwandten geschaffen hat. Auf unheimliche Weise lebensecht, besitzen die Figuren emotionale Qualitäten und geben dem Betrachter das Gefühl, Alice im Wunderland oder Gulliver zu sein. *Ghost* (Geist, 1998), die Darstellung eines jungen, vorpubertären Mädchens in einem ausgebeulten, schlecht sitzenden Badeanzug, macht sehr einprägsam deutlich, welche peinliche Unbeholfenheit und Unsicherheit ein heranwachsendes Mädchen durchleben kann.

Wichtige Sammlungen

Fine Arts Museum of San Francisco, San Francisco, Kalifornien
National Gallery of Scottland, Edinburgh, Schottland
Tate Gallery, London
Whitney Museum of American Art, New York

Weiterführende Literatur

C. Lindey, *Superrealist Painting and Sculpture* (1980)
L. K. Meisel, *Photo-Realism* (1980)
M. Morley, *Malcolm Morley* (Ausst.-Kat., Tate Gallery, Liverpool, England, 1991)
J. Poetter (Hrsg.), *Chuck Close, Retrospektive* (Ausst.-Kat., Staatl. Kunsthalle, Baden-Baden, 1994)
Th. Buchsteiner, Otto Lenze, Duane Hanson, *More than realitiy* (Ausst.-Kat., Schirn-Kunsthalle, Frankfurt a. M., 2001)

▌Anti-Design

Wir sind entschlossen, das verrottende Bauhausimage zu übergehen,
das eine Beleidigung des Funktionalismus darstellt.

ARCHIGRAM, 1961

Anti-Design, Radikales Design oder Kontra-Design sind Begriffe, die verwendet werden, um eine Reihe von Vertretern einer »alternativen« Architektur und Designpraxis der 1960er- und 1970er-Jahre zu beschreiben, darunter vor allem die britische Gruppe Archigram und die italienischen Studios Archizoom und Superstudio. Wie ihre Zeitgenossen lehnten auch die Anti-Designer die Prinzipien des Modernismus ab, vor allem die Erhebung der ästhetischen Funktion eines Objekts über dessen gesellschaftliche oder kulturelle Rolle. Indem sie Konventionen des Designs infrage stellten und den Einfluss der Wirtschaft und der Politiker herausforderten, widmeten sie sich den Bedürfnissen des Individuums in radikal visionärer Weise.

Zur ersten dieser Gruppen, Archigram (1961–1974), gehörten die jungen, in London lebenden Architekten Peter Cook (geb.

1936), David Greene (geb. 1937), Michael Webb (geb. 1937), Ron Herron (1930–1994), Warren Chalk (geb. 1927) und Dennis Crompton (geb. 1935). Der Name, eine Zusammenziehung aus Architektur und Telegramm, sollte den Gedanken einer dringenden Nachricht an eine neue Generation transportieren. Die Gruppe hatte ihre Vorläufer in den utopischen Visionen der Pioniere des Modernismus, wie Bruno Taut und seiner Gläsernen Kette (siehe Arbeitsrat für Kunst). Eine Reihe von zeitgenössischen Entwicklungen, vor allem Reyner Banhams Buch *Theory and Design in the First Machine Age* (Theorie und Design im ersten Maschinenzeitalter, 1960) und U. Conrads und H. G. Sperlichs *Phantastische Architektur* sowie Constants Vision von der neuen Stadt (siehe Situationistische Internationale) und Richard Buckminster Fullers

innovative Anregungen in Bezug auf Reisen und Wohnen (siehe Neo-Dada), verliehen ihren Ideen Schwung. Aus diesen Einflüssen schöpfend integrierte Archigram Konzepte wie Entwicklungsfähigkeit, Recycling, Mobilität und individuelle Entscheidung in seine Pläne des Zweiten Maschinenzeitalters. Da sie weder Bauunternehmer noch Banker von der Wirtschaftlichkeit ihrer Zukunftsvisionen (eine mobile Welt, technisch-technologisch und arkadisch) überzeugen konnten, beschränkten sich ihre Aktivitäten auf Zeichnungen, Pläne und Modelle. Doch Projekte wie *Living City* (1963), *Plug-in City* (1964–1966) und *Cushicle* (ein aufblasbarer Anzug mit eingebauter Wasser- und Lebensmittelversorgung, Radio und Fernsehen, 1966–1967) wirkten weltweit inspirierend und setzten etwas in Gang, was der Schriftsteller Michael Sorkin als einen Trend beschrieb, der wieder »Fun« (Spaß) in die Funktion bringe.

Die italienischen Architektengruppen Archizoom (die sich als Hommage an Archigram so bezeichnete) und Superstudio wurden beide 1966 in Florenz gegründet. Zu den Mitgliedern von Archizoom gehörten Andrea Branzi (geb. 1939), Gilberto Corretti (geb. 1941), Paolo Deganello (geb. 1940), Dario und Lucia Bartolini und Massimo Morozzi. Zu Superstudio (1966–1978) gehörten Cristiano Toraldo di Francia, Alessandro und Roberto Magris, Piero Frasinelli und Adolfo Natalini (geb. 1941). Ettore Sottsass (siehe Postmoderne) und Joe Colombo (1930–1971) waren ebenfalls wichtige Persönlichkeiten des italienischen Anti-Design. Indem sie sich vieler Stile (*Pop Art, Kitsch, *Art Déco und *Art Nouveau) bedienten, entwarfen sie Möbel, die teilweise so spielerisch respektlos waren wie der nicht benutzbare Mies-Stuhl (1969), und stellten somit die Vorstellungen von »gutem Design« und »gutem Geschmack«, die im Italien der 1950er-Jahre verbreitet waren (siehe

Organische Abstraktion), radikal infrage. Auch entwarfen sie Pläne für flexible Städte der Zukunft, in denen die neue Technologie die nomadische Bevölkerung von den Fesseln der Lohnarbeit befreit.

Alle drei Gruppen lösten sich während der 1970er-Jahre wieder auf, teils der wirtschaftlichen Rezession wegen, teils aus Enttäuschung über den Missbrauch der neuen Technologie. Die Begeisterung für Experimente und technologische Innovationen zeigte sich in den Werken der *High-Tech-Bewegung, und auch die Postmoderne folgte ihrer Ablehnung des orthodoxen Modernismus. Eine verstärkte Konzentration auf die Dynamik der städtischen Umgebung ist typisch für viele zeitgenössische Architekten wie den Niederländer Rem Koolhaas (geb. 1944). Der Einfluss der ersten Anti-Designer macht sich in jüngsten Arbeitsgemeinschaften bemerkbar, die sich mit städtischen Regenerationsprojekten befassen, etwa die nur aus Frauen bestehende Londoner Gruppe Muf (gegr. 1993) und die niederländische Gruppe West 8 (gegr. 1987). Die Herausforderung, der sich zeitgenössische Designer und Stadtplaner gegenübergestellt sehen, ist nicht allein eine Frage des formalen Designs, sondern die Frage, wie der natürliche Bewegungsfluss in öffentlichen Räumen und Plätzen erleichtert oder choreografiert werden kann, und das ist vielleicht das wichtigste Erbe des Anti-Designs.

Wichtige Sammlungen
FRAC Centre, Orléans, Frankreich
Malaysian Exhibition, Commonwealth Institute, London
Museum of Modern Art, New York

Weiterführende Literatur
P. Cook (Hrsg.), *Archigram* (Basel, 1991)
R. Herron, *Die Visionen des Ron Herron* (Berlin, 1995)
B. Lootsma, *SUPERDUTCH: New Architecture in the Netherlands* (2000)
D. A. Mellor und L. Gervereau (Hrsg.), *The Sixties, Britain and France, 1962–1973: The Utopian Years* (1996)

Ron Herron, *The Walking City Project*, 1964
Wie die nicht realisierbaren Projekte der Architekturen des frühen 20. Jahrhunderts scheinen auch die mobilen Städte des Weltraumzeitalters des Archigram-Designers Herron eine Technologie des Überlebens darzustellen, denn seine riesigen, ausgeklügelten Kapseln bewegen sich hier wie durch die Ruinen einer Stadt nach einem Atomschlag.

Supports-Surfaces

Das Wichtige ist nicht die Form, sondern die Idee, der Geist der Abstraktion.

NOËL DOLLA, 1993

Supports-Surfaces (Bildträger/Bildfläche) war eine Gruppe junger französischer Künstler, die zwischen 1966 und 1972 zusammen ausstellten, zu einer Zeit also, als es für Frankreich und seine Kolonien zu gewaltsamen politischen Veränderungen kam. Dem revolutionären gesellschaftlichen Wandel verschrieben (die meisten Mitglieder waren Maoisten), reduzierten sie den Malakt auf das Wesentliche, die Leinwand und den Spannrahmen; sie wollten das Werk dem Griff des Kunstmarkts entwinden und die Kunst ihrer symbolischen und romantischen Qualitäten entkleiden.

Für ihre Werke verwendeten sie ungewöhnliche Materialien wie Kiesel, Steinbrocken, Wachstuch und Pappe. Sie verbanden die Farbe direkt mit dem Bildträger, sei es Leinwand oder Rahmen, sie rollten, falteten, verpackten, zerbrachen, verbrannten oder färbten ihre Werke oder setzten sie der Sonne aus, und wenn sie sie in Ausstellungen präsentierten, so legten sie sie direkt auf den Fußboden oder hängten die Leinwände ohne Spannrahmen an die Wände.

Die wichtigsten Mitglieder der Gruppe waren Daniel Dezeuze (geb. 1942), Patrick Saytour (geb. 1935) und Claude Viallat (geb. 1936), denen sich bei Ausstellungen zahlreiche junge französische Künstler anschlossen: François Arnal (geb. 1924), Pierre Buraglio (geb. 1939), Louis Cane (geb. 1943), Marc Devade (1943–1983), Noël Dolla (geb. 1945), Toni Grand (geb. 1935), Bernard Pagès (geb. 1940), Jean-Pierre Pincemin (geb. 1944) und Vincent Bioulès (geb. 1938), der anlässlich einer 1970 im ARC (Animation, Recherche, Confrontation), Musée d'Art Moderne de la Ville de Paris abgehaltenen Ausstellung der Gruppe ihren Namen gab.

Teil ihres Projektes war es, die Kunst zu entmystifizieren und den Menschen näher zu bringen. Mit sachlichen Worten beschrieb Claude Viallat die Arbeit der Künstler: »Dezeuze malte auf Spannrahmen ohne Leinwand, ich malte auf Leinwand ohne Spannrahmen und Saytour malte das Bild des Spannrahmens auf die Leinwand.« Zu einer Zeit, als die Gegenständlichkeit als der Stil der revolutionären Politik angesehen wurde (siehe Sozialistischer Realismus), war die Bevorzugung der Abstraktion durch die Gruppe ungewöhnlich, ja bewusst provokativ. In gewisser Weise beanspruchten sie die utopische Agenda oder den »Geist« der Pioniere der Abstraktion (siehe beispielsweise Konstruktivismus, De Stijl und Konkrete Kunst) für sich zurück. Auch die formalistische Interpretation der modernistischen Kunst, wie sie von dem amerikanischen Kunstkritiker Clement Greenberg (siehe Nachmalerische Abstraktion) vorgetragen wurde, forderten sie heraus.

Wie viele Künstler der *Konzeptkunst und der *Arte Povera, die sich der Ausdrucksweise des *Minimalismus oder der formalistischen Kunst bedienten, um sie zu unterminieren, lehnten auch sie

die Vorstellung vom Künstler als einem »Genie«, oder von der Kunst als etwas »Besonderem«, das einer Elite vorbehalten sein soll, ab. Stattdessen brachten sie ihre Kunst zu den Menschen, indem sie viele Open-Air-Ausstellungen in kleinen Städten außerhalb der traditionellen Kunstkreise, vor allem in Südfrankreich, veranstalteten. Allerdings gaben sie sich nicht der Illusion hin, dass »die Leute« ihre Ziele leicht verstehen würden und bemühten sich deshalb sehr, ihre Theorien und Werke auch mit Plakaten und Abhandlungen zu erklären.

Indem sie auch andere Disziplinen wie die Linguistik und die Psychoanalyse einbezogen – »Wissenschaften, die sich nicht außerhalb der Ideologie stellen«, wie sie behaupteten – hofften die Künstler, dass auch die Malerei selbst, ihre Geschichte, ihre Materialien und Strukturen, einer kritischen Prüfung unterzogen würde. Ihre Zeitschrift *Peinture/Cahier théoriques*, die 1971 als Sprachrohr der Gruppe gegründet wurde, legte die Position der Gruppe theoretisch dar und rückte sie in die Nähe einiger Konzeptkünstler, vor allem derer, die der Gruppe Art & Language angehörten. Allerdings galt ihnen die Kunst gegenüber der Theorie nie als zweitrangig. In gewissem Sinne ist ihre Kunst eine Fusion aus formalistischer Verpflichtung gegenüber der »Malerei«, aus konzeptualistischer Verpflichtung gegenüber der »Idee« und einer sozialistischen Verpflichtung gegenüber politischer Veränderung.

Ausstellung in der Galerie Jean Fournier, 15.–22. April 1971
Dezeuze, Saytour, Valensi und Viallet wurden bei dieser Schau ausgestellt, die ihre Kunstfertigkeit und Konstruktionsfähigkeiten deutlich machte. Nicht alle Ausstellungen der Gruppe fanden in Galerien statt, tatsächlich war sie für ihre Freiluftpräsentationen bekannt.

Die Kombination aus hohen Erwartungen und divergierenden politischen Ansichten bedrohten den Zusammenhalt der Supports-Surfaces-Gruppe. Im Juni 1971 traten einige der Mitglieder aus, und die letzte Ausstellung der Gruppe fand im April 1972 in Straßburg statt. Trotz der kurzen Lebensdauer der Gruppe hatte und hat Supports-Surfaces doch signifikanten Einfluss auf die französische Kunstszene. In den 1990er-Jahren verbreiteten sich ihre Ideen auch außerhalb Frankreichs und 1998 war ihr Werk Teil einer größeren Ausstellung im Guggenheim Museum in New York. Im Rahmen einer Wanderausstellung kamen ihre Werke zum Palazzo delle Esposizione in Rom (1999) und zum Pori Kunst Museum in Finnland (2000). Eine 1999 in Verbindung mit einer Konferenz organisierte Ausstellung in der Galerie Gimpel Fils in London brachte eine Reihe von Künstlern zusammen, die mithalfen, die Werke und Ideen einem neuen Publikum vorzustellen.

Wichtige Sammlungen

ARC, Musée d'Art Moderne de la Ville de Paris, Paris
Centre Georges Pompidou, Paris
Musée d'Art Moderne, Saint-Etienne, Frankreich

Weiterführende Literatur

D. A. Mellor und L. Gervereau (Hrsg.), *The Sixties, Britain and France, 1962–1973: The Utopian Years* (1996)
S. Hunter, »*Faultlines: Buraglio and the Supports/Surfaces – Tel Quel axis*«, *Parallax, vol. 4 no. 1* (January 1998)
M. Finch, »*Supports/Surfaces*«, *Contemporary Visual Art Magazine, no. 20* (1998)

Videokunst

*Wie die Collagetechnik das Ölbild ersetzt hat,
so wird der Kathodenstrahl die Leinwand ersetzen.*

NAM JUNE PAIK

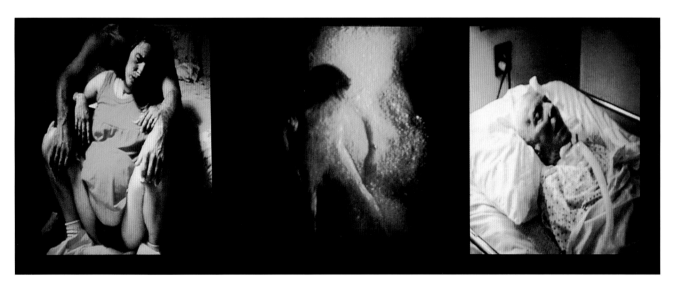

In den 1960er-Jahren, als die *Pop-Art-Künstler das Bildgut der Massenkultur in die Kunstgalerien brachten und andere Künstler Bewegung und Klang als Elemente der Kunst erprobten (siehe Kinetische Kunst und Klangkunst), wandte sich eine weitere Gruppe von Künstlern dem mächtigsten der neuen Massenmedien zu – dem Fernsehen. Seit 1959 begannen der *Fluxus-Künstler Wolf Vostell (1932–1998) und der in Korea geborene amerikanische Künstler und Musiker Nam June Paik (geb. 1932) das Fernsehen in ihre Installationen einzubeziehen. Die symbolische Geburt der Videokunst ereignete sich jedoch erst 1965, als Paik die neue Por-

tapak-Handvideokamera von Sony erstand. Die erste Generation der Videokünstler instrumentalisierte die reiche Syntax der TV-Sprache – Spontaneität, Unterbrechungen, Unterhaltung –, um die Gefahren darzulegen, die von einem kulturell so mächtigen Medium ausgehen.

Bill Viola, *Nantes Triptych*, 1992
Sowohl das Sujet – Geburt und Tod – als auch die Form des Triptychons sind von zentraler Bedeutung für die viele Jahrhunderte alte christlich-europäische Kunsttradition. Das Video rief sehr unterschiedliche Publikumsreaktionen hervor.

Eine Reihe von intellektuellen Trends beeinflussten die Entwicklung der Videokunst, und in Paiks Videos *Marshal McLuhan Caged* (1967) und *A Tribute to John Cage* (1973) erwies er zwei Persönlichkeiten seine Ehrerbietung. Der Avantgardekomponist John Cage (siehe auch Neo-Dada, Aktionskunst und Fluxus) gehörte zu den ersten, die sich für den Einsatz der neuen Technologien in der Kunst aussprach. Und der kanadische Autor Marshal McLuhan (1911–1980) legte in seinem Buch *Understanding Media: Extension of Man* (1964) dar, dass die Veränderung der Kommunikationsmittel auch die Wahrnehmung selbst von der rein visuellen hin zu einer multisensorischen verändert habe. Aufgabe der Kunst sei es nicht, Erfahrungen zu horten, sondern Gebiete zu erforschen, die sonst unsichtbar seien, schrieb er. Wie für William Blake, dessen Werk er zitiert, war auch für McLuhan Kunst eine Möglichkeit, alle menschlichen Fähigkeiten zu vereinen und die Einheit der Vorstellung anzustreben. »The Medium is the Message« (Das Medium ist die Botschaft), lautete seine berühmte Parole.

Die frühen Videokünstler verschmolzen globale Kommunikationstheorien mit Elementen der Massenkultur, um Videos, Ein- und Mehrkanal-Produktionen, internationale Satelliten-Installationen und Multi-Monitor-Skulpturen zu produzieren. Bei vielen seiner Arbeiten tat sich Paik mit anderen Künstlern zusammen, zum Beispiel mit der Avantgarde-Cellistin Charlotte Moorman (1933–1991). In *TV Bra for Living Sculpture* (1969) spielte Moor-

man Kompositionen von Paik und anderen, wobei sie einen »Büstenhalter« aus zwei Miniaturfernsehern trug, auf denen sich die Bilder mit den Tönen der Musik veränderten.

Gegen Ende der 1960er-Jahre begannen kommerziell arbeitende Galerien, die Videokunst zu unterstützen. 1969 fand in der Howard Wise Gallery in New York die bedeutende Ausstellung »TV as a Creative Medium« (TV als kreatives Medium) statt, die neben *TV Bra for Living Sculpture* Werke von Ira Schneider (geb. 1939), Frank Gillette (geb. 1941), Eric Siegel (geb. 1944) einschloss. Im Anschluss gründeten Paul Ryan (geb. 1944) und Howard Wise (1903–1989) die EAI (Electronic Arts Intermix), um den Künstlern eine Verbreitungsmöglichkeit für ihre Bänder zu eröffnen. Heute besitzt EAI eine der wichtigsten Sammlungen von Videokunst in den USA. Auch öffentliche Fernsehstationen, wie die Bostoner WGBH, unterstützten die Videokunst, und bald entwickelte sich eine schöpferische Beziehung zwischen Künstlern und kommerziellem TV. Viele Techniken und Spezialeffekte, die heute beim Fernsehen und bei Musikvideos Allgemeingut sind, wurden ursprünglich von Künstlern wie Paik und Dan Sandin (geb. 1942) erfunden. Sandin entwickelte 1973 den Sandin Image Processor (IP), der elektronisch die Videobilder verändert und die Dynamik der Farben prüft. Auch das Ehepaar Steina (geb. 1940) und Woody Vasulka (geb. 1937), die viele elektronische Hilfsmittel für die Künstler erfanden, darunter den Digital Image Articulator, gehörten zu

den frühen Videokünstlern und technischen Pionieren. Mit der Entwicklung neuer Produktionstechniken wurde die Videokunst immer ausgeklügelter.

Die Flexibilität des neuen Mediums und die Intimität, mit der es Fragen der weiblichen Identität beleuchten konnte, machte es für viele Frauen attraktiv, unter ihnen Dara Birnbaum (geb. 1946), Ana Mendieta (1948–1986), Adrian Piper (geb. 1948), Ulrike Rosenbach (geb. 1949) und Hannah Wilke (1940–1993). Die Aktionskünstlerin Joan Jonas (geb. 1936) erklärte, die Arbeit mit Video habe ihr ermöglicht, ihre eigene Sprache zu entwickeln. Sie habe regelrecht in das Video hineinklettern und es als räumliches Element erforschen können. Jüngere Videokünstlerinnen wie Pipilotti Rist (geb. 1962), Amy Jenkins (geb. 1966) und Alex Bag (geb. 1969) haben diese Tradition fortgesetzt. Mit ihrem *Video Turbulent* (1998) produzierte die Iranerin Shirin Neshat (geb. 1957) ein schmerzliches Zeugnis über den unterschiedlichen Status, den Männer und Frauen in ihrem Land haben.

Indem sie sich das Handwerkszeug der Informationstechnologie aneigneten, konnten die Videokünstler und -künstlerinnen die Autorität der Medienstereotypen bezüglich Geschlecht, Sexualität und Rasse unterwandern. Der amerikanische Künstler Matthew Barney (geb. 1967) befasste sich mit dem Thema männliche Identität und männliches Vergnügen und der Brite Steve McQueen (geb. 1966) lieferte eine sehr viel komplexere und einfühlsamere Darstellung des männlichen Schwarzen als die traditionellen zweidimensionalen Porträts, die man in den Massenmedien findet. Tatsächlich zog die Videokunst eine breite Palette von Ausübenden mit sehr unterschiedlichen Anliegen an, und sie umfasst sowohl die humorvoll-narrativen Sketche von William Wegman (geb. 1943), die gespiegelten architektonischen Environments von Dan Graham (geb. 1942), die verbal-visuellen Spiele von Gary Hill (geb. 1955) als auch die Nebeneinanderstellungen auf geteilten Bildschirmen des Kanadiers Stan Douglas (geb. 1960).

In den 1980er-Jahren richteten sowohl größere Museen als auch Universitäten rund um die Welt spezielle Abteilungen für Videokunst und andere neue Medien ein. Zugleich trat eine neue Generation von Videokünstlern hervor. Ihre Arbeit wurde immer ausgefeilter und damit änderte sich die Rolle des Künstlers ganz erheblich. Bei frühen Produktionen übernahm der Künstler oft die Rolle des Vorführenden oder des Kameramanns, jetzt nahmen die Künstler die Rolle der Produzenten oder Herausgeber ein und gaben

den Filmen erst in der Postproduktion Struktur und Bedeutung. Bill Viola (geb. 1951) stellte anspruchsvolle großformatige Videoinstallationen her, die oftmals sehr private Ereignisse und emotionale Erfahrungen wie Herzoperationen, Geburt und Tod zeigten.

Die Verbindung von Video und Computer, die sich seit den späten 1980er-Jahren zusammen mit anderen technologischen Fortschritten in der Produktion entwickelte, hat zur Schaffung einer größeren und komplexeren Videokunst geführt. Die Befreiung des Videos von der Blackbox ermöglichte Violas monumentale Projektionen und auch die innovativen Werke des Amerikaners Tony Oursler (geb. 1957), der unbelebte Objekte zum Leben erweckt, indem er sprechende Köpfe auf sie projiziert, die direkt mit dem Betrachter sprechen. Diese Werke können komisch, bissig und manchmal sehr beängstigend sein; so ist bekannt, dass seine sprechenden Stierhoden in der Ausstellung »Spectacular Bodies« (Spektakuläre Körper) in The Hayward Gallery in London (2000) vor allem viele Kinder sehr erschreckten. In *The Influence Machine*, einem noch ehrgeizigeren Projekt desselben Jahres, widmete sich Oursler mit seinen Projektionen der Außenwelt und verwandelte den Soho Square in London in eine »Psycho-Landschaft«. Sprechende Bäume und Gebäude, sprechende Köpfe, die in Rauchwolken erscheinen, Lichter, Geräusche und Schreckgespenster bewirken ein kraftvolles, vielfältiges Ergebnis.

Oben: Tony Oursler, *The Influence Machine*, 2000
Ourslers Freiluftprojektionen verwandelten den Soho Square in London in eine »Psycholandschaft«, die den »Geist« des Viertels mit sprechenden Bäumen und Gebäuden, sprechenden Köpfen im Stil des Zauberers von Oz, Lichtern, Klängen und Gespenstern beschwor, sodass die unheimliche Stimmung einer großen Séance entstand.

Gegenüber: Naim June Paik, *Global Groove*, 1973
»Ich mache die Technologie lächerlich«, sagte Paik. Videokünstler der ersten Generation wie er instrumentalisierten die reiche Syntax der TV-Sprache – Spontaneität, Unterbrechungen, Unterhaltung –, um die Gefahren bloßzulegen, die von einem kulturell so mächtigen Medium ausgehen.

Wichtige Sammlungen
Electronic Arts Intermix, New York
Museum of Modern Art, New York
Tate Gallery, London
Whitney Museum of American Art, New York

Weiterführende Literatur
W. Herzogenrath, *Videokunst in Deutschland, 1963–1982* (Stuttgart, 1982)
D. Hall und S. J. Fifer (Hrsg.), *Illuminating Video: An essential Guide to Video Art* (1990)
L. Zippay, *Artist's Video: An International Guide* (1992)
M. Rush, *New Media in Late 20th-Century Art* (1999)

Earth Art

Earth Art, manchmal auch Land Art oder Earthworks genannt, trat in den späten 1960er-Jahren als einer der vielen Trends in Erscheinung, die die Grenzen der Kunst bezüglich Materialien und Örtlichkeiten erweiterten. Anders als die *Pop Art, die sich unter Zurückweisung der Tradition der städtischen Kultur zuwandte, verließ die Earth Art die Stadt, um sich der natürlichen Umwelt zuzuwenden. Dies traf mit einem wachsenden Interesse an der Ökologie zusammen und mit der Erkenntnis der Gefahren, wie sie von Umweltverschmutzung und übermäßigem Konsumverhalten ausgehen. In den Worten eines Psychoanalytikers, der 1969 in *Art in America* zitiert wurde, war Earth Art die Manifestation des Wunsches, der Stadt zu entfliehen, da sie die Menschen auffresse, aber vielleicht auch ein Lebewohl an Raum und Erde, solange davon noch etwas übrig sei. In gewissem Sinne ist ein Großteil der Earth Art eine Art Bodenerhaltung, denn ein Stück Land, das zur Kunst erklärt wurde, ist vor Eingriffen sicher. Dahinter steht der Wunsch, nicht nur die Umwelt zu schützen, sondern auch den menschlichen Geist: Viele Werke beschworen ganz bewusst die Spiritualität archäologischer Fundplätze, etwa die Begräbnisplätze der amerikani-schen Urbevölkerung, Stonehenge, Kornkreise und die gigantischen Figurenhügel, die in die Hügellandschaften Englands geschnitten sind.

Viele Earth-Art-Künstler waren Briten und Amerikaner. Dabei macht sich bei den Briten eine starke mit der Landschaft verknüpfte Tradition bemerkbar, bei den Amerikanern der romantisierte Wilde Westen. In den USA, wo die Earth Art zunächst aufkam, waren die führenden Künstler Sol LeWitt (geb. 1928), Robert Morris (geb. 1931), Carl Ander (geb. 1935), Christo und Jean-Claude (beide geb.1935), Walter de Maria (geb. 1935), Nancy Holt (geb. 1938) und ihr Ehemann Robert Smithson (1938–1973), Dennis Oppenheim (geb. 1938), Richard Serra (geb. 1939), Mary Miss (geb. 1944), James Turrell (geb. 1943), Michael Heizer (geb. 1944) und Alice Aycock (geb. 1946). In Europa waren die britischen Künstler Richard Long (geb. 1945), Hamish Fulton (geb. 1946) und Andy Goldsworthy (geb. 1956) und der Niederländer Jan Dibbets (geb. 1941) berühmt.

Einige dieser Pioniere waren eng verbunden mit dem *Minimalismus. Tatsächlich könnte man Earth Art als eine Art Erweite-

rung des Minimalismusprojektes sehen; wo sich Minimalisten den Galerieräumen gegenüberstellten, konfrontierten sich Earth-Art-Künstler mit der Landschaft. Auch bedienen sich viele ihrer Arbeiten der geometrischen Sprache des Minimalismus, sei es in der Form gewaltiger Skulpturen in der Natur (wie Aycocks labyrinthähnliche Konstruktionen oder Holts architektonische Werke) oder monumentale Werke, die aus dem Land selbst skulptiert wurden (wie de Marias Schnitte in den Boden oder Heizers und Turrells Ausgrabungen). Andere Werke, die Fotografien, Diagramme, geschriebene Texte einsetzten, um die zeitlich begrenzten Interventionen zu dokumentieren, haben Ähnlichkeiten mit der *Konzeptkunst (de Maria, Dibbets, Fulton, Goldsworth, LeWitt, Long und Oppenheim). Wieder andere, die Interesse an der Rettung und am Recycling von Rohstoffen hatten, teilen ihre Thematik mit der Junk Art (siehe Assemblage) und *Arte Povera.

Oben: Robert Smithson, *Spiral Jetty*, 1970
Ein Pachtvertrag über 20 Jahre machte Smithsons berühmtestes Werk möglich, eine spiralig angelegte Straße aus schwarzen Basaltsteinen und Erde über den Wassern des Great Salt Lake in Utah, die durch Algen und Chemieabfälle rot gefärbt ist.

Gegenüber: Walter de Maria, *The Lightning Field*, 1977
Die dramatische Landschaft ist ein wesentlicher Bestandteil des *Lightning Field*, selbst ohne Blitze. Das Stück zeigt die Elementarkräfte der Natur, denn die Pfosten schimmern im frühen Morgenlicht und verschwinden im vollen Sonnenlicht des Mittags.

Mit der »Earth-Works«-Ausstellung 1968 in der Dwan Gallery in New York konnte sich die Earth Art als Bewegung etablieren. Von Smithson organisiert, schloss sie fotografische Dokumentationen von Projekten ein wie LeWitts *Box in a Hole* (1968) – das Begräbnis einer Metallschachtel im Boden von Visser House, Bergeyk, Niederlande – und de Marias *Mile Long Drawing* (1968) – zwei senkrechte Kreidelinien in der Mojave-Wüste in Kalifornien. Ihr folgte 1969 die »Earth«-Ausstellung des Cornell University Art Museums in Ithaca, New York. Die Galeriebesitzerin Virginia Dwan (siehe auch Pop Art) gehörte zu den ersten, die Earth-Art-Künstler unterstützte. Ohne ihre Hilfe hätten viele Earth-Art-Projekte nicht realisiert werden können. Seit 1974 förderte auch die Dia Arts Foundation (heute Dia Center for the Arts) viele Projekte.

Oft werden abgelegene Gebiete für die Earth Art gewählt. Dokumentationen der Wanderungen Richard Longs durch Lappland oder den Himalaja, wobei er Linien oder Hügel aus vorgefundenen Materialien wie Steinen und Holz konstruierte, laden den Betrachter ein, seine Reise durch die romantisch trostlosen Regionen in der eigenen Phantasie zu rekonstruieren. Da es in den USA besonders viele riesige, unberührte und unzerstörte Landschaften gibt, finden sich in den Wüsten, Bergen und Prärien des Südwestens der Vereinigten Staaten viele monumentale Werke. Heizer beispielsweise gab 1967 die Malerei auf, um, wie er sagte, in den Westen zu gehen, um jenen unberührten, friedlichen, religiösen Raum in der

Wüste zu finden, den Künstler immer in ihr Werk zu packen versuchten. Seit dieser Entschlussfassung hat Heizer, der aus einer Familie von Geologen und Archäologen stammt, viele berühmte Orte in Ägypten, Peru, Bolivien und Mexiko besucht. Er schuf *Double Negative* (1969–1970), einen Graben von etwa einem Kilometer Länge, ausgehoben aus dem Virginia River Mesa in Nevada, und das noch ehrgeizigere *City*, begonnen 1970, für das ihm Dwan das benötigte Land in einer abgelegenen Ecke in Garden Valley in Nevada kaufte. Die Fertigstellung der ersten Phase des Werks, *Complex One* (1972–1974) *Complex Two* (1980–1988) und Complex Three (1980–1999), beanspruchte fast 30 Jahre. Im Jahr 2000 begann Heizer mit der zweiten Phase.

Robert Smithsons berühmtestes Werk, *Spiral Jetty* (1970), ist auf einem verlassenen Industriegelände auf dem Great Salt Lake in Utah installiert. Finanziell von Dawn unterstützt, verwandelte er das durch Ölförderung zerstörte industrielle Ödland in das vielleicht berühmteste und romantischste aller Werke der Earth Art. Smithson war von der physikalischen Größe der Entropie oder der »umgekehrten Evolution« fasziniert, von den selbstzerstörerischen und selbstheilenden Prozessen in der Natur und den Möglichkeiten der Urbarmachung. *Spiral Jetty* ist ein Werk, in dem die Natur der Kunst dient, doch wird die Natur ohne weitere Intervention im Laufe der Zeit durch Erosion ihren Teil zurückgewinnen. Während der längsten Zeit seiner Existenz lag *Spiral Jetty* unter den fluktuierenden Wassern des Sees und erschien nur sporadisch an der Wasseroberfläche – es ist also fast nur durch Fotos und einen Film bekannt, der zu Beginn seiner Existenz gedreht wurde.

Walter de Maria ist ein weiterer bahnbrechender Earth-Art-Künstler. 1977 gab das Dia Center for the Arts zwei seiner bekanntesten Werke in Auftrag, *The New York Earth Room* und *Light-*

Christo und Jeanne-Claude, *Wrapped Coast, Little Bay, Australia*, 1969
Rund 1000 Quadratmeter eines verwitterungsfesten Stoffs und 58 Kilometer Polypropylenseil waren für dieses Werk nötig. Die Küste blieb vom 28. Oktober 1969 an 10 Wochen lang verpackt, ehe die Materialien wieder entfernt wurden.

ning Fields. The New York Earth Room ist eine Innenraumskulptur aus 127 300 Kilogramm fruchtbarer schwarzbrauner Erde in einem makelosen städtischen weißgetünchten Galerieraum, die das Material und den stechenden Geruch des Landes in die Stadt trägt. *Lightning Fields* liegt dagegen im Freien auf einer von Bergen umgebenen Hochwüste in New Mexiko und besteht aus 400 Stahlpfählen, die so eingerammt sind, dass sie ein gleichmäßiges Raster von einem auf anderthalb Kilometer bilden. Die spitz zulaufenden Pfähle ziehen die Blitze der für diese Gegend typischen Sommerstürme an. De Maria zufolge ist »Isolation das Wesen der Land Art«.

Christo und seine Partnerin Jean-Claude arbeiten seit 1960 zusammen, um ihre monumentalen, zeitlich begrenzten ländlichen und städtischen Environment-Projekte zu verwirklichen (siehe Installation). Seit Beginn seiner Karriere war Christos großes Thema die Verpackung oder Abdeckung von Gegenständen, um sie so für eine gewisse Zeit äußerlich zu verändern. *Wrapped Coast – One Million Square Feet, Little Bay, Sydney, Australia* (1969), *Valley Curtain, Rifle, Colorado* (1970–1972), *Running Fence, Sonoma and Marin Counties Coast in California* (1972–1976), *Surrounded Islands, Biscayne Bay, Greater Miami, Florida* (1980–1983) und *The Umbrella, Japan-USA* (1984–1991) sind sämtlich berühmt für ihre massiven Bemühungen um Kooperation, die von der Finanzierung der Projekte (die Christos nehmen keine Aufträge an und finanzieren ihre Projekte durch den Verkauf von Zeichnungen und Modellen der Vorbereitung ihrer Projekte) über Verhandlungen zur Erlangung der gesetzlichen Erlaubnis bis zur endgültigen Ausführung reicht. Sobald die Projekte ausgeführt sind, existieren sie außerhalb des Marktes, denn sie können nicht ge- oder verkauft werden und sind für alle frei sichtbar.

Die an Konzeptkunst erinnernde und kurzlebige Natur eines großen Teils der Earth Art bedingt, dass sie oft nur durch Dokumentationen bekannt gemacht werden kann. Wegen der Abgelegenheit und der mangelnden Möglichkeit, die Werke zu erhalten, sind viele nur durch Fotos bekannt; inzwischen werden jedoch Maßnahmen ergriffen, die Werke zu erhalten.

Wichtige Sammlungen
Dia Center for the Arts, Beacon, New York
Tate Gallery, London

Wichtige Örtlichkeiten
Amarillo Texas, Smithson and Serra, *Amarillo Ramp*
Catron County, New Mexico, De Maria, *Lightning Fields*
Emmen, Niederlande, Smithson, *Broken Circle/Spiral Hill*
Far Hills, New Jersey, Aycock, *A Simple Network ...*
Garden Valley, Nevada, Heizer, *City*
Great Salt Lake, Utah, Smithson, *Spiral Jetty*
Overton, Nevada, Heizer, *Double Negative*
Sedona, Arizona, Turrell, *Roden Crater*

Weiterführende Literatur
A. Hoormann, *Land-Art* (Berlin, 1996)
B. A. Sonfist, *Art in the Land* (1983)

Site Works

Ich bin für eine Kunst ... die was anderes tut,
als in einem Museum auf ihrem Arsch zu hocken.

CLAES OLDENBURG, 1961

Seit den 1950er-Jahren schufen Künstler Werke, die ganz ausdrücklich mit ihrer Umgebung interagierten, indem sie diese Kunst aus dem Museum holten und in die Straßen oder die Landschaft brachten (siehe beispielsweise Fluxus, Konzeptkunst und Earth-Art). Während der 1960er-Jahre war von »site-specific« (ortsgebunden) die Rede, wenn Werke von *Minimalisten, Earth Art-Künstlern und Konzeptkünstlern beschrieben wurden, zu denen auch Hans Haacke (siehe Konzeptkunst und Postmoderne) und Daniel Buren (geb. 1938) gehörten.

Zur selben Zeit bildete sich eine gemeinschaftliche Kunstbewegung, die die Ansicht vertrat, Kunst solle allen zugänglich sein, nicht nur wenigen Privilegierten. Ein Jahrzehnt später begannen lokale und nationale Regierungen in Europa und den USA mit der Förderung öffentlicher Kunstprojekte. Obwohl in dieser Phase nicht alle Projekte im Zusammenhang mit ihrer unmittelbaren Umgebung stehen, weitete sich das Interesse am Ausstellungsgelände und seinem Kontext auf das Feld der öffentlichen Kunst aus und es entstanden eine wachsende Zahl von Werken im öffentlichen Raum. Ortsgebundene Werke (Site Works) beziehen den physischen Kontext ein, in dem sie stehen – seien es Museumsräume, städtische Plätze oder Hügel in der Landschaft –, die so einen integralen Teil des Werkes selbst bilden. In dieser öffentlichen Kunst gilt das Werk nicht länger als Monument, es ist vielmehr ein Mittel, den Ort zu transformieren, und die Betonung liegt auf der Zusammenarbeit bei den Projekten, die Künstler, Architekten, Mäzene und die Öffentlichkeit einschließt.

1977 gab das Programm Art-in-Architecture (Kunst in der Architektur) der United States General Services Administration, einer der größten Mäzene öffentlicher Kunst in den USA, bei dem *Pop-Art-Künstler Claes Oldenburg (geb. 1929) ein Werk in Auftrag, *Batcolumn,* ein im Zentrum von Chicago 30 Meter hoch in die Luft aufragender Baseballschläger aus Stahl. *Batcolumn* ist ein klassisches Beispiel für die Wirkungsweise der Site Works. Schon in rein praktischer Weise ist das Werk dem Ort, an dem es steht, hervorragend angepasst (durch die offene Gitterstruktur kann die Konstruktion den Windstößen der »Windy City« trotzen), zugleich spielt es auf das an, was man als den Charakter der Region bezeichnen könnte, die Stahlindustrie und die technischen Errungenschaften der

Richard Serra, *Tilted Arc,* Federal Plaza, New York, 1981
Serra selbst gab zu, dass sein Werk störend war, und zwar absichtlich: »Ich will das Bewusstsein des Betrachters auf die Realität der Zustände lenken, der privaten, öffentlichen, politischen, formalen, ideologischen, ökonomischen, psychologischen, kommerziellen, soziologischen und institutionellen.«

*Chicago School. Vom Konzept her erinnert *Batcolumn* nicht nur an die Begeisterung der Stadt für die beliebteste nationale Freizeitbeschäftigung – Baseball. Mit einem spöttischen Seitenhieb, wie er für Oldenburg typisch ist, gemahnt die Skulptur auch an den historischen Ruf der Stadt, gewalttätig und korrupt zu sein, denn der Schläger sieht einem Polizeiknüppel ähnlich.

War Oldenburgs *Batcolumn* ein Triumph für das Art-in-Architecture-Programm, so erwies sich *Tilted Arc* von Richard Serra (geb. 1939) als Desaster. Die riesige Stahlklinge, 3,6 Meter hoch, 36,5 Meter lang und 72 Tonnen schwer, wurde 1981 auf dem Foley Square in New York für den Komplex der Federal-Plaza-Gebäude errichtet. Im Verhältnis zum Aufstellungsort korrespondierte die elegante Kurve der Klinge mit dem dekorativen Design des Platzes selbst und lenkte die Aufmerksamkeit auf das uniforme Straßenraster Manhattans, doch von Anfang an war das Werk stark umstritten. Michael Brenson sah in der Verwendung des eher schmucklosen

Stahls einen Hinweis auf Schiffe, Autos und Züge und die Rolle, die der Stahl im Aufbau Amerikas spielte. Serra selbst wies darauf hin, dass es seine Absicht war, das Werk trotz seines enormen Gewichts schwerelos erscheinen zu lassen, die empfindliche Balance zwischen Skulptur und Raum sowie zwischen Skulptur und Betrachter darzustellen, die sich ununterbrochen ändere, wenn man um die Plastik herumginge. Doch die Plastik zu umrunden, war genau das Problem für die Besucher des Platzes. Da sich der Bogen über den Platz hinzog, mussten die Fußgänger in jedem Fall einen Umweg um den »eisernen Vorhang« machen. Es mag zwar Serras Absicht gewesen sein, den Gedanken an einen anderen Eisernen Vorhang zu wecken, doch es gab ärgerliche Proteste und trotz eines Gerichtsverfahrens, in dem Serra erklärte, eine Versetzung würde das Werk, wie es geplant und gedacht war, zerstören, wurde Tilted Arc schließlich 1989 in einer Nacht-und-Nebel-Aktion entfernt (ironischerweise im selben Jahr, in dem der »andere« Eiserne Vorhang, die Mauer in Berlin, fiel).

Obwohl die Kunstwelt über die Entscheidung, das Werk zu entfernen, empört war, gewann man doch wertvolle Erfahrungen über die Einbeziehung der Bevölkerung in Werke dieser Art. Während der 1980er-Jahre etablierten sich in Europa und den USA Agenturen, die Verhandlungen zwischen Künstlern, Architekten, Öffentlichkeitsvertretern, Behörden und Geldgebern möglich machten und die Benutzer öffentlicher Plätze befragten.

Auch Daniel Burens *Deux Plateaux* (1985–1986) im Hof des Palais Royal in Paris wurde zu Anfang wenig freundlich aufgenom-men. Als der revolutionäre Konzeptkünstler die Streifen, die als sein Markenzeichen von seinen temporären Installationen her bekannt waren, auf einen großen permanenten Standort übertrug, löste das sowohl bei den Progressiven Empörung aus als auch bei den Reaktionären, die sich gegen die Verunstaltung eines verehrten Gebäudes verwahrten. Inzwischen aber erkennt man Burens Werk an und begrüßt, dass ein hässlicher Parkplatz auf intelligente Weise umgestaltet wurde. Die gestreiften Säulenstümpfe, die sich über einem unterirdischen Kanal erheben, lenken den Blick zu den Säulen des Palais Royal, und bei Nacht erzeugen die roten und grünen Lichter den Effekt einer Startbahn, während blau fluoreszierende Lichter den Dunst beleuchten, der von unten aufsteigt.

In den letzten Jahren wurde Kunst im öffentlichen Raum in europäischen und US-amerikanischen Städten immer üblicher. 1997 war die Stadt Münster Gastgeber der Ausstellung »Skulpturen Projekte«, zu der über 70 internationale Künstler eingeladen waren,

Gegenüber: **Claes Oldenburg und Coosje van Bruggen,** *Batcolumn***, 1977**
Oldenburg bemerkte, dass ein auf den Kopf gestelltes Gebäude aussehen würde wie ein aufrecht stehender Baseballschläger. Batcolumn stülpt die Industriearchitektur der Region um und bildet so ein Symbol des Freizeitspaßes in Form eines Baseballschlägers.

Unten: **Daniel Buren,** *Deux Plateaux***, 1985–1986**
Freistehende Säulen verschiedener Höhe aus Zement und Marmor, Lichter und von unten aufsteigender künstlicher Luftstrom haben den Hof des Palais Royal verändert. Zunächst harsch kritisiert, liebt die Bevölkerung heute den umgestalteten Platz.

um die Stadt in einen Skulpturenpark zu verwandeln. In Großbritannien vervielfältigten sich die Projekte dank des Sponsorings der nationalen Lotteriegesellschaft. Hier stehen die Kunstwerke nicht in den großen Metropolen, sondern in Gebieten, die kulturell, industriell und politisch eine Herausforderung bieten. So steht beispielsweise Antony Gormleys (geb. 1950) *Angel of the North* (1998) auf einem Hügel oberhalb des früheren Zechengeländes der Kohlengruben von Gateshead im Nordosten von England. Aus 200 Tonnen Stahl bestehend, erhebt sich die Figur mit ihrer Flügelspannweite von 54 Metern 20 Meter hoch. Sowohl der Aufstellungsort der Figur – die Mine und der Hügel, der Gormley an einen »Megalithbau« erinnerte – als auch der Geist des Ortes – eine »Verherrlichung und Sichtbarmachung des Fleißes und der Industrie« – begründen den Erfolg dieses Monuments, das von der Bevölkerung angenommen wurde als ein Ort, den man gerne besucht, und als ein Zeugnis der Geschichte der Region und ihrer Menschen.

Wichtige Bauwerke

D. Buren, *Deux Plateaux*, Palais Royal, Paris
A. Gormley, *The Angel of the North*, Gateshead, England
C. Oldenburg, *Batcolumn*, Chicago, Illinois

Weiterführende Literatur

Barbara Oettl, *Schwere Kunst nach Maß. Betrachterfunktionen bei ausgewählten Blei- und Stahlskulpturen im Werk von Richard Serra* (Münster, 2000)
Florian Matzner (Hrsg.), *Public Art – Kunst im öffentlichen Raum* (Ostfildern, 2001)
Richard Serra Sculpture 1985–1998 (Ausst.-Kat., The Museum of Contemporary Art, Los Angeles, 1998)
G. Celant, *Claes Oldenburg and Coosje van Bruggen: Large-Scale Projects* (1995)
R. Serra, *Writings and Interviews* (1994)

Arte Povera

Der Drehschwindel der Iglus und der Früchte, der Flug von Steinen am blauen Firmament, das Verschmelzen von Eis und verrückter Farbe.

GERMANO CELANT, 1985

Arte Povera (arme Kunst) ist ein Begriff, den der italienische Museumsdirektor und Kunstkritiker Germano Celant (geb. 1940) 1967 prägte, um eine Gruppe von Künstlern zu beschreiben, mit der er seit 1963 zusammenarbeitete. Zu diesen Künstlern gehörten die Italiener Giovanni Anselmo (geb. 1934), Alighiero e Boetti (1940–1994), Pier Paolo Calzolari (geb. 1943), Luciano Fabro (geb. 1936), Mario Merz (geb. 1925), Marisa Merz (geb. 1931), Giulio Paolini (geb. 1940), Pino Pascali (1935–1968), Giuseppe Penone (geb. 1947), Michelangelo Pistoletto (geb. 1933), Gilberto Zorio (geb. 1944) und der in Griechenland geborene Jannis Kounellis (geb. 1936).

Der Name weist auf die bescheidenen (oder »armen«), unkünstlerischen Materialien hin, deren die Künstler sich für ihre *Installationen, *Assemblagen und Performances (siehe Aktionskunst) bedienten, nämlich beispielsweise Wachs, Kupfer, Granit, Blei, Terrakotta, Tuch, Neonröhren, Stahl, Plastik, Gemüse und sogar lebende Tiere. Man darf den Namen nicht zu wörtlich nehmen, denn viele der Materialien sind nicht billig und haben durchaus eine lange Tradition in anderen Disziplinen. Die Werke selbst

Gegenüber: **Michelangelo Pistoletto, *Goldene Venus der Lumpen*, 1967–1971**
Die Verschmelzung von klassischem und zeitgenössischem Bildgut, wie in diesem zweideutigen Werk Pistolettos, ist typisch für die Arte Povera, wirft es doch die Frage auf, ob die idealisierte, perfekte Vergangenheit der Farbe und dem Chaos der Gegenwart vorzuziehen sei.

Oben: **Mario Merz, *Iglu*, 1984–1985**
Aus verschiedenen Materialien aufgebaut (in diesem Fall Fensterglas, Stahl, Drahtnetz, Plexiglas und Wachs) erlauben die Iglus von Merz verschiedene Interpretationen. Germano Celant zufolge ist ein Merz-Iglu ein Schutz und eine Kathedrale gegen Kunstpolitik und stürmischen Wind.

sind oft vielschichtig, komplex, manchmal extravagant und häufig aus sinnlichen Materialien aufgebaut. Die Künstler stammen nicht aus den armen südlichen Regionen Italiens, sondern aus dem industrialisierten und wohlhabenden Norden und ihre Werke richten sich nicht gegen die Zustände, in denen die Armen leben, vielmehr beleuchten sie abstrakte Vorstellungen wie etwa die moralische Verarmung der Gesellschaft, die von der Gier nach materiellem Reichtum getrieben wird.

Germano Celant und die Künstler, zu deren Verfechter er sich machte, wuchsen in einer Zeit auf, in der sich in der Kunstwelt ein ökonomischer Boom und eine wachsende Kommerzialisierung breit machten. Es war eine hoch politisierte Zeit, vor allem was die Studenten- und Arbeiterrevolten der Jahre 1968 und 1969 angeht. Kounellis sagte dazu: »Schon 1962–63 waren wir 68er und 1968 waren wir schon etablierte Politiker.« Arte Povera war die italienische Antwort auf den vorherrschenden Zeitgeist; die Künstler erweiterten die Grenzen der Kunst, den Bereich der verwendbaren Materialien und sie hinterfragten die Natur und die Definition der Kunst selbst und ihre Rolle in der Gesellschaft. Sie teilten viele der Interessen anderer Bewegungen der Epoche wie *Neo-Dada, *Fluxus, *Aktionskunst und *Body Art.

Charakteristisch für die Werke der Arte Povera sind unerwartete Nebeneinanderstellungen von Objekten oder Bildern, der Gebrauch kontrastierender Materialien und die Verschmelzung von Vergangenheit und Gegenwart, von Natur und Kultur, von Kunst und Leben. Ein Dialog mit der Geschichte findet sich häufig. Pistolettos *Venus der Lumpen* (1967), die Plastikreproduktion einer antiken Venus von 180 Zentimetern Höhe, die vor einem Haufen von alten Lumpen steht, reflektiert sozusagen den Stoff der italienischen Gesellschaft, die die surrealistischen Nebeneinanderstellungen der Maler der *Pittura Metafisica kannte. Paolini und Kounellis nehmen alte Glaubensvorstellungen wie die der klassischen Griechen und Römer auseinander, um die symbolischen Bedeutungen und Assoziationen zu erforschen, die bis heute überlebt haben. Kounellis Ausstellung von 1969 in der Galleria l'Attico in Rom, in der er *Cavalli* (1969) zeigte – zwölf in den Galerieräumen angebundene lebendige Pferde –, dramatisierte die anhaltende Beziehung zwischen Natur (repräsentiert in den Pferden) und Kultur (Kunstgalerie), der Vergangenheit (Pferde als Symbol der Antike) und der Gegenwart (der weißen Galerie). Anselmos Assemblagen aus Gemüse und Granitblöcken enthüllen den Effekt verborgener Kräfte wie Schwerkraft und Verfall, die in den späten 1960er-Jahren, einer Zeit, die von wachsendem Umweltbewusstsein geprägt war, heftig diskutiert wurden. Fabros Serie *Italia* – Reliefkarten von Italien in unterschiedlichen Materialien wie vergoldete Bronze, Pelz oder Glas, die kopfüber aufgehängt wurden – lenkt die Aufmerksamkeit auf den ökonomischen und kulturellen Wohlstand Italiens und auf die verrückt gewordene »kopfstehende« Welt.

Mario Merz ist bekannt für seine Iglus, die er seit 1968 aus den unterschiedlichsten Materialien konstruiert hat. Sie werden auf unterschiedliche Weise interpretiert, etwa als Anspielung auf eine verlorene Vergangenheit, als der Mensch noch in Harmonie mit der Natur lebte, als ein Denkmal für die Stämme der Völkerwanderung, die einst in Italien einfielen, oder auch als eine postapokalyptische Vision des Lebens nach dem atomaren Holocaust. Nach dieser Interpretation stellt der Iglu die perfekte Behausung für die Stadt der Zukunft dar, wie sie sich auch die zeitgenössischen italienischen Architektenkollegen von Merz in den Gruppierungen Archizoom und Superstudio (siehe Anti-Design) vorstellten.

Von Anfang an war Celant der Organisator und Theoretiker der Gruppe. Er managte ihre erste Ausstellung, die 1967 in der Galleria La Bertesca in Genua stattfand, und er schrieb sein Manifest »Arte Povera: Notizen zum Guerillakrieg«, das zur selben Zeit in *Flash Art* veröffentlicht wurde. Er betonte darin das Ziel der Künstler, bestehende kulturelle Konventionen dadurch zu erschüttern, dass sie sich vor allem mit den physikalischen Eigenschaften des Mediums und der Veränderbarkeit des Materials beschäftigten. Insofern ging Celant konform mit dem »armen Theater« des polnischen Regisseurs Jerzy Grotowsky (1933–1999), der versucht hatte, die Beziehung zwischen Schauspieler und Publikum neu zu definieren, indem er alle unwesentlichen Barrieren abbaute und auf Kostüme, Schminke, Ton- und Beleuchtungseffekte verzichtete. Arte Povera war auch eine Herausforderung der *Situationistischen Internationalen, die zur Zeit der Ereignisse von 1968 ihre Tätigkeit bereits mehr oder weniger aufgegeben hatte.

Durch sein Buch *Arte Povera*, das 1969 in Italien publiziert wurde, machte Celant die Bewegung bekannt. Sehr bald fand die Arte Povera Eingang in internationale Ausstellungen der *Konzept- und der Prozesskunst. Obwohl sie spürbar italienisch war, widmete sich die Arte Povera doch Belangen und Interessen, denen sich auch Künstler anderer Nationalitäten zuwandten, etwa der Deutsche Joseph Beuys (siehe Konzeptkunst), der Franzose Bernard Pagès (siehe Supports-Surfaces) und die britischen Bildhauer Richard Deacon und Bill Woodrow (siehe Organische Abstraktion), Anish Kapoor (siehe Neo-Expressionismus) und Tony Cragg (geb. 1949), der städtischen Abfall wiederverwendete und daraus leuchtend bunte Wand- und Bodenplastiken schuf.

Wichtige Sammlungen

Kunstmuseum Liechtenstein, Vaduz, Liechtenstein
Kunstmuseum Wolfsburg
Museo d'Arte Contemporanea, Rivoli, Italien
Tate Gallery, London

Weiterführende Literatur

N. Bätzner, *Arte Povera, zwischen Erinnerung und Ereignis* (Nürnberg, 2000)
Italian Art in the 20th Century: Painting and Sculpture 1900-1988 (Ausst.-Kat., Royal Acedamie of Arts, London, 1989)
A. Boetti und F. Bouabré, *Worlds Envisioned: Alighiero e Boetti and Frédéric Bruly Bouabré* (Ausst.-Kat., Dia Center for the Arts, New York, 1995)

Postmoderne

*Die Wiederentdeckung von Ornament, Farbe,
symbolischen Verbindungen und die Fundgrube der Geschichte der Form.*

VOLKER FISCHER, AUSSTELLUNG »DESIGN NOW«, FRANKFURT 1988

Obgleich ein umstrittener Begriff, wird der Terminus Postmoderne im Allgemeinen verwendet, um gewisse Ausdrucksformen in den Künsten des letzten Viertels des 20. Jahrhunderts zu bezeichnen. Ursprünglich wurde er auf die Architektur der Mitte der 1970er-Jahre angewendet, um hier Bauwerke zu beschreiben, die sich zugunsten mehrdeutiger, widersprüchlicher Strukturen, durch spielerische Verweise auf historische Stile, Anleihen bei anderen Kulturen und den Gebrauch überraschend kräftiger Farben auszeichneten und die sich vom reinen, rationalen Minimalismus gelöst hatten (siehe auch International Style). Ein typisches Beispiel dieser Architektur ist die Piazza d'Italia (1975–1980) in New Orleans des amerikanischen Architekten Charles Moore (1925–1993). Der Platz ist eine stilistische Glanzleistung, eine theatralische und witzige Montage aus klassischen architektonischen Motiven, präsentiert wie ein Bühnenbild.

In den 1980er-Jahren verwendete man den Begriff Postmoderne auch zur Beschreibung verschiedener Entwicklungen im Design. In der bildenden Kunst bezeichnet er Werke, die ihr Bildgut aus der Massenkultur (beispielsweise der Welt des Kommerzes) bezogen, wie die Werke von Richard Prince (geb. 1949). Andere Werke der Postmoderne leben von der Zusammenstellung verschiedener Elemente, etwa Text und Bildern, Objekt und Grafik, wie man es im Werk von Tim Rollins (geb. 1955) und KOS (Kids of Survival) findet. Vor allem aber gab es hier Arbeiten, die sich direkt für politische oder soziale Belange engagierten.

Die Freiheit wird jetzt einfach gesponsert – aus der Portokasse (1990) des in Deutschland geborenen *Konzeptkünstlers Hans

Hans Haacke, *Die Freiheit wird jetzt einfach gesponsert – aus der Portokasse*, 1990
Als nach dem Fall der Berliner Mauer westdeutsche Großunternehmen anfingen, Ostdeutschland aufzukaufen, verwandelte der Konzeptkünstler Hans Haacke einen alten DDR-Wachtturm in einen beunruhigenden Wegweiser in die Zukunft.

Haacke trug mehrere, disparate Elemente zusammen, um eine politische Aussage zu machen. Die Arbeit besteht aus einem alten DDR-Wachtturm, der nach dem Fall der Berliner Mauer am Potsdamer Platz stehen blieb, auf dem er einen Mercedesstern installierte, der als Symbol für den Kapitalismus Westdeutschlands zu verstehen ist. Ein Wort von J. W. Goethe: »Die Kunst bleibt Kunst«, steht auf einer monumentalen Gedenktafel.

Die anhaltende Debatte über die Natur – ja die Existenz – der Postmoderne wird scharf geführt. In vielerlei Weise ist die Postmoderne sowohl eine Zurückweisung des Modernismus und zugleich doch seine Fortsetzung. Ad Reinhardt (siehe Nachmalerische Abstraktion) hielt daran fest, dass Kunst keine Verbindung mit der täglichen Realität habe, ihre Aufgabe sei die formale Beschäftigung mit Farbe und Linie. Doch in der Sphäre der bildenden Kunst versucht eine eklektische, politisch engagierte Assemblage wie Judy Chicagos (geb. 1939) Installation *The Dinner Party* (1974–1979), mit großem Nachdruck diese Limitationen des Reinhardtschen Dogmas zu durchbrechen. Jedenfalls enthielt auch der Modernismus Züge, die nicht bloß rein »formalistisch« waren, und die Postmoderne setzte die Experimente fort, die mit Marcel Duchamp begonnen hatten und durch *Dada, *Surrealismus, *Neo-Dada. *Pop Art und *Konzeptkunst weiterentwickelt wurden.

1966 kündigten zwei Bücher die Schlüsselideen der Postmoderne an. In seinem Buch *Architettura della città* (1966) argumentierte der italienische Architekt Aldo Rossi (1931–1997), dass im Kontext historischer europäischer Städte neu errichtete Gebäude besser alte Formen adaptieren als neue schaffen sollten. Das zweite Buch, das polemische *Complexity and Contradiction in Architecture* (1966) des amerikanischen Architekten Robert Venturi (geb. 1925), setzte sich für eine »messy vitality« (unordentliche Vitalität) ein und parodierte die berühmte Phrase des Modernismus »Less is more« (weniger ist mehr) durch das Wortspiel »Less is a bore« (weniger ist langweilig). Diese Botschaft hatte sich das Team zu Herzen genommen, das das Groninger Museum (1995) in den Niederlanden baute, zu dem das italienische Designer- und Architektenduo Alessandro Mendini (geb. 1930) und Michele de Lucchi (geb. 1951) gehörte, der französische Designer Philippe Starck (geb. 1949) und das Wiener Architekturbüro Coop Himmelblau (gegr. 1968).

Vielfältigkeit der Materialien, Stile, Strukturen und Umgebungen sind Charakteristika der Postmoderne, die nicht durch einen einzigen Stil definiert werden kann. Zu den Beispielen der Postmoderne gehören die *High-Tech-Bankengebäude in Hongkong und Shanghai (1979–1984) des Engländers Sir Norman Foster

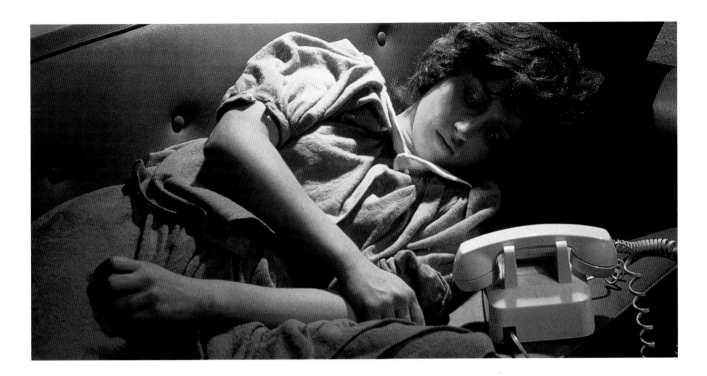

(geb. 1935) mit ihrem röhrenförmigen Stahlsprengwerk, das Museo Nacional de Arte Romano in Spanien (1980–1986) des spanischen Architekten Rafael Moneo (geb. 1937), im klassischen Stil aus handgemachten Backsteinen erbaut, und das Public Services Building in Portland (1980–1982) des Amerikaners Michael Graves (geb. 1934), das durch Pastellfarben und überdimensionale Schlusssteine auffällt, sowie La Grande Arche in Paris (1982–1989) des Dänen Johan Otto von Spreckelsen (1919–1987), ein monumentaler mit Glas und weißem Carraramarmor verkleideter Betonkubus. Bezüglich ihres Stils bewusst individualistisch, teilen diese Werke dennoch einen Hang zum Abenteuerlichen, der für die Architektur der Postmoderne der 1980er- und 1990er-Jahre typisch ist.

Designer begrüßten die Techniken der Postmoderne nicht weniger als die Architekten. Seit den 1960er-Jahren führte eine Unzufriedenheit mit der Ordnung und Uniformität, die man mit dem *Bauhaus assoziierte, zu Innovationen. Die Designer experimentierten mit Farben und Texturen und kombinierten historische dekorative Elemente, was auch als »Adhocismus« bezeichnet wurde. Der italienische Designer Ettore Sottsass (geb. 1917, siehe auch Anti-Design) ist hier eine zentrale Gestalt. Seine bahnbrechenden Entwürfe gipfelten in Werken für die Gruppe Memphis, die er 1981 in Mailand gegründet hatte. Die Wahl des Namens

verrät ihre eklektische Vorgehensweise. Bob Dylans Song »Memphis Blues« wurde beim ersten Treffen der Gruppe gespielt, und die reiche und ungewöhnliche Mischung von Assoziationen, die er zu bieten schien, sprach Sottsass und seine Kollegen an. Das antifunktionale *Bücherregal Carlton* (1981) ist ein typisch frecher Entwurf und zielt allein auf den visuellen Eindruck. Ähnliche Entwicklungen gab es im grafischen Design, wo Ausdruck und Intuition – manchmal auch Anarchie – den Vorrang übernahmen. Der Einfluss des in Deutschland geborenen Wolfgang Weingart (geb. 1941) verbreitete sich von Basel in der Schweiz über den Rest Europas und schließlich in die USA. Neville Brody (geb. 1957) in Großbritannien, Studio Dumbar (gegr. 1977) in den Niederlanden und Javier Mariscal (geb. 1950) in Spanien produzierten alle in den 1980er- und 1990er-Jahren avantgardistische typografische Designs.

Dort, wo der Modernismus eine einende Moral und ein einheitliches ästhetisches Utopia zu schaffen suchte, feierte die Postmoderne den Pluralismus des späten 20. Jahrhunderts. Ein Aspekt dieses Pluralismus berührt die Natur der Massenmedien und die universelle Zunahme von Bildern in gedruckter und elektronisch verbreiteter Form – was der französische Denker Jean Baudrillard (geb. 1929) als eine »Ekstase der Kommunikation« bezeichnete. Wenn wir die Realität durch Abbildungen wahrnehmen, werden diese Abbildungen dann zur tatsächlichen Realität? Was ist dann Wahrheit? In welchem Sinne ist Originalität möglich? Dies sind Überlegungen, die Architekten, Künstler und Designer tief beeinflusst haben. Bei vielen Werken der Postmoderne liegt der Schwerpunkt auf der Frage der Darstellung: So unterschiedliche Künstler wie Mike Bidlo (geb. 1953), Louise Lawler (geb. 1947), Sherrie Levine (geb. 1947) und Jeff Wall (geb. 1946) »zitierten« Motive und Bilder aus bekannten Werken in neuem und beunruhigendem

Oben: **Cindy Sherman,** *Untitled # 90,* **1981**
Sherman selbst sagte zu ihrem Werk: »Diese Bilder sind personifizierte Emotionen, ganz aus sich heraus, mit ihrer eigenen Gegenwart. Mein Anliegen ist, dass Leute etwas von sich selbst erkennen, nicht von mir.«

Gegenüber: **Charles Moore,** *Piazza d'Italia,* **New Orleans, 1975–1980**
Historische Anspielungen spielen eine zentrale Rolle in Moores Architektur. Sein Faible für solche Kombinationen war einer der Gründe dafür, dass sein Werk bei den Modernisten auf Ablehnung stieß.

Kontext oder entkleideten sie ihrer konventionellen Bedeutung, das heißt, sie »dekonstruierten« sie. Kitsch wurde in hohe Kunst verwandelt wie in Jeff Koons (geb. 1955, siehe auch Neo-Pop) *Rabbit* (1986), einer Skulptur aus glänzendem Edelstahl, gegossen nach dem Vorbild eines billigen aufblasbaren Osterhasen.

In den späten 1970er-Jahren begannen zwei Künstler in den USA, Julian Schnabel (geb. 1951) und David Salle (geb. 1952), Techniken der Postmoderne einzusetzen, indem sie sich Bildgut und Objekte aus Filmen und Magazinen aneigneten und überschrieben. Die Palimpseste aus Schnabels zerbrochenem Geschirr und Salles geisterhaft sich überlappenden Figuren schaffen Kombinationen, die hinterfragt werden sollen. Ihre Werke sind von so starker Ausdruckskraft, dass man sie als *Neo-Expressionisten bezeichnet und mit den Künstlern der *Transavantgarde verglichen hat.

In der bildenden Kunst ebenso wie in der Architektur und dem Design zielt die Postmoderne darauf ab, der Lebenserfahrung am

Ende des 20. Jahrhunderts Ausdruck zu geben, und oft hat sie sich direkt auf soziale und politische Fragen eingelassen. Ausgehend von der Idee, dass die Kunst früher einem gesellschaftlich dominanten Typ diente – nämlich dem weißen Mann der Mittelklasse –, verschrieben sich Künstler der Postmoderne der Beleuchtung anderer, vorher marginalisierter Identitäten – ethnischer, sexueller, weiblicher – und darüber hinaus Umweltfragen (siehe Earth Art). Sie alle wurden Themen der postmodernen Werke.

Jean-Michel Basquiat (1960–1988), in den USA als Kind haitianischer und puertoricanischer Eltern geboren, begann in den späten 1970er-Jahren als Graffitikünstler, der sich das Erkennungszeichen SAMO (Same Old Shit – dieselbe alte Scheiße) wählte. Seine wütenden, konfrontierenden Entwürfe, die unter anderem Protest gegen Rassenvorurteile waren, kombinierten hingekritzelte Bilder von Gesichtern, die afrikanischen Masken glichen, mit Szenen des New Yorker Straßenlebens und durchgestrichenen Botschaften.

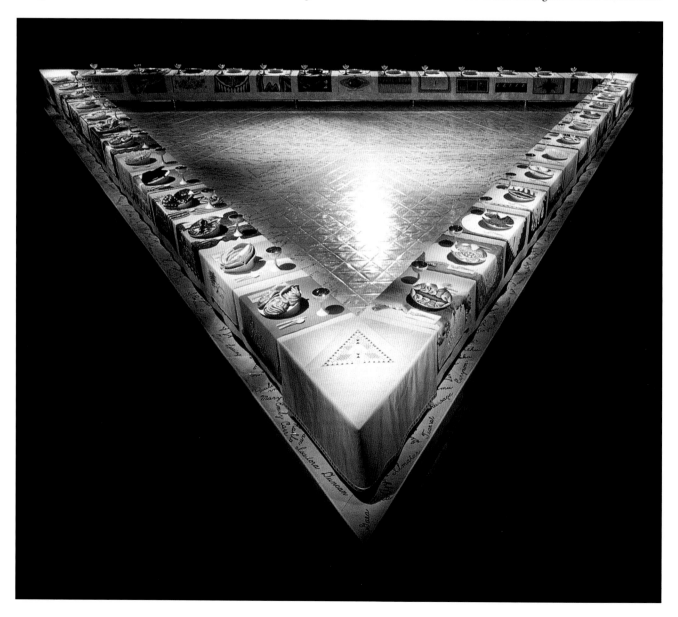

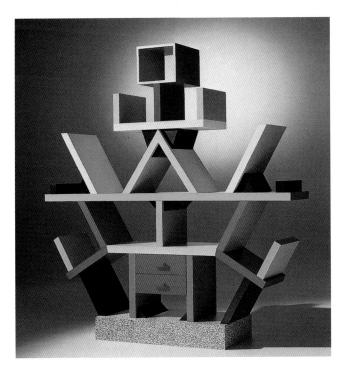

Kruger (geb. 1945), Jenny Holzer (geb. 1950) und Cindy Sherman (geb. 1954) eine Reihe postmoderner Mittel ein, um Fragen der weiblichen Identität zu behandeln. Kellys Langzeitprojekt *Post Partum Document* (1973–1979) war ursprünglich als Installation in sechs aufeinanderfolgenden Sektionen gedacht, in denen sie ihre Beziehung zu ihrem Sohn während der ersten fünf Jahre seines Lebens beschrieb. Dabei beobachtete sie sowohl seinen Eintritt als Junge in die Gesellschaft als auch ihre eigene sich wandelnde Rolle als Mutter. Das Werk wurde weithin ausgestellt und seit den 1970er-Jahren heftig diskutiert.

Kruger (siehe auch Installation), früher Chefgrafikerin bei *Mademoiselle*, produzierte eine Serie von Fotomontagen, in denen sie Bilder mit beunruhigenden Bildunterschriften stilvoll kombinierte, wie beispielsweise *Untitled (Your gaze hits the side of my face)*,1981, das üblicherweise unbeachtete Aspekte des sozialen Verhaltens (wie das der Männer, die Frauen betrachten) der genauen Beobachtung unterwirft. Holzer (die 1990 als erste Frau die USA auf der Biennale in Venedig vertrat) wurde für ihre Aphorismen berühmt (beispielsweise »Schütze mich vor dem, was ich will«), die der Öffentlichkeit durch so unterschiedliche Mittel bekannt gemacht werden wie elektronische Werbelaufbänder, das Internet und auf Parkuhren geklebte Sticker.

Sherman ist die Protagonistin ihrer eigenen Fotos, doch die Serien, die sie produziert – *Untitled Film Stills* (1977) zum Beispiel – meinen keine Selbstporträts. Vielmehr posiert sie als Figur in wiedererkennbaren Szenen – vom B-Movie über Girlie-Magazine bis zu Fernsehprogrammen und Gemälden alter Meister – wobei sie ihre eigene Identität auslöscht, um die Stereotypen, die sie verkörpert, zur Diskussion zu stellen.

Der Terminus Postmoderne wird weiterhin Diskussionen auslösen, insbesondere, da es keine universal gültige Definition des Modernismus als Gegenposition gibt. Die Bedeutung des Begriffs wird sich zweifellos wandeln, je weiter sich die historische Perspektive verlängert. Für den Augenblick passt seine Komplexität und Unbestimmtheit zu dem vielfältigen, beunruhigenden und manchmal unkategorisierbaren Werk, das er zu erklären sucht.

»Die Schwarzen werden nie realistisch porträtiert, nicht mal porträtiert werden sie in der modernen Kunst«, sagte er. Mit Magic Markers auf die Mauern New Yorker Galerien gezeichnet, zogen seine Graffiti bald das Interesse der Kunstwelt auf sich und man rückte ihn in die Nähe von Andy Warhol (siehe Pop Art). Doch Basquiats Aufstieg zum Ruhm war ebenso tragisch wie kurz. 1984 schloss er einen Vertrag mit der glamourösen Galerie Mary Boone, New York, vier Jahre später starb er an einer Überdosis Heroin.

Der Tod ist auch ein Thema in der postmodernen Kunst, ebenso die Frage der sexuellen Identität, besonders der homosexueller Männer. Wie Basquiat begann auch Keith Haring (1958–1990) als Graffitikünstler, und seine bunten Cartoonfiguren, auf Mauerwänden ebenso effektiv wie auf Leinwand, T-Shirts oder Aufklebern, waren bis zu seinem AIDS-Tod 1990 ein charakteristisches Merkmal seiner Werke. David Wojnarowicz (1954–1992), ebenfalls ein AIDS-Opfer, machte die Krankheit zu einem zentralen Sujet seines Werks. *Sex Series* (1988–1989) trug Fotos und Texte zusammen, um eine negative Chronik des AIDS-Traumas in einer Gesellschaft zu zeichnen, die Wojnarowicz als gleichgültig ansah.

In den 1970er- und 1980er-Jahren setzten vor allem amerikanische Künstlerinnen, darunter Mary Kelly (geb. 1941), Barbara

Oben: Ettore Sottsass. *Bücherregal Carlton*, Memphis, 1981
Für ihn, sagte Sottsass, bedeute Design nicht, einem mehr oder weniger dummen Produkt für eine mehr oder weniger hochentwickelte Industrie eine Form zu geben. Für ihn sei Design eine Möglichkeit, Leben, Geselligkeit, Politik, Nahrung und Design selbst zu diskutieren.

Gegenüber: Judy Chicago, *The Dinner Party*, 1974–1979
Als eine Hommage an die Frauen der Geschichte war Chicagos Installation eine gemeinsame Anstrengung von mehr als hundert Frauen, die an dieser Produktion beteiligt waren. Mehr als 100 000 Menschen sahen sie 1979, als sie im San Francisco Museum of Modern Art ausgestellt war.

Wichtige Sammlungen
Kunstmuseum Wolfsburg
Museum of Contemporary Art, Chicago, Illinois
Museum of Modern Art, New York
New Museum of Contemporary Art, New York
Tate Gallery, London

Weiterführende Literatur
H. Foster (Hrsg.), *The Anti-Aesthetic, Essays on Post-Modern Culture* (1983)
E. J. Johnson (Hrsg.), *Charles Moore: Bauten und Projekte 1949–1986* (Stuttgart, 1987)
M. Lovejoy, *Postmodern Currents: Art in a Technological Age* (1989)

273

High-Tech

Die Poesie der hydraulischen Technik.

SIR NORMAN FOSTER

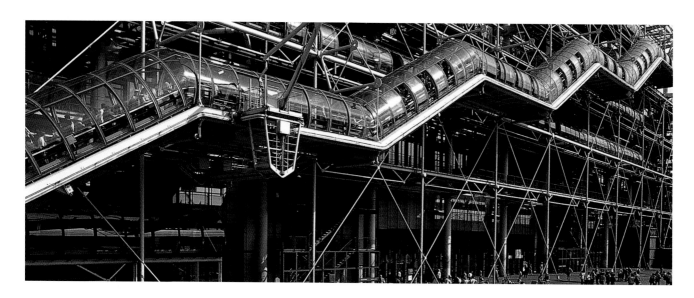

Die High-Tech-Architektur hat Hochachtung vor den neuen Technologien und nutzt sie sowohl für praktische als auch visuelle Zwecke, indem sie Formen und Materialien, die Ausdruck moderner industrieller Technologien sind, den Vorzug vor traditionellen Baumaterialien gibt. Seit 1983, als die britische Zeitschrift *Architectural Review* eine ganze Ausgabe dem High-Tech widmete, wird der Terminus für Bauten vieler verschiedener Architekten verwendet. Die beiden bedeutendsten Vertreter der High-Tech-Architektur sind die beiden Briten Sir Norman Foster (geb. 1935) und Sir Richard Rogers (geb. 1933).

Wie einige ihrer Zeitgenossen im Design, zum Beispiel Archigram und Archizoom (siehe Anti-Design), schauten die High-Tech-Architekten über den *International Style hinaus zurück auf die Modernismen des *Futurismus, des *Expressionismus und des russischen *Konstruktivismus, um sich Inspirationen zu holen. Der amerikanische Erfinder und Designer Buckminster Fuller (siehe auch Neo-Dada) hatte großen Einfluss. Foster traf Fuller 1968, und dies war der Beginn einer Freundschaft und einer Zusammenarbeit, die bis zum Tod Fullers 1983 anhielt. Fullers visionäre, humanistische Sicht eines technologisch ausgefeilten Designs lässt sich in den Entwürfen von Foster und Rogers ausmachen, die daran festhalten, dass die Technologie kein Selbstzweck ist, sondern ein Mittel, soziale und ökologische Probleme zu lösen.

Foster und Rogers trafen sich in den frühen 1960er-Jahren als Studenten an der Yale University, USA. Nach ihrer Rückkehr nach Großbritannien gründeten sie 1963 zusammen mit zwei Architektinnen, den Schwestern Wendy (später Fosters Frau) und Georgie Cheesman die Firma Team 4. Ihre Reliance Control Factory in

Swindon (1965–1966, 1991 zerstört) trug der Gruppe internationale Anerkennung ein und gilt im Rückblick als Beginn der High-Tech-Bewegung. Dieses frühe Werk verband eine zurückhaltende Eleganz – für die Fosters bekannt werden sollte – mit der strukturellen Unverblümtheit, die für Rogers typisch war. 1967 löste sich die Gruppe auf, Wendy und Norman bildeten die Foster Associates, Rogers ging eine Partnerschaft mit dem italienischen Architekten und Designer Renzo Piano (geb. 1937) ein.

Die enge Zusammenarbeit zwischen Architekten, Hoch- und Tiefbauingenieuren ist ein Schlüsselmerkmal der High-Tech-Architektur. Die ingenieurtechnischen Fähigkeiten von Ove Arup und Partnern, 1949 von Ove Arup (1895–1988) gegründet, waren entscheidend für zahlreiche Architekturprojekte, darunter das expressionistische Opernhaus in Sydney (1956–1974) des Dänen Jørn Utzon (geb. 1918), die Projekte von Peter und Alison Smithson (siehe Brutalismus) und viele Projekte von Rogers und Foster. Eine weitere für High-Tech-Architektur berühmte Firma ist Anthony

Oben: **Piano und Rogers, Centre Georges Pompidou, Paris 1971–1977**
Durch die besonderen technischen Fachkenntnisse ihres Mitarbeiters Ove Arup gelang Piano und Rogers die Schaffung eines technologisch ausgeklügelten Baus mit flexiblem Innenraum, dessen Äußeres an eine der verspielten surrealistischen Maschinen von Jean Tinguely erinnert (siehe Kinetische Kunst).

Gegenüber: **Foster und Partner, Verwaltungsgebäude der Hong Kong and Shanghai Banking Corporation, 1979–1986**
Foster zufolge ist das an eine Raketenabschussrampe erinnernde Gebäude durch Quellen beeinflusst, die außerhalb des traditionellen Baugewerbes liegen wie etwa »das Militär, das vor der Aufgabe steht, Panzer auf eine Pontonbrücke zu bringen«.

Hunt Associates, die am Projekt der Reliance Control Factory beteiligt war.

Das erste High-Tech Monument war das von Rogers und Piano (zusammen mit Ove Arup) gebaute Centre Georges Pompidou in Paris (1971–1977). Charakteristikum des Baus sind die an die Außenseite des Gebäudes verlegten Versorgungsleitungen und Strukturelemente, um mehr Platz im Inneren zu schaffen. Trotz seines mutigen modernen Designs, das in keiner Beziehung zu seiner Umgebung steht, erwies sich der Bau rasch als großer Erfolg.

Die lebhafte strukturelle Expressivität und die Ähnlichkeit mit einer großen Industrieanlage wurde zum Markenzeichen von Rogers späteren Projekten wie dem Lloyd's Building in London (1978–1986 mit Ove Arup), dem Lloyds Register of Shipping in London (1995–1999 mit Anthony Hunt) und des Millenium Dome in Greenwich, London (1996–1999 mit Ove Arup), das größte öffentliche Versammlungsgebäude der Welt mit einem Dach aus teflonbeschichtetem Fiberglas.

Foster wurde in der Zwischenzeit mit eleganten, präzisen Gebäuden berühmt, darunter das Sainsbury Centre for the Visual Arts in Norwich, England (1978, Erweiterungsbau 1988–1991 mit Anthony Hunt), die Verwaltungsgebäude der Hong Kong and Shanghai Banking Corporation (HSBC) in Hongkong (1979–1986 mit Ove Arup), der größte Flughafen der Erde, der Hong Kong International Airport (1992–1998 mit Ove Arup) sowie die Millenium Bridge (2000 mit Ove Arup, siehe Minimalismus). Sie alle sind gefeierte Beispiele. Eine frühere Arbeit, das Willis Faber & Dumas Building in Ipswich, England (1970–1974 mit Anthony Hunt) zeigte bereits Fosters charakteristischen Gemeinschaftssinn. Zu einer Zeit, als Ipswich über keinerlei öffentliche Einrichtungen verfügte, war das Gebäude mit seinem integrierten Schwimmbad, seinem Restaurant im Dachgeschoss und der gebogenen Glasfassade nach den Worten von Foster so etwas wie »eine soziale Revolution«.

Auch Bauten anderer Architekten wurden als High-Tech bezeichnet. Die Schlumberger Research Facility in Cambridge, England, von Michael Hopkins and Partners (1984 mit Anthony Hunt) und das Institut du Monde Arabe in Paris von Jean Nouvel (1987), das Waterloo International Terminal in London von Nicholas Grimshaw and Partners (1993 mit Anthony Hunt) und das London Eye (2000) von den Architekten des Büros Marks Barfield sind Beispiele. Eine vergleichbare Verwendung neuer Technologien zeigt sich auch bei den Bauten von Frank Gehry (geb. 1929) und Zaha Hadid (geb. 1950). Michael McDonoughs e-House 2000, ein seiner Umwelt entsprechendes und in Zusammenarbeit mit Ingenieuren, Bauunternehmern, Handwerkern, Wissenschaftlern und Umweltschützern entwickeltes, ökologisch angepasstes High-Tech-Haus in der Nähe der Catskills in New York nutzt einige der Techniken, für die die High-Tech-Architekten den Weg ebneten.

Wichtige Bauwerke

Foster Associates, Verwaltungsgebäude der Hong Kong and Shanghai
     Banking Corporation, Hongkong
Jean Nouvel, Institute du Monde Arabe, Paris
Renzo Piano und Ricard Rogers, Centre Pompidou, Paris
Richard Rogers Partnership, Lloyds Building, London

Weiterführende Literatur

R. Burdett (Hrsg.), *Richard Rogers Partnership: Works and Projects*
     (1995)
F. Chaslin u.a., *Norman Foster* (Stuttgart, 1987)
C. Davies, *High-tech-Architektur* (Stuttgart, 1988)
K. Powell, *Richard Rogers: Complete Works* (1999)

Neo-Expressionismus

Ich hatte diese Reinheit satt bis oben hin, ich wollte Geschichten erzählen.

PHILIP GUSTON

Der Neo-Expressionismus war eine der vielen Strömungen der *Postmoderne, die gegen Ende der 1970er-Jahre aufkamen. Zum Teil war er das Ergebnis der weitverbreiteten Unzufriedenheit mit *Minimalismus, *Konzeptkunst und dem *International Style. Die Neo-Expressionisten setzten sich über die kühle, intellektuelle Vorgehensweise dieser Bewegungen und ihre Bevorzugung der puristischen Abstraktion hinweg und bekannten sich nicht nur zur totgesagten Kunst der Malerei, sie stellten auch zur Schau, was in Misskredit geraten war: Gegenständlichkeit, Subjektivität, sichtbare Emotionalität, Autobiografie, Erinnerung, Psychologie, Symbolismus, Sexualität, Literatur und Erzählerisches.

Um die 1980er-Jahre war der Begriff zur Beschreibung von Gemälden von Künstlern wie den Deutschen Georg Baselitz (geb. 1938), Jörg Immendorf (geb. 1945), Anselm Kiefer (geb. 1945), A. R. Penck (geb. 1939), Sigmar Polke (geb. 1941) und Gerhard Rich-

ter (geb. 1932, siehe auch Hyperrealismus) in Gebrauch. Auch für die so genannten Ugly Realists wie etwa Markus Lüpertz (geb. 1941) und die Neuen Wilden wie Rainer Fetting (geb. 1949) wurde der Terminus verwendet. Nach den internationalen Ausstellungen »A New Spirit in Painting« (Ein neuer Geist in der Malerei), 1981 in London, und »Zeitgeist«, 1982 in Berlin, umfasste der

Oben: **Anselm Kiefer,** *Margarethe,* **1981**
Für seine Gemälde verwendet Kiefer oft untypische Materialien (in diesem Beispiel Stroh), um die Oberfläche zu bereichern. Die ästhetische Arena der Leinwand wird zum Ort, an dem politisch und historisch traumatische Themen besprochen werden können.

Gegenüber: **Gerhard Richter,** *Abstraktes Bild,* **1999**
Wenn er ein abstraktes Bild male, sagte Richter 1985, dann wisse er weder im Voraus, wie es aussehen solle, noch wisse er während des Malprozesses, worauf er hinziele. Das Malen sei folglich ein fast blindes, verzweifeltes Bemühen.

Terminus auch andere Gruppen: Figuration Libre in Frankreich, *Transavanguardia in Italien und eine Reihe von Künstlern in den USA: New Image Painters wie Jennifer Bartlett (geb. 1941), Eric Fischl (geb. 1948), Elizabeth Murray (geb. 1940) und Susan Rothenberg (geb. 1945), die so genannten Bad Painters Robert Longo (geb. 1953), David Salle (geb. 1952, siehe Postmoderne), Julian Schnabel (geb. 1951, siehe Postmoderne) und Malcolm Morley (geb. 1931, siehe Hyperrealismus). Andere, nicht mit einer Gruppe in Verbindung gebrachte Künstler wurden ebenfalls bald Neo-Expressionisten genannt, darunter der Däne Per Kirkeby (geb. 1938), Miquel Barceló (geb. 1957) aus Spanien, der Italiener Bruno Ceccobelli (geb. 1952), die Französin Annette Messager (geb. 1943), der Kanadier Claude Simard (geb. 1956, siehe Installation) und die Briten Frank Auerbach (geb. 1931), Howard Hodgin (geb. 1932) Leon Kossoff (geb. 1926) und Paula Rego (geb. 1935).

Der Bedeutungsrahmen des Terminus Neo-Expressionismus erweiterte sich und umfasste schließlich eher Tendenzen, die in eine ähnliche Richtung gehen, als einen einheitlichen Stil, wie es auch früher im 20. Jahrhundert beim *Expressionismus der Fall gewesen war. Etwas verallgemeinernd könnte man sagen, dass neo-expressionistische Werke durch ihre Technik und ihre Thematik charakterisiert sind. Die Materialien werden taktil, sinnlich oder in roher Form verwendet, um lebhaft expressive Emotionen auszudrücken. Die Themen zeigen oft eine tiefe Verbundenheit mit der Vergangenheit, sei es kollektive Geschichte, sei es persönliche Erinnerung, die durch Allegorie und Symbole ausgedrückt wird. Neo-expressionistische Werke zehren von der Geschichte der Malerei, der Bildhauerei und der Architektur und setzen traditionelle Materialien und Sujets ein. Die Einflüsse von Expressionismus, *Post-Impressionismus, *Surrealismus, *Abstraktem Expressionismus, *Informel und *Pop Art sind entsprechend spürbar. Bedeutende zeitgenössische Vertreter waren der Deutsche Konzeptkünstler Joseph Beuys (1921–1986), dessen Beispiele politischen Engagements und der Handhabung expressiver Materialien ganz besonders inspirierend waren, und der Amerikaner Philip Guston (1913–1980), ein abstrakter Expressionist, der die Kunstwelt in den späten 1960er-Jahren dadurch schockierte, dass er dazu überging, gegenständliche und komische Werke zu schaffen.

In Deutschland war der Einfluss der deutschen Neo-Expressionisten verständlicherweise besonders groß. Pencks energisch expressive Drucke und Gemälde mit Strichmännchenfiguren und hieroglyphischen Zeichen erinnern an *Die Brücke, Richters Abstraktionen der 1980er-Jahre überlagern die heftig expressiven Farben der Brücke mit den eher lyrischen Tönen des *Blauen Reiters und zeigen eine spröde, verhaltene Abstraktion. Ein Nachdenken über den Symbolismus, mit dem Abstraktion und Farbe durch die

Geschichte verknüpft sind, gemahnt auch an die utopischen Bestrebungen der Pioniere des deutschen Modernismus – vielleicht eine Erinnerung daran, dass Kunst notwendig ist, trotz oder gerade wegen des Traumas der Geschichte des 20. Jahrhunderts. Nicht weniger als für die deutschen Künstler des frühen 20. Jahrhunderts war für die deutschen Künstler der 1980er-Jahre »Kunst die höchste Form der Hoffnung«. Tatsächlich stellt sich ein großer Teil der neo-expressionistischen Werke der 1980er-Jahre ausdrücklich der problematischen Periode der deutschen Nachkriegsgeschichte, als Deutschland ein geteiltes Land war. Kiefers idealisierte, stark plastisch gestalteten politischen Gemälde (oft enthalten die Malschichten Stroh, Teer, Sand und Blei), die durchsetzt sind mit Anspielungen auf Deutschland und die nordischen Mythen, konfrontieren direkt mit Nationalsozialismus, Krieg, deutscher Identität und nationaler Selbstständigkeit. In seinen Bildern forciert Kiefer die Erlösung und die Rehabilitation der Gesellschaft. Je weiter man zurückgehe, desto weiter käme man vorwärts, sagte er.

In Amerika nahmen die Neo-Expressionisten den Kampf mit dem »American way of life« auf. Schnabel zum Beispiel arbeitet bei seinen großformatigen kraftvollen Gemälden, in die er Materialien wie Lappen, Treibholz, Ponyfell und – am berühmtesten – zerbrochenes Geschirr einarbeitet, stark mit »Zitaten« aus der Geschichte (Filme, Fotos, religiöse Ikonografie). Eric Fischls Gemälde stellen voyeuristisch und verwirrend das Softporno-Psychodrama des weißen wohlhabenden Vorstadtamerikaners dar und dramatisieren damit die Gefahren der Leere und der Anpassung, die dem »amerikanischen Traum« innewohnen.

Anpassung ist auch das Thema der britischen Künstlerin Jenny Saville (geb. 1970). Ihre Rubensschen Akte, für die sie oft selbst Modell steht, stellen die Standards für Schönheit und »guten Geschmack« noch stärker infrage als Fischls Werk. In einer Zeit, in der eine deutliche Zunahme von Essstörungen, gefährlichen Diäten und Schönheitschirurgie zu verzeichnen ist, stehen ihre Gemälde, die an die Werke von Larry Rivers (siehe Neo-Dada) erinnern, für eine unkonventionelle und aufsässige Feier des menschlichen Körpers.

Das Aufkommen des Neo-Expressionismus während der 1980er-Jahre bot die Möglichkeit, Künstler der älteren Generation zu rehabilitieren, die schon lange in expressionistischer Weise gearbeitet hatten. Die Amerikaner Louise Bourgeois (geb. 1911), Leon Golub (geb. 1922), und Cy Twombly (geb. 1928), der Brite Lucian Freud (geb. 1922), der Franzose Jean Rustin (geb. 1928) und der Österreicher Arnulf Rainer (geb. 1929) sind sämtlich Künstler, die im Rückblick als Neo-Expressionisten bezeichnet werden.

Auch auf Bildhauer und Architekten wurde die Bezeichnung Neo-Expressionisten angewendet. Bauten wie das Opernhaus in Sydney (1957–1973) des Dänen Jørn Utzon (geb. 1918), die plastischen Kaufhäuser (Supermarktkette Best-Products), die während der 1970er-Jahre von der multidisziplinären Organisation SITE (gegr. 1969) gebaut wurden, und Frank Gehrys (geb. 1929) Guggenheim Museum in Bilbao in Spanien wurden als expressionistisch bezeichnet. Der Amerikaner Charles Simonds (geb. 1945),

Gegenüber: **Anish Kapoor, *1000 Names*, 1982**
Kapoor sagte, ihm sei, während er die Pigment-Stücke machte, der Gedanke gekommen, dass sie sich selbst eines aus dem anderen formten. Deshalb hätte er sich entschlossen, ihnen einen Gattungstitel, »1000 Namen«, zu geben, der Unendlichkeit impliziere, denn Tausend sei eine symbolische Zahl.

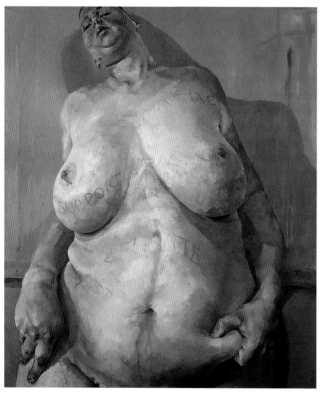

Züge aufweist. Obwohl die Werke sehr unterschiedlich sind und vom Abstrakten bis zum Figurativen, vom Strengen bis zum Sinnlichen, vom Winzigen bis zum Monumentalen reichen, sind sie immer gefühlsgeladen. Kapoor ist ein Beispiel für einen Bildhauer, der mit unterschiedlichen expressiven Materialien arbeitet, wie etwa reine pulverisierte Pigmente in leuchtenden Farben, Kalkstein, Schiefer, Sandstein und spiegelnde Flächen. Es sind diese Materialien, die den Betrachter auffordern, über die körperlichen und geistigen Komponenten des Menschseins nachzudenken. Seine Werke, die er als »Zeichen eines Daseinszustandes« bezeichnet, enthalten oft Leerräume. Dazu erklärte er 1990, er spüre, wie er zur Idee des Narrativen zurückkomme, ohne Geschichten zu erzählen, zu dem, was ihm erlaube, Psychologie, Furcht, Tod und Liebe so direkt wie möglich einzubringen. Diese Leere sei nicht irgendetwas ohne Äußerung, es sei ein potentieller Raum, kein Nicht-Raum.

In Genzkens Werk findet sich ein Echo der utopischen expressionistischen Kunst- und Architektur-Projekte der Vergangenheit (siehe beispielsweise Arbeitsrat für Kunst, Der Ring und Bauhaus). Ihre unfertigen Skulpturen von Puppenhausgröße aus rohem Beton, auf hochbeinigen Sockeltischen platziert, aus der Mitte und dem Ende der 1980er-Jahre beschwören eine ganze Geschichte von heroischen Gebäudetypen und Materialien von den alten Römern bis zu den deutschen Monumentalbauten der 1920er-Jahre und den minimalistischen Kuben des *International Style nach dem Zweiten Weltkrieg. Ihre Skulpturen, die wie zerbombte Ruinen wirken, scheinen von Ärger, Trauer und Wehmut gefärbt zu sein. Sie erinnern den Betrachter an einen Krieg, der nicht nur Millionen von Menschen das Leben kostete, sondern auch ihre Träume zerstörte. Whitereads *House* (1993), ein Betonabguss des Inneren eines Hauses mit Sozialwohnungen in Londons East End, das im Januar 1994 abgerissen wurde, ist ein expressives Denkmal für die Ideale und die Fehlschläge der sozialen Wohnungsbauprojekte der Vergangenheit. Genzkens Ruinen und Whitereads Monumente sehen die Zerstörung des utopischen Traums in Kunst und Architektur. SITEs Peeling-Projects (Schalengebäude) scheinen die einzig durchführbare Antwort anzubieten, nämlich die falschen Schichten missbrauchter Stile abzustreifen, um die ursprünglichen Ziele wiederzuentdecken.

die Briten Antony Gormley (geb. 1950, siehe auch Site Works), Anish Kapoor (geb. 1954) und Rachel Whiteread (geb. 1963), die Tschechin Magdalena Jetelová (geb. 1946), die Deutsche Isa Genzken (geb. 1948) und die Polin Magdalena Abakanowicz (geb. 1930) sind Bildhauer und Bildhauerinnen, deren Werk expressionistische

Oben: Eric Fischl, *Bad Boy*, 1981
Fischl sagte, der seit den 1970er-Jahren geführte Kampf um die Bedeutung sei ein Kampf um Identität, ein Bedürfnis nach Selbst. Seine beunruhigenden »Schnappschüsse« des Vorstadtlebens (denen Fotos zugrunde liegen), sind durch sein künstlerisches und emotionales Selbst gefilterte Erzählungen.

Unten: Jenny Saville, *Branded*, 1992
Savilles pralle weibliche Akte scheinen auf den riesigen Leinwänden kaum Platz zu finden. Von unten betrachtet und oft mit Konturlinien und Schriftzügen dekoriert, sind sie herausfordernde und unwiderstehliche Darstellungen der Weiblichkeit und des Körpers.

Wichtige Sammlungen
Museum of Modern Art, New York
Solomon R. Guggenheim Museum, New York
Stedelijk Museum, Amsterdam, Niederlande
Tate Gallery, London

Weiterführende Literatur
D. Salle, *David Salle* (1989)
G. Celant, *Anish Kapoor* (1996)
H. Bastian, *Anselm Kiefer* (München, 1998)
A. Kiefer, *Über euren Städten wird Gras wachsen* (München, 1999)

Neo-Pop

Die Öffentlichkeit ist mein Ready-made.

JEFF KOONS, 1992

Der Ausdruck Neo-Pop (oder Post-Pop) bezieht sich auf die Arbeit einer Reihe von Künstlern, die während der späten 1980er-Jahre die Kunstszene in New York betraten, darunter Ashley Bickerton (geb. 1959), Jeff Koons (geb. 1955), Alan McCollum (geb. 1944) und Haim Steinbach (geb. 1944). Als eine der vielen Strömungen der *Postmoderne reagierte Neo-Pop auf die Vorherrschaft, die *Minimalismus und *Konzeptkunst während der 1970er-Jahre hatten. Indem er Methoden, Materialien und Bildgut der *Pop Art der 1960er-Jahre benutzte, spiegelte Neo-Pop in seinem ironischen und gegenständlichen Stil auch das Erbe der Konzeptkunst.

Dieses duale Erbe zeigt sich in dem auf die Medien gegründeten fotografischen Werk des amerikanischen Autodidakten Richard Prince (geb. 1949), in den Sprachwerken von Jenny Holzer (geb. 1950, siehe Postmoderne), in McCollums gemalten Objekten sowie in Steinbachs und Koons Verwendung von Fundstücken der Massenkultur.

Andere Kunstbewegungen des 20. Jahrhunderts zeigten anhaltenden Einfluss, besonders durch die Verwendung von Fundstücken und Ready-mades (siehe Dada). Die Objekte des Belgiers Leo Copers beispielsweise erscheinen wie ein Hybrid aus Dada, Pop und Konzeptkunst. In Großbritannien pflegten Michael Craig-Martins (geb. 1941) Wandbilder, Julian Opies (geb. 1958) Bilder im Stil der Computergrafik und seine großen spielzeugähnlichen Plastiken und Lisa Milroys (geb. 1959) liebevoll gemalte Reihen von Konsumgütern das Erbe der Pop Art. Steinbachs resopalbeschichtete Regale, auf denen im Laden gekaufte Gegenstände ehrfurchtsvoll ausgestellt werden, sind Assemblagen, die unsere Verehrung materieller Besitzgüter kommentieren und die Art und Weise, wie wir sie zu einem Teil unserer Identität machen. Indem sie sowohl an minimalistische Kunst als auch an Warenregale in Kaufhäusern erinnern, lenken sie die Aufmerksamkeit darauf, wie tief Pop Art und Minimalismus in die weite kulturelle Arena eingedrungen sind.

Der Terminus Neo-Pop könnte auch das Spätwerk zweier Künstler beschreiben, die bereits die Sprache der Pop Art zu formen halfen, nämlich Jasper Johns (siehe Neo-Dada) und Roy Lichtenstein (siehe Pop Art). Während ihrer Laufbahn haben beide Hommagen an geachtete Künstler zum Bestandteil ihres Schaffens gemacht. In ihrem Spätwerk jedoch zitieren sie auch eigene Werke, vielleicht als dankbare Erwiderung auf die öffentliche Anerkennung, die viele ihrer eigene Werke gefunden hatten, die zum Teil so berühmt geworden waren, wie das Bildgut, dessen sie sich zuvor bedient hatten.

In den 1980er-Jahren war Koons (siehe auch Postmoderne) berüchtigt dafür, Kitsch zur hohen Kunst erhoben zu haben. Sein Werk *Balloon Dog* (1994–2000) ist eine über drei Meter hohe leuchtend rote Stahlskulptur, deren schiere Größe und detailreiche Konstruktion einen absurden Kontrast zum Sujet der Plastik schaffen und ihr doch zugleich eine eindrucksvolle Präsenz verleihen. An Claes Oldenburgs ironische Monumentalisierungen der Pop Art erinnernd (siehe Pop Art und Site Works), verwandelte Koons kurzlebiges Kinderspielzeug in ein massives, lange haltbares Monument.

Jeff Koons, *Two Ball 50/50 Tank*, 1985
Koons Erklärungen sind fast ebenso bekannt wie seine Werke. »Ein Betrachter mag in meinen Werken zunächst Ironie entdecken«, schrieb er, »ich jedoch sehe überhaupt keine Ironie. Ironie bewirkt zu viel kritisches Nachdenken.«

Zu den Künstlern, die gegen Ende des 20. Jahrhunderts von Pop beeinflusste Werke schufen, gehörten der Amerikaner Cady Noland (geb. 1956), die Russen Vitali Komar (geb. 1943) und Alexander Melamid (geb. 1945, siehe Sozialistischer Realismus) sowie die britischen Künstler Damien Hirst (geb. 1965), Gary Hume (geb. 1962) und Gavin Turk (geb. 1967). Turks *Pop* (1993) ist ein lebensgroßes, als Sid Vicious (Punk-Band Sex Pistols) gekleidetes, in einen Glaskasten eingeschlossenes Selbstporträt aus Wachs, in einer Weise gekleidet, die an Vicious' Version von Frank Sinatras »My Way« erinnert und in der Pose von Elvis Presley als Cowboy, wie er von Andy Warhol dargestellt wurde. *Pop* entlarvt den Mythos von der kreativen Originalität, reflektiert über den Aufstieg von Pop Musik, Pop Art und Pop Stars und über den Künstler als Pop Star. Es dient als Denkmal für die Pioniere der Selbstdarstellung, die den Medien geholfen haben, sich selbst zu Ikonen zu machen.

Wichtige Sammlungen

Modern Art Museum of Fort Worth, Texas
Museum of Fine Arts, Boston, Massachusetts
San Francisco Museum of Modern Art, San Francisco, Kalifornien
Sintra Museu de Arte Moderna, Sintra, Portugal
Tate Gallery, London

Weiterführende Literatur

J. Koons, R. Rosenbloom, *Das Jeff-Koons-Handbuch* (München, 1992)
J. Johns und K. Vardence, *Jasper Johns: Interview and Writings* (1996)
N. Rosental u.a., *Sensation* (Ausst.-Kat., Royal Academy of Arts, London, 1998)

Transavantgarde

… der Künstler geht wie der Drahtseiltänzer in verschiedene Richtungen, nicht weil er so geschickt wäre, sondern weil er unfähig ist, nur eine zu wählen.

MIMMO PALADINO, 1985

Der italienische Kunstkritiker Achille Bonito Oliva bezeichnete die italienische Version des *Neo-Expressionismus in einem Artikel in *Flash Art* im Oktober 1979 als Transavanguardia (»jenseits der Avantgarde«), und seither wird der Begriff benutzt, um Werke zu beschreiben, die in den 1980er und 1990er-Jahren von einer Künstlergruppe geschaffen wurden, zu der Sandro Chia (geb. 1946), Francesco Clemente (geb. 1952), Enzo Cucchi (geb. 1949) und Mimmo Paladino (geb. 1948) gehörten. Merkmal ihrer Werke ist eine Rückkehr zu einer Malerei, die von einer gewissen Heftigkeit des Ausdrucks und der Handhabung sowie von einer romantischen Nostalgie für die Vergangenheit charakterisiert ist. Bunt, sinnlich und dramatisch, vermitteln sie einen überzeugenden Eindruck von der Freude an der Wiederentdeckung der haptischen und expressiven Aspekte der Materialien der Malerei.

Der Name, den Bonito Oliva für die Bewegung gewählt hatte, impliziert, dass sich die Künstler noch über die progressive Natur der Avantgarde des 20. Jahrhunderts hinaus bewegt hatten. Zusammen mit ihren deutschen und amerikanischen neo-expressionistischen Pendants forderten sie mit ihrem Werk die Dominanz der *Konzeptkunst und des *Minimalismus heraus, doch war das Werk der Italiener im Besonderen eine Reaktion auf die eher puritanischen Aspekte der *Arte Povera. Die Zurückweisung des Konzepts eines »richtigen Weges« für die Kunst (eines Weges, der der Reinheit vor allen anderen Werten den Vorrang einräumte) und ihre Hinwendung zu einem Medium, das man lange für tot erklärt

hatte (die Malerei), hatte einen befreienden Effekt, dessen Spuren sich in den Werken und Statements der Künstler nachweisen lassen.

In der Kombination und Umformung der Inhalt und Form betreffenden Traditionen der Vergangenheit beziehen sich die Künstler der Transavanguardia ganz gezielt auf das reiche kulturelle Erbe Italiens. In Chias Gemälden, heroische Bilder, die in Zeit und Raum zu schweben scheinen, spürt man oft, dass die ganze Geschichte der Kunst und Kultur ins Spiel gebracht wird. Die Gestalt des Künstlers, gewöhnlich in den Gemälden gegenwärtig, wird sowohl als Held als auch als Zirkusclown gesehen, und die Situationen, in

denen er auftaucht, sind voll Überschwang und dennoch melancholisch. Um seine Haltung gegenüber der Rolle der Malerei zu erklären, schrieb Chia 1983, umgeben von seinen Bildern und Skulpturen sei er wie ein Löwenbändiger im Kreis seiner Tiere, und er fühle sich den Helden seiner Kindheit, fühle sich Michelangelo, Tizian und Tintoretto nahe. Er werde seine Skulpturen und Bilder zu seinem Vergnügen zu seiner Musik auf einem Bein tanzen lassen.

Cucchis dunkle Landschaften, die an seine Heimatstadt, die adriatische Hafenstadt Ancona, erinnern, sind gefühlsmäßig den nordischen *Expressionisten des frühen 20. Jahrhunderts am nächsten. Die Darstellung der Naturkräfte und der Bedeutungslosigkeit des Menschen erinnert an die visionären Landschaften Emil Noldes.

Oben: **Enzo Cucchi, *Un quadro di fuochi preziosi*, 1983**
Die adriatische Hafenstadt Ancona, wo Enzo Cucchis Familie seit Generationen als Bauern lebte, bot ihm eine Landschaft, in der Erdrutsche und das Abbrennen der Stoppelfelder normal waren. In seinen Gemälden nimmt sie eine apokalyptische Energie an.

Gegenüber: **Künstler der Transavanguardia**
Von links nach rechts: Sandro Chia, Nino Longobardi, Mimmo Paladino, Paul Maenz, Francesco Clemente und seine Frau, Wolfgang Max Faust, unidentifizierte Person, Fantomas, Gerd de Vries, Lucio Amerlio. Einer der »drei C's«, Enzo Cucchi, fehlt.

Wenn Cucchi die Vorstellung vom Künstler als Visionär wiederzubeleben scheint, so erhebt das eklektische Werk von Clemente die expressionistische Auffassung von der Kunst als einem Vehikel für den Ausdruck des Selbst auf eine neue Ebene. Wie das Werk von Vincent van Gogh (siehe Post-Impressionismus) und Egon Schiele (siehe Expressionismus), dienen Clementes Darstellungen als psychologische Selbstporträts, die den Künstler oft als isolierten, missverstandenen Helden zeigen. Indem sie auf eine große Bandbreite von Einflüssen und Inspirationsquellen zurückgreifen, verknüpfen die Darstellungen religiöse Symbole, Autobiografie, Kultur- und Kunstgeschichte in einer oftmals persönlichen erotischen Vision einer zwanghaften innere Reise, die von der Selbstdarstellung bis zur Selbstentblößung führt.

Ganz ähnlich überschreitet auch Paladinos Kunst Zeit und Stile, allerdings auf beinahe archäologische Weise. In seinen Gemälden und Skulpturen sind Vergangenheit und Gegenwart verschmolzen, die Lebenden werden mit den Toten zusammengebracht, katholische werden mit heidnischen Ritualen vermischt, Symbole, Menschen und Tiere sind in archaischen Figurationen zusammengefasst. Das Freiheitsgefühl, das von Paladinos Ansatz der Selbstbedienung ausgeht, fing er 1985 in einem Statement ein, als er sagte, die Kunst sei wie ein fremdes Schloss mit Räumen voller Bilder, Skulpturen, Mosaike, Fresken, die man nach und nach voller Staunen entdecke. Der Weg, den die Konzeptkunst durch dieses Schloss gehe, sei klar definiert. Sein Weg sei dies nicht, dennoch laufe er parallel. Er könne wählen. Die abstrakte Kunst habe seiner Meinung nach die alte Frage nach Bild und Darstellung vom Tisch gewischt. Er könne in seinen Bildern simultan eine Beziehung zu Matisse und Malewitsch aufnehmen, obwohl die beiden keine Beziehung zueinander hätten.

Durch ihre Aufnahme in wichtige Ausstellungen der Kunsthalle Basel, die Biennale von Venedig 1980 und die Royal Academy in London 1981 wurden die Künstler der Transavanguardia rasch bekannt und in der internationalen Kunstwelt als Gruppe von Bedeutung akzeptiert. Bald folgten Einzelausstellungen in Europa und den USA und auch internationales Ansehen.

Wichtige Sammlungen
Ball State University Museum of Art, Muncie, Indiana
Museo di Capodimonte, Neapel, Italien
Solomon R. Guggenheim Museum, New York
University of Lethbridge Art Gallery, Alberta, Kanada

Weiterführende Literatur
E. Avedon, *Clemente: An Interview* (1987)
Bonito Oliva, *The Italian Transavanguardia* (Mailand, 1980)
Transavanguardia (Ausst.-Kat., Mus. Würth, Künzelsau-Gaisbach, 1998)
T. Elsen, L. Marenzi, *Francesco Clemente, Palladium* (Ausst.-Kat., Kunstsammlungen, Augsburg, 2000/01)

Klangkunst

Welche Beziehung besteht zwischen dem Menschen und den Klängen seiner Umgebung, und was geschieht, wenn diese Klänge sich ändern?

R. MURRAY SCHAFER, THE TUNING OF THE WORLD, 1977

Klangkunst (oder Audiokunst) erlangte in den späten 1970er-Jahren Anerkennung als Kunstkategorie, wurde aber erst in den 1990er-Jahren allgemein bekannt, weil sich Künstler weltweit mit Kunst beschäftigten, die den Klang einschloss. Die Klänge können natürlich oder von Menschen erzeugt, Musik sein oder von technischen Geräten stammen, und die Werke können die Form von Bildern oder Skulpturen in der Art von *Assemblagen, *Installationen, *Videos, *Aktionskunst und *Kinetischer Kunst annehmen.

Die Anfänge der Klangkunst können zum Beginn des 20. Jahrhunderts zurückverfolgt werden. Die Beziehung zwischen Musik und Kunst war eine treibende Kraft hinter der Entwicklung der Abstraktion (siehe Der Blaue Reiter, Orphismus und Synchronismus). *Futurismus und *Dadaismus erforschten die »Kunst der Geräusche«, die von John Cage in den 1950er-Jahren weiterentwickelt wurde. Cage nannte Robert Rauschenbergs *White Paintings* (1951) – die er als »Flughäfen für Lichter, Schatten und Partikel« bezeichnete – als seine wichtigste Inspirationsquelle für sein »stilles« Stück *4'33'* (1952). Indem er »Musik« neu definierte als Kombination von allen erdenklichen Klängen und Geräuschen, wurde Cage zu einer einflussreichen Gestalt für diejenigen bildenden Künstler der 1950er- und 1960er-Jahre, die mit *Beat Art, *Neo-Dada, *Fluxus und Aktionskunst verknüpft waren und die ihrerseits in den 1970er-Jahren wiederum Einfluss hatten auf die Klang- und Aktionskünstler Laurie Anderson und Robert Wilson.

Rauschenbergs Werk (siehe auch Neo-Dada, Combine Painting, Aktionskunst und Konzeptkunst) umfasst *Broadcast* (1959), ein Combine Painting mit drei Radios hinter der Leinwand und zwei Bedienungsknöpfen an der Oberfläche, *Oracle* (1962–1965), ein Skulptur-Klang-Environment, das er mit dem schwedischen Ingenieur Billy Klüver (geb. 1927) schuf, und *Sounding* (1968), ein massiver Plexiglasbildschirm mit verborgenen Lichtern, die durch Geräusche des Publikums aktiviert werden und dann Bilder von fallenden Stühlen zeigen. *Sounding* wurde in Zusammenarbeit mit Ingenieurmitgliedern der Gruppe E.A.T (siehe GRAV) geschaffen.

Eine Reihe früher Klangkunstwerke wurde 1964 in der Ausstellung »For Eyes & Ears« (Für Augen & Ohren) in der Galerie Cordier & Ekstrom in New York vorgestellt. Sie umfasste Geräuschmaschinen der Dadaisten Marcel Duchamp und Man Ray, eine Klanginstallation von Klüver, Werke zeitgenössischer Künstler wie Rauschenberg und der Kinetiker Jean Tinguely und Takis sowie Gemeinschaftsarbeiten von Künstlern und Komponisten oder Künstlern und Ingenieuren.

Gegenüber: **Christian Marclay, *Guitar Drag*, 2000**
Das 15-minütige Video von einer an den Verstärker angeschlossenen Elektrogitarre, die von einem Lastwagen über eine Landstraße in Texas gezogen wird, zeigt nicht nur den unglaublichen Lärm, der dabei entsteht, sondern evoziert auch eine Menge von Assoziationen, die von der Lynchjustiz bis zum Road Movie reichen.

Der Amerikaner Lee Ranaldo (geb. 1956) und der in Großbritannien geborene Brian Eno (geb. 1948) schufen Werke, die durch musikalische Hintergründe eher bereichert als definiert wurden. Eno arbeitete mit Klangkünstlern wie Anderson und bildenden Künstlern wie Mimmo Paladino (siehe Transavantgarde) zusammen. So wie Anderson, Ranaldo und Eno Aspekte der bildenden Kunst und der Popkultur verschmolzen, nährt sich ein erheblicher Teil der jüngsten Klangkunst von der Clubkultur, vom Einsatz elektronischer Musik und vom Sampling. Großbritanniens Robin Rimbaud, alias Scanner, kreiert Klangcollagen für Clubs, Ausstellungen, Radio und Fernsehen. Die Ausstellung »Sonic Boom: The Art of Sound« (Überschallknall: Die Kunst des Klangs) im Jahr 2000 in der Hayward Gallery in London abgehalten, warf ein Schlaglicht auf die zunehmende Zahl von zeitgenössischen Künstlern, die Klang in Verbindung mit bildender Kunst einsetzen.

Wichtige Sammlungen
Kunsthalle Hamburg
Museum Ludwig, Köln
Stedelijk Museum, Amsterdam, Niederlande

Weiterführende Literatur
K. v. Maur, *Vom Klang der Bilder* (München, 1996)
H. de LaMotte-Haber (Hrsg.), *Klangkunst* (München u.a., 1999)
Voice Over: Sound and Vision in Current Art
   (Ausst.-Kat., Arts Council of England, 1998)

Internetkunst

Eine Ästhetik des Klauens, Tricksens, Lesens, Sprechens, Herumtreibens, Kaufens, Wünschens.

DAVID GARCIA UND GEERT LOVINK, MEDIA ACTIVISTS, 1997

Hat die Internetkunst (auch Interaktive Kunst, Web Art oder net.art genannt) als neueste Form der Digitalkunst schließlich allen Kunststilen ein Ende bereitet? Manchen Fachleuten zufolge sind »-ismen« – Avantgardebewegungen, die sich in evolutionärer Sequenz ablösten – in einem technologischen Format, das sowohl Künstlern wie Betrachtern eine derart extraordinäre Freiheit der Kreativität einräumt, nicht länger möglich.

Das World Wide Web, das 1989 von dem britischen Wissenschaftler Timothy Berners-Lee (geb. 1955) ins Leben gerufen wurde, um Physikern am europäischen Labor für Teilchenphysik zu helfen, wurde bereits Mitte der 1990er-Jahre, als es erst rund 5000 Benutzer mit eigenen Anschlüssen gab, zu einem Kunstforum. Doch in den letzten Jahren des 20. Jahrhunderts nahm die Zahl der Internetbenutzer rapide zu, und das führte auch zu einem Wachsen der Internetkunst. Die Entwicklungen waren global, was nur angemessen scheint für ein Medium, das weltweit zugänglich ist. So waren postkommunistische Osteuropäer unter den ersten Teilnehmern. Das Ljudmila Medienzentrum in Slowenien, vom George Soros' Open Society Institute finanziert, war so innovativ, seine Plätze für Künstler-Websites mit Bildungsinitiativen zu verknüpfen.

Vor allem anderen ist die Internetkunst demokratisch, und Interaktivität ist ihr wichtigster Wesenszug. Von Künstlern zusammengetragene Bilder, Texte, Bewegungen und Klänge können vom Publikum frei benutzt werden, um daraus eigene Multimediamontagen herzustellen, deren »Autorenschaft« letztlich offen bleibt. Zuschauer werden zu Anwendern. *My Boyfriend Came Back From the War* (1996) der Russin Olia Lialina (geb. 1971) stellt persönliche und politische Geschichte aus einem Repertoire von Bildern und Texten in den Vordergrund, die vom Betrachter selbst so zusammengestellt werden können, dass er seine eigene Version einer zum Scheitern verurteilten Liebesgeschichte daraus schaffen kann. Der britische Systemanalytiker Heath Bunting, der 1994 Irational.org startete (ein Name, der Subversion in einer Welt der »körperschaftlichen Rationalität« andeutete), nutzte die Intervernetzung auf andere Weise. Sein *King's-Cross Phone-In* platzierte die Telefonnummern von 36 Telefonzellen in und um U-Bahnstationen in London im Netz und lud Zuschauer ein, anzurufen und mit den Pendlern zu kommunizieren, was der Geschäftsroutine einen unerwarteten Schuss Geselligkeit – und Anarchie – verpasste. Das Projekt zeigte, wie vielgestaltig die Internetkunst sein kann, indem sie fließende Verbindungen mit anderen Kunstformen, etwa der *Aktionskunst, eingeht.

**Jake Tilson, ausgewählte Bilder von *The Cooker*, 1994 –
(www.thecooker.com)**
Tilsons noch laufendes Projekt trägt eine exotische Sammlung von »Fundstücken« wie Reisefotos, Aufzeichnungen und Hintergrundgeräuschen aus Restaurants zusammen und listet Statistiken für den Besucher auf, die in nahezu endloser Kombination zusammengestellt werden können.

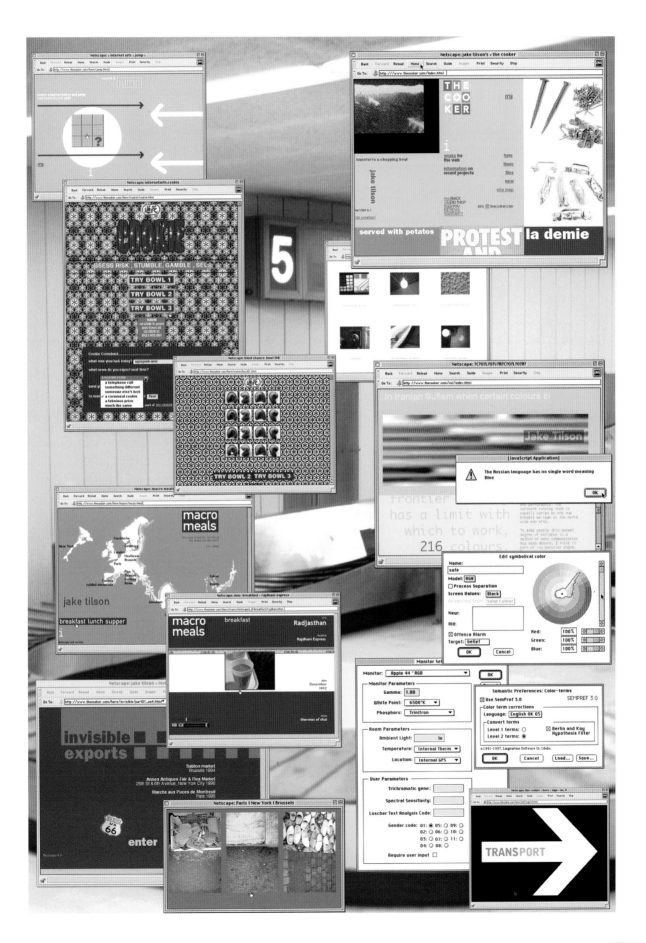

Künstlern bietet das Internet eine neue Verbreitungsmöglichkeit und ein neues Medium mit eigenen einmaligen Zügen. Ein Zug ist die Technologie selbst, mit der sie die Materialien des Künstlers gestaltet. Codes wie HTML (Hypertext mark-up language), die normalerweise unsichtbar sind, sichtbar zu machen, war eine Taktik, das scheinbare Technologiechaos (siehe z.B. www.jodi.org) offen zu legen. Eine weitere ist die Verwendung von vektorgestützten Webtools (wie Makro-media Flash). Anders als pixelgestützte Prozesse, wie die digitalisierte Fotografie, können die vektorgestützten ohne Qualitätsverlust auf jeden beliebigen Maßstab vergrößert werden. Peter Stanick (geb. 1953, www.stanick.com) produziert einflussreiche, *pop-ähnliche digitale Bilder von New Yorker Straßenszenen, die er selbst als eine Fortsetzung der mechanischen Ansätze der Pop Art Künstler Roy Lichtenstein und Andy Warhol sieht. Andere Künstler experimentieren mit der typischen Farbpalette der Webtechnologie. Anders als Pigmentfarben, gehen sie aus der Maschinentechnologie hervor, wie die hexadezimale Farbpalette – 256 websichere Farben, die aus Rot, Grün und Blau gebildet werden (den drei Farben, aus denen ein einzelnes Monitor-Pixel besteht).

Jake Tilsons (geb. 1958) noch laufende Arbeit *The Cooker* (1994 begonnen), beleuchtet einen weiteren wichtigen Zug der Internetkunst, ihre Fähigkeit nämlich, außergewöhnliche geografische Verbindungen sowohl zwischen Künstlern als auch dem Weltpublikum herzustellen. Wie schon Buckminster Fuller (siehe auch Neo-Dada und Anti-Design) in den 1960er-Jahren vorausgesagt hatte, war es der Technologie gelungen, die Welt in jeden Hinterhof zu bringen. Tilsons *The Cooker* präsentiert eine erstaunliche Menge von Bildern, Texten und Experimenten aus aller Welt, die mit dem allgemeinen Thema Nahrungsmittel zu tun haben. »Macro Meals« beispielsweise ermöglicht dem Zuschauer, der an seinem Terminal sitzt, einen Besuch in Indien zu machen, dort im Rajastan-Express ein Frühstück zu bestellen und dabei die Bilder des Zuges und des Essens zu sehen und zugleich hören zu können, wie das Essen zubereitet und eingenommen wird.

Die Ausübenden der Internetkunst haben die unterschiedlichsten Hintergründe. Manche haben Kunst studiert, andere kommen

aus der Geschäftswelt, dem technischen oder dem grafischen Gewerbe. Äda'web (dessen Archiv jetzt auf der Webseite des Walker Art Centre, Minneapolis – siehe Kasten Wichtige Webseiten – zu finden ist) hat seine Wurzeln im Mainstream der Kunstwelt. Sein Direktor, Benjamin Weil, hat viele etablierte Künstler eingeladen, darunter Jenny Holzer (siehe Postmoderne) und Lawrence Weiner (siehe Konzeptkunst), zusammen mit seinen Designern Webseiten zu gestalten. Holzers Seite *Please Change Beliefs*, die Besucher einlädt, Binsenweisheiten zu »verbessern« (zum Beispiel »Erlöschende Liebe ist schön, aber dumm«), zeigt, wie durch die interaktive Natur des Internets eine etablierte Kunst erweitert werden kann, indem die Besucher ihre eigenen Ideen mit ins Spiel bringen.

John Maeda, Direktor der Aesthetics and Computation Group im Medienlabor des Massachusetts Institute of Technologie (MIT), absolvierte zunächst eine Ausbildung als Computerwissenschaftler am MIT und studierte dann in Japan Kunst und Design. Die Technologie ist die Quelle eines großen Teils seiner Kunst, und sein Thema ist oft das Zusammenspiel von Mensch und Maschine, wobei er die bildende Kunst und die Computerwissenschaft sich nahtlos überschneiden lässt, oft mit einer optischen Dynamik, die an die *Op Art erinnert. Viele Internetprojekte sind zwangsläufig auf die enge Zusammenarbeit zwischen Künstlern und Technikern angewiesen (siehe auch Neo-Dada und GRAV), aber auch auf die Interaktion zwischen Künstler und Zuschauer.

Die Internetkunst ist noch in der Entwicklung begriffen und zweifellos wird es in der Zukunft noch viele Veränderungen geben, nicht zuletzt durch den noch zu erwartenden technischen Fortschritt.

Wichtige Webseiten
Dia Center for the Arts, New York: www.diacenter.org
Guggenheim, New York: www.guggenheim.org
Institute for Contemporary Arts, London: www.newmediacentre.com
Musée d'Art Contemporain, Montreal:www.macm.qc.ca
Museum of Modern Art, New York: www.moma.org
Tate Gallery, London: www.tate.org.uk
Walker Art Center, Minneapolis: www.walkerart.org

Weiterführende Literatur
C. O. Jacoby u.a., *Netz-Kunst* (Nürnberg, 1999)
C. Sommerer, L. Mignonneau, *Art@Science* (1998)
J. Maeda, *Maeda@Media* (2000)

**Olia Lialina, *My Boyfriend Came Back from the War*, 1996
(www.teleporticia.org/war)**
Interaktive Webseiten wie Olia Lialinas zeigen eine Nähe zu Film und Literatur, mit dem wichtigen Unterschied, dass der Besucher die sich entfaltenden Bilder und Texte kontrolliert, um daraus seine eigene Version der Geschichte zu kreieren.

Glossar

* Verweist auf das betreffende Hauptkapitel (S. 14–288)
\> Querverweis innerhalb des Glossars

Abbaye de Créteil
Gemeinschaft französischer Künstler und Schriftsteller, die zwischen 1906 und 1908 in Créteil (Frankreich) zusammenarbeiteten. Die Entwicklung neuer Methoden (Vereinfachung der Bildersprache) beeinflusste später mehrere avantgardistische Stilrichtungen, z. B. den *Kubismus. Emilio F. T. Marinetti, der die Gemeinschaft 1907 besuchte, entwickelte auf ihren Ideen aufbauend die Theorien des *Futurismus.

ABC
ABC-Beiträge zum Bauen, 1924–1928 in Basel herausgegebene, politisch links orientierte Zeitschrift. Der Russe El Lissitzky, der Holländer Mart Stam sowie die Schweizer Architekten Hannes Meyer, Emil Roth, Hans Schmidt und Hans Wittwer entwarfen programmatische, streng funktionalistische und sozial relevante Gebäude, in der Regel in der Art des *Konstruktivismus.

Abstraction-Création
1931 in Paris gegründete Künstlergruppe, die bis 1936 bestand. Ihre Mitglieder waren zugleich Herausgeber der gleichnamigen Zeitschrift. Ziel war es, die abstrakte Kunst und ihre Künstler bekannt zu machen und zu fördern. Die Gruppe, deren Mitgliederzahl zeitweilig mehr als 400 betrug, schloss viele bekannte, unterschiedlichen Stilrichtungen angehörende Künstler dieser Zeit ein.

AchRR / AchR (russ. Abk. für Associacija Chudožnikov Revoljucionnoj Rossii: Assoziation der Künstler des Revolutionären Russland)
Bezeichnet eine 1922 in Moskau gegründete Gemeinschaft von Künstlern. Mit der Ablehnung des *Suprematismus und der abstrakten Kunst befürworteten die Künstler die Rückkehr zum figurativen Realismus. Rasch erhielt die Gemeinschaft Anerkennung im eigenen Land, auch seitens der Regierung. Obgleich 1932 die Auflösung der Gruppe erfolgte, wurde ihr heroischer Realismus und die Fokussierung auf den russischen Alltag grundlegend für den *Sozialistischen Realismus.

Action-Painting
Begriffsbezeichnung für die zwischen 1945 und 1955 vorherrschende Malweise der Künstler des *Abstrakten Expressionismus, insbesondere Jackson Pollocks und Willem de Koonings. Die Bezeichnung steht für eine gestisch-abstrakte Malerei, die durch impulsiven Farbauftrag entsteht: Die Malfläche, die bis dahin stets nur Bildträger war, wird zur Aktionsfläche spontanen künstlerischen Handelns und damit zum existentiellen Element der Künstlerpersönlichkeit; es existieren zugleich Anklänge an das *Informel.

Adhocismus
Begriffsbezeichnung aus dem Bereich der *Postmodernen Architektur und des Designs, beschreibt den Gebrauch und die Kombination vorherrschender Stilrichtungen zur Entwicklung einer neuen Stileinheit. Gleichnamiger Titel eines von Charles Jencks und Nathan Silver 1972 publizierten Buches.

Aeromalerei (Aeropittura)
1929 angekündigt durch Emilio Marinettis Manifest »Aeropittura«, schildert diese Kunst der zweiten Generation des *Futurismus technische Sensationen und moderne Lebensdynamik, insbesondere Flugerlebnisse. Unter der Leitung der Künstler Gerardo Dottori, Tato, Bruno Munari und Fillia veröffentlichte die Gruppierung ihre Arbeiten bis zum Zusammenbruch des italienischen Faschismus im Jahr 1944 in Grundsatzerklärungen und Ausstellungen.

Aesthetic Movement
Begriffsbezeichnung für die bildende und angewandte Kunst in den 1870- und 1880er-Jahren. Die Arbeiten von J. A. M. Whistler und Dante Gabriel Rossetti (siehe *Dekadenzbewegung, >Japonismus) zeigen die Freude an der Schönheit der Dinge und das Streben nach Eigenständigkeit der Kunst.

Affichistes
Der Name wurde 1949 von Raymond Hains und Jacques de la Villeglé aufgegriffen, um auf ihre spezielle Technik hinzuweisen. Sie fertigten Collagen aus den Fetzen von Plakaten (frz. affiches lacérées: Plakatzerfetzung) an, die sie von den Stadtmauern abrissen; eine Methode, die auch von Mimmo Rotella und Francois Dufrêne praktiziert wurde; später verbunden mit dem *Nouveau Réalisme.

AfriCobra (amerik. Abk. für African Commune of Bad Relevant Artists)
Gründung einer afrikanisch-amerikanischen Künstlerbewegung durch die Muralisten Barbara Jones-Hogu und Jeff Donaldson. Die Künstler stellten qualitätvolle Siebdrucke mit fluoreszierenden Farben her. Sie unterstützen die Doktrin der »black art for every black home in America« (Schwarze Kunst für jeden Farbigen in Amerika).

Agitprop (russ. Abk. für Agitatsionnaja propaganda: Agitations- und Propagandakunst)
Russische, populäre Kunstform nach der Oktoberrevolution 1917. Mit Bezug auf die Volkskunst wie auch auf Entwicklungen in der modernen Kunst (*Futurismus, *Suprematismus und *Konstruktivismus) propagierten die Künstler mithilfe entsprechender Medien das neue Regime: theatralische Events, Fahnen, Plakate, Skulpturen, Monumente sowie Malereien auf Zügen und Straßenbahnen, Mauern und Gebäuden der Städte.

Aktionismus – siehe >Wiener Aktionismus

Allianz
1931 gegründete Gruppe Schweizer Avantgarde-Künstler (u.a. Max Bill, Walter Bodmer und Richard Lohse), künstlerisch tätig bis in die 1950er-Jahre. Die Arbeiten wurden in der Öffentlichkeit durch Gruppenausstellungen und gemeinschaftliche Publikationen bekannt; Beziehungen zur *Konkreten Kunst und zum *Konstruktivismus.

Allied Artists Association (AAA)
Im Jahr 1908 durch die Kritik von Frank Rutter erfolgter Zusammenschluss britischer Künstler, mit dem Ziel, jährlich öffentliche Ausstellungen der international tätigen progressiven Künstler zu veranstalten, in Anlehnung an den Pariser >Salon des Indépendants. Auf diese Weise wurden 1908–1914 einige der avantgardistischen europäischen Kunstströmungen in Großbritannien eingeführt.

American Abstract Artists (AAA)
1936 in New York formierte Gruppe abstrakter Maler und Bildhauer als Reaktion auf die seinerzeit dominanten realistischen Stilrichtungen (siehe *American Scene und *Sozialer Realismus). Vergleichbar mit der europäischen Gruppe >Abstraction-Création, war die Arbeit des AAA der Unterstützung und Förderung der abstrakten Kunst in den USA mittels Ausstellungen, Lesungen und Publikationen gewidmet. Im Jahr 1950 umfasste die Vereinigung mehr als 200 Mitglieder.

American Craft Movement
Amerikanische Bewegung nach dem Zweiten Weltkrieg, die darauf abzielte, das traditionelle Handwerk durch universitäre Kunstprogramme wiederzubeleben. Manche Seminare wurden von ehemaligen Studenten des *Bauhauses geleitet; von großem Einfluss bis in die 1970er- und 1980er-Jahre.

American Gothic – siehe *American Scene

Angry Penguins
Australisches Avantgarde-Magazin der 1940er-Jahre, zugleich künstlerische und literarische Bewegung. Zu den Mitgliedern der Kerngruppe in Melbourne zählten Arthur Boyd, Max Harris, Sidney Nolan, John Perceval, John Reed und Albert Tucker. Die Arbeiten sind größtenteils geprägt vom *Expressionismus sowie der Figuration und reflektieren das Interesse am *Surrealismus. Später wurden einige von ihnen Mitglieder der >Antipodean Group.

Antipodean Group
Im Jahr 1959 in Australien gegründete Künstlervereinigung, tätig bis 1960. Das »Antipodean Manifest«, aufgesetzt durch den Kunsthistoriker Bernard Smith, unterstützte die figurative Malerei prominenter australischer Künstler, wie Arthur Boyd und Clifton Pugh. Mit Sidney Nolan und Russell Drysdale, deren Arbeiten den *Surrealismus mit der Kunst der Aborigines verbinden, gewann die Gruppe in der zweiten Hälfte des 20. Jahrhunderts großen Einfluss.

Apostles of Ugliness, The – siehe *Ashcan School

Architext
Titel einer japanischen Zeitschrift und einer 1971 in Opposition zum >Metabolismus gegründeten Architektengruppe; Zurückweisung doktrinärer und totalitärer Aspekte der Moderne und Unterstützung des Pluralismus.

Art and Freedom (arabisch Al-fann wa'l-hurriyya: Kunst und Freiheit)
1939 gegründete ägyptische Gruppe von *Surrealisten. Die Maler Ramsis Yunan, Fu'ad Kamil, Kamil al-Talamsani und der Dichter Georges Hunain wurden inspiriert von André Bretons Pariser Gruppe, deren Manifest »Vive l'Art Dégénéré« (Lang lebe die degenerierte Kunst) für die künstlerische Freiheit warb.

Art & Language
Bezeichnet eine britische Künstlergruppe und war ab 1969 der Titel einer Zeitschrift zur Publikation ihrer theoretischen Analysen und Abhandlungen über das Verhältnis von Kunst, Gesellschaft und Politik. Mit der Forderung, Kunstobjekte durch Sprache zu ersetzen, sind sie die extremsten Vertreter der *Konzeptkunst. Gegründet 1968 in Coventry von Terry Atkinson, David Bainbridge, Michael Baldwin und Harold Hurrell, zählte die Vereinigung im Jahr 1976 bereits über 2000 Mitglieder in Großbritannien und New York.

Art Autre
Der nach dem Zweiten Weltkrieg geprägte Ausdruck stammt von dem Kunstkritiker Michel Tapié, der 1952 ein gleichnamiges Buch veröffentlichte. Er bezieht sich auf Kunstwerke, die von der Kunst der Kinder, naiver Kunst und vom >Primitivismus inspiriert wurden sowie vom *Existenzialismus. Oft benutzt als Synonym für *Informel und >Tachismus.

Art Workers' Coalition (AWC)
1969 in New York formierte Gruppe. Neben vielen anderen Künstlern zählten die *Minimalisten Carl Andre und Robert Morris, die *Konzeptuellen Künstler Hans Haacke und Dennis Oppenheim sowie die Kritiker Lucy Lippard und Gregory Battcock zu ihren Vertretern. Sie motivierten Museen und Galerien, sich am Protest gegen den Vietnam-Krieg zu beteiligen, agierten für die Rechte der Künstler, setzten sich für eine veränderte Museumspolitik durch eine Beteiligung der Künstler ein sowie für mehr Ausstellungsraum für künstlerisch tätige Frauen und Minderheiten.

Arte Cifra
Strömung in der italienischen Gegenwartskunst, die sich als Gegenbewegung zu *Konzeptkunst und *Arte Povera formierte. Die radikale, individuelle Bildsprache bezieht sich vor allem auf den Ausdruck des Unbewussten und der Assoziation in der Malerei. Es gibt Beziehungen zu den Arbeiten von Sandro Chia, Francesco Clemente, Enzo Cucchi und Mimmo Paladino (siehe auch *Transavantgarde).

Arte Generativo
Diese Stilrichtung der argentinischen Malerei der 1950er-Jahre ist charakterisiert durch analytische Arbeiten, die auf geometrischer Abstraktion basieren und in der Tradition der >Arte Madí der 1940er-Jahre stehen. Eduardo Macentyre und Miguel Angel Vidal erarbeiteten 1960 ein Grundsatzprogramm; ihr Werk verfolgt die kraftvolle Analyse von Linie und Farbe.

Arte Madí
Künstlerische Bewegung in Argentinien und Uruguay, deren Manifeste in den 1940er-Jahren bekannte Maler, Bildhauer, Schriftsteller und Musiker in der Art des *Konstruktivismus zusammenschloss. Carmelo Arden Quin und Gyula Kosice widmeten sich einer plastischen Formsprache; die objekthaften Bildträger (shaped canvas) von Rhod Rothfuss nehmen Techniken der amerikanischen abstrakten Kunst vorweg.

Arte Nucleare
1951 von Enrico Baj, Joe Colombo und Sergio Dangelo in Mailand gegründete Bewegung, später erfolgte der Zusammenschluss mit dem Künstler Asger Jorn, einem Gründungsmitglied von *COBRA. Die Mitglieder experimentierten mit dem Automatismus der *Surrealisten und der Gebärdenabstraktion, um ihre Gemälde zu schaffen, die die Lebensbedingungen der Nachkriegszeit in einer nuklearen, d. h. verstrahlten Landschaft repräsentieren.

Arte Programmata
1962 von dem Schriftsteller Umberto Eco geprägte Bezeichnung für Künstler, die in den 1960er-Jahren die Ideen der >Nouvelle Tendance vertraten, ähnlich den Mitgliedern der >Gruppo N und >Gruppo T. Arte Programmata widmete sich der Erkundung von Bewegung, sowie von optischen Phänomenen und ihrer Wirkung auf den Betrachter (siehe *Kinetische Kunst und *Op Art).

Atelier 5
1955 in Bern gegründete Architektengruppe. Zu den Gründungsmitgliedern zählten Erwin Fritz, Samuel Gerber, Rolf Hesterberg, Hans Hostettler und Alfredo Pini. Die frühen Arbeiten zeigen den Einfluss von Le Corbusier und dem *Brutalismus; bekannt für ihre erfolgreiche niedrige und dichte Wohnbebauung in der Umgebung von Bern.

Atelier Populaire
Name einer 1968er-Gruppe streikender Studenten der französischen École des Beaux-Arts, Paris. Diese stellten über 360 Poster her, die sie anonym entwarfen und druckten. Sie verteilten ihre Arbeiten in Paris als Waffe im Kampf für eine Bildungsreform und auch, um ihre absolute Solidarität mit den streikenden Fabrikar-

beitern zu demonstrieren. Die streng graphischen Bilder und die Slogans wurden zu visuellen Emblemen der Ereignisse im Mai 1968.

Auto-destructive Art (Selbstzerstörende Kunst)
Kunst, die Wandlungsprozessen unterliegt bzw. dafür bestimmt ist, sich selbst zu zerstören; der Zerstörungsakt ist integraler Bestandteil eines kreativen Prozesses, vergleichbar mit den selbstzerstörerischen Maschinen Jean Tinguelys in der *Kinetischen Kunst. Der während der 1960er-Jahre in London lebende Künstler Gustav Metzger schrieb Manifeste, organisierte Lesungen und Demonstrationen sowie das »Zerstörung-in-der-Kunst«-Symposium in London (1966).

Bad Painting
Name einer 1978 gezeigten Ausstellung figurativer Malerei am New Museum, New York. Der Name ist ein Hinweis auf die Maler, deren Arbeiten durch den Gebrauch von merkwürdigen, kontrastierenden Materialien und Farben bewusst wenig ausgearbeitet und abgerieben erscheinen, mit der Absicht, dem »guten Geschmack« entgegenzuwirken; siehe *Neo-Expressionismus.

Bay Area Figuration
Bewegung in den 1950er-Jahren in der Bucht von San Francisco, Nordkalifornien; führende Mitglieder waren Elmer Bischoff, Joan Brown, Richard Diebenkorn und David Park. Ihre bewusste Rückkehr zu figurativen Themen zeigt den Einfluss von *Beat Art und eine Zurückweisung des *Abstrakten Expressionismus der Ostküste.

Black Expressionism (Schwarzer Expressionismus)
Bezeichnet die Entwicklung einer figurativen Stilrichtung der afrikanisch-amerikanischen Kunst in den 1960er- und 1970er-Jahren. Beeinflusst durch den *Abstrakten Expressionismus, >Colour-Field Painting und >Hard-Edge Painting. Die Bewegung erwuchs aus politischen Unruhen und Protesten der Bürgerrechtler; die Arbeiten beinhalten häufig politische Slogans und den Einsatz der Farben Schwarz, Rot und Grün (Farben der Flagge der afroamerikanischen Emanzipationsbewegung, UNIA).

Black Mountain College
1933–1957 in Black Mountain, North Carolina, ansässige Künstlerschule. John Cage, Merce Cunningham, Buckminster Fuller und einige Dichter, die Verbindungen zu der *Beat-Generation hatten, lehrten dort, ebenso ehemalige *Bauhaus-Lehrer und Studenten. Diese förderten eine Atmosphäre der Gemeinschaft und des Experimentierens. Zu den herausragenden Studenten zählten Robert Rauschenberg (siehe *Neo-Dada), Ray Johnson (siehe *Fluxus, >Mail Art), Kenneth Noland (siehe *Nachmalerische Abstraktion) und Cy Twombly (siehe *Neo-Expressionismus).

Black Neighborhood Mural Movement
Entstanden in den frühen 1960er-Jahren in Chicago als eine Kunstbewegung, die nicht an den Ort des Museums gebunden war, die bestimmte heruntergekommene Stadtteile in Detroit, Boston, San Francisco, Washington D. C., Atlanta und New York neu gestaltete.

Blaue Vier, Die
1924 am *Bauhaus gegründete deutsche Künstlergruppe, mit Wassily Kandinsky, Paul Klee, Alexei von Jawlensky und Lyonel Feininger. Früher verbunden mit *Der Blaue Reiter, stellte die Gruppe zehn Jahre lang gemeinschaftlich aus, insbesondere in den USA, Deutschland und Mexiko.

Blaue Rose, die (russ.: Golubaja Roza)
1904–1908 tätige Gruppe russischer Maler, zugleich Titel einer Moskauer Ausstellung 1907; verbunden mit Nikolai Rjabushinskys Zeitschrift *Goldenes Vlies* und charakterisiert durch einen jenseitigen *Symbolismus (insbesondere Blumenbilder). Vorreiter des neuen Primitivismus in der russ. Kunst, die sich aus der russ. Avantgarde entwickelte. Prominente Mitglieder waren Michail Wrubel und Viktor Borisov-Musatov; siehe *Welt der Kunst.

Blok
Polnische Zeitschrift des *Konstruktivismus und Organ der gleichnamigen Künstlergruppe um Henryk Berlewi, Katarzyna Kobro und Wladislaw Strzeminski; tätig in Warschau 1924–1926. Verbreitung ihrer Ideen mittels Ausstellungen und elf Ausgaben des Magazins *Blok*. Unstimmigkeiten zwischen den Vertretern eines »experimentierenden« Konstruktivismus und denen, die an den Künstler als Designer und Fabrikant glaubten, führten zur baldigen Auflösung; einige Mitglieder schlossen sich der Gruppe >Praesens an.

Bloomsbury Group
Gemeinschaft von befreundeten Künstlern und Schriftstellern, z. B. Virginia Woolf, E. M. Forster, Clive Bell, Vanessa Bell, Roger Fry, Duncan Grant und John Maynard Keynes. Viele von ihnen lebten in der Zeit von 1907 bis in die späten 1930er-Jahre in dem Londoner Vorort Bloomsbury; sie verstanden sich als Förderer der angewandten Kunst (siehe >Omega Workshops) und vieler neu entstandener Kunstströmungen, insbesondere des *Post-Impressionismus.

BMPT
In Paris ansässige Gruppe Schweizer und französischer Künstler (Name abgeleitet von den Initialen der Nachnamen), tätig 1966–1967. Daniel Buren, Olivier Mosset, Michel Parmentier und Niele Toroni teilten eine *Konzeptuelle Kritik am Kult des Künstlers und seiner Originalität; sie lenkten die Aufmerksamkeit auf die Wahrnehmung von Kunst und die Aura, die sie einem Raum oder einem Menschen verleiht.

Bowery Boys
Spitzname einer Gruppe junger Künstler in New York, die in den 1960er-Jahren nahe der Bowery lebten. Die Gruppe wird meistens mit dem *Minimalismus in Verbindung gebracht, ihr gehörten u.a. Tom Doyle, Eva Hesse, Sol LeWitt, Robert Mangold, Dan Flavin, Robert Ryman und die Kritikerin Lucy Lippard an. Viele trafen sich während ihrer Arbeit im Museum of Modern Art und stellten in der Dwan Gallery aus.

Camden Town Group
1911 formierte Gruppe britischer Maler, angeregt von dem *Impressionisten Walter Sickert. Zur Künstlergruppe zählten u.a. Walter Bayes, Spencer Gore, Duncan Grant, Augustus John und Wyndham Lewis. Mit ihren Arbeiten brachten sie den *Post-Impressionismus nach Großbritannien. Nach drei Ausstellungen in den Jahren 1911–1912 verschmolzen sie mit einer Anzahl kleinerer Gruppierungen zur >London Group.

Canadian Automatistes – siehe > Les Automatistes

Canadian Group of Painters, The
Expandierende Gruppe, gegründet nach der 1933 erfolgten Auflösung der >Group of Seven; führte die betont nationalistisch geprägte Landschaftsmalerei der früheren Vereinigung fort und dominierte die Kanadische Kunst bis in die 1950er-Jahre, herausgefordert von den >Painters Eleven und den >Les Automatistes. 1969 aufgelöst.

Cercle et Carré
1929 in Paris von dem Schriftsteller Michel Seuphor und dem Maler Joaquín Torres-García gegründete Bewegung. Durch eine große Gruppenausstellung und eine Zeitschrift unterstützten sie *konstruktivistische Tendenzen in der abstrakten Kunst in Opposition zum *Surrealismus; kurzlebig, da 1930 aufgelöst. Ihr Einsatz für die abstrakte Kunst wurde später von der >Abstraction-Création Gruppe fortgesetzt.

Chicago Imagists
Figurative, expressionistische Maler der späten 1960er- und 1970er-Jahre in Chicago; Bezüge zur *Outsider Art, viele Mitglieder waren enthusiastische Sammler. Umfasste neben der Künstlergruppe >Hairy Who auch die Maler Don Baum, Roger Brown, Eleanor Dube, Phil Hanson, Ed Paschke, Barbara Rossi und Christina Ramberg.

Colour-Field Painting (Farbfeldmalerei)
Stilrichtung in der Malerei des *Abstrakten Expressionismus; beschäftigte sich mit der Gleichförmigkeit sowie der Betonung von Flächen und Farben. Um 1955 Begriffsprägung durch den Schriftsteller und Kritiker Clement Greenberg. Als Vertreter dieser Kunstrichtung werden üblicherweise Barnett Newman, Mark Rothko und Clyfford Still genannt, die konträr zur »gestischen« Malerei (bzw. zum >Action Painting, z. B. Jackson Pollocks) arbeiteten. Einfluss auf >Hard-Edge Painting, *Minimalismus und *Op Art.

Computerkunst
In den 1950er- und 1960er-Jahren Oberbegriff für alle Arbeiten, die den Gebrauch von Computern einbezogen. Frühe Beispiele umfassen computergenerierte Darstellungen, deren Differenziertheit in den 1970er-Jahren weiter fortschritt; möglicherweise angeregt durch die Interaktivität in den 1980er-Jahren, entstanden Verbindungen zu anderen Kunstformen (Film, *Videokunst, *Internetkunst), die den Begriff Computerkunst weitgehend auflösten.

Continuità
1961 gegründete italienische Künstlergruppe, teilweise mit ehemaligen Mitgliedern der abstrakt arbeitenden Künstlergruppe >Forma; umfasste verschiedene Richtungen vom *Expressionismus bis hin zu einem modernen Formalismus, der italienische Formtraditionen fortsetzte. Zu den späteren Mitgliedern gehörten Lucio Fontana und Giò Pomodoro.

Coop Himmelblau
1968 von Wolf D. Prix, Helmut Swiczinsky und Rainer Michael Holzer gegründete Architektengemeinschaft. Ihr Interesse für konzeptionelle Architektur lud die imaginären utopischen Entwürfe mit Aggression und Spannung auf: Beim Groninger Museum in Groningen (Niederlande) ist das fortschreitende Verrosten des Materials Bestandteil des Konzepts. 1988 Teilnahme an der Dekonstruktivisten-Ausstellung in New York.

Corrente
1938–1943 existierende, antifaschistische künstlerische Bewegung in Italien, benannt nach einer Mailänder Zeitschrift. Stand in Opposition zum >Neo-Klassizismus (siehe *Novecento Italiano) und zur geometrischen Abstraktion. Mitglieder waren Renato Birolli und Renato Guttuso. Nach dem Zweiten Weltkrieg wechselten manche Künstler zur >Fronte Nuovo delle Arti.

Crafts Revival
Seit den 1950er-Jahren Wiederbelebung des Interesses am Kunsthandwerk, besonders stark in Großbritannien, Skandinavien und den USA. Die Betonung von Qualität und Individualität stärken die Bedeutung des Entwurfs; Verwendung von Materialien des Industriedesigns.

Danish Modern
Bezeichnung in den 1950er-Jahren für dänisches Möbeldesign, das durch seine sorgfältige Fertigung und Detailgenauigkeit internationales Renommee erlangte. Die Ästhetik einer eleganten Formgestaltung und die Anwendung von Naturprodukten in der Oberflächenbehandlung sind charakteristisch für die Arbeiten von Nana und Jorgen Ditzel, Finn Juhl, Arne Jacobsen und Borge Mogensen.

Dau al Set (katalan.: Die sieben Seiten)
1948 gegründete katalanische Gruppe von Schriftstellern und Künstlern, inspiriert von *Dada und *Surrealismus, insbesondere von der Kunst von Miró und Klee. Ihre Mitglieder (zu denen Antoni Tàpies und Joan-Josep Tharrats gehörten) beschäftigten sich insbesondere mit dem Unterbewusstsein, dem Okkulten und der Magie.

Dekonstruktivismus
Beeinflusst von der französischen, philosophisch geprägten Idee der Destrukturierung, die das Zerlegen nicht als negativen Zerstörungsakt, sondern als Strategie der Freilegung von Schichten in einem System betreibt. Tendenz der Architektur der *Postmoderne, die allgemein akzeptierte Bauweisen infrage stellte und mit dreidimensionalen, phantastischen Entwürfen (>Coop Himmelblau) experimentierte.

Divisionismus
Ein von dem *Neo-Impressionisten Paul Signac geprägter Begriff zur Beschreibung der Methode, die Farben in reiner Form in rasterartiger Punkttechnik aufzutragen (siehe >Pointillismus). Diese Maltechnik wurde angewendet von *Les Vingt, Matisse, Klimt, Mondrian und in den frühen Arbeiten der *Futuristen; siehe *Orphismus, *Fauvismus.

Eccentric Abstraction
Name einer 1966 von der amerikanischen Kunstkritikerin Lucy Lippard organisierten New Yorker Ausstellung sowie einer Gruppe von Bildhauern, mit Louise Bourgeois, Eva Hesse, Keith Somnier und H. C. Westermann, deren Arbeiten Parallelen zum *Minimalismus aufweisen, aber erotische, sinnliche oder humoristische Untertöne sowie Anklänge an die Sensibilität der *Expressionisten, *Dadaisten oder *Surrealisten beinhalten.

Eight, The
1907 unter Beteiligung von Robert Henri erfolgte Vereinigung acht amerikanischer Maler als Protest gegen die Ausstellungspolitik der National Academy of Design. Robert Henri, Arthur B. Davis, William Glackens, Ernest Lawson, George Luks, Maurice Prendergaste, Everett Shinn und John Sloan organisierten 1908 eine unabhängige Ausstellung in New York. Mit verschiedenen Stilrichtungen, vom Realistischen Urbanismus (siehe *Ashcan School) über den *Impressionismus, *Post-Impressionismus bis hin zum *Symbolismus, propagierten sie stilistische Freiheit und künstlerische Unabhängigkeit.

»Entartete Kunst«
Unter dieser Bezeichnung wurde 1937 in München eine Ausstellung unter Führung des Propagandaministers Goebbels gezeigt, mit der Intention, die Kunst der Avantgarde (insbesondere Werke des *Expressionismus, *Dada, *Bauhaus, *Neue Sachlichkeit, *Konstruktivismus) als minderwertig und volksschädigend darzustellen. Die Verfemung der beteiligten Künstler führte zur Beschlagnahmung von 16 000 Exponaten, von denen etwa 5000 ver-

nichtet wurden. Avantgardistische Künstler, die nicht emigriert waren, erhielten ein Mal- und Ausstellungsverbot.

Equipo 57
1957 in Córdoba gegründete und bis 1966 tätige spanische Künstlergruppe; José Ceunca, Angel Duarte, José Duarte, Agustín Ibarrola und Juan Serrano arbeiteten anonym als Kollektiv. Nähe zu >Nouvelle Tendance, mit denen sie gemeinsam in zahlreichen internationalen Ausstellungen in den Sechzigern vertreten waren.

Equipo Crónica
1964 in Valenzia gegründete spanische Künstlergruppe, aufgelöst 1981. Mitglieder waren u.a. Rafael Solves und Manolo Valdés. Verwarfen die Subjektivität des abstrakten Expressionismus; arbeiteten gemeinschaftlich und figurativ. Unter Verwendung von plakativen *Pop-Art-Elementen zitierten sie in ihren Arbeiten bekannte Werke der europäischen Kunst, auch als Kritik am Franco-Regime.

Equipo Realiad
Künstlername der 1966–1976 in Valencia tätigen spanischen Künstler Jordi Ballester und Joan Cardella. Ähnlich der >Equipo Crónica üben ihre figurativen Arbeiten Kritik an der spanischen Gesellschaft und der Politik des Franco-Regimes. Der Gebrauch von Sprache und Symbolik der Massenmedien sollte die Aufmerksamkeit auf die Tragweite der politischen Propaganda in Spanien lenken. Bestandteil der europäischen Bewegung >Narrative Figuration.

Eselsschwanz (russ.: Oslinyj Chvost)
Zwischen 1911und 1915 tätige Gruppe russischer Maler unter der Führung von Michail Larionow und Natalja Gontscharowa (siehe *Karo-Bube, *Rayonismus); die Künstler bildeten unter Verwendung von Elementen traditioneller russischer Volkskunst eine Art russischen *Kubismus aus.

Europa-Schule (ungar.: Európai Iskola)
1945 in Budapest von Imre Pan mit dem Ziel gegründet, die modernen Strömungen der ungarischen Kunst zu unterstützen und die Beziehungen von Ost und West zu verbessern. Es existierte eine Verbindung zu dem *Surrealisten André Breton. Die Schule organisierte 38 Ausstellungen, z. B. mit >Skupina Ra und >Skupina 42 und den Surrealisten in Rumänien und Österreich. Auflösung 1948 als Reaktion auf zwei Angriffe seitens der offiziellen Kulturpolitik; trotzdem gelegentliche, geheim stattfindende Zusammenkünfte von I. Pan, dem Kunstkritiker Á. Mezei und Lajos Kassák (siehe *Ungarischer Aktivismus).

Euston Road School
1938 erfolgte die Namensgebung durch den Kunstkritiker Clive Bell für eine Gruppe englischer Maler, die eine Schule für Malerei und Zeichnung in London unterhielt; formelle Auflösung 1939. Die Darstellung des städtischen Alltags im realistischen Malstil von William Coldstream, Claude Rogers, Victor Pasmore u.a. war eine Absage an den *Surrealismus und die Abstraktion. Coldstreams Lehrtätigkeit in den Jahren 1945–1975 war äußerst einflussreich; später erfolgte die Hinwendung zur abstrakten Kunst.

E. A. T. (amerik. Abk. für Experiments in Art and Technology)
1966 Gründung einer Multimedia-Künstlergruppe durch den amerikanischen *Neo-Dada-Künstler Robert Rauschenberg und die Ingenieure Billy Klüver und Fred Waldhauer. Der Zusammenschluss von Künstlern, Wissenschaftlern und Technikern sollte die Integration neuer Technologien in die künstlerische Arbeit ermöglichen. Zählte 1968 über 3000 Mitglieder weltweit; in den Mittneunzigern arbeitete E.A.T. an über 40 kollektiven Projekten; siehe *GRAV.

Factual Artists – siehe *Neo-Dada

Farbfeldmalerei – siehe >Colour-Field Painting

Feminist Art Workers
1976–1980 aktive kalifornische Gruppe von *Performance-Künstlern. Auf Reisen durch Kalifornien und den Mittleren Westen machten sie in Performances und Workshops auf die Gewalt gegen Frauen und ihre Bevormundung aufmerksam; setzten sich für die Emanzipation der Frau ein. Zu den Mitgliedern gehörten Nancy Angelo, Candace Compton, Cherie Gaulke, Vanalyn Green und Laurel Klick.

Figuration Libre
Der von dem Künstler Ben (siehe *Fluxus) stammende Begriff bezeichnet eine Stilrichtung in der französischen Malerei zu Beginn der 1980er-Jahre, zu deren Vertretern Jean-Michel Alberola, Jean-Charles Blais, Rémy Blanchard, François Boisrond, Robert Combas und Hervé Di Rosa zählen. Inspiriert durch die Sub- und Alltagskultur markiert Figuration Libre die Hinwendung zur figurativen Malerei (siehe *Neo-Expressionismus, *Neo-Pop und *Transavantgarde).

Forces Nouvelle
1935 in Paris gegründete und bis 1943 tätige Gruppe französischer Maler; größtenteils favorisierten sie in ihren Ausstellungen die Rückkehr zur Tradition, Natur und Gattung des Stilllebens.

Forma
1947 in Italien gegründete Gruppe von Künstlern, die sich selbst als »Formalisten und Marxisten« bezeichneten. Standen in Opposition zu >Fronte Nuovo delle Arti. Die Mitglieder, z. B. Carla Accardi, Piero Dorazio und Giulio Turcato, entwickelten eine Form der abstrakten Kunst, die beeinflusst war von Giacomo Balla (siehe *Futurismus); einige wurden später Mitglieder der Gruppe >Continuità.

Fronte Nuovo delle Arti
1946 in Italien gegründete Künstlergruppe mit dem Ziel, der italienischen Kunst nach dem Ende des *Futurismus und der *Pittura Metafisica während des Zweiten Weltkriegs wieder zum Erfolg zu verhelfen. Dem Naturalismus wie der Abstraktion und den späten Arbeiten Picassos folgten die unterschiedlichen Stilrichtungen. Die Werke der prominenten Mitglieder (z. B. Renato Guttuso, Emilio Vedova und Alberto Viani) zeichnen sich durch den politisch engagierten *Sozialen Realismus aus.

General Idea
1968 von Michael Tims (= A. A. Bronson), Ron Gabe (= Felix Partz) und Jorge Saia (= Jorge Zontal) in Toronto gegründete kanadische Künstlergruppe; Vertreter der *Konzeptionellen Kunst. Die unter den Pseudonymen in Ausstellungen, Performances, Installationen und Publikationen präsentierten Arbeiten sollten die Aufmerksamkeit auf die Kunstwelt (insbesondere die Nordamerikas) bzw. auf die Zerschlagung ihrer Ansprüche richten.

Glasgow School
Bezeichnet drei Stilrichtungen, die häufig unter diesem Namen subsumiert werden: In Glasgow ansässige Künstlergruppe des späten 19. Jahrhunderts, auch bekannt als »Glasgow Boys«, die sich gegen die Autorität der schottischen Royal Academy in Edingburgh auflehnte; von den französischen Realisten beeinflusste Maler des späten 19. Jahrhunderts unter Führung von William Yorke Macgregor; mit dem Architekten Charles Rennie Mackintosh verbundener Begriff, der im frühen 20. Jahrhundert die durch die *Arts-and-Crafts-Bewegung beeinflusste schottische *Art Nouveau bezeichnete.

Gran Fury
Aktivistische amerikanische Künstlergruppe, gegründet 1988 von Künstlern und Designern von ACT-UP (AIDS Coalition to Unleash Power). Die Künstlergruppe versuchte durch provokative Plakate, Ausstellungen und Aktionen, Vorurteilen und Gleichgültigkeit zu begegnen, das Problembewusstsein für die Krankheit AIDS zu schärfen und für die Rechte der Homosexuellen einzutreten.

Grüne Architektur
Architekturentwürfe, die sich durch den respektvollen Umgang mit der unmittelbaren, aber auch globalen Umwelt auszeichnen. Das Ziel, die Entwicklung einer harmonischen Balance von Architektur und einer verantwortungsbewussten, ökonomischen Umweltpolitik, wird zur Notwendigkeit für die Gemeinschaft erklärt. Die Anfang des 20. Jahrhunderts von Buckminster Fuller und Frank Lloyd Wright diskutierte Problematik mündete bald in einer großen internationalen Bewegung.

Green Mountain Boys
Spitzname für eine Künstlergruppe, die sich in den 1960er-Jahren um den Kunstkritiker Clement Greenberg formierte und seine formalistische Ästhetik unterstützte. Schloss neben anderen Künstlern auch Paul Feeley, Helen Frankenthaler, Morris Louis, Kenneth Noland, Jules Olitski und Anthony Caro, die Kritikerin Rosalind Krauss und den Kunsthändler André Emmerich ein. Der Kurator Alan Solomon benutzte den Namen auch als Anspielung auf das Greenberg and Bennington College, Vermont, an dem manche Künstler lehrten.

Group of Seven
1920 erfolgter Zusammenschluss kanadischer, überwiegend in Ontario tätiger Maler; Auflösung 1933. Zu den Vertretern zählen u.a. Lawren Harris, A. Y. Jackson und J. E. H. MacDonald. Synonym für eine stilisierte Landschaftsmalerei der nördlichen Territorien, die für sich in Anspruch nahm, die erste rein kanadische Kunstrichtung zu sein. Ungeachtet der Kritik aus den Reihen der Künstler anderer kanadischer Gebiete, insbesondere aus Quebec, war sie erfolgreich und populär; später expandierte die Gruppe zur >Canadian Group of Painters.

Group X
Kurzlebige, englische Avantgarde-Bewegung; Gründung nach dem Ersten Weltkrieg durch den britischen Künstler und Schriftsteller Wyndham Lewis und den amerikanischen Maler und Illustrator Edward McKnight Kauffer in London; versuchte den *Vortizismus weiterzuführen. Weitere Mitglieder waren z. B. Jessica Dismorr, Frederick Etchells, William Roberts, Edward Wadsworth, aber auch Frank Dobson und Charles Ginner. 1920 Auflösung im Anschluss an eine Ausstellung in der Mansard Gallery.

Gruppe bildender Künstler – siehe >Skupina Výtvarných Umělců

Gruppo N
1959 in Padua gegründete italienische Künstlervereinigung, mit Alberto Biasi, Ennio Chiggio, Toni Costa, Eduardo Landi und Manfredo Massironi. In den 1960er-Jahren verfochten sie eine experimentelle Kunst, teilweise in Anlehnung an *Konkrete Kunst, *Kinetische Kunst und Tendenzen der *Op Art; Auflösung 1967.

Gruppo T
1959 in Mailand gegründete italienische Künstlergruppe, mit Giovanni Anceschi, Davide Boriani, Gianni Colombo, Grazia Varisco und Gabriele de Vecchi; Auflösung 1968. Interesse an *Kinetischer Kunst und der Interaktion mit dem Betrachter. Teilnahme an den europäischen Ausstellungen der >Nouvelle Tendance.

Guerrilla Art Action Group (GAAG)
Eine der radikalsten aktivistischen Künstlergruppen während des Vietnamkrieges. 1969 von Jon Hendricks, Jean Toche, Poppy Johnson, Joanne Stamerra und Virginia Toche in New York gegründet. Mit Grundsatzprogrammen, Presseerklärungen, Performances, Kunststreiks und Straßenprotesten engagierten sie sich für einen politischen und sozialen Wandel; aufgelöst 1976.

Guerrilla Girls
1985 in New York formierte Gruppe anonymer Künstlerinnen mit dem Motto: »Wir beabsichtigen das Gewissen in der Welt der Kunst zu sein«; kritisierten bekannte Personen und Institutionen der Kunstwelt, die Frauen und Minderheiten ausgrenzten oder nur wenig vertraten; plakatierten New York mit statistischen Berichten und traten in der Öffentlichkeit mit Gorillamasken und Miniröcken bekleidet auf.

Gutai
Japanische Gruppe junger Avantgarde-Künstler, gegründet 1954 von Jiro Yoshihara in Osaka; tätig bis 1972. Zu den Mitgliedern der Gruppe zählten Akira Kanayama, Sadamasa Motonaga, Shuso Mukai, Saburo Murakami, Shozo Shimamoto, Kazuo Shiraga und Atsuko Tanaka. Der Spannungsbogen der Arbeiten reicht von *Informel über *Kinetische Kunst bis hin zu *Performance und *Earth Art. Ihre zahlreichen Ausstellungen, Grundsatzerklärungen und eine Zeitschrift machten ihre Werke und Leitmotive einem breiten internationalen Publikum zugänglich.

Hairy Who
In den späten 1960er-Jahren gegründete Gruppe von sechs gemeinsam ausstellenden Künstlern in Chicago: James Falconer, Art Green, Gladys Nilsson, James Nutt, Suellen Rocca und Karl Wirsum. Durch Einbeziehung von Inseraten, Comics, jugendlicher Umgangssprache und *Outsider Art entwickelten sie eine Mischkunst aus *Surrealismus, *Funk und *Pop; verbunden mit den >Chicago Imagists.

Halmstadgruppe
1929 erfolgter Zusammenschluss von sechs schwedischen Künstlern aus Halmstad: Sven Johnson, Waldemar Lorentzon, Stellan Mörner, Axel Olson, Erik Olson und Esaias Thoén. Bekannt wurden sie insbesondere durch ihre Unterstützung des *Surrealismus in den 1930er-Jahren als namhafte Vertreter Schwedens in verschiedenen internationalen surrealistischen Ausstellungen.

Happening
»Something to take place; a happening« (Etwas, das sich ereignet; ein Happening; Allan Kaprow, 1959). Der Terminus entstand durch die Arbeit zahlreicher *Konzept- und *Aktions-Künstler, u.a. Kaprow, aber auch durch die der Mitglieder von *Fluxus, zum Beispiel Claes Oldenburg und Jim Dine; er bezeichnet eine Mischform unterschiedlicher künstlerischer Betätigungen, d. h. eine Kombination visueller, theatralischer und auditiver Kunstformen.

Hard-Edge Painting
1958 geprägter Begriff für eine geometrische, »hartkantige« Malerei als Abgrenzung zur gestischen Abstraktion; der Terminus

beschreibt eine spezifische Darstellungsweise von *Colour-Field Painting (Ellsworth Kelly, Kenneth Noland, Barnett Newmann, Ad Reinhardt); siehe *Abstrakter Expressionismus, *Nachmalerische Abstraktion.

Harlem Renaissance
Afrikanisch-amerikanische Kunstbewegung, abgeleitet von der »New-Negro«-Bewegung der 1920er-Jahre in New York; zunächst eine vorwiegend politische und literarische Gruppe. Bekannte Maler, wie Aaron Douglas, Meta Vaux Fuller oder Palmer Hayden, kombinierten die afrikanische Bildsprache mit einer porträthaften Schilderung des Lebens in Harlem.

Hi Red Center
Japanische Künstlergruppe, mit Jiro Takamatsu, Genpei Akasegawa und Natsuyuki Nakanischi, in Tokio von 1962–1964 tätig; mit der Durchführung von Straßenaktionen und *Performances kritisierten sie die Japanische Nachkriegskultur. Die Namensgebung erfolgte mit den ersten amerikanisierten Silben ihrer Namen: Taka (Hi[gh]/Hoch), Aka (Red/Rot) und Naka (Center/Zentrum). Einige ihrer Aktionen wurden in New York von *Fluxus-Mitgliedern wiederholt.

Imaginisten
1946 Gründung einer schwedischen Künstlervereinigung, mit C.O. Hultén, Anders Österlin und Max Walter Svanberg; aufgelöst 1956. Weitere Mitglieder waren Gösta Kriland, Bertil Lundberg, Bengt Orup, Bertil Gado, Lennart Lindfors und Gudrun Åhlberg-Kriland. Um die Bedeutung der Imagination beim Malprozess hervorzuheben, orientierten sie sich stark am *Surrealismus und wurden dadurch in Ausstellungen der Surrealisten und *COBRA eingebunden.

Independent Group
1952/53 am Institute of Contemporary Arts (ICA) in London gegründete Künstlervereinigung. Zu den Mitgliedern zählten Architekten (etwa Alison und Peter Smithson, siehe *Brutalismus) und Künstler (z. B. Richard Hamilton, Eduardo Paolozzi); die künstlerische Gruppierung übte großen Einfluss auf die britische *Pop Art aus.

Inchuk (russ. Abk. für Institut Chudoschestvennoi Kultury: Institut für künstlerische Kultur)
Sowjetische Kunstschule (1920–1926), die von Mitgliedern der Bewegung >Narkompros in Moskau gegründet wurde. Gründungsmitglieder waren Wassily Kandinsky, Wladimir Tatlin, Kasimir Malewitsch, aber auch Alexander Rodtschenko, Ljubow S. Popowa und Warwara Stepanowa.

Intimismus
Begriffsbestimmung für Gemälde des »intimen«, privat-häuslichen Interieurs im ausgehenden 19. Jahrhundert, typisch für die Arbeiten von Pierre Bonnard und Edouard Vuillard. Beide Künstler gehörten auch zur Gruppe der *Nabis. Ihre Themen entfalten einen ruhigen Stil und zeigen ein Interesse an dekorativen Mustern.

Japonismus
Gebräuchlicher Begriff zur Bezeichnung des Aufgreifens japanischer Kunstformen von westlichen (besonders europäischen) Künstlergruppen, z. B. *Nabis, *Post-Impressionisten, *Arts and Crafts, *Art Nouveau und *Expressionisten. Im Mittelpunkt der künstlerischen Aufmerksamkeit standen vor allem japanische Farbholzschnitte.

Jeune Peinture Belge (frz., Junge belgische Malerei)
1945–1948 in Brüssel ansässige Gruppe avantgardistischer Künstler. Gegründet von dem Kunstkritiker Robert Delevoy und dem Rechtsanwalt René Lust zur Unterstützung zeitgenössischer Kunst. Zu den Mitgliedern zählten u. a. die späteren *COBRA-Mitglieder Pierre Alechinsky und Gaston Bertrand, aber auch Anne Bonnet, Pol Bury, Marc Mendelson und Louis van Lint. Die Arbeiten zeigen den Einfluss der flämischen *Expressionisten und führen Aspekte des *Informel ein.

Junk Art
1961 Einführung des Begriffs durch den Kritiker und Kurator Lawrence Alloway zur Bezeichnung von Kunst, die vorzugsweise aus großstädtischem Müll oder fabrikmäßig hergestellter Ware von geringem Wert besteht, vergleichbar mit den *Combine Paintings von Robert Rauschenberg und den *Assemblagen vieler *Nouveau Réalistes, *Neo-Dada-, *Beat-Art- und *Funk-Art-Künstlern. Das Interesse an Objekten und der Umgebung des Alltags führte zu >Happening und *Pop Art.

Kalte Kunst
In den 1950er-Jahren gebräuchlicher Begriff zur Beschreibung einer Kunstrichtung, deren Herleitung aus mathematischen Formeln erfolgte, häufig durch eine geometrische Anordnung der Farben. Verbindungen zur *Op Art und *Kinetischen Kunst; mehrfach benutzt zur Charakterisierung der Arbeiten der Schweizer Maler Karl Gerstner und Richard Paul Lohse.

Kritischer Realismus
Tendenzen in der realistischen Malerei zur Ausbildung einer sozial engagierten Form realistischer Figuration, vor allem im Berlin der 1970er-Jahre. Als Vertreter sind zu nennen K. H. Hödicke, Bernd Koberling, Markus Lüpertz, Wolfgang Petrick und Peter Sorge. Die Arbeiten reichen von *Neo-Expressionismus bis hin zu einem kritischen Realismus mit Reminiszenzen an die Maler der *Neuen Sachlichkeit.

Kubistischer Realismus – siehe *Präzisionismus

Kubofuturismus
1912–1916 von Natalja Gontscharowa, Michail Larionow, Kasimir Malewitsch, Ljubow Popowa, Wladimir Tatlin und Nadeschda Udaltsowa ausgeprägter Stil des *Kubismus, teilweise angereichert mit architektonischen und zylindrischen Formen; siehe *Karo-Bube und *Rayonismus.

Künstlerkolonie Worpswede
1889 Gründung der Künstlerkolonie in Worpswede (nahe Bremen). Zu den prominenten Mitgliedern, die sich hier zum gemeinschaftlichen Malen im engen Kontakt mit der Natur verbanden, zählten Fritz Mackensen, Otto Modersohn und dessen Frau Paula Modersohn-Becker (siehe *Expressionismus); ihr Tod 1907 führte ein Jahr später zur Auflösung der Künstlergruppe.

Kunst und Freiheit – siehe >Art and Freedom

Les Automatistes
Bezeichnet eine 1940–1954 in Montreal tätige Gruppe abstrakter Maler in Anlehnung an das 1947 in der zweiten Gruppenausstellung in Montreal gezeigte Werk »Automatisme 1.47« Paul Emil Borduas'. Weitere Mitglieder waren Marcel Barbeau, Roger Fauteaux, Pierre Gaureau, Fernand Leduc, Jean-Paul Mousseau und Jean-Paul Riopelle. Inspiriert vom Automatismus der *Surrealisten, weckten ihre 1947 in der Pariser Ausstellung vorgestellten Arbeiten die Aufmerksamkeit des französischen Malers und Förderers Georges Mathieu (siehe *Informel).

Les Plasticiens
1955–1959 in Montreal tätige kanadische Malergruppe, mit Louis Belzile, Jean-Paul Jérôme, Fernand Leduc, Fernand Toupin und Rodolphe de Repentigny. Im Gegensatz zur expressiven Abstraktion der maßgebenden Gruppe >Les Automatistes unterstützten sie eine eher formalistische, sich der *Nachmalerischen Abstraktion annähernde Richtung. Die Namensgebung erfolgte in Verehrung von Piet Mondrians und Theo van Doesburgs >Neo-Plastizismus (siehe *De Stijl).

Lichtkunst
Kunstrichtung der Jahre 1966–1968, in der natürliches und künstliches Licht eine wesentliche Rolle spielt; wurde durch eine Vielzahl bedeutender internationaler Ausstellungen bekannt. Zu den Hauptvertretern gehören Künstler, die mit Neonlicht arbeiten, wie Stephan Antonakos, Chryssa, Bruce Naumann (siehe *Body Art) und der zum *Nouveau Réalisme gehörende Martial Raysse, sowie Künstler, die Environments und Installationen schaffen, z. B. der *Minimalist Dan Flavin und Mitglieder von >Zero und *GRAV.

London Group
1913 erfolgter Zusammenschluss kleinerer Gruppen, wie z. B. der >Camden Town Group, zu einer Londoner Künstlervereinigung. In erster Linie Ausstellungsverband, der in Opposition zu den konservativen Ausstellungen der Royal Academy stand. Einige Gründungsmitglieder entwickelten den *Vortizismus; später waren auch Mitglieder der >Bloomsbury Group einflussreich.

Luminismus
Der Begriff steht zum einen für die amerikanische Landschaftsmalerei des 19. Jahrhunderts, dem Vorläufer des *Impressionismus, zum anderen bezeichnet er belgische *Neo-Impressionisten im Anschluss an *Les Vingt (entwickelte sich in den Niederlanden in Anlehnung an den *Fauvismus).

Lyrische Abstraktion
Nach 1945 von dem französischen Maler Georges Mathieu eingeführter Begriff zur Beschreibung einer Malerei, die durch eine großzügige malerische Gestik mit Betonung von lyrischen Qualitäten charakterisiert ist. Wols, Hans Hartung und Jean-Paul Riopelle werden häufig mit diesem Terminus assoziiert; siehe *Informel.

Mail Art
Der in den 1960er-Jahren geprägte Begriff wurde zuerst zur Beschreibung von Werken benutzt, die mit der Post verschickt wurden, insbesondere von dem amerikanischen Künstler Ray Johnson und anderen *Fluxus-, *Nouveau-Réalisme- und >Gutai-Künstlern. Mit ihrer Nutzung der Kommunikationsmöglichkeiten zwischen Künstlern, Öffentlichkeit und Kunstmarkt ist Mail Art zudem verbunden mit *Aktionskunst und *Konzeptkunst.

Maschinenästhetik
Begriffsbezeichnung für Kunst und Architektur, die die Maschine als Inspirationsquelle der Schönheit in den Vordergrund stellt. Vertreter des *Futurismus und *Vortizismus begrüßten das Maschinenzeitalter und das damit verbundene Versprechen einer technologischen Revolution; Le Corbusier (siehe *Purismus) war am Formenideal der Maschine interessiert. Im späten 20. Jahrhundert führten *High-Tech-Architekten diese Thematik fort.

Maschinenkunst
Tendenz der 1920er-Jahre innerhalb des russischen *Konstruktivismus, die auf die Synthese von konstruktivistischer Kunst und technischer Formgebung abzielt. Wladimir Tatlins Turm-Monument für die III. Internationale und seine Flugmaschine *Letatlin* dienten als symbolische Formen, um abstrakte Begriffe wie Dynamik, Transparenz, Kraft und Konstruktion sichtbar zu machen.

Materialkunst – siehe *Informel

Mec Art (Kurzform von Mechanical Art)
Um 1965 eingeführter Begriff zur Beschreibung der Arbeiten von Serge Béguier, Pol Bury, Gianni Bertini, Alain Jacquet, Nikos und Mimmo Rotella u. a.; gefördert von dem französischen Kunstkritiker Pierre Restany, der die »Sprache der Massenkommunikation« als Ausgangspunkt ihrer Arbeiten ansah. Fotomechanische Prozesse dienen hier mehr der Veränderung denn der Reproduktion von Bildern, die die Bildsprache der Massenmedien anfechten sollten. Bis etwa 1971 waren ihre Arbeiten auf großen europäische Ausstellungen vertreten.

Metabolismus
Das Manifest »Metabolism 1960: Proposals for an New Urbanism« (Vorschläge für einen neuen Urbanismus) begründet eine neue Bewegung in der japanischen Architektur und Stadtplanung. Die Gruppe um Kiyonori Kikutake und Kisho Kurokawa war davon überzeugt, dass Architektur die Welt, in der wir leben, widerspiegeln muss, und zwar als Aufbruch in ein neues »Zeitalter des Lebens« (im Gegensatz zum »Zeitalter der Maschinen«) – daher wählte man bei der Namensgebung auch einen Fachbegriff der Biologie.

Mexikanische Muralisten
Bewegung der Modernen Kunst in Mexiko von 1910 bis in die 1950er-Jahre. Die Muralisten sind Vertreter einer sozial und politisch engagierten, populären und in der Öffentlichkeit präsenten Kunstrichtung, basierend auf der Kombination von europäischen Stilrichtungen und nationalen Traditionen. Am bekanntesten sind Diego Rivera, José Clemente Orozco und David Alfaro Siqueiros. Sie alle bemalten während der 1930er-Jahre öffentliche Wandflächen in den USA, was besonders großen Einfluss auf den *Sozialen Realismus hatte.

Minotaurus
1943 in Malmö gegründete Gruppe schwedischer *Surrealisten, deren Mitglieder C. O. Hultén, Endres Nemes, Max Walter Svanberg, Carl O. Svensson und Adja Yunkers eine gemeinsame Ausstellung in Malmö hatten; Auflösung der Gruppe noch im gleichen Jahr. Hultén und Svanberg führten den Surrealismus als Gründer der >Imaginisten fort.

Mono-ha (jap., Ding-Schule)
Name eines bekannten Trends in der japanischen Bildhauerei der Jahre 1968–1972; zu den Vertretern gehören Susumu Koshimizu, U-fan Lee, Nobuo Sekine, Kishio Suga und Katsuro Yoshida. Üblicherweise bestehen die Arbeiten aus einer Form der Assemblage von Fundstücken und natürlichen Materialien oder aus temporären, ortsspezifischen Environments. Die Betonung der expressiven Qualität des Materials – das Verhältnis der einzelnen Objektteile zueinander sowie das Verhältnis des Objekts zur Umgebung – teilten einige Künstler des *Minimalismus, der *Arte Povera und *Earth Art.

Monster Roster
In den späten 1940er- und 1950er-Jahren in Chicago lebende Künstlervereinigung, die in einer figurativen, expressionistischen Richtung arbeitete und den Einfluss des *Magischen Realismus von Ivan Albright (Chicago), der *Art Brut von Jean Dubuffet und der *Outsider Art widerspiegelt. George Cohen, Cosmo Compoli,

Ray Fink, Joseph Gato, Leon Golub, Ted Halkin, June Leaf und Seymour Rosofsky wurden 1959 von dem Maler Franz Schulze als Monster Roster tituliert.

Movimento Arte Concreta (MAC)
1948 in Mailand von Atanasio Soldati, Bruno Munari, Gianni Monnet und Gillo Dorfles gegründete Bewegung der *Konkreten Kunst. Mit dieser Bewegung werden auch Lucio Fontana und Giuseppe Capogrossi assoziiert. Gründung weiterer Gruppen in Turin, Neapel und Florenz. Zurückweisung der Ideale des *Novecento Italiano und des *Sozialen Realismus dieser Zeit zugunsten der rationalen Abstraktion; Auflösung 1958.

Multiples
In der Mitte der 1950er-Jahre geprägte Bezeichnung für Auflagenkunstwerke im Gegensatz zum nur in einem Exemplar existierenden Original; gebräuchlich bei *Fluxus- und *Pop-Künstlern.

Narkompros (russ. Abk. für Narodnyi Kommissariat Proweschtschenija: Volkskommissariat für Aufklärung)
1917 in Russland von der sowjetischen Regierung gegründete Agentur. Mehrere Vertreter der russischen Avantgarde arbeiteten bis etwa 1920 – als die Agentur begann, der Ideologie der Kommunistischen Partei immer strenger zu folgen – im Ressort der schönen Künste (*Konstruktivismus, *Suprematismus, >Kubofuturismus).

Narrative Figuration (frz.: Figuration Narrative)
Der von dem französischen Kunstkritiker Gérald Gassiot-Talabot stammende Terminus kennzeichnet eine Spielart der europäischen >Neuen Figuration der 1960er-Jahre, in der die Darstellung der Zeit ein definierendes Element ist. Die Arbeiten von Eduardo Arroyo, Leonardo Cremonini, Dado, Peter Foldès, Peter Klasen, Jacques Monory, Bernard Rancillac, Hervé Télémaque und Jan Voss beziehen sich auf Kino und Comics.

Nationaler Romantizismus
Begriffsbezeichnung des späten 19. Jahrhunderts für Kunst und Architektur, die stark mit der Region, in der sie entsteht, verbunden ist. Bis ins 20. Jahrhundert insbesondere in Deutschland und Skandinavien weit verbreitet; verknüpft mit der Wiederbelebung nationaler Volkskunst und heimischer Architekturformen, folglich auch mit bestimmten Aspekten nationalistischer Politik.

Nationalsozialistische Kunst (NS-Kunst)
Ab 1933 wurden die deutsche Kunstentwicklung und das Ausstellungswesen durch die nationalsozialistische Partei streng reglementiert. Die Verfemung avantgardistischer Stilrichtungen ging einher mit dem Rückbezug der NS-Kunst auf die altdeutsche Kunst und das 19. Jahrhundert (Romantik, Realismus). Besonders die in der Öffentlichkeit ausgestellten Bildhauerarbeiten wie auch die Architektur dienten der Verherrlichung der Ideale der Nationalsozialisten und der Stärkung der Politik des Dritten Reiches.

NATO (Narrative Architecture Today)
1983 in London gegründete Gruppe, mit Tom Dixon und Daniel Weil, unter der Leitung des Architekten und Designers Nigel Coats. Ihrer Auffassung nach hatte Design – Inneneinrichtung, Möbel, Architektur, Stadtplanung – eine den Nutzungseffekt überwiegende Erzählfunktion wahrzunehmen, mit der Aufgabe, ein positives Lebensgefühl zu vermitteln.

Nederlandse Experimentele Groep
1948 gegründete Gruppe Amsterdamer Künstler, mit Karel Appel, Eugène Brands, Constant (Constant A. Nieuwenhuys), Corneille (Corneille Guillaume van Beverloo), Anton Rooskens und Theo Wolvecamp. Mit ihrem Journal *Reflex* verbreiteten sie die expressionistischen Tendenzen des *Informel; beeinflusst durch die Arbeiten Jean Dubuffets (siehe *Art Brut), Ablehnung der »sterilen« geometrischen Abstraktion. Noch im selben Jahr gründeten sie zusammen mit anderen Mitgliedern die stilistisch verwandte Gruppe *COBRA in Paris.

Neo-Dada Organizers
1960–1963 in Tokio bestehende Gruppe japanischer Künstler, mit Genpei Akasegawa, Shusaku Arakawa (siehe *Konzeptkunst), Tesumi Kudo, Tomio Miki und Masunobu Yoshimura. Mit einer aggressiveren Haltung als >Gutai versuchten sie, künstlerische Konventionen durch >Junk Art, die den Einfluss von Robert Rauschenberg und Jasper Johns (siehe *Neo-Dada) zeigt, sowie mit Straßenaktionen zu zerstören.

Neo-Geo
Name für Arbeiten von Malern wie Peter Halley, Peter Schuyff, Philip Taaffe und Meyer Vaisman, deren Gemälde in den 1980er-Jahren die verschiedenen Formen der geometrischen Abstraktion wieder aufgriffen (siehe *Op Art, *Konkrete Kunst, *Nachmalerische Abstraktion), offenbar um die utopischen Ziele der Vorgänger herauszufordern und zu parodieren.

Neo-Klassizismus
Stilrichtung in Kunst und Architektur zwischen den beiden Weltkriegen als Weiterentwicklung klassizistisch-antiker Vorstellungen des 18. und 19. Jahrhunderts. Mit neo-klassizistischen Elementen arbeiteten im frühen 20. Jahrhundert Pablo Picasso (um 1914), *Pittura Metafisica, Architekten in Italien und Deutschland, später mehrere Vertreter der *Postmoderne.

Neo-Liberty
Ursprünglich Spottbezeichnung für die Wiederbelebung der *Art Nouveau im Italien der späten 1950er- und 1960er-Jahre (in Italien Stile Liberty genannt). Die krummlinigen Möbel, Lampen und Einrichtungsentwürfe von Franco Albini, Gae Aulenti, Vittorio Gregotti und Carlo Mollino (siehe *Organische Abstraktion) zeigen sowohl den Einfluss der *Pop Art als auch des Stile Liberty.

Neo-Plastizismus (Neue Gestaltung)
Begriff für die theoretischen Auffassungen und künstlerischen Praktiken des holländischen Konstruktivismus. Piet Mondrians Buch *Le Néo-Plasticisme* (1920) beschreibt einen Stil der abstrakten Malerei, die beschränkt ist auf horizontale und vertikale Linien sowie rechte Winkel und auf die Primärfarben und die Nichtfarben Weiß, Grau und Schwarz; ihr liegt die Idee einer autonomen, universellen Ordnung zugrunde; siehe *De Stijl.

Neo-Primitivismus
Russische Kunstrichtung 1908–1912, die Elemente russischer Volkskunst mit dem *Fauvismus und *Impressionismus entlehnten avantgardistischen Ideen kombinierte. Charakteristische Arbeiten wurden von den Mitgliedern der Gruppe *Karo-Bube erstellt, z. B. Natalja Gontscharowa, Michail Larionow und die Brüder Burliuk.

Neo-Realismus
Unterschiedlich gebrauchte Bezeichnung für eine besonders in Großbritannien und Frankreich vertretene Kunstströmung des 20. Jahrhunderts, die im Gegensatz zur abstrakten Kunst einen realistisch-repräsentativen Stil vertrat. In den 1920er- und 1930er-Jahren bezeichnete der Begriff in Frankreich eine inoffizielle Künstlergruppe, die besonders mit den Arbeiten von André Dunoyer de Segonzac verbunden ist. In Italien wurde der Begriff assoziiert mit den Bildern Renato Guttusos (*Sozialer Realismus); keine Berührungspunkte mit dem *Nouveau Réalisme der 1960er-Jahre.

Neue Figuration
Von dem Kunstkritiker Michel Ragon geprägter Begriff zur Beschreibung der gegenstandsbezogenen Malerei in den 1960er-Jahren; die zugehörigen Künstler waren Valerio Adami, Gilles Aillaud, Eduardo Arroyo, Erró, Peter Klasen, Jaques Monory, Peter Stämpfli, Antonio Recalcati und Hervé Télémaque. Die Bewegung war eine Reaktion auf die Dominanz der abstrakten Malerei und des *Nouveau Réalisme, zugleich Herausforderung der amerikanischen *Pop Art.

Neue Künstlervereinigung München
1909 gegründete Ausstellungsgruppe; zu den prominenten Mitgliedern gehörten Wassily Kandinsky, Alexej von Jawlensky, Gabriele Münter, Franz Marc und Alfred Kubin. Kandinsky und Marc verließen die Gruppe 1911, um die Ausstellung *»Blauer Reiter« zu organisieren, was gleichzeitig die Auflösung der Künstlervereinigung 1912 bedeutete.

Neue Wilde
Sammelbezeichnung für die *Neo-Expressionistische Malerei der 1980er-Jahre in Deutschland, insbesondere in Berlin und Köln; dazugezählt werden Luciano Castelli, Rainer Fetting, Salomé, Helmut Middendorf und Bernd Zimmer.

Neunkraft (slowak.: Devetstil)
Name einer politisch links orientierten Avantgarde-Gruppe von Architekten, Malern, Fotografen, Schriftstellern und Dichtern in der Tschechoslowakei, aktiv 1920–1931. Gegründet von dem Kunstkritiker Karel Teige; zu den Mitgliedern zählten Josef Chocol, Jaroslav Fragner, Jan Gillar, Josef Havlíček, Karel Honzík, Jaromír Krejcar, Evzen Linhart und Pavel Smetana. Verfochten das Einbringen von Lyrik und Poesie in den zweckgebundenen Funktionalismus.

Neuer Realismus
Internationale Stilrichtung Ende der 1950er- und Anfang der 1960er-Jahre, die die progressiven Bewegungen in Europa und Amerika gegen die Vorherrschaft des *Abstrakten Expressionismus und des *Informel zusammenfasste und zugleich eine grundsätzliche Erneuerung und Ausweitung dadaistischer Ideen anstrebte; siehe *Neo-Dada, *Noveau Réalisme, *Pop Art, *Super-Realismus.

New Image Painting
Bezieht sich auf eine Vielzahl von Kunststilen, doch bezeichnet der Begriff in der Hauptsache die Rückkehr zur figurativen Malerei durch eine in den 1970er- und 1980er- Jahren in den USA einsetzende expressive malerische Gegenbewegung zur Konzeptkunst; dazu gehörten Künstler wie Nicholas Africano, Jennifer Bartlett, Neil Jenney, Robert Moscowitz, Donald Sultan, Susan Rothenberg und Joe Zucker. Der Name war auch Titel einer Ausstellung des Whitney Museum of American Art in New York (1978).

New York Five
Lockere Verbindung von fünf New Yorker Architekten, die in den späten 1960er- und 1970er-Jahren sehr bekannt wurden: Peter Eisenmann, Michael Graves, Charles Gwathmey, John Hejduk und Richard Meier. Entwicklung eines eigenen puristischen Stiles mit Bezug auf die frühe europäische Avantgarde, wie etwa Le Corbusiers *Purismus, Giuseppe Terragnis Rationalismus (siehe *M.I.A.R.) und Gerrit Rietveldts *De Stijl.

New York Realists – siehe *Ashcan School

New York School – siehe *Abstrakter Expressionismus

Nouvelle Tendance
1961 in Zagreb von dem brasilianischen Maler Almir Mavignier, dem serbischen Kritiker Marko Mestrovich und dem kroatischen Direktor der Zagreber Galerie der Zeitgenössischen Kunst Bozo Bek gegründete internationale Künstlervereinigung. Organisierte eine Vielzahl von Ausstellungen in ganz Europa mit unterschiedlichen Künstlergruppen der ganzen Welt, die *Konkreter Kunst, *Kinetischer Kunst und *Op Art, aber auch *GRAV, >Gruppo T, >Gruppo N und >Zero nahestanden.

Nul (Null)
1960 gegründete Niederländische Künstlergruppe, mit Armando, Jan Henderikse, Henk Peeters und Jan Schoonhoven. Benannt nach der deutschen Gruppe >Zero, mit der sie engen Kontakt hatte und sich an Ausstellungen beteiligte, sie war jedoch auch verbunden mit *GRAV, >Gruppo T und >Gruppo N. Lehnte den abstakten Expressionismus der 1950er-Jahre ab und betonte in ihren Arbeiten Anonymität und serielle Wiederholung; als Gruppe tätig bis 1967.

Nyolcak (ung.: Die Acht)
1909–1912 in Ungarn tätige avantgardistische Künstlergruppe, mit Róbert Berény, Béla Czóbel, Dezsö Czigány, Károly Kernstok, Ödön Márffy, Deszö Orbán, Bertalan Pór und Lajos Tihanyi, die gegen die Subjektivität und die Empfindung des *Impressionismus opponierte; setzte sich für eine Kunst mit einer sozialen, für die moderne Gesellschaft relevanten Funktion ein und ebnete damit den Weg für die radikalere Gruppierung der *Ungarischen Aktivisten.

Objektkunst – siehe *Neo-Dada

Omega Workshops (Omega-Werkstätten)
Werkstätten für angewandte Kunst, 1913 von dem Künstler und Kunstkritiker Roger Fry in London gegründet; später Zusammenschluss mit Vertretern des *Vortizismus (Wyndham Lewis, Henri Gaudier-Brzeska) und der >Bloomsbury Group (Duncan Grant, Vanessa Bell). Aus finanziellen Gründen lösten sich die Omega Workshops 1919 auf.

Organische Architektur (Organic architecture; auch Organischer Funktionalismus)
Titel eines von Frank Lloyd Wright 1910 veröffentlichten Essays. Organische Architektur bedeutete für ihn eine Einheit von Form und Funktion; jeder Teil soll seine eigene Identität besitzen, zugleich aber unteilbar mit dem Ganzen verbunden sein. Der deutsche Architekt und Theoretiker Hugo Häring benutzte den Begriff für die Suche nach der natürlichen Form, die nicht durch strenge Geometrie begrenzt wird.

Osma (tschech., Die Acht)
1906–1911 in Prag ansässige Malergruppe; Auflösung, nachdem einige Mitglieder die Künstlervereinigung >Skupina Výtvarných Umělců gegründet hatten. Zu den Mitgliedern zählten Vincenc Benes, Friedrich Feigl, Emil Filla, Max Horb, Otokar Kubín, Bohumil Kubista, Willy Nowak, Emil Arthur Pittermann-Longen, Antonín Procházka und Linka Scheithauerová. Ausstellungen in den Jahren 1907–1908 mit Bildern in expressionistischer Malweise und dominanten Farben sollten die tschechische Kunst beleben.

Painters Eleven
1953 in Toronto gegründete Gruppe, bestehend aus elf Vertretern der abstrakten Malerei, u.a. Jack Bush, Jock Macdonald, William Ronald und Harold Town; tätig bis 1960. In ihren gemeinsamen Ausstellungen stellten sie die dominante Position der Landschaftsmalerei der >Canadian Group of Painters infrage und lenkten die Aufmerksamkeit auf die internationalen Entwicklungen in der abstrakten Kunst.

Pattern and Decoration (auch Patterning Art)
Stilrichtung der 1970er-Jahre, deren Vertreter Bilder und Installationen mit dekorativen Mustern in kräftigen Farben entwarfen; Bezüge zu Kunsthandwerk (Textilkunst) und Volkskunst. Die Gruppe wurde 1976 in New York von Miriam Schapiro und Robert Zakanitch gegründet; weitere Mitglieder waren Valerie Jaudon, Joyce Kozloff, Robert Kushner, Kim MacConnel und Ned Smyth.

Phalanx
1901 in München u.a. von Wassily Kandinsky gegründete Ausstellungsgruppe mit starkem sozialem Engagement (z. B. Zulassung weiblicher Mitglieder). Enge Verbindungen zu Mitgliedern der Darmstädter Künstlerkolonie (siehe *Jugendstil) und der Berliner Sezession. Die zwölfte und zugleich letzte Ausstellung wurde 1904 organisiert.

Phantastischer Realismus
1945 erfolgte Namensgebung für eine in Wien beheimatete österreichische Künstlergruppe um Erich Brauer, Ernst Fuchs, Rudolph Hausner, Wolfgang Hutter und den Tschechen Anton Lehmden. Ihre Arbeit zeichnet sich durch einen surrealistischen Stil aus und lässt ein großes Interesse an den phantastischen Elementen in der Malerei der alten Meister Breughel d. Ä. und Hieronymus Bosch erkennen.

Pointillismus (frz. »point«: Punkt)
Von der Maltechnik her bezeichneter Kunststil: relativ reine Farben werden in Punkten oder kurzen Strichen nebeneinander aufgetragen, der beabsichtigte Farbton entsteht durch die optische Mischung erst im Auge des Betrachters. Wichtigster Vertreter ist der *Neo-Impressionist Georges Seurat, Weiterentwicklung der Technik von Paul Signac (siehe >Divisionismus).

Praesens
1926–1939 in Warschau unter der Leitung des Architekten und Redakteurs Szymon Syrkus existierende Künstlergruppe und gleichnamige Zeitschrift der polnischen avantgardistischen Künstler und Architekten, teilweise hervorgegangen aus der Gruppe >Blok. Die Gruppe organisierte Ausstellungen inner- und außerhalb Warschaus; Betonung der funktionalen Aspekte der Kunst, der zentralen Rolle der Architektur in der Kunst sowie der Zusammenarbeit von Künstlern und Architekten in Werken, die sich durch den Gebrauch geometrischer Formen und Primärfarben auszeichneten.

Präraphaeliten (verwandte Signatur: PRB für Pre-Raphaelite Brotherhood)
Künstlergemeinschaft im Viktorianischen England, der die Erneuerung der altmeisterlichen Kunst aus der Zeit vor Raphael ein Anliegen war; tätig in der zweiten Hälfte des 19. Jahrhunderts. Unterstützung durch den Kunstkritiker John Ruskin; zu den späteren Repräsentanten gehören Dante Gabriel Rossetti, Edward Burne-Jones, Walter Crane und Evelyn de Morgan. Beeinflusst durch den *Symbolismus, *Les Vingt, *Salon de la Rose+Croix; Beziehungen zu *Arts and Crafts.

Primitivismus
Missverständlicher, da oft wertender Begriff für eine Tendenz in der modernen Kunst, die sich mit der Kunst so genannter »primitiver« Völker und Kulturen auseinandersetzt. Im frühen 20. Jahrhundert wurden Künstler (z. B. *Kubisten, *Expressionisten) insbesondere durch die Stammeskunst Afrikas und Ozeaniens angeregt. Nach 1960 griffen auch andere Formen der westlichen Kunst (*Earth Art, *Aktionskunst) auf reale oder imaginäre primitivistische Rituale zurück.

Process Art (Prozesskunst)
In den 1960er- und 1970er-Jahren gebräuchlicher Begriff als Definition einer genau geplanten und inszenierten Aktion im Unterschied zum Happening; er schließt verschiedene Darstellungsformen ein (*Aktionskunst, *Installation, Film). Das Studium des Entstehungsprozesses wird zum integralen Bestandteil des Kunstwerkes.

Psychedelische Kunst (Psychedelic Art)
Während einer Drogenkonferenz in San Franzisko im Jahr 1966 wurde der Begriff »psychedelic style« geprägt. Er beschreibt eine extreme und besonders ausgeprägte Kunst, bei der der Künstler versucht, die durch Drogen hervorgerufenen Bewusstseinsveränderungen darzustellen und zu reflektieren; äußerte sich in bestimmten Formen der Malerei, Plakat- und Lichtkunst sowie in der Herstellung von Geräuschen.

Puteaux-Gruppe
Bezeichnung einer informellen Künstlervereinigung, die sich 1911–1913 im Studio von Jaques Villon und Raymond Duchamp-Villon im Pariser Vorort Puteaux traf, um verschiedene Aspekte des *Kubismus zu diskutieren. Mitglieder waren u.a. Robert Delaunay, Marcel Duchamp, Juan Gris, Fernand Léger, Frantisek Kupka, Francis Picabia, Albert Gleizes und Jean Metzinger. 1912 Organisation einer großen Gruppenausstellung in Paris, »Salon de la >Section d'Or«, die den Kubismus einem breiten Publikum bekannt machte.

Quadriga
1952–1954 in Frankfurt a.M. tätige, dem *Informel nahestehende deutsche Künstlergruppe. Mitglieder waren Karl Otto Götz, Otto Greis, Heinz Kreutz, Bernard Schulze und Emil Schumacher. Anregungen durch *COBRA, Informel und den *Abstrakten Expressionismus.

Radikales Design
Tendenz sowohl in der Architektur als auch im Design der späten 1960er- und 1970er-Jahre; ähnlich dem *Anti-Design, aber mit einer wesentlich stärkeren politischen Motivation. Ziel war es, Architektur und Design einer radikalen sozialen Funktion zu unterwerfen und die mit westlichem Kapitalismus verbundenen Grundsätze von »gutem Design« und >Techno-chic zugunsten eines »schlechten« populären Geschmacks zu unterlaufen. Die meisten Visionen der betreffenden Gruppierungen, wie Archigram, Archizoom, Superstudio und >UFO, waren unausgereift.

Rationalismus – siehe *M.I.A.R.

Rebel Art Centre
Gegründet 1914 von Wyndham Lewis als Alternative zu Roger Frys >Omega Workshops; bestand aus einigen ehemaligen Mitgliedern von Frys Gruppe. Inspiriert durch E. Marinetti und die italienischen *Futuristen stellten sie wenige Male gemeinsam aus, bevor sich die Gruppe kurze Zeit später wieder auflöste. Lewis und andere entwickelten dann den *Vortizismus.

Regionalismus
Amerikanische, ausgeprägt kleinbürgerliche, provinzielle Malereibewegung in den 1930er-Jahren. Die drei wohl bekanntesten Vertreter Thomas Hart Benton, John Stuart Curry und Grant Wood hatten Beziehungen zu *American Scene. National erfolgreich während der Depression, endete die Bewegung mit dem Zweiten Weltkrieg.

Revolutionary Black Gang – siehe *Ashcan School

Salon des Indépendants
1884 Entstehung des für alle späteren Sezessionen vorbildhaften Salon des Indépendants in Opposition zum offiziellen Salon de Mai der Kunstakademie in Paris; schloss eine Vielzahl von Mitgliedern des *Neo-Impressionismus und *Symbolismus ein. Die Rolle des neuen Salons ermöglichte vielen Künstlern eine Ausstellung ihrer Werke, ohne den Kriterien einer Auswahljury unterworfen zu sein.

School of London
Ursprünglich eine Bezeichnung für Ronald B. Kitaj (1976) und der Titel einer Wanderausstellung des British Council (1987). Der Begriff bezieht sich auch auf Künstler wie Michael Andrews, Frank Auerbach, Francis Bacon, Lucian Freud und Leon Kossoff.

School of Pont-Aven
Bezeichnet eine Künstlerschar um Paul Gauguin, benannt nach dem bretonischen Dorf, in dem sie gemeinschaftlich arbeitete (obgleich keine offizielle Schule gegründet wurde). Der Name wird assoziiert mit *Synthetismus und *Cloisonnismus.

Schule von Barbizon (frz.: École de Barbizon)
Französische Gruppe von Malern in der Mitte des 19. Jahrhunderts; Schöpfer einer aus unmittelbarer Naturanschauung erwachsenden Landschaftsmalerei. Sie beeinflussten damit den *Impressionismus.

Schule von Nancy
Benennt die Jugendstilbewegung um Emile Gallé und dessen Schüler in Nancy, u.a. Emile André, Eugène Vallin, Jaques Grüber, Louis Majorelle sowie die Brüder Auguste und Antonin Daum; bekannt für ihre eleganten und exquisiten *Art-Nouveau-Einrichtungen und Glaswaren, inspiriert von Naturformen, antiker und orientalischer Kunst.

Schule von Nizza (frz.: École de Nice)
Gemeinschaft von Künstlern, die in den 1960er-Jahren in und um Nizza ansässig waren. Zu ihnen gehörten u.a. Vertreter des *Nouveau Réalisme, wie Arman, Yves Klein und Martial Raysse, und *Fluxus-Mitglieder, etwa Ben, George Brecht und Robert Filliou. Der Name macht deutlich, dass interessante und wichtige Arbeiten auch abseits von Paris und New York entstanden und ausgestellt wurden.

Schule von St. Ives (engl.: St. Ives School)
Gemeinschaft von Künstlern, die eine Zeit lang in St. Ives, Cornwall (Südwestengland), zusammenlebten und -arbeiteten; während der 1940er-Jahre gehörten der Gruppe Naum Gabo, Barbara Hepworth und Ben Nicholson an, später schlossen sich Terry Frost, Patrick Heron, Roger Hilton, Peter Lanyon und Bryan Wynter an. Bezug zur gestisch-abstrakten Landschaftsmalerei. Die Tate Gallery St. Ives eröffnete 1993 eine Dauerausstellung mit Arbeiten der St.-Ives-Künstler.

Scottish Colourists
1910–1930 existierende Gruppe schottischer Maler, retrospektiv benannt in Bezug auf S. J. Peploe, Leslie Hunter, F. C. B. Cadell sowie J. D. Fergusson. Beeindruckt von den Glasgow Boys (siehe >Glasgow School), sind ihre Arbeiten – insbesondere der Gebrauch der Farben – geprägt von ihren Frankreich- und Italienaufenthalten.

Scuola Romana
Name für eine lockere Künstlerverbindung, die zwischen den zwei Weltkriegen in Rom existierte. Den >Neo-Klassizismus des *Novecento Italiano ablehnend, reflektieren ihre Arbeiten den Einfluss der expressionistischen Maler der *École de Paris und des *Magischen Realismus. Als Gründer der Schule werden Mario Mafai und Scipione betrachtet.

Section d'Or
Französische Bezeichnung als Anspielung auf das mathematische Proportionsverhältnis eines Gemäldes (Goldener Schnitt), zugleich Bezeichnung einer großen Ausstellung in Paris (1912), u.a. mit Jaques Villon, Raymond Duchamp-Villon, Marcel Duchamp, Juan Gris, Fernand Léger, Francis Picabia; vereinigte alle damaligen bekannten Vertreter des *Kubismus (siehe auch >Puteaux-Gruppe).

Serielle Kunst (auch System-Kunst)
Beschäftigt sich intensiv mit der seriellen Wiederholung von Motiven; progressive Variante der Simplifizierung des *Minimalismus. Beginnt mit Monets Serienbildern (z. B. *Kathedrale von Rouen*, *Heuschober*, siehe *Impressionismus) und reicht bis zu den Arbeiten der *Konzeptionellen Künstler des frühen 20. Jahrhunderts. Der Name wird u.a. in Verbindung gebracht mit Josef Albers, Carl Andre, Sol LeWitt und Andy Warhol.

SITE
1969 von James Wines in New York gegründete multidisziplinäre Projektgemeinschaft. Zu den Partnern zählten Alison Sky, Emilio Sousa und Michelle Stone. Ihre Gebäude sollten die Einheit von Kunst und Architektur darstellen; siehe *Neo-Expressionismus.

Situationismus
Gruppe britischer abstrakter Maler, deren Namensgebung in Anlehnung an eine Londoner Ausstellung (1960) erfolgte. Zu den 18 Künstlern gehörten William Turnbull, Gillian Ayres und John Hoyland. Ihre Arbeiten waren so groß, dass sie den Raum des Betrachters einnahmen und so eine Situation schufen, in die er einbezogen war.

Situationisten – siehe *Situationistische Internationale

Skupina 42 (tschech.: Gruppe 42)
In Prag ansässige Allianz tschechischer Maler, Bildhauer, Fotografen und Dichter; zu ihren Mitgliedern gehörten František Gross, František Hudeček, Jiri Kolár, Johan Kotík, Bohmír Matal und Jan Smetana, tätig 1942–1945. Ihre Arbeiten verweisen auf Werke des *Surrealismus, negieren aber das Unbewusste zugunsten einer Schilderung der realen Welt. Die öden Stadtränder von Prag und eine verfallende Maschinerie waren ihre prominenten Themen zur Vermittlung der Bedingungen menschlicher Existenz.

Skupina Ra (tschech.: Gruppe Ra)
Gruppe tschechischer *Surrealisten, die sich 1937 im böhmischen, namengebenden Rakovnik trafen. Neben anderen Künstlern förderten Joseph Istler, Bohdan Lacina und Václav Tikal die moderne Kunst mit einer Wanderausstellung und einem anthologischen Manifest während des Zweiten Weltkrieges, bis 1949 die politischen Umstände die Auflösung der Gruppe erzwangen.

Skupina Výtvarných Umělců (tschech., Gruppe bildender Künstler)

Avantgardistische, 1911–1914 in Prag tätige Künstlergruppe, die nach der Auflösung von >Osma gegründet wurde; zu Ihren Mitgliedern gehörten Vincenc Benes, Emil Filla und Otto Gutfreund sowie die Architekten und Designer Josef Čapek, Josef Chochol, Josef Gocyr, Vlastislav Hofmann, Pavel Janyk und Otokar Novotny. Durch Ausstellungen und eine eigene Zeitschrift förderten die Künstler den *Kubismus in Malerei, Bildhauerei, Architektur und Design.

Société Anonyme Inc.

1920 in New York von Katherine Dreier, Marcel Duchamp und Man Ray (siehe *Dada) gegründete Organisation; Pioniere bei der Unterstützung der Avantgarde in den USA. Bis 1940 hatte die Vereinigung über 80 Ausstellungen in ganz Amerika organisiert, ein extensives Programm von Lesungen und Publikationen erarbeitet sowie eine bedeutende Dauerausstellung zur modernen Kunst eingerichtet, die 1941 an die Yale Universität gegeben wurde; Auflösung 1950.

Soz Art

Inoffizielle Stilrichtung in der Russischen Kunst der 1970er- und 1980er-Jahre. Praktiziert von Komar und Melamid, Erik Bulatow, Ilja Kabakow, Dimitri Prigow, Aleksy Kosolapow und Leonid Sokow. Sowohl der Name als auch die Stilrichtung verweisen auf eine Verbindung von *Sozialistischem Realismus und *Pop Art, die dazu diente, die zumeist durch Embleme veranschaulichten Ideologien der Sowjetunion und der USA zu kritisieren und zu verspotten.

Spazialismo

1947 in Mailand von Lucio Fontana gegründete Bewegung, gleichzeitig Name des ersten und zweiten Manifestes. Laut Fontana sollte die Kunst neue Technologien und Methoden einsetzen, um den Bildträger von seiner Zweidimensionalität zu befreien. Fontanas eigene Arbeiten bezogen Fernsehen und Neonlicht ein, seine späteren Werke zeigen aufgeschlitzte oder punktierte Leinwände, Keramik- oder Metallplatten, die ein Gefühl für Dreidimensionalität schaffen.

Spur

1958 in München gegründete deutsche Künstlergruppe. Stilistisch versuchte die Gruppe, Elemente des *Informel mit der gestischen Figuration zu verbinden. Beeinflusst durch *COBRA und ermuntert von Asger Jorn, war die Gruppe 1959 von der *Situationistischen Internationalen akzeptiert, bevor sie 1962 ausgeschlossen wurde. Zusammenschluss mit der Gruppe Wir, woraus 1967 die Gruppierung Geflecht entstand.

Stuckismus

Neo-konservative Bewegung, die ihren Ursprung 1999 bei den Künstlern Billy Childish und Charles Thomson aus Großbritannien hat. Charles Thomson leitete den Namen von einer beleidigenden Äußerung seiner Ex-Freundin Tracey Emin (>YBA) gegenüber Billy Childish ab. Sie hatte seine Arbeiten und ihn selbst als »festgeklebt« (stuck) bezeichnet; Selbstbezeichnung als »erste remodernistische Kunstgruppe«, die gegen *Postmoderne, *Installations- und die von YBA favorisierte *Konzeptkunst agierte. Unterstützte konservative Maltechniken und die Wiederkehr spiritueller Kunst.

Studio Alchymia

Im Jahr 1979 in Mailand von dem Architekten Alessandro Guerriero eingerichtete Galerie mit Ausstellungsraum, die sich zu einem Designbüro entwickelte. Ausarbeitung der Ideen der >Radikales Design Bewegung der 1960er-Jahre, verbunden mit einer antimodernistischen Haltung und der Betonung der Alltagssprache. Wichtige Künstler des Büros sind Ettore Sottsass, Michele de Lucchi, Andrea Branzi und Alessandro Mendini (siehe *Postmoderne).

Stupid Group

1920 in Köln von Willy Fick, Marta Hegemann, Heinrich und Angelika Hoerle, Anton Räderscheidt und Franz Seiwert gegründete deutsche Künstlergruppe. Zunächst mit *Dada verbunden, wandte sie sich anschließend einer kommunistisch orientierten, »proletarischen« Kunst zu, die sozio-politischen Veranstaltungen gewidmet war.

SUM

Isländische Gruppe avantgardistischer Künstler, tätig in den Jahren 1965–1975. Unter der Führung von Diter Rot (siehe *Fluxus), Jon Gunnar Arnasson, Hreinn Fridfinnsson, Kristjan und Sigurdur Gudmundsson, Sigurjon Johannsson und Haukur Dor Sturluson brachten sie die Ideen des *Neo-Dada, *Pop Art, *Fluxus und *Arte Povera nach Island.

Tachismus (frz. tâche: Klecks)

Der von Michel Tapié in den frühen 1950er-Jahren geprägte Begriff charakterisiert eine Form der expressiven, gestischen abstrakten Malerei, bei der die Farbe in Flecken oder Klecksen aufgetragen wird. Häufig synonym mit *Informel benutzt, der Begriff ist aber genauso verbunden mit >Art Autre, *Art Brut, *Lettrismus und >Lyrischer Abstraktion.

Team X

1956 auf der zehnten Konferenz des CIAM (Congrés Internationaux d'Architecture Moderne, siehe *International Style) gegründete internationale Architektenvereinigung mit dem Anliegen, der modernen Architektur einen humanistischeren Charakter zu verleihen (siehe *Brutalismus). Die Vereinigung wurde in den frühen 1980er-Jahren aufgelöst.

Techno-chic

Der Begriff beschreibt die Ästhetik des raffinierten, exklusiven und luxuriösen italienischen Designs der späten 1950er- und 1960er-Jahre. Die Stilrichtung intendierte eine Vermittlung der Vorstellung von Reichtum, Status und »gutem Geschmack« und zeichnet sich aus durch skulpturale Formen und die Verwendung von schwarzem Leder, Chrom und hochwertigem Kunststoff für Einrichtungsgegenstände und Lampen.

Tecton

1932 in London gegründetes Architekturbüro, aufgelöst 1948. Mitglieder waren Anthony Chitty, Lindsay Drake, Michael Dugdale, Valentine Harding, Denys Lasdun, Berthold Lubetkin, Godfrey Samuel und Francis Skinner. Die Bauten der 1930er-Jahre, z. B. der Londoner Zoo, die Appartementblocks Highpoint I und Highpoint II und das Londoner Finsbury Health Centre, ließen die Architekten zu den wichtigsten Vertretern des *International Style in Großbritannien werden.

The Ten

Der Begriff bezeichnet zum einen eine Gruppe amerikanischer Maler (Ausstellungen 1898–1919), beeinflusst durch den *Impressionismus und mit der Gruppe The >Eight verbunden; zum anderen eine Gruppierung von Vertretern der abstrakten und figurativen Malereirichtungen (Ausstellungen 1935–1939), z. B. Adolph Gottlieb und Marc Rothko (siehe *Abstrakter Expressionismus).

Tendenza

Neo-rationalistische, städtische Design-Bewegung (siehe *M.I.A.R.), initiiert durch den italienischen Architekten Aldo Rossi (siehe *Postmoderne) sowie durch Giorgio Grassi und Massimo Scolari, die in Italien und der Schweiz in den späten 1960er-Jahren in Erscheinung tritt.

Tonalismus

Amerikanische Stilrichtung innerhalb der Malerei, 1880–1920. Zu den Repräsentanten zählten J. A. M. Whistler (siehe *Dekadenz), Thomas Wilmer Dening und Dwight W. Tryon. Charakteristisch für ihre Arbeiten, die zeitweilig an Werke des *Symbolismus erinnern, ist eine eingeschränkte Farbpalette mit zarten Tönen.

UFO

1967 in Florenz gegründete Gruppe zur Unterstützung der Programmatik des radikalen Designs. Mitglieder waren Architekten, Designer aber auch Intellektuelle, z. B. Umberto Eco; Bestandteil der Bewegung >Radikales Design.

Unismus

1927 von den >Blok-Mitgliedern Wladislaw Strzeminski und Henryk Stazewski in Polen entwickelte Stilrichtung in der Malerei. Angeregt vom *Suprematismus, strebten die Künstler nach optischer Einheit. Mit ihrer Forderung nach einer reinen, nicht-objektiven Kunst und abstrakter all-over Malerei trugen sie zum Erfolg der *Minimal Art in den 1960er-Jahren bei (siehe *Nachmalerische Abstraktion).

Unit One

Gruppe britischer Maler, Bildhauer und Architekten, gegründet 1933 von Paul Nash (*siehe Neo-Romantizismus) zur Unterstützung moderner Kunst und Architektur in England. Mitglieder waren Wells Coats, Barbara Hepworth, Henry Moore und Ben Nicholson. Im Anschluss an eine Ausstellung und Publikation erfolgte 1934 die Aufsplitterung der Gruppe in Befürworter der abstrakten Kunst und Verfechter des *Surrealismus.

UNOVIS (russ. Abk. für Utwerditeli Novogo Iskusstwa: Verfechter der neuen Kunst)

1919–1920 unter der Leitung von Kasimir Malewitsch in Witebsk ins Leben gerufene Gruppe von Designern und Künstlern, z. B. Ilja Chashnik, Vera Jermolajewa, Nina Kogan, El Lissitzky, Nikolai Suetin und Lew Judin. Befürwortete den *Suprematismus von Malewitsch; suprematistisches Gedankengut und Design wurden auf Porzellan, Textilien und Architekturentwürfe übertragen. Weltweite Verbreitung durch Programme, Publikationen und Ausstellungen; Verbreitung auf die Städte Moskau, Odessa, Orenburg, Petrograd, Samara, Saratow und Smolensk; aufgelöst 1927.

Urbaner Realismus – siehe *Präzisionismus

Verismus

Bezeichnet zum einen eine italienische Kunstbewegung (u.a. Oper und Literatur) in der zweiten Hälfte des 19. Jahrhunderts (konträr zum >Neo-Klassizismus); zum anderen eine Tendenz innerhalb der deutschen *Neuen Sachlichkeit mit Betonung sozial-politischer Inhalte als Gegenbewegung zum *Expressionismus.

Wiener Aktionismus

1961–1969 bestehende Gruppe österreichischer *Aktions-Künstler, mit Günter Brus, Otto Muehl und Hermann Nitsch; Entwicklung einer happeningartigen Kunstrichtung mit dem Ziel, in Kunstaktionen das Anarchische des Lebens zu entlarven. Die Missachtung sexueller und ethischer Konventionen führte zeitweilig zu Ausschreitungen, so 1966 in London, als männliche Genitalien auf den ausgeweideten Kadaver eines Lammes projiziert wurden.

YBAs (Young British Artists)

Britische Künstler, die in den späten 1980er-Jahren an die Öffentlichkeit traten und rasch nationale und internationale Prominenz erreichten, wie Jake und Dinos Chapman, Tracey Emin, Marcus Harvey, Damien Hirst, Gary Hume, Sarah Lucas, Ron Mueck, Chris Ofili, Simon Patterson, Marc Quinn, Jenny Saville, Sam Taylor-Wood, Gavin Turk, Gillian Wearing und Rachel Whiteread. Die Bezeichnung stammt von der Ausstellungsreihe »Young British Artists«, die 1992 in der Saatchi Gallery in London ihren Anfang nahm.

Zebra

Eine die Maler Dieter Asmus, Peter Nagel, Nikolaus Störtenbecker und Dietmar Ullrich umfassende, 1962 in Hamburg gegründete Künstlergruppe. Entwicklung eines kühlen grafischen, an Fotovorlagen orientierten Stils (siehe *Hyperrealismus) in Ablehnung der informellen Malerei (*Informel).

Zen 49

Eine in München gegründete Verbindung freier Künstler, u.a. mit Willi Baumeister, Rupprecht Geiger, Hans Hartung, Otto Ritschl, Theodor Werner und Fritz Winter. Der Name soll auf ihre Nähe zum Zen-Buddhismus und zugleich auf das Gründungsdatum hinweisen. Der abstrakten Kunst verschrieben, sollte die Gruppe die deutsche Kunst durch das Wiederanknüpfen an Traditionen künstlerischer Freiheit, wie *Der Blaue Reiter und *Bauhaus, beleben. Ausstellungen in Deutschland und den USA brachten die Gruppe in Verbindung mit Strömungen des *Informel; Auflösung 1957.

Zero

1957 in Düsseldorf von Otto Piene und Heinz Mach gegründete, ab 1961 von Günther Uecker unterstützte lockere Verbindung internationaler junger Künstler. Diese lehnten die Subjektivität des *Informel und *Existenzialismus ab und widmeten sich dem *Nouveau Réalisme, der *Kinetischen Kunst und >Lichtkunst. Der in ihren Arbeiten zum Ausdruck kommende technologische Optimismus verband sie mit ihren zeitgenössischen Kollegen in >Nul, *GRAV und >E.A.T.; aufgelöst 1967.

Bildnachweis

Die Abmessungen der Werke sind in Zentimetern angegeben, Höhe vor Breite; o=oben, u=unten, m=Mitte, l=links, r=rechts

Messing und farbiges fluoreszierendes Plexiglas auf Stahlklammern, 295,9 x 68,6 x 61. Hirshhorn Museum and Sculpture Garden, Smithsonian Insitution, Washington, D.um Schenkung von Joseph H. Hirschhorn, 1972. Art © Donald Judd Foundation/ VAGA, New York/DACS, London 2002 **237** Dan Flavin, *Fluorescent light installation 1974*. Kunsthalle Köln. © ARS, NY, und DACS, London 2002 **238** Carl Andre, *Equivalent VIII*, 1966. Firebricks, 12,7 x 68,6 x 229, 2. Tate Gallery, London. © Carl Andre/VAGA, New York/DACS, London 2002 **239** Foster and Partners und Sir Anthony Caro, Millennium Bridge, London, 1998–2000. Foto Jeremy Young/GMJ **240** Joseph Kosuth, *One and Three Chairs*, 1965. Klappstuhl aus Holz, fotografische Kopie eines Stuhls und vergrößerte fotografische Definition des Wortes Stuhl aus einem Wörterbuch; Stuhl 82 x 37,8 x 53; Fototafel, 91,5 x 61,2; Texttafel, 61,2 x 62,2. The Museum of Modern Art, New York. Larry Aldrich Foundation Fund. Foto © 2002 The Museum of Modern Art, New York. © ARS, NY, und DACS, London 2002 **241** Joseph Beuys, *Das Rudel*, 1969. Volkswagenbus mit 20 Schlitten, jeder mit Filz, Fett und einer Taschenlampe beladen. Sammlung Herbig, Germany. © DACS 2002 **242** Piero Manzoni, *Merda d'artista no 066* (Künstlerscheiße Nr. 066), 1961. Metalldose, 4,8 x 6,5. © DACS 2002 **243** Marcel Broodthaers, *Musée d'Art Moderne, Département des Aigles, Section XIXième Siècle*, Brüssel 1968–1969. Foto © Gilissen. © DACS 2002 **244** Bruce Nauman, *Self-Portrait*, 1966–1967. Farbfoto, 50 x 60. The Gerald S. Elliott Collection of Contemporary Art. © ARS, NY, und DACS, London 2002 **245** Chris Burden, *Trans-fixed, 23. April 1974*, Venice, Kalifornien. Foto Charles Hill. Mit freundlicher Genehmigung des Künstlers © Chris Burden **246** Marc Quinn, *Self* (Detail), 1991. Blut, Edelstahl, Plexiglas und Gefriergerätschaften, 208 x 63 x 63. Foto The Saatchi Gallery, London. Mit freundlicher Genehmigung Jay Jopling/White Cube **247** Marcel Duchamp, *Mile of String*, 1942 Foto der Installation für die Ausstellung »First Papers of Surrealism«, eine Ausstellung des Coordinating Council of French Relief Societies, New York. © Erben Marcel Duchamp/ADAGP, Paris, und DACS, London 2002 **248** Maurizio Cattelan, *La Nona Ora*, 2000. Teppich, Glas, Wachs, Farbe, lebensgroße Figur. Installation: Royal Academy of Arts, London. Foto Attilio Maranzano. Mit freundlicher Genehmigung Anthony d'Offay Gallery, London **249** Barbara Kruger, *Ohne Titel*, 1991. Mixed media. Mit freundlicher Genehmigung Mary Boone Gallery, New York. Foto Zindman/Freemont **250** Claude Simard, Installation in der Jack Shainman Gallery, New York 1999. Jack Shainman Gallery, New York **251** Richard Estes, *Holland Hotel*, 1984. Öl auf Leinwand, 114 x 181. Louis K Meisel Gallery, New York. Foto Steve Lopez. © Richard Estes/ VAGA, New York/DACS, London 2002 **252** John Ahearn, *Veronica and her Mother*, 1988. Öl auf Fiberglas, 180 x 90 x 90. Contemporary Realist Gallery, San Francisco. Mit freundlicher Genehmigung Alexander and Bonin, New York **253** Chuck Close, *Mark*, 1978–79. Acrylfarbe auf Leinwand, 274,3 x 213,4 Privatsammlung, New York. © Chuck Close **255** Ron Herron, *The Walking City Project*, 1964 **256** Ausstellung in der Galerie Jean Fournier, 15.–22. April, 1971, bei der im Sommer 1970 geschaffene Werke von Dezeuze, Saytour, Valensi und Viallat ausgestellt wurden. Sammlung Galerie Jean Fournier. **257** Bill Viola, *Nantes Triptych*, 1992. Installation auf drei Bildschirmen mit Projektionen von der Rückseite. Musée des Beaux-Arts de Nantes. Mit freundlicher Genehmigung des Künstlers **258** Nam June Paik, *Global Groove*, 1973. Videoband, Farbe, Ton, 28 Min. Reproduktion mit freundlicher Genehmigung Nam June Paik und Holly Solomon Gallery **259** Tony Oursler, *The Influence Machine*, 2000. Installation. Foto: Aaron Diskin/Mit freundlicher Genehmigung des Public Art Fund. Mit freundlicher Genehmigung des Künstlers und Metro Pictures. **260** Walter De Maria, *The Lightning Field*, 1977. 400 Edelstahlpfähle mit massiven Spitzen, rechteckig in gleichmäßigem Raster angeordnet, 1,6 x 1 km, Catron County, Neu Mexiko. Mit freundlicher Genehmigung Dia Center for the Arts. Foto John Cliett **261** Robert Smithson, *Spiral Jetty*, 1970. Felsgestein, Erde und Salzkristalle, 457,2 x 3,81 m. Inzwischen untergegangen. © Estate of Robert Smithson/VAGA, New York/ DACS, London 2002 **262** Christo und Jeanne-Claude, *Wrapped Coast, Little Bay, Australia*, 1969. 1000 m² verwitterungsfester Stoff und 58 km Polypropylenseil. Die Küste blieb10 Wochen, vom 28. Oktober 1969 an, verhüllt, dann wurden alle Materialien entfernt und der ursprüngliche Zustand wiederhergestellt. Foto Harry Shunk. © Christo 1969 **263** Richard Serra, *Tilted Arc*, Federal Plaza, New York, 1981. Cortenstahl 366 x 3658 x 6. Mit freundlicher Genehmigung The Pace Wildenstein Gallery, New York. © ARS, NY, und DACS, London 2002 **264** Claes Oldenburg und Coosje van Bruggen, *Batcolumn*, 1977. Stahl und Aluminium mit Polyurethanemail gestrichen, 29,46 x 2,97 m Durchmesser an der Basis 1,22 x 3,05 m Durchmesser. Harold Washington Social Security Center, 600 West Madison Street, Chicago © Claes Oldenburg. All Rechte vorbehalten **265** Daniel Buren, *Deux Plateaux*, 1985–1986. 260 frei stehende Säulen aus Beton und Marmor von verschiedener Höhe, Lichter und aufstei-

gender künstlicher Dunst. Palais Royal, Paris. © ADAGP, Paris, und DACS, London 2002 **266** Mario Merz, *Iglu*, 1984–1985. Fensterglas, Stahl, Drahtnetz, Plexiglas und Wachs, 100 x 250 x 300. The Gerald S. Elliott Collection of Contemporary Art. **267** Michelangelo Pistoletto, *Goldene Venus der Lumpen*, 1967–1971. Beton mit Glimmer und Lumpen, 180 x 130 x 100. Mit freundlicher Genehmigung des Künstlers **269** Hans Haacke, *Die Freiheit wird jetzt einfach gesponsert – aus der Portokasse*, 1990. Ausgestellt bei Die Endlichkeit der Freiheit DAAD, Berlin, 1990. Mit freundlicher Genehmigung John Webber Gallery, New York. Foto Werner Zellien. © DACS 2002 **270** Charles Moore, *Piazza d'Italia*, New Orleans, 1975–1980. Foto Moore/Andersson Architects, Austin, Texas **271** Cindy Sherman, *Ohne Titel # 90*, 1981. Farbfoto, 61 x 121,9. Edition der 10. Sammlung der Künstlerin. Mit freundlicher Genehmigung der Künstlerin und Metro Pictures, New York **272** Judy Chicago, *The Dinner Party*, 1974–1979. Mixed media 146,3 x 12,8 x 91,4 m. Foto © Donald Woodman. © Judy Chicago 1979 **273** Ettore Sottsass. *Bücherregal Carlton*, Memphis, 1981. HPL Printlaminat. Foto Aldo Ballo **274** Piano und Rogers, Centre Georges Pompidou, Paris 1971–1977. Foto © AISA-Archivo Iconográfico, Barcelona **275** Foster und Partners, Verwaltungsgebäude der Hong Kong and Shanghai Banking Corporation, 1979–1986. Foto Ian Lambot **276** Anselm Kiefer, *Margarethe*, 1981. Öl und Stroh auf Leinwand, 280 x 380. Mit freundlicher Genehmigung Anthony d'Offay Gallery, London **277** Gerhard Richter, *Abstraktes Bild* (860-3), 1999. Öl auf Leinwand, 102 x 82. Sammlung des Künstlers. © Gerhard Richter **278** Anish Kapoor, *1000 Names*, 1982. Mixed media, Pigment. Privatsammlung. **280o** Eric Fischl, *Bad Boy*, 1981. Öl auf Leinwand, 168 x 244. Privatsammlung. Mit freundlicher Genehmigung Mary Boone Gallery, New York **280u** Jenny Saville, *Branded*, 1992. Öl auf Leinwand, 213,4 x 182,9. The Saatchi Gallery, London **281** Jeff Koons, *Two Ball 50/50 Tank*, 1985. Glas, Eisen, Wasser, Basketbälle, 159,4 x 93,3 x 33,7 (62 ³/₄ x 36 ¹/₄ x 13 ¹/₄). Foto Mit freundlicher Genehmigung Ex-Saatchi Collection. © Jeff Koons **282** Künstler der Transavanguardia. Foto von links nach rechts: Sandro Chia, Nino Longobardi, Mimmo Paladino, Paul Maenz, Francisco Clemente und seine Frau, Wolfgang Max Faust, unidentifiziert, Fantomas, Gerd de Vries, Lucio Amelio **283** Enzo Cucchi, *Un quadro di fuochi preziosi*, 1983. Öl auf Leinwand mit Neon, 298 x 390. The Gerald S. Elliott Collection of Contemporary Art. Mit freundlicher Genehmigung der Galerie Bruno Bischofberger, Zürich **285** Christian Marclay, *Guitar Drag*, 2000. DVD Projektion mit Ton, Laufzeit 15 Minuten. Mit freundlicher Genehmigung Paula Cooper Gallery, New York **287** Jake Tilson, ausgewählte Bilder von *The Cooker*, 1994 – (www.thecooker.com). Mit freundlicher Genehmigung Jake Tilson http://www.thecooker.com **288** Olia Lialina, *My Boyfriend Came Back From the War*, 1996 (www.teleportacia.org/war).

Register